BEITRÄGE ZUR NEUEREN LITERATURGESCHICHTE

DRITTE FOLGE · BAND 30

JÜRGEN ROTHENBERG

GOTTFRIED KELLER

Symbolgehalt und Realitätserfassung seines Erzählens

HEIDELBERG 1976

CARL WINTER · UNIVERSITÄTSVERLAG

CIP-Kurztitelaufnahme der Deutschen Bibliothek

Rothenberg, Jürgen

Gottfried Keller: Symbolgehalt u. Realitätserfassung seines Erzählens. — Heidelberg: Winter, 1976.
(Beiträge zur neueren Literaturgeschichte: Folge 3; Bd. 30)

ISBN 3-533-02534-9 kart.
ISBN 3-533-02535-7 Lw.

ISBN 3-533-02534-9 kart.
ISBN 3-533-02535-7 Lw.

Imprimé en Allemagne · Printed in Germany
Satz und Druck: Carl Winter Universitätsverlag, Abteilung Druckerei, Darmstadt

INHALT

A. EINLEITUNG

ZUM GEGENWÄRTIGEN STAND DER REALISMUS-FORSCHUNG

Nicht einmal der Ausdruck ›realistisch‹ sei eindeutig — diesem Stoßseufzer begegnet man ausgerechnet im Nachwort eines Buches[1], das die Problematik des literarischen Realismus wie kein anderes zum Gegenstand hat und damit eine Debatte einleitete, die, obwohl inzwischen fast eine Generation hindurch mit immer neuen Argumenten und selten erlebter Leidenschaftlichkeit geführt, bis dato noch zu keinem annähernd befriedigenden Ergebnis hat gelangen können; im Gegenteil läßt sich die Behauptung wagen, es gebe unter Germanisten zur Zeit kaum ein auf hoffnungslosere Weise ›fragwürdiges‹ Epitheton als das des Realistischen. Nun muß dies noch nicht unbedingt ein Grund zur Beunruhigung sein, wenn man daran denkt, wie viele der in unserer Disziplin geläufigen Termini — etwa die Kategorie des ›Romantischen‹ — ähnlich unzureichend fixiert und (quantitativ wie qualitativ) so umstritten sind, daß man sie am liebsten bis auf weiteres von ihrer Funktion als literarhistorische Kennmarken suspendieren möchte. Und doch haftet der definitorischen Crux im vorliegenden Falle etwas Exzeptionelles an insofern, als sie mindestens sosehr der Art und Weise der Beweisführung wie der Schwierigkeit der Sache selbst anzulasten ist. Zwar, das weite Feld des Verhältnisses von Wirklichkeit und Dichtung und seine Bestellung war immer schon aufs engste abhängig von Literaturbegriff und Wissenschaftsverständnis des Fragenden, noch nie aber erschien gerade dieses Terrain so offenkundig der Voreingenommenheit und Unduldsamkeit preisgegeben wie heute. Es hängt dies, wie wir meinen, entscheidend zusammen mit dem Tatbestand eines inzwischen vielfältig reduzierten Wissenschaftsbegriffs, dem die Beliebigkeit des Gegenstandes ebenso suspekt geworden ist wie die Schrankenlosigkeit des Fragens oder der Verzicht auf alle utilitaristischen Untertöne. Parteilichkeit wie die Frage nach dem cui bono haben in einem Maße an Boden gewonnen, daß die Wissenschaft von der Literatur sich demgegenüber zunehmend in die Rolle der ecclesia militans gedrängt sieht, in eine Situation, in der es (auch für den einzelnen) zu bekennen und Positionen zu beziehen gilt. Wenn wir uns darum, zu definitorischer Abgrenzung aufgefordert, angesichts eines so brisanten Themas auf das heikle Unternehmen

[1] Erich Auerbach, Mimesis. Dargestellte Wirklichkeit in der abendländischen Literatur, Bern 1946, ^{5}1971. Wenn der Verf. sich schließlich souverän über das mühselige Geschäft des Definierens hinwegsetzt (s. S. 517), dann war es über alle Handicaps einer geistigen Robinson Crusoe-Existenz »hinten, weit, in der Türkei« (Faust I, 862) hinaus der furor philologicus, der ihn den kürzesten Weg zu den Texten suchen ließ.

›Standortbestimmung‹ einlassen, dann in der Weise, daß im folgenden eine Reihe der einschlägigen Beiträge zur Realismus-Diskussion kritisch Revue passieren werden in der Absicht, den jeweils zugrunde liegenden Realismus-Begriff zu prüfen[2] und in Auseinandersetzung damit die eignen Vorstellungen (inhaltlich) zu präzisieren wie (methodisch-theoretisch) auf das erkenntnisleitende Interesse hin durchschaubar zu machen.

1. Erich Auerbach: Realismus im Gefolge historischer Umwälzungen

Fragt man der skizzierten thematischen Engführung entsprechend nach dem Wirklichkeitsverständnis bei Auerbach, so läßt sich zwar expressis verbis keine Definition beibringen, ohne daß darum der (andernorts erhobene) Vorwurf einer ›Realismusforschung ohne Realismusbegriff‹ gerechtfertigt wäre. Realistisch zu schreiben heißt für den Verf. zunächst, den Gedanken der Stiltrennung zu verwerfen, Verzicht zu leisten auf die »klassische Lehre von den Höhenlagen« und deren strikte Unterscheidung, »nach welcher das alltägliche und praktisch Wirkliche nur im Rahmen einer niederen ... Stilart, das heißt ... als grotesk komisch ... seinen Platz in der Literatur haben dürfe« (S. 515); positiv gewendet setzt diese Schreibweise das Prinzip der Stilmischung, d. h. die Wiedergabe von alltäglichen Stoffen und Themen in ernster Tonlage voraus. Eine solche Realistik, basierend auf der literarischen Vereinigung von Ernst und Alltag, mußte mit jedweder klassizistischen Strömung, wie sie im Frankreich des 17. Jahrhunderts ihre historisch reinste Ausprägung gefunden hatte, notwendig in Konflikt geraten. Gegenüber dem ästhetischen Purismus ›klassischer‹ Provenienz erschien ein stilmischender Realismus nicht anders möglich denn als Akt des Protestes und der Auflehnung.

Warum ein derartiger Bildersturm bis ins 19. Jahrhundert hinein auf sich warten ließ, lehrt ein Blick auf die inhaltliche Seite dessen, was nach Meinung des Verf. den Realismus ausmacht: Erster und zugleich einziger Gegenstand mimetischer Kunst ist für Auerbach der Mensch[3], genauer gesagt der geschichtliche Mensch darum, weil Geschichtlichkeit in seinen Augen nahezu gleichgesetzt werden muß mit ›Leben‹ schlechthin: »Nachahmung der Wirklichkeit ist Nachahmung der sinnlichen Erfahrung des irdischen Lebens, zu dessen wesentlichsten Merk-

[2] Auf Gesamtwürdigungen hingegen glaubten wir um so eher verzichten zu dürfen, als die meisten der in diesem Zusammenhang relevanten Arbeiten inzwischen ausführliche Besprechungen erfahren haben. Müßig zu sagen, daß sich die Akzente bei so veränderter Optik verschieben könnten, da jeder der genannten Titel im Detail wie als Ganzes eine Fülle förderlicher Erkenntnisse enthält, die hier notwendig unberücksichtigt bleiben müssen.

[3] Darauf verweist schon die Rezension von Gerhard Hess — Mimesis. Zu Erich Auerbachs Geschichte des abendländischen Realismus. — In: Romanische Forschungen 61, 1948, S. 173—211, dort S. 177 —, womit zugleich die wohl ausführlichste Besprechung des fraglichen Buches genannt ist.

malen ... seine Geschichtlichkeit, sein Sich-Verändern und Sich-Entwickeln zu gehören scheint; mag man dem nachahmenden Dichter noch so viel Freiheit in der Gestaltung einräumen, diese Eigenschaft, die ihr Wesen selbst ist, darf er der Wirklichkeit nicht nehmen« (S. 183). Geschichtlichkeit aber als weltbewegende Kraft braucht das Moment des Großräumigen wie des Massenhaften, bedarf des Gegendrucks sozusagen auf breiter Front, um jene Dynamik, die ihr eigentliches Wesen ausmacht, voll entfalten zu können. »Daß dabei beliebige Personen in großer Zahl auftreten, ist sehr wesentlich; denn nur an vielen beliebigen Personen[4] können solche geschichtlichen Kräfte in ihrer hin- und herflutenden Wirksamkeit lebendig gemacht werden« (S. 47). Geschichte als Lebensstrom, als Massenbewegung daherkommend und dynamische Umwälzungen bewirkend, diese Weltsicht findet ihre Erfüllung im Augenblick revolutionären Umschwungs als der deutlichsten Offenbarung jener »schwer in klare Worte zu fassende[n], aber doch überall wirksame[n] Vorstellung eines unablässig sich selbst webenden, sich selbst erneuernden und in all seinen Teilen zusammenhängenden Weltgrundes ...« (S. 312).

Schneller und gleichmäßiger eintretend als der vergleichbare Vorgang der Reformation, ist die Französische Revolution das erste derartige Massenereignis europäischen Zuschnitts (s. S. 426). Alle Ordnungen und Einteilungen des Lebens entkräftend, wird sie bis in die private Sphäre jedes einzelnen hinein spürbar, bedeutet diese Art der Verstrickung ins Geschichtliche für das Individuum, dem existentiellen Ernst des Lebens unentrinnbar ausgesetzt zu sein, während es aufs Ganze gesehen (von Ausmaß und Intensität, ja Wucht des Geschehens her) überhaupt unmöglich wird, Ereignisse, Schicksale oder Stillagen zu isolieren (s. S. 312)[5]. So muß Realistik fast zwangsläufig aus der Schilderung revolutionärer Vorgänge entstehen in dem Augenblick, in dem ein schriftstellerisches Talent zu den ›Opfern‹ gehört und an seinem wie seiner Mitbürger Schicksal die Brüchigkeit menschlicher Existenz schlechthin erfährt (s. S. 427; 434). Es war Stendhal, der biographisches Betroffensein in dieser Weise paradigmatisch verstand, und mit dessen Schaffen darum der realistische Roman als Zeitroman einsetzt. — Seither hat Frankreich eine zunehmende Entfaltung dieses realistischen Ansatzes erlebt. Während Stendhal zum Teil noch die Einstellung des 18. Jahrhunderts bewahrt, indem er seine

[4] Zwar werden als ›beliebig‹ solche Personen bezeichnet, die, »aus allen möglichen Ständen, Berufen und Lebenslagen stammend, ihren Platz in der Darstellung nur dem Umstand verdanken, daß sie gleichsam zufällig von der geschichtlichen Bewegung getroffen werden und nun genötigt sind, sich in irgendeiner Weise dazu zu verhalten« (S. 47), doch wird rasch deutlich, daß die von Auerbach benötigten Massen letztlich nur in den Mittel- und Unterschichten der Bevölkerung zu finden sind. Der Verf. spricht denn auch wiederholt von geschichtlicher Tiefenbewegung (s. S. 47; 77; 412).

[5] Dagegen ist hoher Stil »nicht fähig und nicht willens, ins Breite oder ins Tiefe [des Alltags und Volkes] zu gehen; er ist zeitlich, örtlich, ständisch beschränkt« (S. 117); das Private bevorzugend statt des Allgemeinen, löst er Einzelpersonen aus dem Zusammenhang, um sie isoliert von der Umgebung darzustellen (s. S. 363).

Figuren Individuen, ja Helden sein läßt, wird Realismus bei Flaubert zunehmend unpersönlich, unparteiisch, d. h. versachlicht (s. S. 449). Indes die Goncourts vor allem theoretisch Ernst machen mit dem Recht, »einen jeden Gegenstand, selbst den niedrigsten, ernsthaft zu behandeln« (S. 462), faßt Balzac den Zusammenhang des Menschen mit seinem zeitgeschichtlichen und gesellschaftlichen Umfeld als notwendig auf (s. S. 440), handelt es sich bei seiner Art von Stilmischung »um eine als dämonisch-organische Ganzheitsvorstellung empfundene, durchaus mit suggestiven und sinnlichen Mitteln dargestellte Einheit eines bestimmten Lebensraumes« (S. 439).

Formal das Prinzip der Stilmischung, inhaltlich der Mensch, verstanden als geschichtliches Wesen in Augenblicken existentieller Bedrohtheit, dies sind nach Auerbach die wesentlichsten Voraussetzungen wenn nicht für das Auftreten eines jeden literarischen Realismus, so doch zumindest seiner ›modernen‹ Spielart. Denn es bleibt nachzutragen, daß das Phänomen ›Realismus‹ an sich durchaus kein neuzeitliches Spezifikum ist, vielmehr wesentlich früher auftreten kann, dann freilich unter vergleichbaren Begleitumständen, als Aufbegehren nämlich gegen die klassizistische Kunstanschauung der Antike. Erstmals ereignet sich ein solcher Einbruch in die Theorie der Stiltrennung im Gefolge des Christentums. Es war die Geschichte Jesu »mit ihrer rücksichtslosen Mischung von alltäglich Wirklichem und höchster, erhabenster Tragik«, deren künstlerische Adaption die früheste Handhabe bot, die antike Stilregel zu überwältigen (S. 516). Realismus erscheint demnach möglich bereits im Mittelalter, genauer gesagt in dem Augenblick, da christliches Denken unterstützt wird »von der Sinnlichkeit noch unzermürbter Völker...« (S. 77).

Gemeinsam ist beiden Erscheinungsformen die kompromißlos stilmischende Tendenz, desgleichen eignet der christlichen Variante bereits etwas von der später so ausgeprägt vorhandenen »Tiefensicht in das Werdende« (S. 77)[6]; andererseits wird gerade im Blick auf die historische Komponente auch der Unterschied deutlich zwischen mittelalterlicher und moderner Ausprägung: Geschichte ist nach christlichem Verständnis vor allem Heilsgeschichte, und wenn auch ihr Inhalt, die Passion Christi, Realismus evoziert, insofern die Welt von diesem Ereignis her in sozialer Bewegtheit gesehen wird (s. S. 25; 46), so ist diese Realistik doch wieder begrenzt durch den Umstand, daß nach christlicher Wirklichkeitsanschauung »ein auf Erden geschehener Vorgang ... nicht nur sich selbst, sondern zugleich auch einen anderen [bedeutet], den er verkündigt oder bestätigend wiederholt« (S. 516). Auerbach nennt diesen Realismus seines (personalen) Verweisungscharakters wegen ›figural‹, eine Definition, die nichts anderes als eine Einschränkung des Mimetischen impliziert, und dies gleich in zweifacher Hinsicht: Einmal ist die

[6] Dies Verbindende erscheint in der Optik von Clemens Heselhaus — Das Realismusproblem. — In: Begriffsbestimmung des literarischen Realismus, hrsg. v. Richard Brinkmann, Darmstadt 1969, S. 337—64 — allzusehr übersehen (s. S. 349/50).

figurale Anschauung nicht auf jedes beliebige Ereignis ohne weiteres übertragbar (s. S. 77), zum andern hat die Überbetonung der Vertikalen eine Vernachlässigung der horizontalen Komponente, des Wirklichen also und seiner Textur, notwendig zur Folge. Zwar gehören alle ›Momentaufnahmen‹ christlicher Realistik »in einen weltgeschichtlichen und weltgeschichtsdeutenden Zusammenhang« (S. 19), aber das Dargebotene bleibt doch merkwürdig zerstückelt, für den modernen Leser zumal ergibt sich eine auffällige, nicht selten störende Abgerissenheit biblischer Texte. — Die Verknüpfung im Bereich des Faktischen angehend, sind die Beispiele christlichen Realismus' selbst den meisten antiken Texten unterlegen, die ihrerseits ausgeformte, gleichmäßig belichtete, örtlich wie zeitlich bestimmte und lückenlos im Vordergrund miteinander verbundene Erscheinungen bieten. Was den ›heidnischen‹ Vorlagen dagegen abgeht, ist der Sinn für das Historische. Statt dessen hat die Antike, so Auerbach, eine durch nichts zu überwindende Aversion gegen alles in der Tiefe sich vollziehende Werden (s. S. 41), und diese Grenze ihres Geschichtsbewußtseins ist zugleich auch die Grenze ihres Realismus (s. S. 37). In der Praxis bedeutet dies, daß das höchste erreichbare Wirkliche zwar die Schilderung alltäglichen Milieus mit umschließt, aber um den Preis des Komischen (Petron) oder zumindest des häuslich Idyllischen (Homer).

Damit ist auch schon erklärt, wieso das 18. Jahrhundert lediglich als Vorstufe des eigentlich realistischen Säkulums aufgefaßt werden kann (s. S. 515). Zwar kennt speziell die Literatur der Aufklärung durchaus realistische Züge, doch sind diese Ansätze entweder idyllisch, moralistisch oder lehrhaft[7], und mit allen diesen Kennzeichnungen wesentlich statisch geraten. Für Deutschland kommt überdies ein (gattungsbedingtes) Moment des gefühlsbetont Privaten hinzu (s. S. 405 ff.): Im bürgerlichen Trauerspiel (Beispiel »Luise Millerin«) existiert Gesellschaft nicht als geschichtliches, sondern lediglich als moralisches Problem, treten Tugenden und Laster (des einzelnen) an die Stelle von Geschichtsfaktoren, so daß Kritik an der Gesellschaft sowenig wie in der Antike je »zu einer Aufdeckung der sie bewegenden Kräfte führt« (S. 35). Schiller, der seine Figuren zwar wissen läßt, wogegen sie zu sein haben, nicht aber, wofür sie eintreten könnten (s. S. 409), stellt in dieser Hinsicht schon das Äußerste an zeit- und problembewußtem Verhalten dar. Nach seinem Musikus Miller aber gibt es keinen Versuch mehr, »ein mittleres bürgerliches Milieu der Gegenwart auf dem Grunde eines aktuellen gesellschaftlichen Zustandes ... [ernst] zu fassen« (S. 411). Symptomatischer scheint vielmehr Goethes (aristokratische) Abneigung gegen alles Geschichtlich-Revolutionäre als den »Keim werdender und zukünftiger Gestaltungen ...«

[7] Moralismus und Didaxe werden vom Verf. weitgehend als Synonyma verstanden; die gemeinsame Affinität zum Statischen ergibt sich von der Funktion her, die man am ehesten mit dem Einüben systemkonformen Verhaltens umschreiben könnte. — Darüber hinaus hat die Aufklärung bei Auerbach insgesamt eine schlechte Presse darum, weil sie mit Betonen des rational-vernünftigen Elementes notwendig in Gegensatz geraten muß zum dynamisch-irrationalen Gang der Geschichte.

(S. 419). — Eine solche Geringschätzung der literarischen Szene zwischen 1750 und 1790 ist zumindest in dieser globalen Undifferenziertheit erstaunlich, da doch der Boden für eine Entwicklung hin zu realistischer Darstellung der Wirklichkeit überall da bereitet schien, wo der Einfluß des klassischen französischen Stils nicht übermächtig geworden war (s. S. 405). Erst recht muß dies Urteil des Rückständigen in der speziellen Applikation auf deutsche Verhältnisse befremdlich wirken, sobald man sich daran erinnert, daß das gleiche Deutschland der zweiten Hälfte des 18. Jahrhunderts als die Wiege des Historismus gilt, jener geistigen Strömung also, die nach Meinung des Verf. die conditio sine qua non abgibt für das Auftreten eines jeden modernen Realismus (s. S. 412/13). Auerbach selbst spricht denn auch von Paradoxie (s. S. 412), und er hat, dies Paradoxon zu erklären, eine im wesentlichen soziologische Auskunft zur Hand: die räumliche wie geistige Enge (s. S. 405 ff.) der Verhältnisse, für die schon Schillers Biographie und Schaffen bezeichnend waren. Da diese objektiven Gegebenheiten[8] die nächsten Generationen hindurch unverändert gültig bleiben, verbleiben auch »die bedeutendsten Werke, die überhaupt Gegenstände der zeitgenössischen Gesellschaft ernsthaft zu gestalten« versuchten, bis gegen Ende des 19. Jahrhunderts »im halb Phantastischen oder Idyllischen oder doch wenigstens im engen Bezirk des Lokalen; sie geben das Bild des Wirtschaftlichen, Gesellschaftlichen und Poetischen als ein ruhendes« (S. 420/21; vgl. 478/79). Mit andern Worten: Da Auerbach nicht einmal Fontane voll gelten läßt (s. S. 480; 482), gibt es im 19. Jahrhundert ernstlich keinen Realismus deutscher Zunge, eine Feststellung, die über alle bloß literarhistorische Klassifizierung hinaus einer (essentiellen) Deklassierung gleichkommt, zumal sich mit dem Moment des Reaktionären das des (abgestanden) Provinziellen verbindet (s. S. 479).

2. *Richard Brinkmann: Wirklichkeit als Illusion*

Obwohl nicht diskriminierend gedacht (s. S. 479), wurde Auerbachs Einwand bezüglich des nicht oder nicht genügend vorhandenen Realismus der deutschen Literatur von seiten der Fachwelt doch durchweg so empfunden[9]. Da war auch wenig

[8] historisch-politische Faktizität immerhin anstelle mangelnden geschichtlichen Bewußtseins. — Dessen Fehlen freilich führt zu ähnlichen Folgeerscheinungen wie schon in der Antike: Während die dort beheimateten Texte lediglich Gegenbeispiele abgeben zu den eigentlichen Demonstrationsobjekten, werden die aus dem 16. und 18. Jahrhundert vorgelegten Proben allenfalls als Vorformen realistischen Erzählens verstanden. Gegen diese Bewertung haben die Altphilologen ebenso heftig protestiert, wie die Germanisten gegen die Geringschätzung ihrer nationalen Literatur seit Lessing zu Felde gezogen sind; mit dem Effekt, daß ein gut Teil aller Diskussion, statt auf Argumente und Definitionen des Verf. Bezug zu nehmen, sich in (wenig förderlicher) Polemik gegen die Textauswahl erschöpfte.

[9] Auch die ausdrückliche Gegenversicherung des Verf. — Epilegomena zu »Mimesis«. — In: Romanische Forschungen 65, 1953/54, S. 1—18 —, verbunden mit dem Bekenntnis, er lese zu

trostreich, daß es einen methodischen Ansatz gab, der zu gänzlich anderslautenden Ergebnissen gelangte und schon im Titel »Deutsche Realisten des 19. Jahrhunderts«[10] versprach, im Gegenteil. Zumindest seit der Arbeit von Richard Brinkmann[11] sind mit der marxistischen Position[12] alle jene Realismus-Auffassungen suspekt, die, lediglich von den Inhalten her argumentierend, entsprechend der Vielzahl möglicher Stoffe und Themen, in der Vergangenheit zu immer neuen teils differierenden, teils einander gar aufhebenden Definitionen gekommen waren. So gesehen darf die diametrale Gegensätzlichkeit der Konklusionen bei Auerbach und Lukács[13] als typisch gelten für das Dilemma einer immer wieder versuchten objektorientierten Bestimmung des Realismusbegriffs, wie sie nun den Anlaß liefert zu grundsätzlicher definitorischer Besinnung, den Antrieb auch zu dem Versuch einer Neubegründung des umstrittenen Terminus auf struktureller Basis. Dabei kann sich der Begriff des literarischen Realismus nach Meinung des Verf. »zu allererst nur beziehen auf die Strukturformen der Dichtung selbst«, nicht aber darauf, »daß gewisse Gegenstände und Motive, bestimmte Bereiche der Welt und des Lebens in der Dichtung ›vorkommen‹, ›dargestellt‹ werden«[14]; Gegenstand der Untersuchung sind statt dessen »die Formen, in denen die Dichtung die Wirklichkeit der ›dargestellten‹ Welt eben als ihre, der Dichtung eigene Wirklichkeit auferbaut« (S. 79).

Geht man diesen Strukturmerkmalen nach — Brinkmann tut das an drei exemplarischen Beispielen —, dann ergibt sich ein zunehmender Perspektivismus

seinem privaten Vergnügen Goethe, Stifter und Keller weitaus lieber als die Franzosen (s. S. 13 ff.), hat hier wenig geändert und nicht verhindern können, daß die einschlägige Sekundärliteratur zum 19. Jahrhundert nachgerade einer Art Auerbach-Trauma erlegen ist, einer Haltung, die sich in beständig wiederholten und keineswegs immer seriösen Rechtfertigungsversuchen äußert.

[10] Essaysammlung von Georg Lukács, Bern 1951.

[11] Wirklichkeit und Illusion. Studien über Gehalt und Grenzen des Begriffs Realismus für die erzählende Dichtung des 19. Jahrhunderts, Tübingen 1957, ²1966.

[12] Natürlich soll hier nicht einer Gleichsetzung der soziologischen Methode marxistischer Spielart mit den Schriften von Lukács das Wort geredet werden; dennoch wird seine Arbeitsweise mindestens bis in die 50er Jahre hinein als methodologisch repräsentativ gelten dürfen. — Sofern sie die jeweils bestehenden (oder notfalls postulierten) sozialen Verhältnisse als (einzig) ›realistisch‹ ansieht und darüber die Welt der realen Gegenstände wie (vor allem) die Art und Weise ihrer Darstellung zunehmend vernachlässigt, ergeben sich zwischen dieser Ausgangsposition und unserm Realismusverständnis so gut wie keine Berührungspunkte.

[13] Einig sind sich beide Verf. dagegen in puncto ›Rückständigkeit‹ der sozial-politischen Verhältnisse in Deutschland. Diese Gemeinsamkeit des Ausgangspunktes, verbunden mit der Betonung des Realismus als einer sozialen Tiefenbewegung, hat vielfach (übrigens auch bei Brinkmann, s. S. 71 ff.) dazu geführt, Auerbach in die Nähe marxistischer Literaturbetrachtung zu rücken. Er selbst hat sich gegen derlei Vereinnahmungsversuche strikt verwahrt (›Epilegomena‹, a. a. O. S. 13), mit Recht, wie wir meinen, da sein Geschichtsinteresse zunächst und vor allem poetologisch akzentuiert erscheint.

[14] Eine solche Auffassung lehnt Brinkmann später als oberflächlich ab (s. S. 91).

des Erzählens bei gleichzeitiger Zurücknahme der Position des allwissenden Erzählers: Auf den »Einbruch der Subjektivität« (S. 87) folgt die »Verwirrung« von Objektivem und Subjektivem (S. 145), das Ergebnis aber ist »das subjektive Erleben, die subjektive Erkenntnis, der subjektive Trieb ... [als] das einzig Objektive« (S. 298). Je stärker das Bemühen um Objektivität (der Anschauung und Wiedergabe), desto größer die Diskrepanz zwischen Absicht und Ergebnis. Am Ende der Suche nach Wirklichkeitstreue steht nicht etwa das Eingeständnis der Vorläufigkeit und Relativität des Erreichten, sondern die Einsicht, daß das Tatsächliche zu »begreifen und dar[zu]stellen« ist »nur als subjektive Illusion ...« (S. 314), wobei »an die Stelle der Tatsachen die Vorstellungen des Verstandes von dieser Wirklichkeit« treten (S. 211). — Es ist die Radikalität derartigen Befundes, die behauptete Auflösung aller anvisierten Gegenständlichkeit ins letztlich Chimärische, die es nötig macht, noch einmal auf den Ansatz des Buches zu rekurrieren. Dabei ergibt sich, daß der Verf., indem er über das Verhältnis von Wirklichkeit und Dichtung zurückfragt nach den Möglichkeiten und Bedingungen der Erkenntnis von Realität überhaupt, weniger philologische als vielmehr erkenntnistheoretische Exerzitien betreibt. Wenn er dabei die vor- und außerdichterische Wirklichkeit nicht als klare Sache voraussetzt (s. S. 310), vielmehr auf die subjektiven Bedingungen unserer Erkenntnis abhebt, wird man seine Position (innerhalb der letztgenannten Disziplin) annäherungsweise als die eines Idealisten[15] oder Skeptizisten umschreiben dürfen.

Die Kritik hat den letztlich philosophischen Charakter der Brinkmannschen Argumentation bislang fast stets übersehen[16], obwohl von seiten des Verf. eben hierzu noch am ehesten Einspruch erwartet worden war, der Einwand nämlich, Dichtung systematisch für Erkenntnisse bemüht zu haben, die sie selbst gar nicht mehr beträfen (s. S. XVII). Dabei ist die Beachtung gerade des erkenntnistheoretischen Ansatzes zum Verständnis wie für die Bewertung des Buches unumgänglich. Nicht nur hilft sie manche Merkwürdigkeit der Nomenklatur[17], ja selbst das Eigentümliche der Anlage[18] erklären, entscheidender noch ist das Licht, das von daher auf die (vielgerügte) Auswahl der Texte fällt! Grillparzer, Ludwig, Keyserling — seit jeher hat man moniert, daß mit diesen Namen nicht eben eine über-

[15] Von daher wird deutlich, daß sein Vorbehalt gegenüber Lukács weniger ideologischer als vielmehr philosophischer Natur ist. Er trifft denn auch Marxisten wie Positivisten gleichermaßen (s. S. 68) und Lukács nur stellvertretend für die Wirklichkeitsgewißheit all derer, denen ein für allemal feststeht, was Realität und was Realismus ist.

[16] Mit Ausnahme etwa der Rezensionen von Renate Heuer — Euphorion 53, 1959, S. 467—74, s. bes. S. 467; 470 — oder Gerhard Kaiser — Um eine Neubegründung des Realismusbegriffs. Gedanken zu Richard Brinkmanns »Wirklichkeit und Illusion«. — In: Begriffsbestimmung des literarischen Realismus, hrsg. v. R. Brinkmann, Darmstadt 1969, S. 236—58, dort S. 244/45 —, wobei zu sagen ist, daß auch hier keine andern als allenfalls negative Folgerungen gezogen werden.

[17] dazu Heuer, a. a. O. S. 467.

[18] über die Heselhaus (a. a. O. S. 351) sich verwundert.

zeugende Repräsentanz der realistischen Epoche gegeben sei. Dagegen läßt sich, dem Verf. folgend, nunmehr einwenden, daß, wenn es keinen Realismus im herkömmlichen Sinne gebe, wenn jeder Versuch, Wirklichkeit objektiv zu erfassen und im Kunstwerk wiederzugeben, in Perspektivismen endet, es letztlich gleichgültig sein muß, welchen Text man zugrunde legt, es sei denn, es käme (speziell) darauf an, bestehende graduelle Unterschiede hervorzukehren, um so den behaupteten illusionistischen Zug besonders eindrucksvoll zu belegen. In dieser Hinsicht dürfen die gewählten Beispiele in der Tat exemplarisch genannt werden insofern, als sie das Hervortreten des Subjektivismus auf allen Ebenen bezeugen, Subjektivität über die Erzählperspektive hinaus auch noch zum Inhalt[19] haben (s. S. 144); womit sie jenen Stilzug sozusagen in Reinkultur dokumentieren, der zwar nicht der einzige (s. S. X), wohl aber der die Epoche bestimmende genannt wird (s. S. XI). — Es waren die nämlichen Gründe (Fragen nach Signifikanz und hinreichender Deutlichkeit in zeittypischem Sinne), die den Verf. bewogen, die Gruppe der kanonisierten Realisten (Keller, Raabe, Fontane) gerade nicht zur Grundlage seiner Überlegungen zu machen. Einmal haben sie, anders als die genannten Autoren, die entschiedene Subjektivierung der Wirklichkeit, ihre Reduzierung auf das erlebende Subjekt intellektuell, als Bewußtseinsakt (noch) nicht vollzogen, zum andern bleiben sie auch in ihren Werken noch immer bestimmten ethischen Normen, d. h. aber einem Rest von Objektivität verpflichtet (s. S. 326). Je mehr ihnen freilich die »Relativität der Wirklichkeitsansicht, der Perspektive der Einzelnen zum Bewußtsein« kommt, desto mehr durchzieht »eine gewisse Skepsis ... die Erzählungen vieler Realisten«, dies um so stärker, »je entschiedener sie den Anspruch einer normativen Ganzheit aufgeben« (S. 327). Es ist dies vor allem der Fall Fontanes, zugleich erwünschte Gelegenheit, zu prüfen, was sich ereignet, wenn Brinkmann die Elle seines Rigorismus an das Werk eines landläufigen Realisten anlegt. Das (nur für den oberflächlichen Leser von »Wirklichkeit und Illusion« überraschende) Ergebnis ist die ›Verbindlichkeit des Unverbindlichen‹[20], eine Formel, hinter der sich nichts anderes verbirgt als die Abwandlung jenes früheren Paradoxons von der Subjektivität als dem einzig verbleiben-

[19] Bei welcher Gelegenheit hervorgeht, daß und wieweit ›Struktur‹ im Brinkmannschen Sinne mehr meint als nur die Summe formaler Gegebenheiten (s. S. 36; 81) oder bloße Erzähltechniken (s. S. 288), vielmehr ein komplexes Phänomen darstellt, das alle Schichten des Kunstwerks (s. S. 143; 196 ff.; 214; 288) einschließlich der gehaltlichen Seite (s. S. 322) erfaßt.

[20] Richard Brinkmann, Theodor Fontane. Über die Verbindlichkeit des Unverbindlichen, München 1967. Fontanes Prinzip, die Welt nicht nur im, sondern als Gespräch zu schildern, enthebt ihn nach Meinung des Verf. der Gefahr, »die eigne Ansicht der Realität«, ungeachtet allen Genauigkeitsstrebens, »als objektive Wirklichkeit auszugeben«; ja, »indem er sich zu dem durch und durch subjektiven Charakter der Wirklichkeit, die er erzählt, bekennt und sie in diesem subjektiven Modus, als subjektiv gedeutete, durchschaubar macht« (S. 181), haben wir es im Gegenteil mit einem Fall von potenzierter Subjektivität (s. S. 185) zu tun, deren Verbindlichkeit sich im gleichen Augenblick ergibt, in dem man sie zur einzigen Möglichkeit künstlerischer Welterfassung überhaupt erklärt (s. S. 184/85).

den Objektiven. Zugleich erweist sich die Hoffnung, bei Behandlung notorischer Realisten möchte mehr und anderes herausspringen als die Bestätigung der Unmöglichkeit, zu objektiver Erfassung der Außenwirklichkeit zu kommen, als trügerisch, während die Forderung, typische Züge des Realismus an typischen Realisten nachzuweisen[21], nach Art eines hermeneutischen Kuriosums behandelt und als letztlich gegenstandslos abgetan wird.

Sowenig demnach, zumindest aus der Sicht des Verf., gegen dessen Textauswahl vorzubringen ist, sowenig läßt sich im Grunde über das Fazit des Buches rechten, wonach das Bemühen um objektive Erfassung der Wirklichkeit im ganz und gar Illusionären ende. Die Frage bleibt nur, was das beweist, ob bei allen logischen Zwängen, denen Texte (wie Leser) hier unterworfen werden, am Ende ein Zuwachs erreicht ist an Erkenntnissen, der diese intellektuellen Kasteiungen verlohnt. Und da zeigt sich sehr bald, daß das Buch wenig mehr zu bieten hat als das geistige Porträt seines in grandioser Weise monomanen Verfassers. Denn sowenig die Folgerungen an Evidenz zu wünschen übrig lassen, sosehr sind die Prämissen, auf denen sie beruhen, und hier insbesondere die Gleichsetzung der Epitheta ›objektiv‹ und ›realistisch‹, in höchstem Maße anfechtbar. Wenn irgendwo, dann ist hier der archimedische Punkt gefunden, die Brinkmannsche Gedankenwelt aus den Angeln zu heben: Nur wenn das Realismus-Problem gleichgesetzt wird mit der Frage nach der »›objektiven‹ Wirklichkeit«, d. h. einer unabhängig vom Subjekt tatsächlich existierenden Wirklichkeit »und der Möglichkeit und Art ihrer ›Objektivation‹« im Kunstwerk (S. 58), dann, und nur dann stehen Realismus und Subjektivismus im Verhältnis von Ursache und Folge zueinander, ist die Schlußfolgerung von der ›Wirklichkeit als Illusion‹ zwingend[22]. Aber längst ist zwischenein die Frage akut geworden, wer eigentlich in dieser Weise simplifizierend verfährt; sicher nicht die Realismus-Forschung schlechthin. Der Versuch, die Mehrzahl ihrer Vertreter von Stern bis Lukács auf eine solche Haltung einschwören zu wollen[23], mutet eher an wie die unzulässige Stilisierung eines Gegners, unternommen in der Absicht, ihm pauschal das Verfehlen des Gegenstandes anzulasten (s. S. 58 f.). — Stilisierendes Zurechtrücken bestimmt ferner den Umgang des Verf. mit literarischen Texten: Natürlich ist es falsch, »Realismus mit so etwas wie einem ›Objektivismus‹ gleichzusetzen« (S. 310),

[21] s. Kaiser, a. a. O. S. 253.

[22] Zwar beweist die Forschungsrevue der ersten Buchhälfte einen vielfach inkonsequenten und an terminologischer Laxheit kaum zu überbietenden Umgang besonders der älteren Zunftgenossen mit dem in Rede stehenden Begriff, aber unklares Reden über eine Sache ist eines, die (mögliche) Unklarheit der Sache selbst ein anderes. Im Hinblick auf die (zugegeben schwierige) Nomenklatur unseres Faches bedeutet der Versuch, von der Unzulänglichkeit der Interpreten auf die Unmöglichkeit des Phänomens zu schließen, einmal mehr nichts anderes, als das Kind mit dem Bade auszuschütten.

[23] Häufig genug ist der Terminus ›objektiv‹ gar nicht ausdrücklich nachweisbar; dann rettet der Verf. sich in die Behauptung, die von ihm angeführten Autoren sprächen zumindest der Sache nach davon (s. S. 59).

aber, noch einmal gefragt, wer unter den Realisten des 19. Jahrhunderts tut dies? Das Beispiel Spielhagens[24] ist sowenig folgenreich wie überzeugend. Von seinen namhafteren Schriftsteller-Kollegen mehr belächelt denn als Autorität angesehen[25], scheint er erst in unsern theoriebesessenen Tagen eine späte Aufmerksamkeit gefunden zu haben[26], wobei manches darauf hindeutet, als habe der Objektivitätskrampf, den der Verf. diesem seinem Kronzeugen an anderer Stelle[27] nachsagt, ihn am Ende selbst befallen. — Unerachtet solcher Überanstrengung der Objektivitätsproblematik sind die Ergebnisse von »Wirklichkeit und Illusion« mindestens die 60er Jahre hindurch beherrschend gewesen und folgenreich[28] gewiß bis heute. Vielleicht lag dies daran, daß sein Verf., gewollt oder ungewollt, die Handhabe lieferte, zwei der lästigsten Realismus-Thesen gleichzeitig neutralisieren zu können: Akzeptiert man die Formel von der Subjektivität als dem einzig objektiven Strukturprinzip, dann erledigt sich sowohl der Vorwurf eines fehlenden deutschen Realismus wie der alles vereinnahmende Anspruch sozialtheoretisch fundierter Hermeneutik, es gebe auf literarischem Gebiet nichts außer Realistik.

[24] den Brinkmann vor allem der Rigidität und praktischen Unerfüllbarkeit seiner Forderungen wegen zum maßgeblichen Theoretiker des (sog.) Realismus aufgewertet wissen möchte. Im übrigen mangelt es dem Verf. weitgehend an zeitgenössischen Kronzeugen zur Stützung seiner Objektivismus-These, ein Umstand, der das seitens der Kritik mehrfach monierte vage Geraune hinsichtlich der ›realistischen Theoretiker‹ nachträglich verständlich macht. — Wie wenig sich deren (durchaus vorhandene) programmatische Äußerungen (s. dazu schon das Referat über die »Realismus-Anschauung der Realisten« von Clemens Heselhaus, a. a. O. S. 352 ff.) mit den Brinkmannschen Postulaten vereinbaren lassen, zeigt in jüngster Zeit mit wünschenswerter Deutlichkeit die Arbeit von Helmuth Widhammer, Realismus und klassizistische Tradition. Zur Theorie der Literatur in Deutschland 1848—60, Tübingen 1972.

[25] Keller z. B., dem die unbefangene poetische ›Mache‹ über alles aprioristische Spekulieren geht, kann den ›verkehrten Galimathias‹ der Spielhagenschen Romantheorie nicht lesen. Und ähnlich unmutsvoll hat Fontane, seinem ganzen Naturell nach zumindest aller normativen Poetik abhold, auf derartige Verbotstafeln reagiert und sich insbesondere dezidiert gegen die Forderung nach Zurücktreten des Erzählers — für ihn die ›reine Quackelei‹ — ausgesprochen.

[26] Im Brinkmannschen Sinne bei Winfried Hellmann — Objektivität, Subjektivität und Erzählkunst. Zur Romantheorie Friedrich Spielhagens. — In: Begriffsbestimmung des literarischen Realismus, hrsg. v. R. Brinkmann, Darmstadt 1969, S. 86—159 —, der die angestrebte ›objektive‹ Erzählweise des Unwahr-Unlogischen, d. h. der Verschleierung einer immer schon vorhandenen subjektiven Perspektive bezichtigt, während Günter Rebing — Der Halbbruder des Dichters. Friedrich Spielhagens Theorie des Romans, Frankfurt/Main 1972 — die Überlegungen des Autors »mitsamt ihrem Anspruch auf zeitlose Verbindlichkeit« radikal historisieren (um nicht zu sagen ›privatisieren‹) möchte (S. 209).

[27] Richard Brinkmann, Theodor Fontane. Über die Verbindlichkeit des Unverbindlichen, München 1967, S. 188; 183.

[28] In förderlichem Sinne überall da, wo man in der Folge darangeht, das von Brinkmann hervorgehobene subjektive Moment präziser zu beschreiben. Bei Wolfgang Preisendanz — Humor als dichterische Einbildungskraft. Studien zur Erzählkunst des poetischen Realismus, München 1963 — geschieht dies generell unter dem Aspekt des Humors, während Fritz Martini —

3. *Anti-Realismusforschung bei Walther Killy*

Es war insbesondere Walther Killy[29], der gegen den Vorwurf mangelnder Wirklichkeitsschwere den Vorzug einer besonderen künstlerischen Qualität ins Feld zu führen wußte: In einer derart vom ›Kunstcharakter‹ bestimmten Sphäre ist Wirklichkeit einem Selektions- und Ordnungsprinzip unterworfen, das weder Ding noch Lokalität oder Akteuren verstattet, um ihrer selbst willen dazusein. Nichts ist folglich zufällig, nichts beliebig; noch das unscheinbarste Detail bleibt Zusammenhängen unterstellt (s. S. 27), wobei das schließlich erreichte (Kunst-) Ganze sich als sinnstiftend erweist, die zugrunde liegende empirische Realität in der Weise übersteigend, wie das Wahrscheinliche in Richtung auf die Wahrheit transzendiert wird (s. S. 26; 209). Alle diese Kriterien, so muß man folgern, gehen dem Phänomen Realismus, wie Killy es versteht, notwendig ab, so daß dem Realismus-Begriff auf diese Weise ebensoviele negative Eigenschaften zugemutet werden, wie positive Charakteristika für den ›Kunstcharakter‹ reserviert waren. — Mit der Behauptung vom ästhetischen Defizit, das aller mimetischen Dichtung eigne, sind nun lediglich Tendenzen aufgegriffen und systematisiert worden, die schon in den Überlegungen Richard Brinkmanns latent vorhanden waren, dort etwa, wo immer sich als Folge jenes aus erkenntnistheoretischer Naivität erwachsenen Objektivitätsdrangs Brüche in der Erzählstruktur[30] einstellten. Alle derartigen Monita hatten als Anzeichen künstlerischer Schwäche zu gelten, und dies nicht zufällig, sondern konsequent sich ergebend aus dem erstrebten Ziel der objektiven Wiedergabe, so daß die Auswahl des Verf., auch was das Niveau anlangt, den Anspruch erheben durfte, typisch zu sein; wie umgekehrt die Schlußfolgerung erlaubt ist, »daß nicht eben das Streben nach der

Ironischer Realismus: Keller, Raabe und Fontane. — In: Ironie und Dichtung, hrsg. v. Albert Schaefer, München 1970, S. 113—41 — glaubt, das Ironische als eine eigene Tonlage dieses epischen Humors ausmachen zu können (s. S. 120) in der Absicht, die Kunstleistung der Literatur des spätern 19. Jahrhunderts dadurch in differenzierterem Licht erscheinen zu lassen. Hubert Ohl — Bild und Wirklichkeit. Studien zur Romankunst Raabes und Fontanes, Heidelberg 1968 — schließlich greift den Brinkmannschen Gedanken des erzählerischen Perspektivismus auf und ergänzt ihn vornehmlich durch die Analyse von Bild- und Symbolqualitäten der genannten Romanciers, wobei auch diese Untersuchungen auf ein Dingfestmachen subjektivistischer Tendenzen hinauslaufen, insofern das Beziehen von Bild und Sinn aufeinander (in der Nachfolge Goethes) nur mehr möglich erscheint über das Hervortreten des vermittelnden Bildner-Subjekts.

29 Wirklichkeit und Kunstcharakter. Neun Romane des 19. Jahrhunderts, München 1963. — Zitiert nach der Taschenbuch-Ausgabe des Vandenhoeck-Verlages: Walther Killy, Romane des 19. Jahrhunderts. Wirklichkeit und Kunstcharakter, Göttingen 1967 (= Kleine Vandenhoeck-Reihe 265 S).

30 Nach Brinkmann bemerkbar an Inkonsequenzen innerhalb der Erzählperspektive bei Grillparzer (a. a. O. S. 130/31), als auffällige Ruhelosigkeit in der Wahl der Mittel bei Otto Ludwig (s. S. 195), als Versiegen jeglichen Bemühens um epische Integration bei Keyserling (s. S. 306/07).

tatsächlichen Wirklichkeit die hohe Qualität der hervorragenden Schöpfungen der Literatur des 19. Jahrhunderts begründet«[31].

Gedanken dieser Art, bei Brinkmann aus der besonderen (erkenntnistheoretisch akzentuierten) Zielsetzung heraus allenfalls nebenher laufend, werden von Killy nunmehr energisch in den Mittelpunkt gerückt, wobei nachzutragen bleibt, daß die aufgeführten Kriterien des Kunstcharakters keineswegs abstrakt hergeleitet, vielmehr anhand der einleitend interpretierten ›Wahlverwandtschaften‹ gewonnen sind[32]. — Nun steht Goethes Alterswerk allenfalls am Eingang eines Jahrhunderts, in dessen Verlauf Entwicklungstendenzen erkennbar werden, die das Erreichen des vom Verf. geforderten Kunstcharakters in zunehmendem Maße erschweren. Die Entwicklung — wie auch Killy sie zugeben muß — ist ganz allgemein gekennzeichnet durch einen stetigen Zuwachs an Realität, und zwar namentlich in historischer, sozialer und psychologischer Hinsicht (s. S. 205). Unter diesen vom Menschen neu eroberten Wirklichkeitsbereichen erweist sich insbesondere das Historische, ästhetisch gesehen, als ein Störfaktor, weil es sich — dem Kunstcharakter zuwiderlaufend — mit dem einzelnen Fall befaßt (s. S. 30), den Menschen in seiner Jeweiligkeit sieht (s. S. 80) und folglich, was Detail wie Handlungsgefüge angeht, zur Unüberschaubarkeit neigt (s. S. 14), ja mit dem Moment des Ungeordneten zugleich dem Zufall Tür und Tor öffnet. Für einen zeitgenössischen Dichter, der auf die geschichtliche Realität (des Augenblicks) verwiesen ist, gibt es darum im Grunde nur ein Auskunftsmittel, das Bemühen nämlich, diese (seine Zeitlichkeit) zu neutralisieren. Zwei Wege bieten sich an: Einmal — wovon noch zu reden sein wird — der Schritt vom Individuellen zum Typischen, das Rekurrieren vom historisch bestimmten auf das zeitlos immerwahre Wesen des Menschen; zum andern der Versuch, die geschichtlich empirische Welt zu verwandeln »in eine möglichst zeitlose Gefühlswelt« (S. 53), die ahistorisch ist weniger im idealtypischen Sinne (Goethes) als durch die Wiederkehr des Immergleichen. Für diese »Emanzipation der Erscheinungen aus den Bedingungen der Geschichte ...« (S. 54) steht das Werk Eichendorffs ein, neben »Die Wahlverwandtschaften« tritt »Der Roman als romantisches Buch«, und dies dort, wo er »so ungeschichtlich ... als nur möglich« ist (S. 41). — Als zwei exemplarische Weisen, der Geschichte erfolgreich zu begegnen, steht dieses Diptychon am Eingang der Killyschen Interpretationsreihe. In der Nachfolge Eichendorffs zeigt

31 Brinkmann, a. a. O. S. 85. — Fontanes Rang etwa erweist sich für den Verf. gerade durch die unnachahmliche Art, in der er die Balance zu halten versteht zwischen dem Subjektiven und dem Objektiven, zwischen ›Fontane-Ton‹ und der Forderung nach Lebensechtheit.

32 Schon bei Brinkmann war ja Goethe — zumindest bis hin zur 2. Auflage (a. a. O. S. XI) —, auch und gerade der Dichter der ›Wahlverwandtschaften‹ (s. S. 291 ff.), ihrer (als ›Objektivität‹ verstandenen) Einheit von Besonderem und Allgemeinem wegen die eigentliche Gegenposition zu den subjektivistischen Bestrebungen der Folgezeit und vom Wirklichkeitszerfall des 20. Jahrhunderts her ein in sentimentalischer Haltung beschworenes, nie mehr erreichtes Ideal (s. S. 320 ff.).

Stifter, Veränderungen verschweigend, in seinen Utopien das Zeitlose vor (s. S. 101), wird Heinrich Drendorf »ohne einen historischen Zusammenhang und außerhalb der Bedingungen einer ›wahrscheinlichen‹ Wirklichkeit dargestellt ...« (S. 54). Zwar verankert Raabe seine Erzählung vom Magister Buchius in der Geschichte (s. S. 148), doch beweist seine Technik der »Geschichtsmischung« (S. 157), mit der immer wieder Gegenwärtiges auf Vergangenes bezogen und relativiert wird (s. S. 152), daß ihm historische Details letztlich gleichgültig sind und er nur zeigen will, wie es immer war (s. S. 150). Noch Fontane, dessen Roman (»Irrungen, Wirrungen«) ein Zeitbild sein möchte (s. S. 197) geschichtlichen Übergangs (s. S. 196), führt diese Forderung aus dem bloß stofflichen Bereich in den (außergeschichtlichen) der Kunst über: In der dauernden »Beziehung der Erscheinungen [– auch der historischen –] auf das Kunstganze des Romans« (S. 209/10) gelingt es ihm, »die geschichtliche Welt in der Kunstwelt aufzuheben ...« (S. 209).

Nun mag eine solche Poetisierung des Geschichtlichen relativ leicht zu erzielen sein in Werken, »denen es nicht um das Vergängliche und schon gar nicht um die Relativität sozialer und historischer Bedingungen geht, sondern um ein Dauerhaftes und immer Gültiges« (S. 58). Killy indes gelingt es, vergleichbar ahistorische Tendenzen auch im außerdeutschen Sprachraum dingfest zu machen, seine These an Beispielen von Dickens, Poe oder Henry James zu erhärten. Indem der Roman so allgemein und über die Sprachgrenzen hinweg Elemente aus Märchen und Sage, Traum und Utopie entlehnt, kommt zuletzt ein ganzer Katalog von ›einfachen Formen‹ zusammen, deren sich die Dichter der Zeit bedienen, um mit ihrer Hilfe, im Rückgriff auf das diesen gemeinsame ›Zeitlose‹, der andrängenden historischen Wirklichkeit ästhetisch Herr zu werden. – Mit dieser ›Internationale‹ der einfachen Formen aber ist Killys Buch zugleich eine Philippika ›contra Auerbach‹. Zwar wird dessen Name nicht ein einziges Mal genannt, getreu der Maxime, wonach direktes Ansprechen bereits ein Zuviel an Faktizität und damit ›Unform‹ bedeutet, doch ist seine Gestalt insgeheim überall gegenwärtig. Und mindestens einmal, im Stendhal-Kapitel[33], wird die These von »Mimesis« direkt angegangen. Man erinnert sich: Mit Stendhals Romanen beginnt für Auerbach die ernste Schilderung erlebter und erlittener Historizität, d. h. aber der moderne Realismus überhaupt. Stendhal als Dichter geschichtlicher Ereignisse – soweit ist Killy einverstanden; indem jedoch alles historisch bestimmte Milieu nur Mittel ist, den Helden zu begreifen (s. S. 66), wird der historischen Wirklichkeit nachhaltig Kunstcharakter verliehen. Zwar liegt die Wahrheit nicht mehr nur oder überwiegend im Ganzen, sondern mehr und mehr auch im Episodischen, der Held freilich steht noch immer im Mittelpunkt, das historische Gemälde gewinnt Leben

[33] Nicht anders ist das Herausstellen der ›Wahlverwandtschaften‹ zu verstehen als ein spezieller Affront gegen Auerbach: Hatte dieser den unbeweglichen geschichtlichen Hintergrund des Buches bemängelt (a. a. O. S. 419), so wird nun eben der Verzicht Goethes auf alles Historische zugunsten des Typischen als das eigentlich Nachahmenswerte und Kunstmeisterliche gefeiert.

erst durch das Individuum. Indem auf so persönlich-subjektive Art verfügt wird »über die Elemente historischer Tatsächlichkeit« (S. 82), ist »das neue historische Bewußtsein« bei Stendhal zugleich »Kunstfähig und kunstwürdig« geworden (S. 58).

Die Zeit verlangt nach Beglaubigung des Erzählten, und so treten neben dem Gesichtspunkt der Historizität psychologische Zusammenhänge in den Vordergrund, gewinnt die Kategorie des Wahrscheinlichen zunehmend an Ansehen[34]. Inhaltlich geht der Trend eindeutig vom Phantastischen weg zum Natürlichen (s. S. 9), und gar keine Frage, daß die Dichter dem Rechnung tragen: Stifters penible Tatsächlichkeit (s. S. 88) etwa ist auch für Killy unbestreitbar, Raabes Schilderung beruht auf soliden Fakten und deren gründlichem Studium (s. S. 148), Fontanes Werk steckt voll von Detail und außerordentlicher Genauigkeit (s. S. 199) usw. Aber das Ergebnis dieses Aufwandes an Präzision fällt, wie schon früher (vgl. p. 12 ff.), negativ aus, das »Bewußtsein ... von Herkunft und Zusammenhang, die Reduktion der Handlungen auf ihre Gründe, der Blick auf Ursachen und Wirkungen im Leben der Menschen einer bestimmten Zeit bringen gerade den Unzusammenhang in den Blick des Lesers ...« (S. 80/81); anstatt ihm festeren Halt zu gewähren, eröffnen sich als Folge des Strebens nach Plausibilität »Abgründe der Ungewißheit« (S. 81). Damit sind wir, auf dem (Um-)Weg über die Geschichtlichkeit, bei der Brinkmannschen Behauptung angelangt, wonach der Wille zur Objektivität zu nichts als dem Gegenteil des Erstrebten führe, nur daß das Gegenteil diesmal nicht Illusionismus heißt, sondern Verrätselung des Lebens, mithin weniger eine Aporie darstellt als vielmehr eine Chance für das eigentlich Poetische. Märchen, Sage, Traum ..., eben noch Vehikel des Ungeschichtlichen, jetzt sind sie die adäquaten Formen zur Erfassung des Rätselcharakters der Wirklichkeit[35].

Nimmt man alle bislang aufgezeigten Kunstleistungen zusammen, dann scheint es, als sei mit der angedeuteten Behandlung des Historischen[36] wie des Psychologischen ein wesentlicher Schritt getan, die empfindlichsten Realitätseinbrüche abzudämmen. Soweit es die quantitative Seite dieses Problems betrifft, findet derartiges Bemühen nachhaltige Unterstützung von der allem Kunstcharakter immanenten Idee strengster Ökonomie hinsichtlich der Übernahme von Faktizität, jenem ungeschriebenen Gesetz, wonach ein Kunstwerk nicht mehr an Wirklichkeit

[34] Auch das Historische ist nun — anders als bei Auerbach — auf Plausibilität hin angelegt.

[35] Erneut geben Eichendorffs Romane den Prototyp ab dieser akausalen Dichtung, indem sie statt des Wirklichen das Rätsel des Wirklichen zum Gegenstand haben (s. S. 51); doch zeigt das Leben sich sphingenhaft auch bei Stifter (s. S. 92) und Dickens (s. S. 108 ff.), Poe (s. S. 135/36), Raabe (s. S. 164) oder James (s. S. 189). Im Offenlassen des Geheimnischarakters erscheint noch Stendhal eher als Romantiker denn als realistischer Dichter (s. S. 74/75). Und sofern sich das Eigentliche des Wirklichen jeder Benennung entzieht, ist ein Hauch von Numinosem verblieben bis auf Fontane (s. S. 206).

[36] Mit ihm entfällt zugleich das Soziale, das sich als geschichtlich bestimmt erweist (s. S. 93).

enthalten darf, als unbedingt nötig ist, »das Netz von Beziehungen auszuwerfen, in welchem eine Ahnung unbegreiflicher Zusammenhänge eingeholt werden kann« (S. 165). Indem er zum Gegenstandsbereich ›Natur‹, d. h. die ›zarteste‹ aller empirischen Realitäten, wählt — in der gereinigten Form der Parklandschaft ein Zugeständnis mehr an den erstrebten Kunstcharakter[37] —, das Ganze, daran er seine Fiktion bindet, überdies beherrscht sein läßt von der Funktionalität der Teile ebenso wie von einem weitgehenden Symbolismus jeglichen Details, wird Goethes Beitrag zur Bemeisterung der Wirklichkeit am Beispiel der ›Wahlverwandtschaften‹ das Prädikat des ›Klassischen‹ zuteil (s. S. 27; 209 u. a.). Nicht anders sind die nachfolgenden Texte (bis hin zu Fontane) bestrebt, den strengen Bedingungen der Kunst (s. S. 25; 29; 33; 104; 158 u. a.) Rechnung zu tragen, ja gerade der letztgenannte Name zeigt, wie sehr sich bis zum Ende des bürgerlichen Zeitalters ein Kunstbewußtsein erhalten hat (s. S. 197; 205; 209 ff.), für das die Gestalt Goethes (noch immer) verpflichtend steht.

Freilich werden, indem Killy historisches Dasein und prosaisches Leben sozusagen in eins fallen läßt (s. S. 14), Kunstcharakter und Historizität von Mensch und Ding zunehmend unvereinbare Widersprüche, erwächst der Problematik des Verhältnisses von Wirklichkeit und Dichtung die entscheidende qualitative Dimension, drängt sich doch von daher die Konsequenz auf, es nicht bei den bisher skizzierten (defensiven) Praktiken des Neutralisierens und Aussparens zu belassen, sondern der Herausforderung durch eine ständig prosaischer werdende Umwelt mit verstärkten poetologischen Aktivitäten zu begegnen, dem Versuch etwa, das historische Moment als die sprödeste Form der Wirklichkeit tunlichst ganz auszumerzen. Im Zuge dieser offensiven Strategie wird Raabe zum eigentlichen Gegenspieler Stendhals. Geschichten ›gegen die Geschichte‹ erzählend (s. S. 17), das historische Bewußtsein immer erneut desillusionierend (s. S. 157), rückt er zum Kronzeugen auf gegen Auerbachs These, wonach Historismus als die Voraussetzung jeglicher (realistischen) Kunst zu gelten habe. Im Eliminieren alles Historischen aber befindet Raabe sich auf dem Wege zur poésie pure. Indem er Symbolik nicht mehr an die Realität knüpft, sondern lediglich an »die dem Kunstganzen eigentümlichen inneren Relationen«, so daß die Bedeutungsträger zuletzt den Charakter von Kunstsymbolen erhalten (S. 154), ist die Nähe der Dichtung zur Abstraktion erreicht (s. S. 165). Ähnliches findet sich in der Künstlichkeit der Traumwelten bei Poe (s. S. 138), wo zwar noch ein fragiler Nexus besteht zwischen Erfahrungsbereich und Traumsphäre, der entscheidende Schritt in Richtung einer Trennung von Wirklichkeit und Kunst aber bereits getan ist (s. S. 142). Bei Henry James schließlich hat die Imagination endgültig gesiegt

[37] Für den ›Wilhelm Meister‹ bietet das Medium Theater Gewähr für die größtmögliche Annäherung von Wirklichkeit und Kunstsphäre (s. S. 104); unter Stifters Händen erscheint das Geschichtliche als das Kunstgeschichtliche (s. S. 94), und selbst bei Stendhal spricht der Zeitgeist (nach Meinung Killys) lediglich durch Bücher, d. h. ästhetisch vermittelt, zum Helden (s. S. 68).

über die Realität: Das Individuum, das die Welt erfährt, ist ausschließlich fiktional, als psychologisches Porträt existent (s. S. 167), es geht nur mehr um das Schicksal des inneren Menschen unabhängig von jeder Außenwirklichkeit (s. S. 188). — Wo die vornehmste Aufgabe der Dichtung darin besteht, von nahezu allem zu abstrahieren, außer vom Menschen selbst — dieser freilich wesentlich aus seinen irdischen Bedingungen gelöst und unmittelbar zu Gott gesehen —, kann es konsequenterweise allenfalls noch ›sogenannte‹ Realisten geben: Im Falle Raabes ist das Schlagwort vom Realismus zunächst fragwürdig geworden (s. S. 150), ehe es sich schließlich als bloße Phrase erweist (s. S. 162); Fontanes Bemühen um genaue Wiedergabe der Sprechweise realistische Intentionen nachsagen zu wollen, hieße nach Killy, ihm einen Tick anhängen (s. S. 198), wie auch die Realien selbst nur vordergründig und scheinbar realistisch fungieren bei diesem Dichter (s. S. 201).

Wieder ist, diesmal bei Gelegenheit der Frage, wie denn Wirklichkeit im Kunstwerk erscheine (s. S. 17), der ursprüngliche Gegenstand des Interesses mit fortschreitender Untersuchung gänzlich abhanden gekommen, ein Byzantinismus, der erklärlich wird erst aus dem Umstand, daß die bei Killy zunächst zu beobachtende ästhetische Indifferenz des ›Materials‹ letztlich auf der Idee einer latenten Kunstfeindlichkeit alles Faktischen beruht. Blickt man im Lichte dieser Prämisse zurück auf die Gesamtanlage des Buches, dann wundert es nicht, daß die einzelnen Kapitel kaum anderes bieten als eine komplette Reihe von Kunstsiegen über einen ungeschlachten Gegner namens ›Wirklichkeit‹, wobei die Triumphe um so glänzender ausfallen, je mehr es den Texten (oder ihrem Interpreten?) gelingt, alle Erdenschwere abzuschütteln, verbliebene Stofflichkeit mit Hilfe formaler Mittel nach Möglichkeit zu entmaterialisieren. Da dies nach Meinung des Verf. die eigentliche Intention ist der namhaftesten Epiker des 19. Jahrhunderts, müßte der Titel seines Werkes exakt ›Kunstcharakter contra Wirklichkeit‹ lauten. Kunstcharakter und Realität als feindliche Größen gedacht, erst dann ist ein Kunstwerk um so besser, je weniger Realität es enthält[38], reagieren Inhalt und Form aufeinander nach dem Vorbild quasi-darwinistischer Verhaltensmuster. — Womit das, was Killy hier betreibt, nichts anderes darstellt als ein Kapitel dezidierter Anti-Realismusforschung. Was ihn darin von seinem Vorgänger Brink-

[38] Daß dies eintrifft, dafür sorgt in erster Linie die Textauswahl des Verf.: Von ähnlich sparsamer Strenge und damit überschaubar gehalten sind nächst den ›Wahlverwandtschaften‹ die erzählten Welten auch der übrigen Autoren, auf Kunst und Natur reduziert im Falle Stifters (s. S. 85), den Zeitraum von vierundzwanzig Stunden nicht überschreitend bei Raabe (s. S. 148), die (handlungsarme) Geschichte einer Seele referierend bei James (s. S. 191; 166). Von Dickens (s. S. 107) wie Fontane weiß Killy Texte beizubringen, die für die (Produktions-)Verhältnisse dieser Dichter straff und ökonomisch genannt werden müssen (s. S. 194). Sein Ideal aber hat er gefunden bei Poe, der den Helden seines Romans in dem isoliertesten Zustand zeigt, der sich denken läßt (s. S. 128), auf dem Meere treibend, weltlos wie Robinson (s. S. 129)!

mann[39] unterscheidet, ist in erster Linie der (entschiedenere) Vortragston, an dessen verändertem Timbre sich der Zugewinn an Selbstbewußtsein ablesen läßt, eines Selbstbewußtseins, das sich nicht mehr lediglich mit der Abwehr unbequemer Positionen (Auerbach) begnügt, vielmehr seinerseits bemüht ist, verlorenes Terrain zurückzugewinnen. Nicht nur gelingt es Killy dabei, aus der Not (Wirklichkeitsarmut) eine Tugend (Kunstcharakter) zu machen und den Vorwurf fehlender Welthaltigkeit in einen Vorzug zu verkehren, indem er seine These in ein internationales Bezugsfeld hineinstellt, verliert der Makel provinzieller Rückständigkeit zugleich seinen spezifisch deutschen Charakter. Vorbehalte gegenüber der Wirklichkeit gibt es nach Killy sozusagen weltweit, und sie sind für gewöhnlich gepaart mit erhöhter künstlerischer Sensitivität, über die zu verfügen in den Augen des Verf. wichtiger ist als alle Eroberung neuer Sachbereiche, die zu entdecken man getrost andern überlassen kann, da ihre Schilderung ohnehin einen Akt ästhetischer Barbarei bedeuten müßte.

*

Realismus als schlechte Ästhetik — was Killy angeht, so war dieser Vorwurf speziell an die Adresse Erich Auerbachs gerichtet, während Brinkmanns pauschale Rüge, die formal-strukturelle Seite der Dichtung vernachlässigt zu haben, alle bisherige Forschung gleichermaßen betraf, wobei diejenigen sich am meisten angesprochen fühlen mußten, die einer möglichst direkten, um nicht zu sagen unvermittelten Übernahme von Realität in Dichtung das Wort geredet hatten. Soziologischer Literaturbetrachtung derart grobschlächtigen Kalibers begegnet (namentlich im letzten Jahrzehnt) eine Realismus-Forschung, die, auf Autonomie der ästhetischen Gebilde pochend, die Frage nach dem Wirklichkeitsgehalt von Literatur meist schroff ablehnt und, wo sie darüber ihr eigentliches Thema aus den Augen verliert, entsprechend (vulgär-)marxistischer Direktheit die Bezeichnung des Vulgärformalistischen verdient hätte. — Eine Verständigung erscheint um so weniger möglich, je mehr die Diskussion sich auch auf nicht-marxistischer Seite zunehmend ideologisch einzufärben[40] und damit weiter zu verhärten beginnt. Der bei Richard Brinkmann neuerdings (s. S. XVIII ff.) zu beobachtende argumentative Gratwandel in Richtung Adorno wirkt in diesem Zusammenhang

[39] dessen Versuchen, die erkenntnistheoretische Crux aller mimetischen Kunstbemühung aufzuzeigen, ebenfalls ein beachtliches Quantum Antirealismus zugrunde liegt.

[40] Kein Wunder, wenn dabei in wachsendem Maße Hegel — dies sowohl als philosophischer wie als ästhetischer Nothelfer — gegen Marx bemüht wird: Schon Brinkmann mißt Hegel, was die spätere ›Problematisierung‹ der Wirklichkeit im 19. Jahrhundert angeht, eine bedeutsame Rolle zu (a. a. O. S. 313); Preisendanz beruft sich auf ihn bei Beschreibung des (prosaischen) Weltzustandes nicht minder wie zu dessen Überwindung mit Hilfe ›objektiven‹ Humors (a. a. O. S. 118 ff.); Killys Begriff des Schönen (a. a. O. S. 13/14) wie das allen Ausführungen zugrunde liegende Menschenbild sind weitgehend idealistischer Ästhetik verpflichtet; Ohl schließlich bemüht Hegel als Kronzeugen zur Präzision seines Romanbegriffs (a. a. O. S. 19 ff.) ebenso wie bei Einführung des Kunstprinzips der ›bewußten‹ Symbolik.

eher bestätigend denn als Gegenbeweis: Zwar ist eine vergleichende Gegenüberstellung der exegetischen Modelle etwa von Lukács und Adorno[41] geeignet, die Entwicklung aufzuzeigen, welche die Soziologie angesichts der Schwierigkeit direkten Nachweises einer Folgewirkung gesellschaftlicher Verhältnisse auf Gehalt und Form des Überbau-Phänomens ›Dichtung‹ bis heute durchlaufen hat; wohl stellt sich bei gleicher Gelegenheit heraus, daß »Wirklichkeit und Illusion« letztlich doch eine Art Realismus offeriert, freilich einen solchen der »geistigen Anführungszeichen«[42]. Wenn sein Urheber dafür allerdings eine Bestätigung in Adornos Überlegungen zu finden meint, dann ist dies nicht mehr als ein erneuter Fall von ›erpreßter Versöhnung‹: Nicht nur sind die Homologien einmal soziologischer, zum andern weltanschaulich-philosophischer Natur und damit zum Vergleich ungeeignet, hinzu kommt, daß das Brinkmannsche Analogon unter absolut negativem Vorzeichen auftritt, das Epitheton ›realistisch‹ mithin nichts anderes besagt, als daß ein literarischer Realismus, gemäß der (behaupteten) atomistischen Zersplitterung des Bezugsobjektes ›Welt‹ eine ›unmögliche Tatsache‹ geworden sei[43]. —

[41] Besonders eindrucksvoll da, wo dieser sich direkt mit den Thesen des Älteren auseinandersetzt und, zu einer Verteidigung von (geschmähter) Avantgarde und Formexperimenten ausholend, deren Realitätsbezug auf strukturaler Basis aufzeigt: Theodor W. Adorno, ›Erpreßte Versöhnung‹. Zu Georg Lukács: ›Wider den mißverstandenen Realismus‹. — In: Begriffsbestimmung des literarischen Realismus, hrsg. v. R. Brinkmann, Darmstadt 1969, S. 193—221.

[42] a. a. O. S. 334. In der Tat erfährt man, daß die »Anstrengung um das objektive Erkennen des Besonderen, Einzelnen ... eine ihrer Ursachen in dem Schwinden des Bewußtseins einer organischen und sinnvollen Ganzheit der Wirklichkeit ...« habe (S. 214), was nichts anderes besagt, als daß sie unabhängig vom Subjekt in der Beschaffenheit der Welt selbst gelegen ist. Schon Grillparzer gehört nicht mehr zu denen, die »an eine ideale Ganzheit glauben können« (S. 303); bei Ludwig ist die »Trennung des Idealen und Realen ... entschieden vollzogen« (S. 304), wird das Ideal nicht einmal mehr »als esoterischer Besitz der Innerlichkeit gefunden ...« (S. 305), während es bei Keyserling einzig noch das Besondere gibt, aber keineswegs mehr »als ›individueller Fall‹ von ›objektiver‹ Realität, sondern als das subjektiv Besondere eines einzelnen Subjekts und seiner Anlagen und Ziele und als eine Summe einzelner Reize« (S. 307). Verlust der ganzheitlichen Sinnbezüge, Individualisierung des Menschen, Atomisierung der Dingwelt als Folge davon, diese Phänomene sind für Brinkmann Voraussetzungen einer Haltung, die das einzelne, da es eo ipso in keinem Zusammenhang mehr steht, nicht mehr über sich hinausweist auf ein allgemein Gültiges, realistisch genau zu erfassen und zu beglaubigen sucht. In diesem Bemühen spiegelt Dichtung nur die weltanschauliche Situation der Zeit. Brinkmann nennt diese Entsprechung, die im Kunstwerk zu beobachtende Subjektivierung als Folge und Vergegenwärtigung der Zeitsituation (s. S. 318/19) realistisch in dem Sinne, daß die »Erzählkunst zwar nicht ›objektiv‹ die vermeintlich ›objektive‹ Tatsächlichkeit« abbildet, wohl aber »›objektiv‹ die Situation des Menschen in der Begegnung mit den neuen Erfahrungen« vergegenwärtigt, »wie sie, auf ihre Weise, Wissenschaft und Philosophie begrifflich zu definieren versuchten« (S. 320). An die Stelle des literarischen Realismusbegriffs — im herkömmlichen Sinne ohne Existenzberechtigung — ist eine veränderte Bestimmung getreten, die auf Seinsentsprechung beruht und darum ontologisch genannt werden müßte.

[43] Demgegenüber räumt der Verf. (a. a. O. S. 334) lediglich ein, daß dieser Realitätsbegriff, bedingt durch die Vielzahl eingrenzender Bestimmungen, zwar einen relativ geringen Geltungsbereich habe, dafür aber den Vorzug beanspruchen dürfe, kritisch reflektiert zu sein.

Als Einzelfall allenfalls ein Akt ironischer Brüderschaft, ist dies unfreiwillige Mißverstehen doch auch wieder symptomatisch für das auf dem Gebiet der Realismus-Diskussion anzutreffende babylonische Sprachengewirr. In weltanschaulich geschiedene Lager zerfallen, dabei untereinander oft heillos zerstritten, gleicht die Realismus-Forschung unserer Tage, mit Schopenhauer zu reden, einem Narrenhaus, in dem jeder dem andern widerspricht und keiner auf die Argumente der Gegenseite hören mag. Nun wäre ein solches närrisches Symposion nicht weiter bedauerlich, ja es ließen sich ihm sogar erheiternde Aspekte abgewinnen, ginge das Gezänk nicht längst in enervierender Weise auf Kosten der Sache selbst; eine Situation, angesichts derer ›Versachlichung‹, d. h. zuallererst: Rückgewinnung des Gegenstandes, als das Gebot der Stunde erscheint.

4. Der Realismus-Begriff als heuristisches Prinzip

Angesichts einer Forschung, die sich seit Jahr und Tag vornehmlich darin erschöpft, allen mimetischen Impetus als Genauigkeitswahn abzutun oder als ästhetische Verirrung zu diskriminieren, scheinen ein paar Bemerkungen über an sich Selbstverständliches geboten: So ist, sofern und solange man sich darüber verständigen kann, daß es sich bei den Gegenständen unseres Fachs wesentlich um Literatur, d. h. um Texte fiktionalen Charakters handelt, die sich durch eben diese Seinsweise von aller sonstigen Wirklichkeit unterscheiden, daran zu erinnern, daß derart grundsätzliche Andersartigkeit nicht nur ein ästhetisches Moment impliziert, sondern auch für den Fall erhalten bleibt, daß Außenwirklichkeit selbst zum Hauptgegenstand dichterischen Interesses aufrückt, ihre Wiedergabe das erklärte Ziel des Erzählens wird. Demnach zeugt es von wenig Konsequenz, das eine (Kunstwahrheit) emphatisch zu bejahen und das andere (Wirklichkeitskunst) hartnäckig zu leugnen, man muß des weiteren, wie Killy dies tut, mimetische Kunst schon sehr in die Nähe von Naturalismus[44] und Determinismus (s. S. 69 f.) rücken, um ihr jede ästhetische Vermitteltheit mit Aussicht auf Erfolg absprechen zu können. — Geht man umgekehrt von der Annahme einer Kunstleistung besonderer Art aus, so würde deren Notwendigkeit — außer in jener bei Killy beobachteten Irritabilität allem Wirklichen gegenüber — plausibel allenfalls auf dem Hintergrund einer tiefgreifenden Entfremdung des (neuzeitlichen)

[44] Eine Art Wiederkehr des Brinkmannschen Objektivismus in literar-historischem (anstatt in philosophischem) Gewande (a. a. O. S. 198; 205); wie denn festzuhalten bleibt, daß Realismus sowohl bei Brinkmann (a. a. O. S. 301) als auch bei Ohl (a. a. O. S. 208) vergleichbaren Mißdeutungen im Sinne eines konsequenten Naturalismus unterliegt. — In diesen Rahmen (unerlaubter Identifikation) gehört ferner die Äußerung von René Wellek — Der Realismusbegriff in der Literaturwissenschaft. — In: R. Wellek, Grundbegriffe der Literaturkritik, Stuttgart (usw.) 1965, S. 161—82 —, wonach alle realistische Theorie, beim Wort genommen, nicht viel mehr sei als schlechte Ästhetik (s. S. 182).

Menschen von seiner Lebenswelt; eine Annahme, die kaum an Wahrscheinlichkeit gewinnt, wenn man bedenkt, daß zwar die ›Störung‹ den Rang einer (doch wohl allgemeinen) Zivilisationskrise erreichen müßte, die therapeutischen Hilfsmittel (Humor, Bildlichkeit, Symbolismus) indes eher ›landsmannschaftliches‹ Gepräge verraten! Wer sich von derartigen Widersprüchen beeindrucken läßt, wird die Vermutung näherliegend finden, das, was der ›Un-Form‹ Realismus gegenüber als spezifische Kunstleistung ausgegeben wird, möchte allen Texten, auch solchen mit mimetischer Zielrichtung, gleichermaßen innewohnen. Womit die intellektuellen Strapazen zu Ehren des ›Kunstcharakters‹ (gleich den Grundsatzdebatten über die Erkennbarkeit des Wirklichen) erneut nicht viel mehr wären als Scheingefechte im Vorfeld der eigentlichen Problematik[45], weniger den Unterschied berührend zwischen mimesis und poiesis als höchstens geeignet, Dichtung von nichtfiktionalen Texten zu sondern. Alle weitergehenden Folgerungen gehören entsprechend in den Bereich der Mystifikation; für bare Münze genommen[46], müßten sie das Ende jeder ernsthaften Realismus-Diskussion bedeuten, Grund genug,

45 Gegenüber dem Brinkmannschen Vorverständnis realistischen Erzählens ist an dieser Stelle auf die Arbeiten etwa von Käte Hamburger zu verweisen, die mit der Betonung der ›epischen‹ Funktion des Präteritums (anstelle des nur temporalen Charakters) längst den Beweis erbracht haben, daß ein (subjektiv-)ästhetisches Moment auch da gewahrt bleibt, wo der Erzähler bis zur Unkenntlichkeit zurücktritt hinter dem (vermeintlich objektiv) Berichteten. — Auch der von Wolfgang Kayser — Entstehung und Krise des modernen Romans, Stuttgart ²1955 — geführte Nachweis einer unabhängig von der Existenz des persönlichen Erzählers unverändert vorhandenen subjektiven Erzählhaltung (s. S. 28) zielt — alle unterschiedliche Auffassung betreffs dessen (fiktiver bzw. funktional erzeugender) Seinsweise einmal abgerechnet — in die gleiche Richtung, beweist den Kunstcharakter noch des augenscheinlich sachlichsten Erzählvortrags. — Statt dessen ist es dem Verf. weniger um die Möglichkeit künstlerisch genauen Erzählens — die er bestreitet — als vielmehr um die damit verbundene Absicht zu tun, die er immer wieder als objektivistisch deklariert, um alsdann die Unerfüllbarkeit solchen Anspruchs konstatieren zu können.

46 Als Apologet von »Wirklichkeit und Illusion« greift Herbert Anton — Mythologische Erotik in Kellers »Sieben Legenden« und im »Sinngedicht«, Stuttgart 1970 — massiv in die gegenwärtige Realismus-Debatte ein. Mit Brinkmann ist er der Meinung, »›daß in der Erzählkunst des sogenannten Realismus die Wirklichkeit erst recht eigentlich problematisch geworden ist‹ und schließlich als ›überkommene realistische Daseinsvorstellung zerfällt‹«, ja er vertritt letztlich die Überzeugung, daß »›Realismus‹ als Begriff der Poetik ein hermeneutisches Mißverständnis« darstelle (S. 17), weshalb sich nicht nur »eine kritische, sondern jegliche Realismusdiskussion« erübrige (S. 18). — Volker Knüfermann — Realismus und Sprache. — In: ZfdPh 89, 1970, S. 235—39 — tritt dafür ein, Realismus als Bezeichnung für ein in irgendeiner Weise ›objektives‹ Entsprechungsverhältnis zwischen Werk und Wirklichkeit ersatzlos zu streichen (s. S. 236/37); noch entschiedener fast glaubt Karl Eibl — ›Realismus‹ als Widerlegung von Literatur. Dargestellt am Beispiel von Lenz' »Hofmeister«. — In: Poetica 6, 1974, S. 456—67 — für die Verwerfung des Realismus-Begriffs als unbrauchbare Leerformel plädieren zu müssen, während Wolfgang Preisendanz — Das Problem der Realität in der Dichtung. — In: Bogawus. Zeitschrift für Literatur, Kunst und Philosophie 9, Münster 1969, S. 3—9 — davon spricht, daß wie das Wirklichkeitsverständnis auch der Realismus-Begriff »völlig perspektiven- und orientierungsbedingt ...« und also wesentlich relativ aufzufassen sei (S. 5).

ihnen ein energisches Bekenntnis zum literarischen Realismus als Kunststil entgegenzuhalten!

Mimetischer Impetus schließt den Kunstcharakter schon deshalb nicht aus, weil die Aufnahme von Realität in Dichtung niemals in wissenschaftlich objektiver Weise geschieht, vielmehr immer Wirklichkeit ist, gesehen durch ein (so künstlerisches wie unverwechselbar privates) Temperament. Nimmt man diese Einschränkung ernst, dann impliziert sie die Anerkenntnis der Freiheit der Stoffwahl[47] ebenso wie die Verfügbarkeit über den Einsatz der Darstellungsmittel, dichterische Autonomie also hinsichtlich des Was und Wie. Rein hypothetisch zumindest ist der Fall denkbar, daß zwei zeitgenössische Schriftsteller unabhängig voneinander ein und dasselbe Sujet in jeweils realistischer Manier aufgreifen, ohne daß die Kunstprodukte am Ende identisch miteinander sein müßten; vielmehr würden die Ergebnisse mit großer Wahrscheinlichkeit (innerhalb einer gewissen Bandbreite) voneinander abweichen darum, weil Subjektivität nicht allein ein zulässiger, sondern darüber hinaus ein untrennbarer Bestandteil aller Aufnahme von Wirklichkeit in Dichtung ist. Nicht Realismus oder Subjektivität heißt folglich die Alternative, was einander ausschließt, ist lediglich Mimesis und jede Form von Subjektivismus. Demnach gilt die Frage gar nicht der Zulässigkeit, sondern einzig dem erlaubten Maß an Subjektivität. Es geht darum, die Grenze auszuloten, bis zu der die nicht zu leugnende und von niemand ernsthaft geleugnete Subjektivität aller Wirklichkeitsaufnahme und -wiedergabe gehen darf, ohne den Anspruch des Realistischen zu verlieren.

Dabei wird erkennbar, daß die Freiheit hinsichtlich der Wahl von Sujet und Machart nicht absolut zu verstehen ist, vielmehr ihr Korrektiv erfährt von seiten des ›Gegenstandes‹, will sagen der Wirklichkeit selbst her. Was dies bedeutet, läßt sich am ehesten anhand eines konkreten Falles verdeutlichen, ein Anlaß, noch einmal zu den Ausführungen Erich Auerbachs zurückzukehren: Voraussetzung für die Vergabe des Prädikats ›realistisch‹ war ihm nicht nur ein gebührender Ernst bei Darstellung des alltäglichen Lebens, dieser Tenor wurde mehr noch weitgehend gleichgesetzt mit problematischer, ja tragischer Sicht des Daseins. Alle drei Begriffe werden, was bislang nachzutragen unterblieb, vom Verf. immer wieder geradezu synonym verwandt[48]. Darüber hinaus hat derart extensive Auslegung des ›Ernstfalles‹ die Auswahl der Texte, deren Charakter wie Darbietungsform betreffend, nachhaltig beeinflußt. So ist gerade das dramatische Genre überraschend häufig vertreten[49]. Versteht man den Begriff im Staigerschen Sinne, d. h. gattungsübergreifend, dann stehen, allgemein gesprochen, Texte dramatischen Gepräges sogar eindeutig im Vordergrund. Dazu gehören, ihrer

[47] Nach Spielhagen die harmlosere Form der Subjektivität.

[48] s. Auerbach, a. a. O. S. 44; 189; 221; 235; 326; 331; 426; 448; 515 u. a.

[49] Von der Vorform mittelalterlicher Mysterienspiele bis hin zu Hebbels »Maria Magdalena« als der bedeutendsten deutschen realistischen Tragödie (s. S. 479/80) und ferner den Gesellschaftsdramen Henrik Ibsens, dem »das geschichtliche Verdienst« eingeräumt wird, »dem ernsten

inneren Dynamik wie der Vorliebe fürs exzessiv Chaotische wegen, vor allem Passagen aus Historiographien (Tacitus, Ammian, Gregor v. Tours), danach, ihrer zeitgenössischen Realistik halber, Memoiren- und Tagebuchliteratur (s. S. 387). Als vielleicht bezeichnendstes Beispiel mag jene Trostschrift für eine Dame gelten, darin diese den Verlust ihres Kindes beklagt (s. S. 222), und die zu beruhigen dann eine Episode aus dem Hundertjährigen Kriege erzählt wird, ein Stück sozusagen dramatisierter Biographie und ein modellhaft tragischer Konflikt eben auf dem Hintergrund des Geschichtlichen[50]. — Daß Geschichte so erscheinen kann, verstanden als dramatisch-tragische Umwälzung, müssen bestimmte Zeiten notwendig bevorzugt werden, statt der (ruhigen) Mitte jeweils die Ränder von Epochen, das Übergängliche der Spätantike oder des ausgehenden Mittelalters, dazu säkulare Umbrüche wie der vom 18. zum 19. Jahrhundert. Dort jeweils ist die Welt düster, bestimmt durch Aberglauben, Blutrausch und Todesangst, wie bei Ammian (s. S. 58), von Leiden geprägt, wie im mittelalterlichen Mysterienspiel (s. S. 156). Je mehr im späten Mittelalter der christlich-versöhnende Rahmen entfällt, um so ungeschminkter tritt die kreatürliche Seite des Menschen hervor (s. S. 238). Auerbach selbst spricht von krassem Realismus (s. S. 62), von Drastik (s. S. 156) und Verzerrung (s. S. 62), Sachverhalten (und Epitheta), die eine nochmalige Steigerung erfahren in der Moderne, wo die Nachfolger Stendhals sich fasziniert zeigen von dem sinnlichen Reiz des Häßlichen, Abstoßenden und Krankhaften (s. S. 464), während es Zola als dem letzten der großen französischen Realisten vorbehalten bleibt, die Grenze auch noch zum Pathologischen hin zu durchstoßen (s. S. 470; 474 ff.)[51].

Rechnet man hinzu den grellen Stil, der im Gefolge dieser düstern ›Realistik‹ auftritt (s. S. 59; 60; 65; 146) und sich zuletzt im Verleugnen jeden ästhetischen Maßes verliert (s. S. 265), dann ergibt sich, daß der Begriff des Realistischen in der Nachbarschaft tragischen Ernstes eine Ausweitung erfahren hat, die Bei- und Hauptwort schließlich in Widerspruch zueinander bringen; eine Entwicklung, für die sich bei Auerbach zwei Gründe erkennen lassen, neben der Herkunft des Mimesisbegriffs aus dem Umkreis der klassischen Tragödie[52] das private Schicksal

bürgerlichen Drama einen Stil gegeben zu haben« (S. 483). — Erwähnt oder zumindest referierend besprochen werden darüber hinaus die Werke Calderons und Lopes (Nr. 15) sowie Shakespeares (Nr. 18).

50 Gelegenheit zugleich, die bei Wellek (in bezug auf »Mimesis«) geäußerte Vermutung hinsichtlich der Existenz zweier verschiedener, ja einander entgegengesetzter Realismus-Begriffe (a. a. O. S. 169/70) zu widerlegen. Indem Geschichte bei Auerbach verstanden wird als eine einzige Kette von existentiellen Grenzsituationen, gleich ob es sich dabei um die Verhaftung des Petrus oder die Verurteilung Julien Sorels handelt, fallen die Elemente des Ausweglos-Tragischen und des Historischen immer wieder zu unterschiedsloser Einheit zusammen.

51 Bei welcher Gelegenheit auch Auerbach nicht leugnen kann, daß der Autor dabei der Faszination des Widerlichen erlegen sei (s. S. 476).

52 derzufolge moderne Realistik schließlich als eine Art Klassizismus mit umgekehrtem Vorzeichen erscheint, Stilmischung nicht nur den Abbau von Stiltrennung, die Kassierung des Komischen

des Verf.[53], der die Folgen des Nazismus wie des Zweiten Weltkrieges schmerzlich zu spüren bekam und sich darüber angewöhnte, diese Ausnahmezeit von Not und Elend nach Art einer apokalyptischen Vision auf die Menschheitsgeschichte insgesamt zu übertragen und als das Normale oder doch Unabänderliche anzusehen. — Indem so neben die Einseitigkeit der Auswahl die ›bewußte‹ Verzerrung tritt der Proportionen, Wirklichkeit und Norm einander zunehmend ausschließen, ist ein Grad von Subjektivismus erreicht, eine Stilisierung der Welt ins Negative, für die, da weniger in der Sache selbst als in der Sehweise des Verf. gelegen[54], die Bezeichnung ›realistisch‹ in Zukunft verwehrt sein sollte.

Nun sind mit dem Fazit, wonach Realistik mit Objektivität sowenig zu tun habe wie mit subjektivistischer Einstellung, bislang lediglich negative Abgrenzungen getroffen, wissen wir nur, was Realismus nicht ist. Vor die Notwendigkeit gestellt, den fraglichen Begriff positiv zu bestimmen, müssen wir bekennen, dazu nicht oder nur in sehr bescheidenem Umfang imstande zu sein, ein Eingeständnis, das in dem Maße weniger genant wird, als wir zwei wesentliche Entlastungsmomente glauben ins Feld führen zu können, neben dem ›Così fan tutte‹-Verweis[55] die (von daher bereits zu folgernde) besondere Art des Inhaltes selbst: »Vor allen Dingen verstehen wir *nicht* darunter das nackte Wiedergeben alltäglichen Lebens, am wenigsten seines Elends und seiner Schattenseiten« (S. 7)[56].

bedeutet, sondern (erst) deren genaues Gegenteil, die Versetzung des Tragischen von der hohen auf die niedere, alltägliche Ebene. Mit dem Effekt, daß Stendhal in der Schilderung der Revolution seine realistischen Romane (erneut) dem Tragischen angenähert hat (s. S. 434), während bei den Goncourts explizit und theoretisch betont wird, daß der echte realistische Roman die Nachfolge der klassischen Tragödie angetreten habe (s. S. 461). — Von diesem Rigorismus her erklärt sich ferner manche der ansonsten nur schwer verständlichen Einzelwertungen: So wird Fontane lediglich den Beinah-Realisten zugerechnet darum, »weil sein Ton ... nicht über den halben Ernst eines liebenswürdigen, teils optimistischen, teils resignierten Geplauders hinausgeht« (S. 482), während Thomas Mann, auf ›Verfallsgeschichten‹ spezialisiert, sich den Realisten-Titel ohne alle Abstriche verdient (s. S. 480).

53 Ähnlich ist die ›Realistik‹ seines Kronzeugen Stendhal aus leidvollen Erfahrungen und »dem Widerstand gegen eine ihm verächtliche Gegenwart entstanden ...« (S. 449).

54 dazu [Klaus-]Jürgen Rothenberg, Das Problem des Realismus bei Thomas Mann. Zur Behandlung von Wirklichkeit in den »Buddenbrooks«, Köln/Wien 1969. Während die Arbeit insgesamt den Auswirkungen dichterischen Subjektivismus' (Stoffwahl wie Darbietung betreffend) auf breiter Front nachgeht, behandeln S. 148 ff. den ›bösen Blick‹ auf das Leben, wobei die Genauigkeit der Beobachtung, die den Anschein des ›Realistischen‹ erweckt, sich als ein geradezu manischer Zwang zu spöttischer oder grausamer Entlarvung erweist.

55 Zu den mannigfachen Schwierigkeiten bei der Definition des ›Realistischen‹ s. die Ausführungen von Egon Schwarz, Grundsätzliches zum literarischen Realismus. — In: MdU 59, 1967, S. 100—06.

56 Theodor Fontane. Schriften zur Literatur, hrsg. v. Hans-Heinrich Reuter, Berlin 1960; im folgenden zitiert als ›Reuter‹. Bei den vorliegenden Passagen handelt es sich um Auszüge aus dem Essay »Unsere lyrische und epische Poesie seit 1848«. Als Mittelpunkt einlässiger Interpretation erscheint diese frühe Studie des Dichters bei Josef Thanner, Die Stilistik Theodor Fontanes. Untersuchungen zur Erhellung des Begriffes »Realismus« in der Literatur, The Hague/Paris 1967, S. 69—123.

Der hier den literarischen Realismus zu definieren sucht, indem er ihn als Kunstrichtung abgrenzt gegenüber Objektivismus wie der als unzulässig (sprich subjektivistisch) empfundenen Einengung auf das Genre ›Arme-Leute-Poesie‹, ist kein Geringerer als Fontane, jemand also, der von Berufs wegen wie kein anderer über die Sache Bescheid wissen mußte. Wenn er sich dennoch über weite Strecken nicht anders als »lediglich negativ« umschreibend verhält, d. h. systematisch hervorhebt, »was der Realismus nicht ist«[57], beweist dies, daß ein solches Verfahren nicht zufällig gewählt sein kann, vielmehr zwangsläufig aus der Art des Gegenstandes selbst hervorgehen muß[58]. Was bei dieser Methode, nach Ablehnung der Lüge, des Forcierten, alles Nebelhaften und Abgestorbenen[59] zurückbleibt, ist das Kleine und Nahe[60], das sich jeden Tag vor unsern Augen Abspielende, d. h. aber das in jeder Hinsicht Einfache und Normale. Und da zeigt sich, daß ein solches Sujet nicht anders als negativ, d. h. von seinem (fehlenden) Gegenteil, dem Ausgefallenen her, definiert werden kann. Versucht man es dennoch, so ist, positiv gesprochen, Realismus »die Widerspiegelung alles wirklichen Lebens, aller wahren Kräfte und Interessen im Elemente der Kunst; er ist, wenn man uns diese scherzhafte Wendung verzeiht, eine *›Interessenvertretung‹* auf seine Art. Er umfängt das ganze reiche Leben, das Größte wie das Kleinste ...«, denn — und nun folgt die Begründung — »alles das ist *wirklich*«[61]. — Realismus also als ›Interessenvertretung‹, als eine in jeder Hinsicht repräsentative Auswahl dessen, was ist, mit diesem Analogon aus dem Bereich von Politik und Verfassungsrecht ist nicht nur der entscheidende Beitrag geliefert zur Bestimmung des in Frage stehenden Phänomens, indem sich nachweisen ließe[62], daß sein Romanwerk die

[57] Reuter, a. a. O. S. 9.

[58] Vgl. auch die im Zusammenhang mit unsern eignen Definitionsbemühungen anfallenden weiteren Negationen.

[59] Für Fontane weitgehend identisch mit den Auswüchsen und Verirrungen einer falschen Romantik (s. Reuter, a. a. O. S. 9).

[60] s. Reuter, a. a. O. S. 280; 9/10.

[61] Reuter, a. a. O. S. 9.

[62] Leider müssen wir uns hier aus Raumgründen mit wenigen andeutenden Strichen begnügen. Dennoch zeigt schon ein flüchtiger Blick auf das Werk, wie bewußt alle einzelnen Kunstmittel, vom Figurenarrangement bis hin zum verklärenden Humor, dem Gedanken der Ausgewogenheit unterstellt sind: Nirgends gibt es so sehr und konsequent ›gemischte‹ Charaktere, hat noch der Schlimmste seine Vorzüge, ist selbst der Beste nicht frei von Schwächen. Stellt auf diese Weise schon jeder einzelne ein komplexes (und also vornehmlich ›konzessiv‹ zu behandelndes) Phänomen dar, so dient mehr noch paarweises Auftreten, dienen Sitzanordnungen — anders als etwa bei Thomas Mann mit seiner ungezügelten Vorliebe für komische Kontraste, seiner Neigung zu einseitiger Hervorhebung des Gegensätzlichen — der (harmonischen) Ergänzung zu einem Gleichgewicht der Kräfte, wobei die Skala vom Zusammenstellen unterschiedlichster äußerer Erscheinungsbilder bis hin zu charakterologischer Komplettierung reicht. — Wo es einen ganz und gar guten (oder schlechten) Menschen sowenig gibt wie etwas absolut Richtiges (oder Falsches), wird das Gespräch und seine Perspektivierung, wird die erörternde Rede zum entscheidenden künstlerischen Ausdrucksmittel. Geeignet, Vorzügen und Schwächen des Personals gleichermaßen gerecht zu werden, Probleme entsprechend ihrer Vielschichtigkeit

konsequente Erfüllung darstellt dieser theoretischen Forderung[63], darf Fontane zugleich als der Prototyp des modernen Realisten deutscher Zunge angesehen werden.

Realismus als Wiedergabe normaler, alltäglicher Wirklichkeit, damit ist des weiteren ein Begriff gemeint, der nicht nur keine Steigerung (in Richtung auf das Abnorme, Ausgefallene) erlaubt, sondern überhaupt und grundsätzlich keine Beiwörter verträgt[64]. Namentlich die geläufige Formel vom ›poetischen‹ Realismus erweist sich in diesem Zusammenhang als fragwürdig. Wo sie lediglich den Kunstcharakter mimetischer Dichtung betonen soll, erscheint sie zumindest überflüssig, weil tautologisch, da aller Realismus in diesem Sinne poetisch ist. Soweit sie dagegen auf ein notorisches ›Verklären‹[65] als Wirkung dichterischer Weltwiedergabe abzielt, kollidiert sie mit der Auflage zur Gleichgewichtung der Akzente, schließt doch ›poetischer‹ Realismus bereits die Voraussetzung ein, die gemeinte Wirklichkeit habe es nötig, verklärt zu werden. — Noch weniger ist das Kriterium der Ausgewogenheit beachtet im Falle eines Realismus, der die gesellschaftliche Wirklichkeit als einzig relevante anerkennt und auch hier noch zwischen progressiven und reaktionären Tendenzen unterscheidet, was auf nichts anderes als auf die bevorzugte Wiedergabe der Lage des vierten Standes und seiner Problematik, d. h. aber auf Verabsolutierung eines Teilbereichs — pars sine toto — hinauslaufen muß.

*

(mindestens) dilatorisch zu behandeln, erweist die Verwendung der subjektiven Perspektive sich gerade als das Mittel, Objektivität zu wahren, d. h. gesprächsweise ein möglichst unverzerrtes Widerspiel des Lebens zu liefern.

[63] gegen Brinkmann — Theodor Fontane. Über die Verbindlichkeit des Unverbindlichen, München 1967, S. 43/44 —, der eine Diskrepanz behauptet zwischen Theorie und Praxis, zwischen der sorgsam gewahrten Subjektivität des Schriftstellers Fontane und der von ihm selbst theoretisch geforderten Genauigkeit und dieses Dilemma in der Folge dadurch zu beseitigen sucht, daß er die theoretischen Äußerungen für wenig originell erklärt (s. S. 46/47; 181), ja als unbedeutend beiseite schiebt und das Bewußtsein hinter dem (schriftstellerischen) Sein zurückbleiben läßt. — Ähnlich argumentiert Hans-Heinrich Reuter (a. a. O. S. XXII ff.) im Vorwort seiner Ausgabe der theoretischen Schriften Fontanes: Wieder erweist sich die Rückständigkeit des Denkers gegenüber dem Schreiber, nur daß dies Manko nunmehr aus einem (vermeintlichen) Zuwenig an Realität gefolgert wird, während es bei Brinkmann gerade ein Zuviel an Wirklichkeitsnähe betraf.

[64] Was nicht gehindert hat, ihm stets neue beizulegen, am hartnäckigsten vielleicht bei Bruno Markwardt, Geschichte der deutschen Poetik, Bd. 4, Berlin 1959. Über die Unsinnigkeit derartigen Verfahrens vgl. René Wellek, a. a. O. S. 169.

[65] Derart generalisierend verstanden noch bei Hermann Kunisch, Zum Problem des künstlerischen Realismus im 19. Jahrhundert. — In: Festschrift für Helmut de Boor zum 75. Geburtstag, Tübingen 1966, S. 209—40, bes. S. 219; 212. — In Wahrheit wird ›Verklärung‹, zumindest aus realistischer Position heraus, allenfalls punktuell angestrebt, bei Fontane etwa als Gegengewicht gegen die Schattenseiten (Armut, Krankheit) des Lebens.

Das Festlegenwollen des Realistischen durch einschränkende Attribute verstößt nicht nur gegen das Prinzip der (repräsentativen) Interessenvertretung, Auswahlkriterien dieser Art gewinnen immer wieder Ausschließlichkeitscharakter und beschwören so die Gefahr einer normativen Überfremdung der Wirklichkeit herauf. Wenn die zu Beginn dieser Ausführungen entworfene Skizze nur entfernt die tatsächliche Situation innerhalb der Germanistik wiedergibt, dann allerdings sind die Bestrebungen, literarische Texte normativen Ansprüchen zu unterwerfen, heute bedrängender denn je; ein Grund mehr, ihnen ein nachhaltig deskriptives Verfahren entgegenzusetzen, d. h. das konsequente Bemühen, die spezifische Eigenart realistischer Texte beschreibend herauszuarbeiten, ein Unternehmen, das nur gelingen kann, wenn alles (verblieben) Typologische, d. h. in unserm Fall die Gleichsetzung von Realität mit ›Normalität‹, eine entschieden historische Akzentuierung erfährt[66].

Prüft man die bisherige Realismus-Forschung auf die Einhaltung dieser Forderung hin, so ergibt sich, daß gerade auf dem Gebiet des Historischen, mit Fontane zu reden, in unzulässiger Weise ›geprudelt‹ worden ist. Wie sehr, dafür mögen in erster Linie die Ausführungen Richard Brinkmanns paradigmatisch stehen: Sein ontologischer Realismus, basierend auf der Entsprechung von Wirklichkeitszerfall und Objektivationszwang, setzt eine genau umrissene Befindlichkeit der Realität voraus, wobei der Versuch, die Anfänge einer solchen Entwicklung historisch dingfest zu machen, nach Meinung des Verf. in die Zeit der Frühromantik führen müßte, die »genauere formanalytische Betrachtung der Erzählkunstwerke Jean Pauls zum Beispiel und der Romantiker . . . eine wesentliche Voraussetzung für eine Geschichte des ›Realismus‹ im 19. Jahrhundert sein« würde[67]. Während ein romantisch getönter Subjektivismus der Vorläufer dessen sein soll, was Brinkmann ›realistisch‹ nennt, kann das Paradoxon von der

[66] Wobei neben den literarhistorischen Aspekt im allgemeinen auch noch die Erinnerung treten müßte daran, daß nicht alle Wirklichkeit zu jeder Zeit gleich mitteilenswert oder schilderungsfähig erschien. Wir dürfen diese auf motivgeschichtlicher Ebene sich vollziehenden Entwicklungen als bekannt voraussetzen und möchten in diesem Zusammenhang nur ein besonders eindrucksvolles Beispiel der allmählichen Eroberung eines Wirklichkeitsbereichs durch die Literatur ins Gedächtnis rufen, jenen weiten Weg von den Anfängen einer Naturdichtung, die von Naturbeobachtung ausgeht, bei Brockes, bis hin zu dem von seiten Fontanes (1872) konstatierten (allgemeinen) level auf diesem Gebiet: »Eine Sonne auf- oder untergehen, ein Mühlwasser über das Wehr fallen, einen Baum rauschen zu lassen, ist die billigste literarische Beschäftigung, die gedacht werden kann. In jedes kleinen Mädchens Schulaufsatz kann man dergleichen finden; es gehört zu den Künsten, die jeder übt und die deshalb längst aufgehört haben, als Kunst zu gelten« (Reuter, a. a. O. S. 63). — Bliebe nachzutragen, daß, wer immer das Genre ›herkömmliche‹ Naturschilderung auf so prononcierte Weise mediokren Geistern überläßt, ein für allemal davor geschützt sein sollte, den ›Kunstcharakter‹ seines Realismus ausgerechnet von diesem absolut untauglichen (weil entweder lediglich unzureichend vorhandenen oder aber in besonderer — dann freilich realistischer, sprich ausbalancierender — Weise verwandten) Sujet her attestiert zu bekommen (s. dazu Ohl, a. a. O. S. 200 ff.).

[67] a. a. O. S. 336. Weitere Hinweise auf den inneren Zusammenhang von Romantik und Subjektivismus s. S. 56; 311; 313; 314; 324.

Objektivierung des Subjektiven seine eigentliche Erfüllung erst in unsern Tagen finden. Einerseits wird die »vielschichtige und geheimnisreiche innere Wirklichkeit des Subjekts ... nun mit entschiedenem Bewußtsein ... als die einzig objektive analysiert und gestaltet«; umgekehrt ist es »nur eine andere Seite dieser Entwicklung, daß nun die Dinge der Erfahrungswirklichkeit fragwürdig werden und ihren festen Bestand verlieren« (S. 329). Mit beidem aber ist moderne Literatur erst die Vollendung des im 19. Jahrhundert Angelegten (s. S. 333), wie man rückblickend sagen kann, daß »von dem Fortgang der Literaturgeschichte im 20. Jahrhundert her ein erhellendes Licht zurück [fällt] auf den Realismus der vergangenen Epoche« (S. 334). Was bleibt, ist die Behauptung jenes als Realismus bezeichneten Korrelats von objektivem Wirklichkeitszerfall und subjektivistischer Einzelerfahrung, das möglich werden soll frühestens mit der Romantik[68] und verständlich erscheint erst von der Moderne her[69]. Orientiert an den Perspektiven von ›Ahnung‹ und (heraufziehender) ›Gegenwart‹, wird so kaum noch der Versuch unternommen, eine literarische Epoche aus sich selbst, aus ihrer Mitte heraus zu verstehen[70], ein Zeichen mehr dafür, wie sehr hier, zumal gegen Ende des

[68] Von daher gehen Lugowskis Untersuchungen zur erwachenden Individualität in der Literatur des 16. Jahrhunderts zwar methodisch von den richtigen Voraussetzungen aus, ohne freilich den rechten Gegenstand im Visier zu haben. Indem er das Materialobjekt verfehlt, ist der Verf. für Brinkmann im Rahmen der Realismus-Forschung doch wieder nur ein Vorläufer (s. S. 36 ff.).

[69] Kein Zufall bei dieser Betrachtungsweise, wenn die Drift zur Gegenwart hin auch hinsichtlich der Textauswahl groß ist, das letzte der drei Beispiele (Keyserling 1903) bereits ins 20. Jahrhundert fällt. Freilich haftet auch diesem Paradigma, vom heutigen Standpunkt aus betrachtet, noch etwas Vorläufiges an, da das impressionistische Nachzeichnen einer nunmehr nichts als subjektiv-individualistischen Wirklichkeit sich wie eh und je »mit einer gewissen unreflektierten Naivität vollzieht« und auch die Form, »äußerlich betrachtet, die der ›objektiven‹ Darstellung von ›objektiver‹ Wirklichkeit« bleibt (S. 326/27). — Dagegen ist alle im eigentlichen Sinne ›moderne‹ Dichtung »nicht zuletzt durch eine stets weiter gehende Desillusionierung dessen bestimmt, was die Vorgänger je an die Stelle des als Illusion Enthüllten setzen wollten«. Während so der zeitgenössische Beobachter den »Werdegang der Dinge fort [treiben sieht] bis zur Auflösung auch des Ich-Bewußtseins selbst ...«, gilt sein Bemühen dem Versuch, auch diese Entwicklung noch als Konsequenz zu interpretieren dessen, was ihm »schon im frühen Realismus angelegt erscheint« (S. 333). — In Fortführung dieser Gedanken vom gleichen Verf.: Romanform und Werttheorie bei Hermann Broch. Strukturprobleme moderner Dichtung. — In: DVjS 31, 1957, S. 169—97; ferner sein grundsätzliches Bemühen um eine Literatur, in der das äußerste Subjektive sich gleichsam wieder objektiviert findet: Expressionismus. Forschungsprobleme 1952—60, Stuttgart 1961. Für Herbert Kraft — Kafka. Wirklichkeit und Perspektive, Bebenhausen 1972 — ist der Verlust der ›Objektivität‹ ein weiteres Mal Ursache der einsinnig-eingeschränkten Perspektive Kafkaschen Erzählens (s. S. 5).

[70] dazu die gegen Ende des Buchs (bes. S. 325 ff.) in verräterischer Weise sich häufenden Wendungen wie ›schon‹, ›noch nicht‹, ›nicht mehr‹ usw. Auf Grund dieses zunehmend teleologischen Zugs kommt die Brinkmannsche Sehweise der (utopistischen) Zukunftsorientiertheit marxistischer Denkstrukturen nahe, wie sie literarisch namentlich im Begriff des Typus angelegt ist. — Auf diesbezügliche Analogien, (nunmehr) die Beurteilung der geistesgeschichtlichen Situation der Gegenwart betreffend, hat schon Gerhard Kaiser (a. a. O. S. 243/44) verwiesen.

Buches, der Logiker und Philosoph den Literarhistoriker Brinkmann verdrängt hat[71].

Wo Versäumnisse dieser Art sich häufen, scheint es notwendig, den in Frage stehenden Aspekt nicht nur hie und da genauer zu beachten, sondern, das Phänomen des literarischen Realismus betreffend, überhaupt erst einmal Ernst zu machen mit Einführung der Kategorie des Historischen[72]. — Dabei muß man, sollen Leistung und Eigenart der deutschen Literatur des 19. Jahrhunderts verständlich werden, in der Tat weiter ausholen und zurückgehen zu Erscheinungen, die der Religionshistoriker als pietistisch ansprechen würde und die wir, ins Literarische gewendet, mit dem (freilich noch immer wenig vertrauten) Etikett des ›Empfindsamen‹[73] belegen möchten: Empfindsamkeit — stofflich bringt sie vor allem andern

Der Unterschied besteht darin, daß bei Brinkmann jeder Versuch eines realistischen Ansatzes in sein Gegenteil umschlägt, während bei Lukács lediglich ein naturalistisches Zuviel an Realität von Übel ist, nicht aber das Aufspüren und Wiedergeben der beherrschenden gesellschaftlichen Tendenzen.

71 Freilich trifft der Vorwurf des Unhistorischen die Realismus-Forschung in der Nachfolge Brinkmanns in gleicher Weise: So erscheint der ›Humorist‹ Fontane bei Preisendanz (a. a. O. S. 214—41) in die Nähe Kellers gerückt (s. S. 227), findet er sich bei Ohl auf dem Weg über die ›bewußte‹ Symbolik als geistiger Verwandter Raabes wieder (a. a. O. S. 17; 238 ff.), während Killy, über die behauptete (kunstcharakterliche) Nachbarschaft zwischen Fontane und Goethe hinaus nur mit Mühe der Versuchung widersteht, uns glauben zu machen, am Ausgang des 19. Jahrhunderts werde noch immer nicht viel anders erzählt als zuzeiten Homers (a. a. O. S. 13).

72 Natürlich ist es bei der Knappheit des Raumes und in Anbetracht unserer eigentlichen (definitorischen) Aufgabe nicht möglich, an dieser Stelle einen erschöpfenden Abriß zu liefern über Voraussetzungen und Hemmnisse eines literarischen Realismus in Deutschland. Statt dessen beschränken sich die folgenden Beobachtungen auf einige wenige in diesem Zusammenhang signifikante Tendenzen, wobei es (als ein weiterer Akt der Verkürzung) erlaubt sein mag, Stationen geschichtlicher Entwicklung in exemplarischer Weise zu personalisieren. Weshalb wir dazu vornehmlich Gestalt und Werk Goethes heranziehen, wird hoffentlich im Verlauf der Erörterung einsichtig werden.

73 Zur Geschichte dieses Begriffs vgl. bes. Georg Jäger — Empfindsamkeit und Roman. Wortgeschichte, Theorie und Kritik im 18. und frühen 19. Jahrhundert, Stuttgart 1969 —, eine Arbeit, die freilich im wesentlichen einen rezeptionsgeschichtlichen Abriß bietet und meint, den im Titel angesprochenen Sachverhalt — auch hinsichtlich des ›Werther‹ (s. S. 92 ff.) oder ›Wilhelm Meister‹ (s. S. 85/86) — weitgehend im Zeichen der Trivialisierung (als Voraussetzung der ›Breitenwirkung‹) sehen zu müssen. — Dagegen ist die ursprünglich mit diesem Reizwort verbundene erregende Erfahrung der Innerlichkeit in ihren Auswirkungen auf die (Roman-) Literatur des ausgehenden 18. Jahrhunderts bislang nur sehr vage erkannt, dazu nach Formen und Phasen lediglich unvollkommen beschrieben. Ob dies nach Abschluß des inzwischen auf drei Bände angelegten Monumentalwerks von Gerhard Sauder — Empfindsamkeit, Stuttgart 1974 ff. — entscheidend anders sein wird, bleibt abzuwarten. Das bislang Vorliegende (Bd. I = Voraussetzungen und Elemente) läßt eher befürchten, es werde wieder einmal theoretische Erörterung den Vorrang haben vor der Analyse des Phänomens selbst, wobei der zugrunde gelegte Begriff — Empfindsamkeit als Tendenz statt als Zeitstil — nicht nur zu weit gefaßt, sondern auch — als bürgerliche Emanzipationsbewegung verstanden — zu sehr (in Richtung

die Entdeckung der Seele als eines literarischen Gegenstandes. Erst durch sie wird der (fiktionale) Mensch ein vollgültiges, recht eigentlich ›dreidimensioniertes‹ Wesen, erscheint die räumliche und zeitliche Komponente ergänzt durch den Aspekt der Innerlichkeit[74]; eine Neuerung, die den Roman alsbald handlungsärmer macht, Aktion zurücktreten läßt hinter Empfindung, bis alles Faktische, wie etwa im ›Werther‹, nur noch den Anlaß abgibt zu seelischen Reaktionen.

Der Mensch, sich solcherart zurückziehend auf seine Innerlichkeit, entdeckt in sich eine reiche Welt, eine Sphäre, die mehr und tiefere Erlebnisse verspricht als der Umgang mit realen Personen sie je zu liefern vermöchte. ›Weite‹ und ›Tiefe‹, ›Unendlichkeit‹ und ›Unauslotbarkeit‹[75] lauten die entscheidenden Pluspunkte, denen gegenüber jede Außenwelt letztlich eng und oberflächlich wirken muß. Kein Wunder, wenn es zu schmerzhaften Auseinandersetzungen kommt mit ihr, zur Konfrontation zwischen Weltmensch und empfindsamem Helden, die jeweils mit der Niederlage des Introvertierten endet; verständlich auch, daß das Registrieren derartiger Erfahrungen zu verstärktem Abkapseln führt vor der Welt, zu Ausbau und Pflege der seelischen Szenerie, die man vornehmlich auf dem Weg über die Beschäftigung mit der Kunst zu kultivieren trachtet. So ist das Verhältnis zwischen Ich und Gesellschaft zwar durchaus nicht problemlos —

›sozialgeschichtliches Phänomen‹) modernisiert wie über Gebühr in internationale Zusammenhänge eingebettet erscheint. — Zur Problematik der inhaltlich-thematischen Abgrenzung der Studie vgl. die einläßliche Rez. von Richard Alewyn, Was ist Empfindsamkeit? — In: FAZ Nr. 263, 12. 11. 1974, Literaturbeilage S. 4.

[74] Es sind die aus intensiv religiösem Bemühen abseits der offiziellen Lehrmeinung freigesetzten (seelischen) Energien, die in gewandelter Form im Seelenhaushalt des empfindsamen Menschen wiederkehren. Daß diese Empfindungen sehr bald bis in die verstecktesten Winkel der Seele hinein verfolgbar werden, verdanken wir — die Vorarbeiten geistlicher wie weltlicher Moralisten seit dem 17. Jahrhundert abgerechnet — wesentlich den im Zeichen des Pietismus betriebenen Exerzitien der Gewissenserforschung, aus denen sich im Vorfeld der Empfindsamkeit die Techniken der Psychographie entwickeln. Literarisch wird der Zugewinn deutlich im Übergang etwa von Gellert zu K. Ph. Moritz oder Wieland. Während es noch in der ›Schwedischen Gräfin‹ (1748) Charaktere weitgehend nur als Träger von Gesinnungen (etwa der seitens des Bürgertums neu entdeckten Tugend der Uneigennützigkeit) gibt, die zu demonstrieren abenteuerliche Handlungsfolgen aufgebaut werden, stellt der »Anton Reiser« (1785 ff.) demgegenüber nicht allein psychologisch durchgebildete Individuen vor, sondern sogleich hochkomplizierte Wesen, wie ihr Autor damit beschäftigt, Orgien der Selbstbelauerung zu veranstalten. Seither wissen wir, daß jede gute Tat auch unedle Motive haben kann, während Wieland uns darüber belehrt, daß selbst die spirituellste Regung noch ein Gran versteckter Sinnlichkeit, um nicht zu sagen Lüsternheit, enthält.

[75] ›Inkommensurabel‹ heißt das Modewort immer dann, wenn es um das Verhältnis von Individuum und Welt geht. Für den Dichter bedeutet dies: Da jedes Individuum nicht nur ein Einzelwesen darstellt, sondern mehr noch ein unverwechselbares Eigenwesen zu sein beansprucht, mit nichts und niemandem vergleichbar, ist sein Empfinden, zumindest was die herkömmlichen Kunstmittel anbelangt, im letzten nicht sagbar. Als Folge ergibt sich in der Tat eine zunehmend bemerkbare Dunkelheit der Sprache (s. Goethes Hymnen, Klopstocks Oden).

Werther flieht aus der Stadt in die Natur als der einzigen ihm gemäßen Region[76] —, setzt es im Gegenteil Unverständnis, Schmerzen und Demütigungen ab auf seiten des Empfindsamen, doch bleiben Konflikte dieser Art so lange relativ ungefährlich, wie die Betroffenen ihrer selbst sicher sind und aus dieser Position innerer Stärke heraus die Welt vor das Forum ihrer Seele zitieren.

Existentiell bedrohlich wird die Position reiner Innerlichkeit in dem Augenblick, da auch diese letzte Instanz ihre fraglose Gültigkeit verliert. Es geschieht dies in einem zweiten, fortgeschrittenen Stadium der Empfindsamkeit und kann in der Folge rasch zu einer Umwertung aller Werte führen. Dabei sind grundsätzlich zwei (einander ausschließende) Richtungen der Entwicklung möglich: Wo immer ein Ich bei dem Versuch betroffen wird, sich der äußeren Welt einseitig apperzeptionsweise zu nähern, gerinnt diese zuletzt ins schemenhaft Illusionäre. Jedes Du ist am Ende nur ein Geschöpf der Phantasie, Projektion des inneren Gefühls. — Dieses Extrem eines maßlosen Egoismus und schließlichen Solipsismus[77] vermag nun ebenso leicht in sein Gegenteil (Selbstverneinung) umzuschlagen. An die Stelle der These, das Ich sei alles, tritt die umgekehrte Folgerung: Das Ich ist nichts, d. h. lediglich ein Produkt von Einflüssen und Eindrücken, eine widerstandslose Durchgangsstation, die jeweils Form und Farbe ihrer Umgebung annimmt, vergleichbar einer Hülse, die unaufhörlich von wechselnden Inhalten durchzogen wird. Diese letztere Möglichkeit ist bereits in der Konsequenz der ersten Behauptung angelegt: Gerät das Gleichgewicht zwischen Ich und Du, Ich und Welt erst einmal nachhaltig ins Wanken, ist es im Grunde beliebig, nach welcher Seite hin die Waagschale letztendlich ausschlägt. Wo alles Objektive aufgezehrt wird von Gefühl[78], die einzig verbliebene Realität des Psychischen

[76] Von der Gesellschaft unverstanden, soziologisch gesehen einsam, sucht der empfindsame Mensch Kontakt allenfalls mit Gleichgesinnten. Hochmütig verschlossen vor der Welt, drängt sein Gefühl andererseits doch auch nach Entladung. So erklärt sich der Briefkult der Klopstock-Zeit, der dann zu einer Art Kristallisationspunkt wird für den empfindsamen Roman, welcher als Kunstwerk lediglich das Medium abgibt der Kommunikation zwischen befreundeten Seelen, (formaliter) die Identifikationskette erleichternd zwischen Leser, Held und Autor.

[77] Fichte formuliert mit seiner Philosophie des absoluten Ich auf denkerischer Ebene nichts anderes, als was die Empfindsamkeit im psychologischen Bereich an sich selbst erlebt und erfahren hatte.

[78] Dies bereits der Fall Werthers (1774): Während die anfängliche Flucht in die Natur Heilung bringt von den Leiden an der Welt, verläuft ein späterer Annäherungsversuch — Werther ist inzwischen unglücklich verliebt — unbefriedigend, spiegelt die (nun herbstliche) Landschaft nur die eigne trübe Stimmung, erscheint der ehemalige Garten Eden dem Enttäuschten zuletzt gar als ein »ewig verschlingendes, ewig wiederkäuendes Ungeheuer« (Brief vom 18. August). — In ähnlicher Weise werden den Helden von Tiecks ›Sternbald‹ (1798) Zweifel befallen, ob nicht alles Umgebende, anstatt real zu sein, lediglich Schöpfung seiner Einbildung sei. Vorausgegangen war mit dem »William Lovell« (entworfen 1792, veröffentlicht 1795/96) ein Roman, der in Tiecks Produktion eine vergleichbare Stellung einnimmt wie der ›Werther‹ innerhalb des Goetheschen Oeuvres, ein psycho-pathologisches Dokument, das zeigt, wie sehr im Verlauf einer einzigen Generation die Fähigkeit zu seelischer Analyse gewachsen war, welch reiches

sich als brüchig erweist, ist das Ende — so oder so — ein extremer Subjektivismus[79], als dessen Opfer sich der Mensch an den Rand des Nihilismus gedrängt sieht.

Nun ist Empfindsamkeit zwar kein gemeineuropäisches Problem, als seelische Befindlichkeit aber seit Mitte des 18. Jahrhunderts zumindest in allen protestantischen Ländern (wie auch in Frankreich) zu Hause. Nirgends jedoch hat sie auch nur entfernt die Wirkungen gezeitigt wie in Deutschland, was sich aus dem Umstand erklärt, daß der Einbruch irrationaler Strömungen hier zusammentrifft mit dem Beginn einer nationalen Sonderentwicklung. Erneut mag hierfür eine Station des Goetheschen Lebens- und Schaffensweges paradigmatisch stehen, wir meinen die Begegnung mit Herder—Straßburg 1770: In der Adaption seiner Ideen entwickelt Goethe nicht nur ein neues Verständnis vom Menschen, ein Bild, in dem die Ratio nur mehr einen, und zwar den geringeren Teil seines Wesens ausmacht, während es um die gefühlsmäßige Komplettierung zum ›ganzen‹ Menschen geht; rechnet man die veränderte Rolle der Kunst hinzu — Kunst nunmehr gesehen als Organ des Individuums statt als Mittel sachlicher oder moralischer Belehrung bzw. soziale Funktionen erfüllend im Dienst der Gesellschaft —, dann bedeutet dies, literarhistorisch gesehen, zunächst den Beginn der ›Sturm und Drang‹-Zeit, einer außerordentlich fruchtbaren Epoche Goetheschen Dichtens, verbunden freilich mit der gleichzeitigen Sezession deutscher Bildung aus dem bis dahin einheitlich europäischen Traditionszusammenhang. Denn Herder, der große Anreger, ist nicht nur die Schleuse, durch die die verschiedenen Wasser des Irrationalismus fließen, er bringt, bei aller Universalität seines Geistes, doch auch eine entschiedene Abneigung mit gegenüber der (damals französisch bestimmten) Moderne und ihren Begleiterscheinungen, als da sind Rokoko, politisch-höfische Kultur, hierarchischer Gesellschaftsaufbau, Rationalismus. Indem er auf ästhetischem Gebiet alle Maße und Gewichte in Frage stellt, befreit er seinen Schüler zwar von dem Vorbild der Franzosen[80], leistet aber zugleich einer künftigen

Material aber auch der radikal empfindsame Mensch — verglichen mit den maßvollen Anfängen der Empfindsamkeit bei Klopstock — psychologischer Vivisektion inzwischen bot.

[79] In diesem Sinne haben Tiecks Romane auch bei Brinkmann Beachtung gefunden (a. a. O. S. 291). Wenn sie freilich — späte und radikale Frucht der Empfindsamkeit, die sie sind — der Frühromantik zugerechnet werden, dann ist dies mehr als nur eine unzutreffend-ungenaue Etikettierung: Während empfindsamer Subjektivismus eine bestimmte Art des Empfindens und Fühlens bezeichnet, ein Weltverhältnis, das basiert allein auf dem Akt des Verstehens, d. h. einer durchaus irrationalen Kategorie, die auf Beobachtung und Beweis verzichtet, die Aufhebung der Distanz zwischen Subjekt und Objekt betreibt zugunsten möglichst weitgehenden ›Hineinversetzens‹, ist die romantische Spielart bei Brinkmann wesentlich von der Ratio her bestimmt. In dem von uns angedeuteten Sinne Ergebnis eines Rückzugs aus der Welt in die Innerlichkeit, tritt Subjektivismus bei Brinkmann in erkenntnistheoretischem Gewande auf, als Folge eines vergeblichen intellektuellen Sich-Abmühens um objektive Erfassung der Welt.

[80] Dies auf radikalere Weise als sein Vorläufer Lessing, der zwar den Mut fand, sich des französischen Diktats zu entledigen (vgl. die nationale und soziale Färbung dieser frühen Sezession, die Spitzen gegen Hofleute und französisches Wesen im bürgerlichen Trauerspiel),

Provinzialisierung deutscher Kultur in entscheidender Weise Vorschub. Wohl ist Goethe für sein Teil in späteren Jahren zurückgekehrt zu weltliterarischer Offenheit, hat er in der Weimarer Zeit auf verschiedenen Wegen gelernt, sich der Sturm und Drang-Exzentrik zu entledigen, im anschauenden Erfassen der Wirklichkeit — die Haltung der Italienischen Reise — Selbstentäußerung zu üben, das Werk ohne die trübe Mitgift der Subjektivität ›rein‹ erscheinen zu lassen; im übrigen aber blieb die Fixierung auf das Individuelle für den deutschsprachigen Raum bestehen, an die Stelle der (klassischen) Erlösung vom Ich[81] tritt im Gegenteil die (empfindsame) Befreiung zum Ich.

Weltliterarisch isoliert, d. h. ohne Verfügungsgewalt über die andernorts gegen Auswüchse des Subjektivismus gefundenen Korrektive, wurden Vorzüge wie Gefahren der Empfindsamkeit in Deutschland tiefer als irgendwo sonst erlebt und erlitten. Um so schwerer und langwieriger mußte sich der Prozeß ihrer Überwindung gestalten. Sie zu leisten, bildet sich als spezifisch deutsche Spezies die Form des Entwicklungsromans heraus, dessen Aufgabe im wesentlichen darin besteht, die Kluft zwischen Individuum und Welt zu überbrücken, den Helden

dafür aber, anders als Herder, griechischem Einfluß (Aristoteles) um so stärker verpflichtet blieb.

81 Wie sie nur vereinzelt erreicht wird, bleibt die Klassik insgesamt Episode in Deutschland, zeitlich wie personell eng begrenzt, ja in dieser letztern Hinsicht wesentlich auf vier Augen (Schiller, Goethe) stehend; was zur Folge hat, daß die Bewegung der Romantik sehr viel unmittelbarer als anderswo auf die Aufklärung folgt, ja in vielerlei Hinsicht zu verstehen ist als Gegenschlag gegen Rationalismus und Empirismus dieser Epoche. Der Versuch einer breiteren realistischen Erfassung der Welt blieb damit schon in Ansätzen stecken, kam über zaghafte Anfänge nie wesentlich hinaus; und es dauert lange, ehe im Zeitalter der aufkommenden Naturwissenschaften ein neuer Anlauf in dieser Richtung unternommen wird.
Im Verhältnis zur Empfindsamkeit dagegen hat die Romantik segensreiche Wirkungen gezeitigt: Indem sie den Geheimnischarakter der Natur entdeckt — Schelling ist ihr theoretischer Verkünder und damit der eigentliche Philosoph der Romantik —, erschließt sie der Wirklichkeit neue (Tiefen-)Dimensionen, der Innerlichkeit ein objektives Gegenüber als Voraussetzung der Wiederaufnahme einer Kommunikation zwischen Seele und Außenwelt. Der Mensch, auf die Entsprechung zwischen Seelentiefe und Weltstruktur aufmerksam geworden, reagiert auf den Anruf von seiten des Lebens mit sehnsüchtigem Verlangen. Sich umsetzend in Bewegung und Wandertrieb, führt diese Haltung erwachender Neugier ihn in die Welt hinein und schließlich zu der Erkenntnis, daß er enger mit ihr verflochten ist als angenommen. — Mit Überwindung der anfänglichen Einsamkeit ist die Not des empfindsamen Menschen — nicht anders als dieser findet der Held romantischer Romane sich zunächst in einem Zustand äußerster Verlorenheit, ohne Wissen um Eltern und Heimat — zwar behoben, aber wieder sind es lediglich gleichgesinnte, d. h. hier ›romantische‹ Naturen, Bohemiens aller Spielarten vom Landadel bis hinunter zu zigeunernden outcasts, die ihn umgeben. Nicht der Mensch also hat sich der Welt angepaßt, sondern die Welt dem Menschen! Je unalltäglicher dieser, desto romantisierter die Welt, in der er lebt, in der er allein leben kann. Wo die Integration des einzelnen sich nur vollzieht um den Preis der Veränderung der Welt ins Märchenhafte, ist, von der Forderung nach Wirklichkeitsnähe her gesehen, allenfalls eine vorläufige Lösung des Problems erreicht, der Weg weit bis zur Annahme des Daseins, so wie es ist.

mit der Wirklichkeit auszusöhnen und ihm Mittel an die Hand zu geben, sie nicht nur als Aufgabe zu begreifen, sondern auch auf irgendeine Weise bewältigen zu lernen. Von der Funktion her, den isolierten einzelnen einem Ganzen zu restituieren[82], ist denn auch die Struktur dieses Romantyps bestimmt: Der Anlage nach dreischrittig, folgt einer Phase absoluter Innerlichkeit die Position einer ebenso einseitigen Extrovertiertheit, in der der Held, zur Wanderschaft angehalten, sich (nach anfänglichem Zögern) nachgerade an die Welt zu verlieren droht. Stehen diese beiden Stadien einander wie These und Antithese gegenüber, so läuft die Handlung in einem dritten, abschließenden Teil auf eine Art Synthese hinaus, den Versuch eines Ausgleichs zwischen den voraufgegangenen extremen Einstellungen, wobei die Lösung nicht selten in Form einer Rückkehr an den Anfang gefunden wird, dies freilich, wie es sich für einen dialektischen Prozeß geziemt, auf höherer Ebene. — Dialektischer Aufbau, Dreischritt, Synthese, diese Strukturelemente liegen dem frühen Klassiker[83] des Genres, Goethes ›Wilhelm Meister‹, ebenso zugrunde wie einer Unzahl nachfolgender Entwicklungsromane bis hin zu Hofmannsthals Andreas-Fragment oder Hesses ›Glasperlenspiel‹, um nur ein paar der bekannteren Beispiele aus unserm Jahrhundert zu erwähnen, ja die Tradition ließe sich mühelos, über die genannten Titel hinweg, bis in die jüngste Gegenwart[84] hinein verfolgen, Beweis nicht nur für die Lebendigkeit

[82] Dies, gegen Ohl, die eigentliche Aufgabe des Entwicklungsromans, während er für den Verf. von »Bild und Wirklichkeit« eher umgekehrt die (künstlerische) Chance darstellt, »die Teilnahme an einem Überindividuellen in seiner [lediglich] individuellen Form zu realisieren ...« (a. a. O. S. 47), eine Beschränkung, die es dem Romancier erlaube, auf Zeit- oder Gesellschaftsschilderung weitgehend zu verzichten zugunsten symbolischer Darstellung (s. S. 100), welche, sich dem verdinglichenden Zugriff einer sich absolut setzenden Wirklichkeit entziehend, der Poesie »den ihr eigenen ›Spiel-Raum‹ zurückgewinnt« (S. 208). — Im übrigen glaubten wir auf eine geschlossene Darstellung der Ohlschen Interpretamente verzichten zu können, da die Arbeit, was methodischen Ansatz, Themenwahl oder Wertungen betrifft, einen weitgehend eklektizistischen Eindruck macht und das bei Brinkmann, Killy und Preisendanz hinreichend Gesagte kompilierend wiederholt. Ausführliche Rezensionen finden sich zudem bei Gerhard Kaiser — Realismusforschung ohne Realismusbegriff. — In: DVjS 43, 1969, S. 147—60 — und Heinz Schlaffer, ZfdPh 89, 1970, S. 287—95.

[83] Als einen ersten Versuch der Korrektur einseitig empfindsamer Verinnerlichung pflegt man gemeinhin Wielands »Geschichte des Agathon« anzusehen.

[84] Noch Thomas Manns Romane lassen (in abgewandelter Form) die empfindsame Konfliktsituation zwischen Ich und Welt erkennen. Held der »Buddenbrooks« wie aller späteren Werke ist der Geist, sein Widersacher Leben und Wirklichkeit. Und erneut wird der verfeinerte Mensch mit seiner erhöhten Verletzlichkeit der Häßlichkeit und Brutalität des alltäglichen wie des geschäftlichen Lebens ausgeliefert. Damit ist der Ausgangspunkt, an dem ein Entwicklungsroman einsetzen könnte, durchaus gegeben. Wenn er nicht oder, wie im Falle des ›Felix Krull‹, lediglich zu parodistischer Verkehrung genutzt wird, dann vornehmlich deshalb, weil zwar die alte Problematik noch lebendig ist, ohne daß es (wie früher) verbindliche Lösungsmöglichkeiten gäbe. — In ähnlich parodistischem Sinne (zum Krullschen Mangel an Einheit der Person gesellt sich die Weigerung zu wachsen als Protest gegen die Inhumanität der ›Großen‹), bei verschärft

einer Gattung, sondern Indiz auch für die Stärke des noch immer vorhandenen (empfindsamen) Vorbehalts gegenüber der Wirklichkeit[85].

Zieht man das Fazit dieses historischen Exkurses, so hätte Auerbach am Ende Recht mit seiner Behauptung vom fehlenden oder weithin unzulänglichen Realismus deutscher Zunge? Ja und nein; ja, soweit es die Konstatierung des Faktums ›Wirklichkeitsarmut‹ betrifft[86], nein, sofern wenig Grund vorliegt, sich den Wertungen des Verf. anzuschließen. Ist doch nicht einzusehen, weshalb der Entwicklungsroman, als Typus genommen, künstlerisch potentiell schwächer sein soll als die (in Frankreich und anderswo freilich sehr viel geläufigere) Schilderung gesellschaftlicher Zustände! Dem kann generell nur zustimmen, wer unter Realismus (inhaltlich) die Abbreviatur sozialer Umwälzungen versteht[87] und ihn als Kunstform gleichzeitig absolut setzt[88]. Zu beidem besteht um so weniger Anlaß, je vielfältiger die Möglichkeiten sind der literarischen Auseinandersetzung mit der uns umgebenden Welt.

Im übrigen aber läßt sich auch die deutsche Literatur des 19. Jahrhunderts unter dem Aspekt einer allmählichen Annäherung an die Wirklichkeit betrachten, nur daß man, aus den angegebenen Gründen, die Erwartungen dabei nicht zu hoch schrauben darf: Natürlich ist »Ahnung und Gegenwart« ein ›romantisches‹ Buch, aber das schließt — Killys leicht verwundertem Befremden zum Trotz[89] — nicht aus, daß es sich hier zugleich um den ersten deutschen Zeitroman handelt, einen Roman[90] nämlich, der mit seiner Handlung wie kein anderer vor ihm eingebettet ist in historisch einmalige Ereignisse (Französische Revolution, Tiroler Aufstand).

zeitkritischen Tendenzen, ist noch Günter Grass' »Die Blechtrommel« dem altehrwürdigen Genre verpflichtet.

85 Aufgehoben scheint dieser lediglich im Falle Fontanes, dessen Menschen nicht mehr den Anspruch erheben, Eigenwesen zu sein, ja nicht einmal mehr als Einzelwesen fungieren, sondern in aller Durchschnittlichkeit ihrer Existenz der Bestätigung durch andere bedürfen, weshalb an dieser Stelle deutscher Literaturgeschichte überraschend der Typus ›Gesellschaftsroman‹ ersteht.

86 Wenn auch die (durchaus notwendigen) Begründungen ausbleiben, mögliche Erklärungen dem Romanisten offensichtlich entgangen sind.

87 Sei es nun zu marxistischen Ufern oder, wie bei Auerbach, um der Veränderung selbst willen, d. h. aus einer gewissen Eigendynamik des Vorgänglichen heraus.

88 Dies tut neben marxistischer (vgl. Tilman Krömer, Wertung in marxistischer deutscher Literaturbetrachtung. — In: DU 19, 1967, Heft 5, S. 75—89) auch ein gut Teil aller westlichen Literaturtheorie, ein Zeichen dafür, daß ›Realismus‹ für viele noch immer eine kanonisch vorbildliche Art dichterischer Verwirklichung zu sein scheint, ein Non plus Ultra der Ästheten gleichsam, so daß dem, der diese Forderung nicht erfüllt, etwas wie ein heimlicher Makel anhaftet. — Noch die antirealistische Kampagne ließe sich, psychologisch gesehen, als Abwehrmechanismus diesem (vermeintlichen) Vorwurf gegenüber erklären.

89 a. a. O. S. 65 f.

90 Dessen zeitkritische Komponenten beleuchtet Horst Meixner, Romantischer Figuralismus. Kritische Studien zu Romanen von Arnim, Eichendorff und Hoffmann, Frankfurt/Main 1971, S. 135 ff.

Und selbst »Die Wahlverwandtschaften«, seit Brinkmann von allen objektivistischen Tendenzen, aller (verfehlten) Wirklichkeitsbewältigung freigesprochen, bei Killy weitgehend welt- und geschichtslos verstanden, können einen Platz in der (Vor-)Geschichte des deutschen Realismus beanspruchen: Zumindest romantischen Romanen gegenüber erscheint Landschaft hier genau bestimmt und durch präzise Beschreibung – ein Vorgang des Vermessens zu Beginn! – deutlich gemacht. Obwohl symbolträchtig bis in die geringsten Details hinein, ersteht Natur doch zugleich als Wirklichkeit in all ihren Einzelheiten, wird sie zum Schauplatz der Handlung, zum Spielraum von Ereignissen, deren thematischer Vorwurf – die Darstellung einer Ehe und ihres krisenhaften Zerfalls ist! Zwar mutet der Personalbestand für einen Roman eher kammerspielartig an, um so präziser aber lassen sich die Beziehungen der Akteure untereinander verfolgen. Wenn auch das Zwischenmenschliche hoffnungslos in Verwirrung gerät, der Grad der Verstörung ist jederzeit genau bestimmbar. Nicht als romantisches Rätselspiel kommt dieses Buch daher, vielmehr bringt es von Anfang an alle Voraussetzungen mit, die der Leser zum Verständnis des Ganzen nötig hat. – Charakteristisch für dies Spätwerk ist ferner, daß hier nicht wie beim jungen Goethe (›Götz‹, ›Werther‹) große Menschen und einmalige Taten (oder Leiden) dargestellt werden. Kann man den Konflikt, den der Dichter hier beschreibt, nicht alltäglich nennen, die Menschen, die ihn austragen, sind es schon, und sie tun es inmitten einer alltäglichen Umwelt. Sicher handelt es sich um einmalige Personen, unwiederholbar in ihrer Eigenart, nicht aber um große Naturen, vielmehr wird mit dem Einzelfall immer zugleich ein Allgemeines (sprich Bleibendes) gezeigt, dazu eine reiche Lebenserfahrung ausgesprochen. So ist der Stoff dieses Romans vielleicht ungewöhnlich, die Personen sind es nicht, ja die Behandlung von Konflikt und Personal erscheint insgesamt durchaus realistisch: Modern und gegenwartsbezogen, dürfen »Die Wahlverwandtschaften« ein Buch genannt werden, das durchweg alltägliche, mögliche Menschen darstellt und an ihnen ein aktuell sittliches, kein historisch abgelegenes oder idealistisch verblasenes Problem aufzeigt. Die natürliche Umwelt ist dabei sowenig zweitrangig, wie die sittlichen Normen von irgendwoher verschrieben werden. – Auch über die Tradition des Eheromans also treten Goethe und Fontane in Nachbarschaft zueinander, nur daß man – gegenüber Killys Ewigkeitsperspektive – ebenso ›kurzsichtiger‹ zu werden wie die Blickrichtung umzukehren hätte: nicht Fontane, Goethes ›Weltlosigkeit‹ wiederholend, sondern dieser, den realistischen Eheroman Fontanes vorwegnehmend.

*

Sosehr wir bemüht waren, den Realismus-Begriff offenzuhalten für das weite Feld dessen, was wirklich ist, so muß umgekehrt alle definitorische Toleranz da notwendig ein Ende haben, wo der Begriff seinen Sinn verlöre oder sich ins Gegenteil des ursprünglich Gemeinten zu verkehren droht. Wenn dieser Terminus nicht bis zu gänzlicher Unbrauchbarkeit aufgeweicht werden soll, dann muß die damit bezeichnete Kunstrichtung sich vor andern literarischen Strömungen durch ein Mehr an Realität ebenso auszeichnen wie durch deren präzisere Behandlung. Mit andern Worten: (inhaltlich) Wirklichkeitsfülle und (formal) Streben nach Genauigkeit[91] sind conditiones sine qua non jeder realistischen Arbeitsweise. Natürlich ist das Maß an Faktizität sowenig exakt quantifizierbar wie der Grad an Einlässigkeit im Detail, doch muß, den äußeren Rahmen, das Handlungsareal betreffend, an Kulisse mehr erstellt sein, als eben hinreicht, die Akteure gehen und stehen zu lassen, während das Gegenständliche über die Rolle von Handlungsrequisiten oder die Funktion von Bedeutungsträgern[92] hinauskommen, Exaktheit schließlich den Anspruch des Anschaulichen erfüllen sollte.

Zusammenfassend läßt sich sagen: Realismus, verstanden als mimetische Kunstform, bevorzugt, was die Stoffwahl angeht, das Normale, d. h. räumliche Nähe, zeitliche Gegenwart, darin angesiedelt konkrete Menschlichkeit, Wesen mit (für den Leser) nachvollziehbarer, in den Zeitumständen wurzelnder Problematik. Wenn es eine realistische Schreibart gibt, dann vermeidet sie das Grelle ebenso wie das Gesuchte, Entlegene zugunsten des Mittleren. Nichts anderes voraus-

[91] Nach allem bisher Gesagten nicht länger zu verwechseln mit Objektivitätszwang, vielmehr im Sinne Fontanes eine »exakte, natürlich in ihrer Art auch den Meister verratende Schilderung des wirklichen Lebens« meinend, durch »das Auftretenlassen wirklicher Menschen und ihrer Schicksale ...« (Reuter, a. a. O. S. 348) jene Art Fiktion bewirkend, die uns »auf Augenblicke als eine Welt der Wirklichkeit erscheinen« soll (S. 80).

[92] deren realer Kern allzuleicht zersetzt werden kann, zersetzt und überwuchert von Bedeutung. Diese Gefahr eines absoluten Funktionalismus — marxistische Literaturkritik spricht gern von einem (formalistischen) Zuviel an Bedeutsamkeit —, bei dem das Dingliche am Ende jeden Eigenwerts, jeder Eigenwürde verlustig geht, ist schon dem figuralen Realismus Erich Auerbachs (a. a. O. S. 18; 52) beigegeben, weshalb dieser denn auch alle christliche Realistik weniger hoch einschätzt als die vollgültige moderne Ausprägung. Freilich sieht der Verf. eine ernstliche Bedrohung des Anschaulich-Realistischen allenfalls heraufziehen im Zusammenhang mit spiritualistisch-allegorischen Strömungen, die »den Wirklichkeitscharakter des Geschehens gleichsam aushöhlen ...« (S. 187), im Gefolge also von Erstarrungs- und Verfallserscheinungen (s. S. 116/17), nicht aber auf dem Höhepunkt figuralen Erzählens, bei Dante.
Die Anti-Realismusforschung (Killy, Ohl) weiß von solcher Gefährdung nichts, im Gegenteil. Anders als Fontane der Meinung, Realismus wolle »die bloße Sinnenwelt und nichts als diese« (Reuter, a. a. O. S. 9), macht sie die künstlerische Qualität einer Dichtung nachgerade abhängig von dem erreichten Grad an Symbolismus, wobei der Bedeutungszusammenhang herhalten muß, den verbliebenen Rest an Realität neutralisieren zu helfen. — In Wahrheit zieht realistische Dichtung, aus den angedeuteten Gründen, die Möglichkeiten symbolischer Vertiefung eher sparsam zu Rate; Fontane vorzugsweise dort, wo das Gespräch sich als Kunstmittel verbietet, weil es Heimlichkeiten gibt (vgl. den ›Chinesenspuk‹ in »Effi Briest« als Symbol der Einsamkeit wie des schlechten Gewissens der Titelheldin) oder Seelenlagen (innere Verstörung, drohende Lebenskrisen), die den Betroffenen selbst noch unbewußt und also nicht artikulierbar sind und die anzudeuten der Dichter zumeist Natursymbole elementaren Charakters bemüht. — Zum Problem der Sinnbildlichkeit Fontanescher Schreibart jetzt ausführlich Horst Turk, Realismus in Fontanes Gesellschaftsroman. Zur Romantheorie und zur epischen Integration. — In: Jahrbuch der Wittheit zu Bremen, Bd. IX, 1965, S. 407—56.

setzend als eine unbefangene und unvoreingenommene Bejahung der Welt der alltäglichen Erfahrung, ist Realismus zunächst und vor allem ein Stilbegriff, d. h. überall und zu jeder Zeit denkbar[93], mithin, wie Fontane richtig bemerkt, »so alt als die Kunst selbst ... «[94]. — Seiner Wirklichkeitsauffassung nach unterscheidet er sich grundsätzlich von jener andern Kunstrichtung, die zwar auch größtmögliche Annäherung an das Reale erstrebt, aber dies auf verschlungenen Wegen, das Normale umgehend zugunsten des Ausgefallenen, und aus komplizierten Motiven, in denen sich ein gebrochenes Verhältnis zur Wirklichkeit verrät[95]. Wo immer der direkte, problemlose Zugang zu den Dingen in dieser Weise verstellt ist, sei es durch seelisch bedingte oder weltanschaulich verwurzelte Störungen, da kommt es auf erzählerischer Ebene unweigerlich zu Einseitigkeiten der Auswahl und Verzerrungen der Darbietung, die realistisch zu nennen nicht mehr verstattet sein sollte, für die wir vielmehr, einer von Richard Alewyn mehrfach[96] erläuterten Terminologie folgend, die Bezeichnung Naturalismus oder Idealismus[97] vorschlagen. Zwar handelt es sich auch im Falle des Naturalismus um einen Stilbegriff[98], nicht aber um die Konsequenz und Fortsetzung eines als ›normal‹ zu bezeichnenden Wirklichkeitsverhältnisses, vielmehr um dessen genaues Gegenteil[99], wie denn realistische Haltung nicht nur keine Einschränkung verträgt,

[93] gegen Auerbach, der, wie wir sahen, zumindest die antike Literatur ausschließen möchte, während für Brinkmann kein Realismus möglich ist vor Wirksamwerden jener um 1800 einsetzenden subjektivistischen Tendenzen und es laut Preisendanz, der davor warnt, »beim Realismus an ein ... überzeitliches Stilprinzip zu denken«, gar beim Periodenbegriff sein Bewenden haben sollte, bezogen einzig »auf das im 19. Jahrhundert dominierende System dichterischer Normen und Konventionen« (Bogawus, a. a. O. S. 4).

[94] Reuter, a. a. O. S. 4.

[95] Von daher würden wir die Bezeichnung ›Syndrom‹, bei Peter Demetz — Zur Definition des Realismus. — In: Literatur und Kritik, Jg. II, 1967, S. 333—45, dort S. 345 — auf den Sachverhalt ›Realismus‹ bezogen, viel eher dem (vorliegenden) naturalistischen Weltverhältnis zugestehen wollen.

[96] Naturalismus bei Neidhart von Reuental. — In: ZfdPh 56, 1931, S. 37—69, bes. S. 39/40; (die dort aufgestellte These) wiederholt in: Johann Beer und der Roman des 17. Jahrhunderts, Halle 1931. Das Realismus-Kapitel daraus jetzt überarbeitet unter dem Titel »Realismus und Naturalismus«. — In: Deutsche Barockforschung. Dokumentation einer Epoche, Köln/Berlin ²1966 (Neue Wissenschaftliche Bibliothek 7), S. 358—71.

[97] Idealismus insofern, als diese Haltung die Diskrepanz festhält zwischen dem, was ist, und dem, was sein sollte, und von dieser ›sentimentalischen‹ Position aus zu einer Verurteilung der tatsächlichen Verhältnisse kommt. — Idealismus dieser Spielart ist in seiner stilisierenden Einseitigkeit nichts anderes als die genaue Umkehrung jener naturalistischen Haltung. Er unterscheidet sich von dem (auf Erhöhung der Realität abzielenden) Idealismus Schillerscher Prägung in eben der Weise, wie Naturalismus und Realismus voneinander verschieden sind.

[98] Daß folglich (Wirklichkeits-)Störungen der genannten Art ebenso zu allen Zeiten auftreten können, dafür liefert das Buch Erich Auerbachs und die Fülle der dort vorgetragenen Beispiele den besten Beweis.

[99] Diese grundsätzliche Verschiedenheit ist von der bisherigen Forschung in aller Regel nicht gebührend berücksichtigt, sei es, daß man sie bewußt zu kaschieren trachtete (vgl. Anm. 44), sei

sondern ebensowenig einer Steigerung (in Richtung auf einen so photographisch exakten wie unkünstlerischen ›Über‹-Realismus) fähig wäre.

Realismus und sein Gegenteil, nenne man es nun Naturalismus oder Idealismus, damit sind zwei grundsätzliche Weisen künstlerischer Annäherung an die Wirklichkeit benannt. Als Stilbegriffe theoretisch immer möglich, sind die Voraussetzungen ihres Auftretens dennoch nicht zu allen Zeiten gleich günstig: Rationalismus und Empirismus, begleitet von einem allgemeinen Abbau des Metaphysischen, müssen zusammenkommen, um die Ausbreitung einer Geisteshaltung zu begünstigen, die sich dann im Verlauf des 18. Jahrhunderts literarisch niederschlägt in dem (aufklärerischen) Bemühen um realistische Erfassung der Welt.

es, daß der fragliche Terminus noch immer allzu sorglos — selbst Fontane verfährt in dieser Hinsicht einmal nicht konsequent — entweder synonym oder bekräftigend im Sinne eines ›gesteigerten‹ Realismus verwendet wird (s. Heselhaus, a. a. O. S. 341). — Umgekehrt möchte Friedrich Gaede — Realismus von Brant bis Brecht, München 1972 — den Realismus-Begriff grundsätzlich nur auf naturalistische Sachverhalte angewandt wissen. Nicht nur habe sich Mimesis als ›Entsprechung‹ in erkenntnistheoretischem Sinne als unmöglich erwiesen, die Schilderung der Dingwelt setze allemal Desintegration, d. h. »Entgöttlichung der Welt, die Scheidung von Idee und Wirklichkeit . . .« voraus (S. 76). Eben dieser Moment des Auseinanderbrechens der »Einheit von Natur und Geist« sei »als Geburtsstunde des Realismus anzusehen« (S. 19/20). In einer Welt ohne Transzendenz könne der »Zerfall allgemeiner Ordnung« (S. 20) nur mehr negativ zum Ausdruck gebracht und (formal) im Gewand der Satire (s. S. 9; 19) wie mit Hilfe der Allegorie (s. S. 22ff.) als Verkehrtheit entlarvt werden. Realistische Kunst sei darum per definitionem antimimetisch (s. S. 20), der Realist schildere nicht »Welt, ›wie sie ist‹, sondern gefährdete Welt oder ›verdorbenes Dasein‹« (S. 21).
Der Satiriker als Schilderer götterloser Wirklichkeit (s. S. 75), er ist eigentlich immer schon (und durchaus vor Brant) vorhanden, wie der Fall Brechts, d. h. marxistische Literaturpraxis und -theorie mit ihrer Kapitalismuskritik nur ein spätes Beispiel abgibt quasi ›immerwährenden‹ Ordnungszerfalls. Damit erweist sich der Ansatz des Verf., dem die Einheit von Sein und Sinn, wenn überhaupt, höchstens zuzeiten Homers existent war, im letzten als geschichtsphilosophisch orientiert, wobei der Weltdeutung ein triadisches Geschichtsschema zugrunde liegt (s. S. 73ff.): Auf die ursprüngliche Einheit von Natur und Geist folgt der Abfall des Geistes und schließlich das Bewußtsein dieses Dilemmas als Voraussetzung seiner künftigen Überwindung. — Literatur, in dieses Denkmodell einbezogen, muß darüber zuletzt jede historische Dimension verlieren: War die Konstatierung des Auseinanderfalls von Besonderem und Allgemeinem bei Brinkmann noch an die Bedingung einsetzender Subjektivierung und damit an einen Terminus post quem (Frühromantik) gebunden, wird die Trennung von Idealem und Realem nunmehr auf den »Realismus aller Epochen« (S. 71) übertragen. Zurück bleibt ein Schematismus, der am Ende jeden Überraschungsmomentes entbehrt: Auf ein Wirklichkeitsverhältnis, das in Opposition steht (Neuzeit), folgt noch einmal ein quasi-antiker, d. h. ›versöhnter‹ Weltzustand in der Weise, wie die Meteorologen Sonnenschein nach Regen verkünden. Indem die Schilderung gefährdeter Welt und verdorbenen Daseins ›realistisch‹ genannt wird, während mimetische Kunst lediglich dem (auf Sinn- und Handlungseinheit zielenden) »idealistischen Bewußtsein als literarisches Ausdrucksmittel« (S. 20) dienen soll, gesellt sich zur literarhistorischen Irrelevanz der eingeführten Kategorien eine bewußte Begriffsverkehrung, die bis zur völligen Sinnentleerung herkömmlicher Termini reicht und, solange man an der Übereinkunft festhält, wonach zwischen Sachverhalt und Bezeichnung eine Beziehung bestehen sollte, entschieden abzulehnen ist.

Das Aufkommen der Naturwissenschaften und ein wachsender Positivismus ermöglichen nach der Mitte des 19. Jahrhunderts eine Vielfalt realistischer Ansätze, deren Bündelung die schließliche Ausweitung des Stilbegriffs zu der Epochenbezeichnung ›Realismus‹ erlaubt[100]. — Umgekehrt scheinen die Vorzeichen für eine (sentimentalische) Diesseitigkeit, die in Opposition steht zu dem, was sein sollte, günstig gewesen zu sein besonders im 17. Jahrhundert, während etwas von der pessimistischen Weltsicht des Barock überkommen ist auf unsere Zeit, die geprägt wurde von den Erfahrungen zweier Weltkriege: die naturalistischen Stilzüge etwa der Werke Thomas Manns und Günter Grass' zeugen davon.

Unerachtet der Brinkmannschen Behauptung, man müsse, sobald der Blick sich auf das Verhältnis von Wirklichkeit und Dichtung richte, zu den von ihm vertretenen Ergebnissen — Wirklichkeit als Illusion — kommen (s. S. XI), bleibt es bis auf weiteres eine der interessantesten Aufgaben des Literarhistorikers, Übereinstimmung und individuelle Abweichung solcher benachbarter Naturalismen oder Realismen festzuhalten, ferner die grundsätzlichen Unterschiede zwischen realistischer Nachzeichnung und naturalistischer Verzerrung der Welt differenzierend herauszuarbeiten. — Unser Anliegen ist demgegenüber vergleichsweise bescheidener, auf ein einzelnes Untersuchungsobjekt, die Prosa Gottfried Kellers, konzentriert. Dabei gilt unser Augenmerk bewußt der stofflich-gegenständlichen Seite, d. h. den Personen und ihrer Umwelt, den Handlungsantrieben (plots) ebenso wie dem Motivbestand und Bildmaterial; dies einmal, weil wir es für bedenklich halten, Kategorien aus philosophischen Systemen (in so weitreichendem Maße wie geschehen) auf die ›Beschreibung‹ von Literatur anzuwenden, zum andern aus der Überzeugung heraus, daß ›Faktizität‹ in diesem (weitesten) Wortverstand das Arsenal darstellt, aus dem die dichterischen Träume gemacht sind, ihre Untersuchung mithin am ehesten zu beweiskräftigen, freilich auch — schon auf Grund der bisherigen Vernachlässigung — durchaus zu unvermuteten Ergebnissen führen kann. Zugleich will die konkrete Werkanalyse ein Test sein auf die Brauchbarkeit des von uns vorgeschlagenen heuristischen Prinzips ›Realismus‹ und im Bestfall Bestätigung jener These, nach der auch hier nur eine (subjektive) Meinung befindet, ohne daß darum der objektive Sachverhalt notwendig verfehlt werden müßte. — Bliebe einleitend lediglich nachzutragen, daß wir »Die Leute von Seldwyla« in den Mittelpunkt unserer Untersuchung gestellt haben darum, weil sie am häufigsten mit der Klassifizierung Kellers als eines ›Realisten‹ in Verbindung

[100] Gleiches gilt für die Ära des sog. Naturalismus. Auch hier ist der Schritt erlaubt vom Individualfall zur Epochenbezeichnung. Dagegen will Brinkmann unter Realismus allenfalls einen Kollektivbegriff verstanden wissen. Die Mitte einhaltend zwischen Individual- und Allgemeinbegriff (a. a. O. S. 98), enthebt ihn diese moderierte Ausweitung der Notwendigkeit, auch andere Realismen als die nachromantischen mit einbeziehen zu müssen, während die Verwendung als Epochenbegriff da unsinnig sein müßte, wo es im herkömmlichen Sinne nur ›sogenannte‹ Realisten gibt.

gebracht werden, d. h. als spezifisch gelten dürfen im Hinblick auf die angesprochene Problematik, während sie zugleich — als Novellensammlung — umfassend genug erscheinen[101], Verlagerungen des Schwerpunktes (je nach Perspektive und Themenstellung) ebenso wie repräsentative Schlußfolgerungen zu erlauben. Wenn wir darüber hinaus bemüht sind, von ›Seldwyla‹ aus das gesamte Kellersche Oeuvre im Blick zu behalten und bei Bedarf Parallelen aus anderen Werken heranzuziehen, dann unter der methodischen Prämisse, daß wir es hier — was zu beweisen sein wird — mit einem motivlich-thematischen Geflecht von bemerkenswerter Einheitlichkeit zu tun haben.

[101] Mit einer Ausnahme: Gleich der erste Beitrag hat (auf Grund des Themas ›Landschaftsschilderung‹) eine breitere Textgrundlage vonnöten, da Umwelt im Roman nun einmal fülliger greifbar ist als in Erzählungen relativ schmalen Umfangs.

meist in der Opposition
und außerdem ein Gottfried-Keller-Schwärmer
THEODOR FONTANE

B. HAUPTTEIL

I. LANDSCHAFT UND NATUR BEI GOTTFRIED KELLER

»... unsere bunte, weithin glänzende Gesellschaft bewegte sich bald durch das grüne Tal hin, bis wir in eine reizende Wildnis gelangten, wo der Wald von beiden Seiten an das Gewässer niederstieg und dasselbe kühl und dunkel überschattete. Bald faßte er es mit undurchdringlichen Laubwänden ein, daß wir die überhangenden Zweige zurückbiegen mußten; bald weitete er sich aus und ließ eine Schar lichter, hoher Tannen auf sonnigem Boden vorrücken; dann lagen herabgestürzte Felsblöcke am Rand und im Wasser und verursachten Wasserfälle, indessen zurückgebliebene Trümmer aus dem Gebüsche der Abhänge hervorragten; kleine Seitenwege lockten ins Dunkel und überall enthüllten sich die lieblichsten Geheimnisse. Die roten, blauen und weißen Gewänder der Mädchen leuchteten herrlich in dem dunklen Grün, die Vettern sprangen von Stein zu Stein, daß ihre Goldknöpfe aufblitzten und mit den Silberkringeln der Wellen wetteiferten. Allerhand Getier machte sich sichtbar, hier sahen wir die Federn einer wilden Taube, die unzweifelhaft von einem Raubvogel zerrissen worden, dort schoß eine Schlange durch die Uferwellen über die glatten Kiesel hin, und in einer abgetrennten Untiefe hatte sich eine schimmernde Forelle gefangen, welche mit ihrer Schnauze ängstlich an den abschließenden Steinen herumtastete, bei unserer Annäherung aber einen Sprung machte und im strömenden Elemente verschwand« (3, 237/38)[1].

1. Bewegungslandschaft

Die vorliegende Passage ist dem ›Grünen Heinrich‹, und zwar dem abschließenden Kapitel des ersten Bandes (I, 21), entnommen. Heinrich, von der Schule verwiesen und damit vorzeitig mit der Notwendigkeit einer beruflichen Entscheidung konfrontiert, hat den psychologisch so verständlichen wie die Mutter alarmierenden Wunsch geäußert, Maler zu werden. Um eine Sinnesänderung zu bewirken oder zumindest Aufschub zu gewinnen, ist Frau Lee auf den Ausweg verfallen, den Sohn bis auf weiteres zu ihrem Bruder aufs Land zu schicken. — Auf den ersten Sonntag nach seiner Ankunft im elterlich-heimatlichen Dorf wird

[1] Zitate nach der Ausgabe: Gottfried Keller. Sämtliche Werke, hrsg. v. Jonas Fränkel, Zürich/München 1926 ff., Bern/Leipzig 1931 ff., später hrsg. v. Carl Helbling, Bern/Leipzig 1943/44, Bern 1945 ff.

ein Besuch beim Schulmeister — dem Schwager des gastgebenden Oheims — verabredet. Die »bunte ... Gesellschaft« zu Anfang rekrutiert sich aus den drei Töchtern des Onkels, begleitet von Heinrich und seinen (ebenfalls drei) Vettern; ihr Besuch gilt der Schulmeisterstochter Anna.

Der Text beginnt — und endet mit der Schilderung von Bewegung: Aufbruch und Annäherung der jungen Leute korrespondieren Flucht und eiliges Entfernen von seiten der Tierwelt. Solchermaßen hellhörig gemacht, wenden wir unser Augenmerk den sprachlichen Mitteln[2] zur Wiedergabe von Bewegungsabläufen zu. Tatsächlich enthält die Vorlage auf ca. 24 Zeilen ein knappes Dutzend[3] Bewegungsverben, ein Befund, der unter den gegebenen Umständen — Beschreibung einer den Ufern eines ›kurzweiligen Flüßchens‹ folgenden Menschengruppe — freilich noch nicht mehr besagen muß, als daß er vom Thema her notwendig und also zu erwarten gewesen sei. Ob sich des weiteren etwas anfangen läßt mit der beobachteten Stileigentümlichkeit, hängt entscheidend von dem Wie der Bewegung ab, und da gewinnt besonders deren Steigerung gegen Schluß hin bezeichnenden Charakter: mehr noch als das ›Springen‹[4] der Forelle die Bewegung der Schlange, die »durch die Uferwellen ... [hin]schoß ...«; bezeichnend darum, weil hier Bewegung — mit Hilfe der Wortwahl — ins Bewußtsein gerückt wird dadurch, daß sie über das Maß des tatsächlich Gegebenen hinaus forciert erscheint[5].

Größtmögliche Intensität der Bewegung ist erreicht, wo es gelingt, ›standortgebundene‹ Landschaftsteile ihrer Natur entgegen zu ›mobilisieren‹. Wir meinen die Beschreibung der Wildnis da, wo der Wald »von beiden Seiten an das Gewässer niederstieg ...«[6], während er unten im Tal »eine Schar lichter, hoher Tannen auf sonnigem Boden vorrücken« ließ. Solchen festen Landschaftspartikeln Bewegung zu verleihen, reicht das einfache Verb nicht hin, vielmehr ist dem Simplex jeweils ein — zumeist präpositionales —[7] Präfix beigegeben, das wie ein

[2] dazu im folgenden die Arbeit von Susanne Baumann, Die Landschaft in den Erzählwerken Adalbert Stifters und Gottfried Kellers. Studien zur Auffassung und dichterischen Darstellung der Landschaft, Diss. (Masch.) Hamburg 1954, bes. das Kapitel »Die Sprachform der Landschaftsdarstellungen«, S. 97—114.

[3] Das ›Zurücklegen‹ und ›Heimkehren‹ zu Beginn des Absatzes eingerechnet.

[4] In der ersten Fassung heißt es statt »Sprung« noch »Salto mortale« (17, 40), eine Übertreibung, die Keller später gemildert hat, womit zugleich die für unser Beispiel einzige Abweichung zwischen den Ausgaben A und B genannt ist.

[5] dazu August Langen, Verbale Dynamik in der dichterischen Landschaftsschilderung des 18. Jahrhunderts. (Vorstudie zu einer Sprachgeschichte des 18. Jahrhunderts). — In: ZfdPh 70, 1947/48, S. 249—318, dort S. 250.

[6] Beim Schulmeisterhaus angekommen, erkennt man einen schmalen Streifen bebauter Erde »um den See herum, hinter demselben setzte sich überall der ansteigende Wald fort ...« (3, 238).

[7] Seltener sind Komposita des Typs: Präfix her-/hin- plus Präposition plus Simplex = her-abgestürzt, her-vor-ragen, her-um-tasten; sich hin-durch-bewegen, hin-durch-schießen.

Richtungsanzeiger wirkt und die zunächst ziellose Bewegung in bestimmte Bahnen lenkt, d. h. sie sowohl kanalisiert wie — per Bündelung — intensiviert: ›nieder‹-steigen, ›vor‹-rücken ...

Initiierende Funktion erlangen Präfixe dieser Art überall dort, wo sie verbalen Aktionen erstmalig überhaupt eine Stoßrichtung vermitteln. Dank ihrer Hilfe ist der Wald, von dem es hieß, er sei an das Gewässer ›niedergestiegen‹, nicht einfach Aktionsträger, sondern, indem er »dasselbe kühl und dunkel überschattete«, es »mit undurchdringlichen Laubwänden« einfaßte oder »sich aus ... weitete«, Urheber zielgerichteter Aktionen nicht anders als die Menschen, die »die überhangenden Zweige zurückbiegen mußten«, das Tier, das »an den abschließenden Steinen herumtastete ...«.

Womit sich die Anzahl der Bewegungsvorgänge beträchtlich erhöht hat, ohne darum schon komplett zu sein. Formeln wie die von den »überhangenden« Zweigen oder »abschließenden Steinen« bieten weitere Gelegenheit, den Katalog der Bewegungsverben zu vervollständigen. Wie hier ist in insgesamt einem Drittel (9 von 27) aller Fälle[8] das Adjektiv ersetzt durch ein Verbalpartizip. Könnte man anhand der Präsenspartizipien einigemal (glänzend, schimmernd) in Zweifel geraten[9], ob sie adjektivisch, als Eigenschaft oder Zustand eher denn verbal, im Sinne einer Tätigkeit aufzufassen sind, so ist diese Frage eindeutig zugunsten der letztern Möglichkeit beantwortet[10], sobald es sich, wie in den Ausgangsbeispielen, um Partizipialformen von Verbalkomposita — nach dem bekannten Muster: Präfix plus Simplex — handelt, da diese Präfixe nun erneut intensivierend oder richtungsweisend wirken. — Steht das partizipiale Adjektiv zudem in attributiver Stellung, dann kommt die ihm innewohnende Bewegung dem zugehörigen Substantiv zugute, besonders eindrucksvoll da, wo es sich grammatisch um das Subjekt des Satzes, inhaltlich um kompakte, immobile Materie handelt wie im Falle der ›herabgestürzten Felsblöcke‹ — in Beziehung gesetzt zu den ›zurückgebliebenen Trümmern‹[11].

[8] Im Falle der ›undurchdringlichen‹ Laubwände ist das Adjektiv zumindest verbalen Ursprungs.

[9] Susanne Baumann scheint gerade diese Zweifel nicht zu kennen, wenn sie — wie mir meinen, ohne Not — von den Partizipien ausschließlich die präsentischen in ihre Berechnungen einbezieht (a. a. O. S. 102), so daß sie nur jedes vierte Adjektiv durch ein Verbalpartizip ersetzt sehen will (s. S. 109).

[10] Damit stimmt die weitere Beobachtung überein, wonach von den restlichen Adjektiven — die Farbangaben ausgenommen — nur wenige präzise bestimmenden Charakter aufweisen, vielmehr wertend gehalten sind (reizend, lieblich, herrlich; bei Beschreibung des Schulmeisterhauses folgen: hold, friedevoll, zierlich ...) und dann lediglich einen allgemeinen Eindruck verstärken helfen.

[11] Von diesen Paradebeispielen ausgehend ließe sich vermuten, noch die zu einem Eigenschaftswort verfestigte ursprüngliche Partizipialform ›reizend‹ habe über diesem Erstarrungsprozeß nichts von ihrem Bewegungscharakter verloren. Jedenfalls läßt sie sich verbal verstehen im Sinne von ›zu Bewegung oder Tätigkeit anreizend‹.

Natürlich gibt es — über die herabgestürzten Felsblöcke hinaus — inmitten dieser allseits bewegten Kulisse genügend solide Flächen und Landschaftszonen, den Waldboden des Tales, die felsigen Berghänge rechts und links, die Wirrnis von Baum und Strauch ... Aber diesen kompakten Bestandteilen ergeht es im Kontext seltsam: Grammatisch nehmen sie die Stelle der adverbialen Bestimmung des Ortes ein, sind also dem Verb zugeordnet, ihre Funktion aber ist die, Bewegung spürbar zu machen, indem diese nun mitten durch sie hindurchgeleitet wird[12]. Stilistisch geschieht das am überzeugendsten da, wo die Verbalkomposita sich zusammensetzen aus einem Simplex und Präfixkombinationen, die, auseinandergezogen, die eigentliche Ortsbestimmung umrahmen und so, wie Richtungsanzeiger an Ein- und Ausgang des kompakten Landschaftsteils stehend, Bewegung veranschaulichen. So bewegt sich die Gesellschaft »durch das grüne Tal hin«, schießt die Schlange »durch die Uferwellen über die glatten Kiesel hin ...«.

Zusammenfassend ergibt sich ein nicht nur quantitativ eindrucksvoll verbalisierter Text, ein Text auch, in dem der verbale Satzkern so stark ausgeprägt erscheint, daß er andere Satzteile (inhaltlich: entscheidende Landschaftszonen) syntaktisch sich unterzuordnen ebenso imstande ist, wie er über Partizipien nachweislich verbalen Charakters in attributiver Stellung auf Substantive und selbst die Subjektgruppe, d. h. auf das andere Zentrum des Satzes, mobilisierend einzuwirken vermag. — Als Wortgruppe wird das Verb hinsichtlich Häufigkeit und Wirkungsweise lediglich von einer zweiten Wortart, den Präpositionen, übertroffen.

*

Die (stilistisch sich äußernde) Intention, Beweglichkeit zu erzielen, ist ebenso für die Auswahl der Landschaftsmotive bestimmend gewesen. Hier ist in erster Linie auf das Licht und seine Wirkungen zu verweisen[13], wie sie sich bemerkbar machen im ständigen (in unserm Fall dreifach wiederholten) Wechsel von Hell und Dunkel, Sonnenschein und Schatten. — Als lichtempfänglichste Vehikel erweisen sich die »heftigen Wellen« (3, 214. vgl. 4, 45) des Flüßchens, ihrerseits Lebenselement so beweglichen wie scheuen Wassergetiers wie wegweisender Begleiter des wandernden Menschen. — Sich tausendfach brechend an spiegelnden und ihrerseits bewegten Körpern und Flächen, gelingt es dem Wechselspiel des Lichts (s. 4, 49. 8, 416/17) zuletzt, selbst der landschaftlichen Dominante ›Wald‹ einen Teil ihrer natürlichen Massivität zu nehmen.

Licht, Wasser, Wald, dazu Tier- und Menschenwelt als Komparserie, mit so knappem Katalog sind bereits die wesentlichen Bestandteile nicht nur dieses Landschaftsbildes genannt. Was sich im Wechsel von Schauplatz zu Schauplatz allenfalls verändert, sind die Dimensionen. So gibt es großartigere Landstriche —

[12] Manchmal wird den Verben erst durch derartige Ortsbestimmungen ein Bewegungssinn verliehen: ›ins Dunkel‹ locken, ›in eine reizende Wildnis‹ gelangen.

[13] zu dessen vielfachen Funktionen s. ferner die Seiten 58/59; 63 ff.; 76 ff.

die unmittelbare Umgebung Zürichs (s. 4, 47) — ebenso wie verschwindend winzige Miniaturgebilde, Hinterhof-Szenerien, denen es dennoch an keinem der vorgenannten Ingredienzien fehlt: »... zwischen hohen Mauern ein ganz kleines Stückchen Rasen mit zwei Vogelbeerbäumchen; ein nimmermüdes Brünnchen ergoß sich in ein ganz grün gewordenes Sandsteinbecken, und der enge Winkel ist kühl und fast schauerlich, ausgenommen im Sommer, wo die Sonne täglich einige Stunden lang darin ruht. Alsdann schimmert das verborgene Grün durch den dunklen Hausflur ... auf die Gasse ...« (3, 26).

Mit den Dimensionen wechselt die Zusammensetzung der Einzelelemente, und gelegentlich werden ergänzende Variationen des motivlichen Grundbestandes erkennbar: In offener Landschaft kommt dem Wechsel der Tageszeiten größere Bedeutung zu, ein Vorgang, der dann gern und häufig gesehen wird in Bildern räumlicher Bewegung oder zielgerichteter Aktion (s. 3, 214/15. 20, 76; 82/83). In so vergrößertem Rahmen, unter freiem Himmel ist es weniger das Spiel von Licht und Schatten, sind es vielmehr ganze Bahnen oder Streifen von Licht (s. 6, 22. 7, 174 und 186), durch das Terrain hindurchgelegt, die den Eindruck optischer Bewegtheit hervorrufen. — Dabei zieht der Anblick offenen Himmels die Aufmerksamkeit des Wandernden ebenso auf sich wie das verborgen fließende Wasser. Nicht nur begleiten Heinrich — noch auf dem Weg zum Dorf des Oheims begriffen — »Kornblumen und roter Mohn und in den Wäldern bunte Pilze ... längs der ganzen Straße; wunderschöne Wolken bildeten sich unablässig und zogen am tiefen stillen Himmel dahin« (3, 199).

Baum oder Wald, Brunnen oder Bach, wimmelndes Getier oder kreisende Vögel, fahrende Wolken über ziehendem Wasser, Bündel von Licht oder diffuses Hell-Dunkel, das alles ›erfahren‹ in beinah wörtlichem Verstande, im Unterwegssein[14] — nicht nur ist die Zahl der Motive begrenzt, leben Kellers Landschaften von der variierenden Wiederkehr des Gleichen, gemeinsam ist der Mehrzahl der genannten Dinge Bewegung, und zwar Naturgemäßheit, will sagen Leichtigkeit der Bewegung. Aus den wichtigsten dieser Einzelelemente erwachsen, erweist unser Beispiel einer Landschaftsschilderung[15] — meistbegangene und häufigst beschriebene ›Route‹ des Romans — sich als in vielerlei Hinsicht paradigmatisch, ja

[14] Meist in der Form spazierenden Wanderns, seltener als Wagenfahrt (s. etwa 4, 169. 5, 30/31; 145 ff. 8, 8/9) oder per Schiff (s. 8, 309 ff.).

[15] Vgl. die Interpretation dieser Passage bei Baumann, a. a. O. S. 53/54. Während die Verfasserin meint, hier sei ein »zaubervoller Augenblick ... zum Bilde gestaltet«, der »kaum ... auf seine Bedeutung hin untersucht werden« könne (S. 54; vgl. 159), möchte Bruno Hillebrand — Mensch und Raum im Roman. Studien zu Keller, Stifter, Fontane, München 1971 — demselben Text (s. dazu das Kapitel »Das Dorf und ›über den Berg‹«, S. 157—63) symbolische Qualitäten zugestehen als Ausdruck des Strebens »nach Einklang mit den räumlichen Bedingungen der Welt ...«. Heinrichs »Erlebnisse auf dem Lande, im Dorf und dessen Umgebung, sind nicht zuletzt die sinnbildlich verdichtete Form dieses Strebens nach Weltharmonie« (S. 123; vgl. 128; 134). — Zugleich sind mit den genannten Beiträgen die Positionen abgesteckt, zwischen denen sich das Spektrum kontroverser Meinungen zu diesem Thema bewegt.

repräsentativ für den ›Landschafter‹ Keller schlechthin. Nach Stil wie Inhalt handelt es sich — hier wie andernorts — um die nahezu reine Verkörperung des Typs ›Bewegungslandschaft‹[16].

[16] Versuche, Kellers Landschaften als Abwandlungen eines bestimmten Grundtyps zu begreifen, sind über Ansätze nicht wesentlich hinausgekommen. Unbestritten gilt eigentlich nur die These vom ›Freiluftdichter‹ Keller, d. h. die Erkenntnis, wonach die überwiegende Zahl seiner Handlungsabläufe im Freien angesiedelt ist, ohne daß freilich bislang eine überzeugende Begründung dieser Eigenart gefunden wäre. Das mag einmal auf der unzureichenden Abgrenzung des Gegenstandes, speziell der mangelnden Unterscheidung von Landschaft und Schauplatz, beruhen. Definiert etwa als ein »bildhaftes Ganzes«, das »als Raumgestalt erlebt wird« (Baumann, a. a. O. S. 5), erscheint dieser Terminus sowohl zu weit wie zu eng gefaßt: zu weit insofern, als auch Stadtprospekte (s. S. 11) derart bildhaft-strukturierte Ausschnitte abgeben können, zu eng, weil gerade »das Atmende, Bewegte, Lebenerfüllte der Natur ... das Element in Kellers Landschaften« ist, »das die Bildstruktur immer wieder sprengt« (S. 147). — Mit dieser Neigung zu terminologischer Inkonsequenz bewegt die Verfasserin sich auf den Spuren von Emmy Rosenfeld — Landschaft und Zeit in Gottfried Kellers ›Leuten von Seldwyla‹, Würzburg 1931 —, die den Begriff der Landschaft ungeniert auf den Schauplatz Seldwyla anwendet, wobei ihr die Darstellung eines derart undifferenzierten ›Raumes‹ lediglich Voraussetzung ist dafür, daß insbesondere der zweite Novellenband »zum objektiv geschilderten Abbild politischer Zeitereignisse in der Schweiz« werden kann (S. 27).
Freilich sind definitorische Mängel dieser Art sowenig zufällig wie ohne Folgen, vielmehr das Ergebnis methodischer Vorentscheidungen. So ist der Baumannsche Landschaftsbegriff einer Analyse des Stifterschen Werkes entnommen, kommt sein Bildcharakter dessen Hang zu detaillierter Genauigkeit (a. a. O. S. 65) entgegen. Verglichen damit sei Keller als Landschaftsschilderer sowenig variabel wie ausführlich, habe er an umfangreichen (komplizierten) Landschaftsbildern lediglich vier (nie länger als fünfzeilige) Beispiele aufzuweisen (s. S. 30), während auch die begrenzten Motive selten anders als andeutungsweise behandelt würden (s. S. 33). Vielmehr liege Kellers Stärke, falls nicht überhaupt im Bereich der Personenbeschreibung (s. S. 96), in der Stimmung vermittelnden Darstellung des Gesamteindrucks (s. S. 86/87; 123). — Bleibt als Fazit anstelle differenzierter Diagnose eine Fülle einseitiger Gewichtsverschiebungen zu Lasten unseres Dichters, indes wertvolle Ergebnisse Hand in Hand gehen mit bisweilen totaler Verkennung wichtiger Sachverhalte, wie immer, wenn ein Text fremden Denkkategorien unterworfen wird. — Entschiedener noch geschieht dies in der Arbeit von Bruno Bolliger, Mensch und Landschaft. Eine Studie zu den Werken Gottfried Kellers, Aarau 1961. Wenn er »Träumen — schauen — sorgen!« als »drei grundsätzliche Verhaltensweisen des Dichters gegenüber der Landschaft« herausstellt, bedient er sich, wie vor ihm Albert Hauser — Gottfried Keller. Geburt und Zerfall der dichterischen Welt, Zürich 1959 —, des begrifflichen Instrumentariums Heideggers und besonders Binswangers, wie er Hausers Entwicklungsschema (Liebe — Sorge) aus dem Bereich der Personenbeschreibung auf das Sujet ›Landschaft‹ übertragen zu können glaubt: »Als Träumender ist der Mensch noch ganz eins mit der Landschaft. Sie ist Zustand seiner Seele. Als Schauender steht er ihr gegenüber. Aber noch ist er mit ihr verbunden, solange sein Blick der eines Liebenden ist. Die Sorge um die Landschaft aber bedeutet immer schon Entfremdung« (S. 16).
Kein Wunder, wenn unter solchen Voraussetzungen bis heute entscheidende Aspekte unseres Themas unberücksichtigt geblieben sind und sich als Bilanz aller Bemühungen kaum mehr ergibt denn Wiederholung und gelegentliche Ergänzung brauchbarer Einzelbeobachtungen, wie sie in lediglich registrierender Manier schon die frühe Arbeit von Otto Luterbacher — Die Landschaft in Gottfried Kellers Prosawerken. Forschungen zur Linguistik und Literaturwissenschaft, Heft 8, Tübingen 1911 — enthält.

2. ›*Alles lebt in der Natur*‹

Nun ist Bewegung in einem literarischen Kontext weniger als physikalisches Phänomen als vielmehr ihrer möglichen Bedeutung[17] wegen von Interesse, wobei diese, dialektisch strukturierte Zusammenhänge vorausgesetzt[18], am ehesten aus der vergleichenden Gegenüberstellung genau gegenteiligen Befundes hervorgeht: Starre, Lautlosigkeit und Dunkel, einzeln oder zusammengenommen sind sie die begleitenden, sinnlich wahrnehmbaren Zeichen des Todes in Kellers Dichtung — ihre Umkehrung, Bewegung, Geräusch und Lichtfülle, die unverwechselbare Trias zur Kennzeichnung alles Lebensvollen.

Wie weit diese Identifikation geht, mag ein Beispiel aus »Dietegen« verdeutlichen: Von den bigotten Ruechensteinern in Not und Abhängigkeit gehalten, ja zuletzt einer Bagatelle wegen dem Tode überantwortet, erwacht der Knabe erst eigentlich in der Umgebung seiner Seldwyler Retter wahrhaft zum Leben. Und diese Erweckung wird, wo nicht ausgelöst, so doch veranschaulicht im Anblick der springenden Tierwelt des Waldgeheges. Dietegen, der »solche Tiere ... bisher nur tot gesehen« hatte, »stand deshalb ganz verzückt ... und konnte sich nicht satt schauen an dem Stehn und Gehen des schönen Wildes. Begierig streckte er die Hand aus nach dem stolzen Hirsch, um ihn zu streicheln, und als derselbe mit einem Satze seitwärts sprang und lässig davontrabte, lief er ihm aufjubelnd und jauchzend nach und sprang mit ihm um die Wette im weiten Kreise herum. Es war vielleicht das erste Mal in seinem Leben, daß er auf diese Weise seine Glieder brauchte und seiner Lebenslust inne ward, und der Hirsch, voll Anmut und Kraft, schien den behenden Knaben zu seinem Vergnügen zu verlocken und, indem er vor ihm floh, seine schönsten Sprünge zu üben« (8, 243/44). Körperliche Bewegung, bewußt empfunden, wird hier geradezu zu einer Art Existenzbeweis, und wollte man Keller Descartes zitieren lassen, müßte es wohl sinngemäß heißen: Salio, ergo sum — Ich springe, also bin ich! — Womit der Spaziergang unserer Gesellschaft, zumal das Springen der Vettern, quasi programmatischen Charakter gewinnt. Daß er, was die Geräuschkulisse angeht, weniger ergiebig ist, liegt vermutlich an Heinrichs anfänglicher Fremdheit, wie auch der Gedanke an den gemessen-gravitätischen Gastgeber und sein sittsames Töchterlein für die

[17] August Langen würde diese Möglichkeit vermutlich in Abrede stellen wollen, nicht nur, weil dem sog. poetischen Realismus die »geistigen Voraussetzungen« fehlen für »das Entstehen einer Bewegungslandschaft ...« (a. a. O. S. 309), das Moment der Durchseelung nämlich, sondern ebensosehr darum, weil es sich im Falle Kellers um einen ausgesprochen ›areligiösen‹ Menschen handelt, während er die Wurzeln der Seelendynamik — wie wir meinen, allzu ausschließlich — auf die religiösen Strömungen des Pietismus und der Mystik zurückgeführt wissen will. Folgerichtig muß in seinem Überblick über das 19. Jahrhundert der Name Keller unter dem Stichwort ›Bewegungslandschaft‹ fehlen, während Stifter, seiner religiösen Grundhaltung wegen, bezeichnenderweise Erwähnung findet (s. S. 309).

[18] Tod ist für Keller ein Bereich der totalen Negation, inhaltlich nicht anders denn als Fehlen von ›Lebenszeichen‹, stilistisch vor allem mit Hilfe der Litotes darstellbar.

akustische Dezenz des Hinweges verantwortlich sein mag; — Umstände, die sich nach den Erlebnissen des Tages entscheidend gewandelt haben, so daß man sich gegen Abend »viel aufgeregter und lauter auf den Weg« macht, als man hergekommen war. »Die Mädchen, so schon durch ein Nichts, durch die bloße freie Gelegenheit in die höchste Stimmung reiner mutwilliger Lust versetzt, sangen fort und fort mit glänzenden Augen und verlockten uns mitzusingen ...« (3, 249).

Setzt man Bewegung und Leben in der Weise des Dietegen-Zitates in eins, so läßt sich alsbald die Bedeutung eines in der Forschung bislang vielumrätselten Tieres klären: Wir meinen die Schlange, wie sie über die Erwähnung zu Ende des Textauszugs hinaus wenn nicht häufig, so jedenfalls an entscheidenden Stellen des Kellerschen Werkes wiederkehrt. Weder gefährlich bösartig oder giftig (s. 11, 374. 3, 52) — im »Traumbuch« erscheint sie gar in der Rolle eines harmlosen, ordentlich guten Haustieres (s. 21, 67) — noch eigentlich, wie es naheliegen könnte, mythologisch ausdeutbar, ist sie für Keller vor allem das Tier, dem Bewegung am meisten eigentümlich, ja dessen eigentliches Wesen Bewegung ist, darin nur noch der Katze, dem Lieblingstier des Dichters, vergleichbar, mit der sie denn auch an gleicher Stelle, als ihre Nachfolgerin im Haushalt, in direkten Zusammenhang gebracht wird. Als die Mutter die Traumschlange weckt, entwickelt sie sich »sehr gemütlich, gähnte und reckte sich nach allen Seiten, wobei sie die schönsten Farben schimmern ließ. Dann spazierte sie in hohen Wellenbewegungen in der Stube umher«, einer Umgebung, die ihr eigentlich wenig gemäß, weil zu eng ist, was sie zwingt, »mit dem Kopfe, da sie sich bei weitem nicht ganz aufrichten konnte, rings an der Stubendecke umher« zufahren, »als ob sie Raum suche« (21, 67). Diesen Raum, die nötige Weite, findet sie in der freien Natur, vor allem im beweglichen und bewegungsfördernden Element des Wassers (s. 8, 244/45. 11, 374). Kein Wunder, daß in einem Text, dessen erklärte Absicht es ist, mit Hilfe bewegter Kulisse Leben darzustellen, auf das Bewegungstier schlechthin[19] sowenig wie auf Fische[20] verzichtet werden kann, unter denen just die

[19] Unterstützt wird diese Deutung — Bewegtheit als Lebensbeweis — erneut vom Gegenteil her: Aus Übermut und lediglich in der Absicht, sich in den Vordergrund zu spielen, stellt die Traum-Schlange sich augenblicksweise tot, wozu nichts weiter vonnöten ist, als reglose Erstarrung vorzutäuschen (s. 21, 67/68). Die Menschen aber, sobald sie das Tier vermeintlich »tot und starr über den Ofen herunter« hängen sehen, reagieren auf diesen Anblick mit Flucht und entsetzlicher Furcht (21, 67). — In dem bescheidenen Lebensrahmen von Ursula und Agathchen (»Das verlorne Lachen«) müssen die Eidechsen des Gartens die Schlange ersetzen (s. 8, 417; dazu 1, 166/67). — In diesen Zusammenhang gehört ferner die Gestalt des ›Schlangenfressers‹ und das Motiv des Scheinlebens im Bild der ›Blindschleiche‹ (s. 3, 107/08. 5, 98 ff.). Keller hat diese Parallelfigur in die zweite Fassung des Romans eingefügt, um anhand ihres Tuns und Schicksals das wahrscheinliche Ende von Heinrichs Künstlerlaufbahn zu signalisieren.

[20] Die Vettern, die in ihrem Bewegungsdrang bisher offensichtlich zu kurz gekommen sind, nehmen sich nach der Ankunft im Haus am See augenblicklich des Fischkastens an, dessen wimmelnder Inhalt sie so zu interessieren scheint, daß man bald nichts mehr »von ihnen sehen konnte als ihre sechs Beine« (3, 239/40).

Forelle ihrer Flinkheit und ihres Sprungvermögens wegen den Vorzug erhalten haben mag.

Daß die Schlange nicht irgendein beliebiges Tier ist, in ihrer lebensvollen Beweglichkeit vielmehr geradezu die Verkörperung des Wesens der Landschaft darstellt, macht verständlich, warum Keller just ihre Art, sich fortzubewegen, gern und häufig an ihre Umgebung weitergibt, zunächst an das Element, in dem sie sich bevorzugt aufhält, des weiteren an die Wege, die die Landschaft durchziehen. So sieht Heinrich vom Fenster des Pfarrhofs aus, wie der Fluß, derselbe übrigens, dem die Gesellschaft später folgt, sich durch das Tal »in vielen Armen und Windungen buchstäblich silbern schlängelte, da er höchstens zwei Fuß tief war und wie Brunnenwasser in lebendigen heftigen Wellen über weißes Geschiebe floß« (3, 214). Und im »Traumbuch« findet sich unter dem 2. Februar 1848 – Thema: Ein Spaziergang im Garten – der Eintrag: »Die Blumenbeete waren ländlich unregelmäßig, ohne Einfassungen, von den zufälligsten Formen, die Wege schlängelten sich weich und glatt hindurch . . ., die beiden Flüsse schimmerten in der Sonne, blau und grün, wie mutwillige Schlangen . . .« (21, 88)[21].

Bewegung als ›Lebenszeichen‹, Leben als eine Art Perpetuum mobile, erst von der weitgehenden Identität dieser Begriffsinhalte her werden eine Reihe weiterer Phänomene einsichtig, allen voran die Bevorzugung bestimmter Jahreszeiten. Die These, Keller stelle mit Vorliebe sommerliche Gefilde dar, ist insofern noch ungenau und der Korrektur bedürftig, als Frühling und Herbst zwar nachweisbar sind, aber kaum anders geschildert denn als Vorbote oder Erfüllung der eigentlichen sommerlichen Jahres-›Hälfte‹. Insbesondere der Herbst ist weniger gesehen als Zeit des Vergehens, des Absterbens, denn als Reife und Vollendung des Sommers, als Höhepunkt des Jahres mehr denn als Wendemarke. Überspitzt formuliert ließe sich behaupten, dieser Dichter kenne nur eine einzige Jahreszeit, eben den Sommer. – Solche auf den ersten Blick seltsam anmutende Kaprizierung verliert ihr Merkwürdiges, wenn man bedenkt, daß in winterlichen Bann geschlagene Natur darzustellen ja nichts anderes hieße, als mit eben den Komplexen Starre, Lautlosigkeit und Dunkel der Vorstellung des Todes Raum zu geben. Keller tut dies innerhalb des Genres ›Landschaftsdarstellung‹ nicht oder nur ausnahmsweise, allenfalls in der Absicht, das ›Sterben‹[22] eines Menschen mit Hilfe eines stimmigen, d. h. winterlich leblosen Naturbildes zu verdeutlichen.

Wie Landschaft allenfalls in Ausnahmefällen zur Reglosigkeit verurteilt ist, wird sie nicht eigentlich angetroffen im Zustand der Lautlosigkeit. Natürlich

[21] Es scheint, als würde von diesem Faible für Schlängelbewegungen her auch Kellers Vorliebe für Ranken, Winden, Schlinggewächse und wilden Wein (s. etwa 7, 126 u. 171. 8, 112. 3, 51/52), wovon in anderem Zusammenhang (s. p. 61) noch die Rede sein wird, verständlich.

[22] Zumeist nicht einmal in buchstäblichem Sinne gemeint; Gleichnisse »hoffnungsarmer Zeit« (1, 213), dienen solche Bilder (speziell im ›Grünen Heinrich‹) zur Veranschaulichung der wenn nicht hoffnungslosen, so doch stark resignativen Gestimmtheit des Helden (s. 4, 160 u. 202. 6, 210; 238 ff.).

verstummt mit Einbruch der Dunkelheit der Lärm des Tages, aber dies nur, um, wie seit der Romantik üblich, den eigentlichen, bislang verdeckten Stimmen zum Leben zu verhelfen. Heinrich in der ersten Nacht seiner ländlichen Einkehr — bei offenem Fenster vernimmt er das Rauschen des Wassers, »jenseits klapperte eine Mühle, ein majestätisches Gewitter zog durch das Tal, der Regen klang wie Musik und der Wind in den Forsten der nahen Berge wie Gesang; und die kühle erfrischende Luft atmend, schlief ich sozusagen an der Brust der gewaltigen Natur ein« (3, 201).

Nicht Lautlosigkeit tritt ein zu mittäglicher (s. 3, 150) oder mitternächtlicher Stunde (s. 4, 19), sondern allenfalls Stille, d. h. ein immer noch von vereinzelten akustischen Signalen — zumeist dem gedämpften Rauschen eines entfernten Flusses (s. 4, 17; 19) — belebter Zustand des Schweigens, der da, wo er allzu tief und ausschließlich wird, in die subjektive Empfindung geisterhaften Getöses überzugehen scheint (s. 4, 19. 7, 182). Schon diese Beinah-Lautlosigkeit aber genügt, im Menschen durchaus ambivalente, um nicht zu sagen negative Empfindungen hervorzurufen und den Wunsch nach Abhilfe, nach Geräusch als Folge von Bewegung oder Aktion wachwerden zu lassen. Dieser Wunsch liegt letzten Endes jener Vielzahl von Wanderungen zugrunde, die sich in Kellers Werken nachweisen lassen[23], wie er Anreiz ist zu allerlei ›Freiluft‹-Tätigkeit, etwa den Manöverspielen des ›Waffenfrühlings‹, während welcher Heinrich und seine Kumpane angesichts der unbewegten Natur zuletzt auf den Ausweg verfallen, ein Feuer zu entfachen, denn »wo kein rauschendes Wasser ist und gar keine Wolken ziehen, da macht man gern ein Feuer, um sie zur Bewegung zu reizen und sie nur ein bißchen atmen zu sehen« (3, 151).

Schließlich wird ängstlicher noch als Starre und Schweigen ein optisches Vakuum vermieden: Konsequent erscheint die Lichtlosigkeit der Waldestiefe, um auf unsere Vorlage zurückzukommen, zum Helldunkel gemildert. Daß man auch auf dem Heimweg nicht gänzlich des Lichtes entbehrt, brechen die jungen Leute ebenso rechtzeitig auf, wie sie nunmehr den Weg über die (lichte) Höhe vorziehen, »welche im Glanze der untergehenden Sonne schimmerte« (3, 249). Aber nicht nur scheint im Umkreis Kellerscher Dichtung, inmitten permanenter Sommerwelt die Spanne zwischen Morgenröte und letztem Abendschein ungewöhnlich lang, recht besehen ist es eigentlich immer Tag — oder niemals Nacht, jedenfalls nicht im Sinne undurchdringlicher Finsternis: Wenn Heinrich bei nächster Gelegenheit und auf dem nämlichen Wege Anna nach Hause begleitet, zeigt die Uhr zwar auf Mitternacht, aber darum ist es keineswegs finster. Vielmehr hängt ein funkelnder »Sternhimmel ... weit gebreitet über dem Lande«, und »hier und da sahen wir ein mattes Licht auf der dunklen Erde glimmen, welche sich massenhaft mit ihrem schwarzen Schatten vom Himmel sonderte, der sie am Rande mit einem blassen Dämmergürtel umgab« (4, 17/18; vgl. 19). — Weit bessere Aushilfe noch als die

[23] Richtig gesehen bei Luterbacher, a. a. O. S. 21 — gegen Baumann, a. a. O. S. 36.

Sterne gewährt zu dieser ›Tageszeit‹ der Mond. Am Tage von Heinrichs erstem Jagdausflug machen er und der Oheim sich im Abendschein der sinkenden Sonne (s. 3, 220f.) auf den Heimweg: »Indessen wir ... nach Hause kehrten, wechselten die reizenden Bilder vor meinen Augen bis in die Schatten der Nacht hinein und schlossen mit dem hellsten Mondscheine, der auf Mühle, Pfarrhaus und auf dem Wasser flimmerte, als wir anlangten« (3,221/22). Von Annas Kämmerchen, in dem er während der Abwesenheit der Geliebten aus Anlaß gelegentlicher Besuche beim Schulmeister verweilt, heißt es, Abendsonne und Mondschein hätten den kleinen Raum immer ganz ausgefüllt, »daß kein dunkler Punkt darin blieb und es bei jener wie ein rotgoldenes, bei diesem wie ein silbernes Juwelenkästchen aussah ...« (4, 72)[24]. In dieser Weise, der Untergang des einen Gestirns begleitet vom Aufgang des jeweils andern und umgekehrt, leuchten Sonne und Mond ohne Unterlaß am Firmament, lösen sie einander ab, ehe es völlig dunkel werden kann auf dieser Erde (s. 10, 46/47. 7, 186). Zwar verbleichen die Farben mit Aufkommen der Nacht, nicht aber gehen Helligkeit[25] und, wie wir sehen werden, Glanz verloren. So gesehen ist der Mond zwar kein vollwertiger, dafür aber ein um so zuverlässigerer Sonnenersatz, mit den Worten des Lyrikers Keller »Der goldnen Herrin Reichsverweser« und »Lehenmann« (1, 33).

So ergibt sich am Ende die Tatsache, daß Bewegung, Geräusch und Licht nicht nur entscheidende Bestandteile sind jeder Kellerschen Landschaft, Bestandteile, die darum niemals fehlen dürfen, sondern mehr noch Kriterien von solchem Ausschließlichkeitsanspruch, daß das bloße Vorhandensein des Gegenteils von daher unmöglich wird. »Alles lebt in der Natur; nichts ist tot ...«, heißt es in einer Schreibbuchnotiz vom 19. Februar 1836, und unter dem gleichen Datum: »Ein totes Wesen ist etwas Unmögliches in der Natur — ein Unding der gröbsten Art«[26]. Diese Unmöglichkeit läßt Keller zwar nicht den Kampf ums Dasein verleugnen, zwingt ihn aber dazu, dessen Folgen, d. h. Untergang und Tod des Schwächeren, zu kaschieren, unsern Augen zu entziehen. So bleibt von dem Kadaver der wilden Taube, als dem im Kampf mit dem Raubvogel unterlegenen Teil, nichts übrig als ein paar Federn (s. 3, 238). Natur — hier ganz vorläufig definiert als Summe aller Landschaften —, als Zone des Nur-Lebendigen ist sie der konsequente Gegenbereich zur Welt des Todes, ohne daß solche Stilisierung die

[24] Kaum anders wird (bei gleichem point of view) das mähliche Heraufkommen des neuen Tages erlebt: »Ich machte das Fenster auf und sah lange auf den See hinaus, dessen waldige Uferhöhen vom Morgenrote beglänzt lagen, indessen der späte Mond noch am Himmel stand und sich ziemlich kräftig im dunklen Wasser spiegelte. Ich sah ihn nach und nach erbleichen vor der Sonne, welche nun die gelben Kronen der Bäume vergoldete und einen zarten Schimmer über den erblauenden See warf« (5, 34).

[25] s. Baumann, a. a. O. S. 39; 121.

[26] = MS GK_1, beschrieben von Jonas Fränkel (s. 13, 363) und Paul Schaffner, Gottfried Keller als Maler, Stuttgart/Berlin 1923, S. 228—30; zitiert nach Emil Ermatinger, Gottfried Kellers Leben, Zürich [8]1950, S. 48.

insgeheime Macht und stumme Allgegenwart dieses Phänomens zu verleugnen imstande wäre.

3. Dauer als Wechseldauer

Ihm noch entschiedener und erfolgreicher Paroli bieten zu können, hat der Dichter über bewegte Lebendigkeit hinaus seinen Landschaftsräumen eine weitere entscheidende Qualität zugewiesen. Ausgangspunkt der Wanderung war der Hof des Oheims, Ziel das Haus des Schulmeisters am See. Jedes der beiden Anwesen erscheint eingelassen in die Natur, integrierter Bestandteil seiner landschaftlichen Umgebung. Dennoch gibt es zwischen menschlicher Ansiedlung und umgebender Landschaft einen grundsätzlichen Unterschied[27], und es ist gerade die enge Verflechtung beider, die dazu dienen soll, dies Anderssein bewußt zu machen. Unterzieht man das alte Pfarrhaus daraufhin einer genaueren Inspektion, so bietet es eine Reihe von Überraschungen insofern, als es »junkerhafte« und »bäuerliche« Elemente in sich vereinigt und »durch wunderliche Türen und Durchgänge« miteinander verbindet. Die Anlage läßt erkennen, daß es »ursprünglich eigentlich der Landsitz eines Herren gewesen war ...«. Daher die steinernen »Treppen mit Eisengeländern, in Gips gearbeitete Plafonds«, daher die vielen Zimmer und Räume, allen voran der »Saal mit einem Kamine« und einer »Unzahl fast schwarzer Ölgemälde ...« (3, 213). Von Einrichtung und Dekoration haben sich in den Zimmern der Töchter Reste von »geretteten Stücken blumiger Tapeten« erhalten, wie »die Rokokospiegel des ehemaligen Herrensitzes« dort »eine ehrenvolle Zuflucht im Alter gefunden« haben (3, 214). Später wurde das Gebäude zum Pfarrhaus der Gemeinde bestimmt, bis schließlich der Oheim, dem geistlichen Stand entsagend, es aufkaufte, um »In dieses [Doppel-]Wesen hinein ..., unter das gleiche Dach, seine Landwirtschaft« zu schieben, »indem er einen Teil der Wohnung herausgebrochen ...«. Mit dem Erfolg, daß man sich künftig »Aus einem mit Jagden bemalten [— Hinweis auf die standesbedingte Passion des Erbauers —] und mit alten theologischen Werken versehenen Zimmer ..., wenn man eine Tapetentür öffnete, plötzlich auf den Heuboden versetzt« findet (3,213). Am Ende ist das Ganze »eine Verschmelzung von Pfarrei, Bauernhof, Villa und Jägerhaus ...« (3,215). — Solche baulichen Veränderungen, begleitet von Besitzwechseln,

[27] Ihn nicht beachtet zu haben, ist das Versäumnis von Bruno Hillebrand. Von einer unbeirrbaren Bejahung räumlichen Seins (a. a. O. S. 136), unterschiedslos bezogen auf Wohnraum wie Landschaft, kann auch in der Jugendgeschichte keine Rede sein. Hillebrand freilich scheint, was die Kategorie des erlebten Raumes angeht, nur diese eine Nuance zu kennen. So gerät ihm der Weg des Helden zu einer einzigen Kette von Versuchen häuslichen Unterkommens (s. S. 122), Versuchen, die zwar letztlich unbefriedigt bleiben, aber doch so konsequent das Erlebnis rauschhaften Raumgefühls bescheren (s. S. 128), daß der Verf. sich schließlich veranlaßt fühlt, seine Ausführungen zu Keller insgesamt (S. 107—71) in die Formel von der »Apotheose räumlichen Seins« (S. 107) zu kleiden.

lassen sich vielerorts nachweisen. Schon Heinrichs Vater betrieb das Einreißen, Um- und Anbauen von Berufs wegen (s. 3, 14/15), und noch das Grafenschloß, eine der zuletzt eingeführten Baulichkeiten dieses Romans, ist traditionsbeladenes Stammschloß derer von Weinberg ebenso wie eine Art Gartenhaus und ungezwungen sommerlicher Ferienaufenthalt (s. 6, 159; 171/72 u. 194 ff.). Ja, es ergibt sich, daß weitaus die meisten, wenn nicht gar alle Häuser bei Keller in dieser Weise von ›gemischter‹ Bauart (s. 5, 240)[28] sind, d. h. Gebäude, in denen entweder mehrere Stile miteinander rivalisieren oder verschiedene Absichten der Nutzung durcheinandergehen, ein Verfahren, das darauf abzielt, über die jeweils individuell bedingte Änderungsrichtung hinaus und unabhängig davon die allgemeine Wandelbarkeit und Vergänglichkeit materiellen Besitzes zu demonstrieren. Am überzeugendsten ist ihm dies gelungen im Kontrast von baulich-steinerner Hinfälligkeit und vegetativem Überfluß, in der Rückführung des Landschaftlichen auf die Idee der natura naturans, deren wuchernde Fülle sich dem Auge geradezu unabweisbar aufdrängt, daß man sie nicht übersehen kann. Andeutungsweise wird dieser einspinnende Zug, dieser Hang der Vegetation, jeden Augenblick und gleichsam unter der Hand in regellos wuchernden Wildwuchs überzugehen, deutlich bei der Lagebeschreibung des Pfarrhauses, das von einem »rauschenden Flüßchen bespült und mit großen Nußbäumen und einigen hohen Eschen umgeben war« und aus dem die Fenster nur noch mühsam »zwischen dichtem Aprikosen- und Weinlaube hervor« blinkten (3, 200)[29]. Und dieses Knospen und Quellen, Ranken und wuchernde Überziehen, nicht zu verwechseln mit jenem kurzfristig vorübergehenden Aufblühen unterm Frühlingsanhauch, es dient, wie im Beispiel der »Feuer-Idylle« (s. 1, 185) dazu, über alle Wechselfälle des Lebens, alle unerwartete Zerstörung hinaus Unwandelbarkeit und Dauer, die durch nichts zu brechende Vitalität und unerschöpfliche innere Kraft der lebendigen Natur zu dokumentieren.

*

Landschaft also als Versinnbildlichung der Idee des Dauerhaften? Wenn das zutrifft, wie läßt sich dies vereinbaren mit dem Gedanken der natura naturata, Landschaft wo nicht als Teil der Schöpfung so doch als etwas Gewordenem — und also auch in jeder Einzelheit wie insgesamt notwendig Vergehendem? Ein Einwand, wie er über bloß akademischen Charakter hinaus unüberhörbar wird in Frühling und Herbst als den Zeiten, da in der Natur die großen Veränderungen geschehen »und die alten Menschen an die schnelle Vergänglichkeit ihres Lebens«

[28] Vgl. Rosaliens Landsitz, eine ehemalige Gastwirtschaft 5, 240, oder das ›Baudenkmälchen‹, in dem Agnes mit ihrer Mutter wohnt 5, 188/89.

[29] dazu eine später getilgte Stelle aus »Romeo und Julia auf dem Dorfe«: »... alle guten Früchte wachsen in großer Gesellschaft, die Ähre steht neben der Ähre und die Traube hängt neben der Traube tausendfältig« (7, 396). — Vgl. auch die »reizende Wildnis weit herum ...« 3, 215.

erinnert werden (3,81/82. vgl. 6,238. 7,325). Aber auch in bescheidenerem Rahmen, was den Tag und die Stunde angeht, sind die Zeichen unablässigen Wandels erkennbar. Was etwa wäre bei Keller leichter veränderlich als das Atmosphärische, die Stimmung, die über den Landschaften liegt, was rascher zu bewerkstelligen als der Wechsel von Sonnenschein zu Regen und blitzzerrissenem Wetterhimmel? Indizien wiederum dafür, daß Natur in seinen Augen nicht nur wandelbar, daß ihr Wesen geradezu Wandelbarkeit ist.

Die Frage stellt sich, wie dieser Widerspruch, Natur als Bereich von Dauer — Natur als umfassend wandelbare Erscheinung, zu lösen sei. Die Antwort darauf ist für Heinrich in den Erfahrungen eines seiner ersten Malversuche enthalten: Kaum im Dorf angekommen, drängt es ihn dazu, seine neugewonnene Kunsteinsicht und -liebe in die Tat umzusetzen. So sehen wir ihn mit Mappe und Zubehör auf der Suche nach einem geeigneten Gegenstand. Schließlich glaubt er ihn in Gestalt einer mächtigen Buche gefunden zu haben. Wenn er am Ende trotz eifrigen Bemühens kläglich scheitert, so darum, weil dieser aufs höchste lebendige Gegenstand durchaus nicht ›stillhalten‹ will, vielmehr im Spiel von Licht und Schatten, im Anhauch der Luft jedesmal ein anderer scheint: »die Sonnenstrahlen spielten durch das Laub auf dem Stamme, beleuchteten die markigen Züge und ließen sie wieder verschwinden, bald lächelte ein grauer Silberfleck, bald eine saftige Moosstelle aus dem Helldunkel, bald schwankte ein aus den Wurzeln sprossendes Zweiglein im Lichte, ein Reflex ließ auf der dunkelsten Schattenseite eine neue mit Flechten bezogene Linie entdecken, bis alles wieder verschwand und neuen Erscheinungen Raum gab, während der Baum in seiner Größe immer gleich ruhig dastand ...« (3, 228). In diesem Bild der windbewegten und sonnendurchschienenen Buche, die vor dem angehenden Künstler so fest, klar und sicher dasteht, als könne er sie mühelos zu Papier bringen, und dennoch — weil tausend ungreifbaren Atmosphärilien ausgeliefert — unnahbar[30] bleibt, vereinigen sich Identität und Wandlung, Dauer und Wechsel in einer Weise, daß man versucht ist, sich des Goetheschen Terminus der ›Wechseldauer‹ zu bedienen.

Diese Vorstellung, nicht der Begriff[31], nimmt denn auch im Weltbild Kellers eine zentrale Stellung ein, wie der Dichter zu ihrer Veranschaulichung eine Reihe eindrucksvoller Bilder gefunden hat. Für den vorliegenden Fall können wir auf das Element des Wassers verweisen, dessen Fließen Vergänglichkeit signalisiert, während es als Landschaftsteil ›Flüßchen‹ gleichwohl von Dauer ist. Stilistisch wird die Aufgabe, dem Paradox stetigen Wandels beschreibend beizukommen, in der Weise gelöst, daß, um ein und denselben Sachverhalt — fließendes Wasser — wiederzugeben, dieser im Verlauf der Schilderung mit nicht weniger als zehn verschiedenen Ausdrücken[32] belegt ist.

[30] Daher das Bild des unangreifbar gewappneten Kriegers, des Königs »aus alter Zeit, der den Feind zum Einzelkampfe aufruft« (3, 227).

[31] den Keller nicht verwendet, aber mit Sicherheit von seiner Goethelektüre her kennt.

[32] Ableitungen ein und derselben Wortfamilie; dazu Baumann, a. a. O. S. 100 f.

Am eindrucksvollsten hat der Sachverhalt ›Wechseldauer‹ Gestalt angenommen mit Hilfe des Waldes. Dies zu belegen, ist es nötig, den Charakter Kellerscher Waldungen genauer zu bestimmen. Zunächst wäre nachzutragen, daß Heinrich vor der Buche schon deshalb scheitert, weil er lediglich einen einzelnen Baum zeichnen will, was nicht angeht, insofern ›Wald‹ ein echtes Kollektivum[33] darstellt. So kommt es, daß der angehende Maler voll Verzweiflung Baum für Baum betrachtet, aber »nirgends eigentlich einen Gegenstand sehend, weil der stolze Wald eng verschlungen, Arm in Arm stand und mir keinen seiner Söhne einzeln preisgab: die Sträucher und Steine, die Kräuter und Blumen, die Formen des Bodens schmiegten und duckten sich unter den Schutz der Bäume und verbanden sich überall mit dem großen Ganzen, welches mir lächelnd nachsah und meiner Ratlosigkeit zu spotten schien« (3, 227). »Arm in Arm und Kron an Krone steht der Eichenwald verschlungen ...« (1, 53), mit diesem berühmten Vers leitet der Lyriker Keller seine »Waldlieder« ein. Auch in der zitierten Landschaft ist der Wald in erster Linie ein Ganzes, auflösbar allenfalls in Gruppen, jene erwähnten Scharen lichter Tannen etwa, nicht aber hinab bis zu Einzelexemplaren. Was nicht heißen soll, daß Kellers Wälder kompakt bis zur Undurchdringlichkeit wären. Im Gegenteil, die Gesellschaft kommt ja auf ihrer Wanderung recht gut voran, und das nicht nur, weil man das Ufer des Baches zu Hilfe nimmt. Vielmehr ist der Wald ›wanderfreundlich‹ gewachsen, d. h. die Bäume stehen niemals so eng, daß es kein Durchkommen gäbe. Darin unterscheiden sie sich sehr deutlich von den Urwäldern Stifterscher Provenienz, während sie andererseits auch nicht aufgelockert sind bis zur Vereinzelung. Auf diese Weise wird Wald als gegliederte Einheit erkennbar, als die Summe von Einzelexemplaren der Gattung Baum, deren Kronen sich zu einem einheitlich-unentwirrbaren Laubdach ineinander verschlingen.

Damit ähneln Kellers Waldungen eher Parks, und wie deren aufgelockerter Baumbestand bieten sie den nämlichen Vorteil, lichtdurchlässig zu sein, und dies vom Helldunkel des Waldbodens bis hinauf zu den lichtdurchfluteten Baumkronen[34] in vielfältiger Abstufung. Worauf es dabei ankommt, ist das Zusammenspiel von Licht und Farbe, genauer gesagt, das Ineinander von Grün und Gold. Daß es sich bei dieser Verbindung um die ausgesprochenen Lieblingsfarben[35] Kellers handelt, ist oft bemerkt[36], bislang aber nur unzureichend begründet

[33] s. dazu den Abschnitt »Das Bild des Baumes« aus der Arbeit von Luzius Gessler, Lebendig begraben. Studien zur Lyrik des jungen Gottfried Keller, Bern 1964, S. 44—51, dort S. 47.

[34] Von hier aus hat Theodor Wieser — Das Baumsymbol bei Gottfried Keller. — In: Euphorion 54, 1960, S. 109—20 — Kellers Vorliebe für Kiefern oder Föhren einsichtig machen können (s. S. 113/14).

[35] Farben, die kombinieren zu können alle möglichen Details, auch ›tote‹ Materie, d. h. solche aus dem anorganischen Bereich, in unserm Fall die Knöpfe an den Anzügen der Vettern, herhalten müssen.

[36] zuletzt von Klaus Jeziorkowski, »Eine Art Statistik des poetischen Stoffes«. Zu einigen Themen Gottfried Kellers. — In: DVjS 45, 1971, S. 547—66, s. bes. S. 549/50.

worden. Dabei ist die Erklärung für dieses Phänomen insofern einfach, als wir dabei ausnahmsweise einmal auf direkte Äußerungen des Dichters zurückgreifen können. Aus Ärger über die Verständnislosigkeit eines zeitgenössischen Ästheten hat er gemeint, Goethe und Schiller gegen den Vorwurf falschen Bildgebrauchs verteidigen zu müssen, und es kann gar kein Zweifel sein, daß er in dieser Auseinandersetzung immer auch zugleich pro domo spricht. Aus dieser Philippika geht als Fazit zweierlei hervor: Einmal die Bestätigung, zumindest was die Kombination Grün/Gold betrifft, des symbolischen Gehalts von Farbtönen. Sowenig wie bei Goethe und Schiller ist bei ihm selbst »vom Schweinfurtergrün« die Rede, »sondern vom Grün der Vegetation als dem Symbole des Wachsens, Werdens, Seins. Mit der Vorstellung des vegetativen Grüns ist aber unzertrennlich diejenige der Sonne verbunden, welche als Gold zu denken ziemlich gang und gäbe ist« (22, 322). — Aus der Betonung des lebenspendenden Charakters von Sonnenlicht und -wärme folgt des weiteren, daß Grün und Gold für Keller notwendig zusammengehören, das eine (Gold = Sonnenlicht) Voraussetzung des anderen (vegetativen Grünens) ist. Diesen Nexus anschaulich zu machen, hat der Praktiker Keller nichts unversucht gelassen[37], und so ist es gerade das Unverständnis allen derartigen Intentionen gegenüber, was den Theoretiker empört. »Pflanze und Sonne, Grün und Gold, leben und weben durcheinander, und dies Durcheinander ist es, was ... geradezu den sinnlichen beabsichtigten Reiz hervorbringt« (22, 322). Und nun führt er zur Rechtfertigung seiner eigenen — wie der Klassiker — Verfahrensweise Beispiele aus der Wirklichkeit an, darunter erneut, wie im Roman, das des Buchbaums: »Goethe ... hat geradezu die Verwegenheit gehabt, auch im sinnlichsten, augenscheinlichsten und trivialsten Sinne wahr zu sein, indem er das Leben erst mit einem goldenen Baume ... verglich und dann erst noch das Gleichnis eines Baums dahin ausbeutete, an einen grünen, von der Sonne durchstrahlten, vergoldeten Baum zu denken. Hat man noch nie von dem grünen, vom Sonnengold durchschienenen Laubdache einer Buche gehört? Von dem grünlichen Goldfeuer der Waldeswipfel? oder einen grünen Goldkäfer, eine spanische Fliege usw. gesehen?« (22, 321/22). »Dabei kommt freilich der Übelstand vor, daß die Farben Gold und Grün in unserer Vorstellung durcheinanderschimmern und -wirtschaften, was ordentlichen, gesetzten und bescheidenen Leuten unangenehm sein mag« (22, 321). Sonnenschein durchwebt Kellers Landschaften[38], ja noch seine Räum-

[37] Vgl. den Hinweis von Käthe Harnisch — Deutsche Malererzählungen, Berlin 1938 (darin zum ›Grünen Heinrich‹ S. 84—100) — auf die häufige Wahl von Gegenlicht-Perspektiven (s. S. 94), die es ermöglicht, das Grün der Bäume mit dem Goldgrund des Himmels in eins zu setzen.

[38] Sie selbst bestehen nicht selten aus ›Streifen‹ (s. 3, 238) und ›Bändern‹ (s. 6, 310. 7, 85), aber derartige Bezeichnungen sind gerade nicht, wie Käthe Harnisch (a. a. O. S. 93) gemeint hat, stilistische Mittel zur Aufteilung von Raum, vielmehr gedacht, Zusammenhänge zu stiften, eine Absicht, die besonders aus der Vogelperspektive heraus deutlich wird, wo sich ergibt, daß diese Streifen umfassenden und bergenden Charakter, geometrisch gesprochen die Form von Kreisen haben.

lichkeiten (s. 3, 214/15. 15/1, 7. 8, 308) wie mit goldenen Fäden (s. 1, 29/30), daß es den Anschein gewinnt, als sei das grüne Kleid der Täler und Berge eingelassen in ein riesiges Strahlennetz, als dessen Zentrum und Fokus das Tagesgestirn zu denken ist[39].

In der späteren Jahreshälfte nutzt Keller mit dem »milden Herbstsonnenschein, der auf den Auen webte« (7, 165)[40], die wallenden Herbstnebel, den Einheitscharakter der Natur[41] zu demonstrieren: »Die Nebel wogten im Tale auf und ab, ... das Gebirge tauchte aus den weißen Wolken, die Gletscher und Firnen schienen, hell bestrahlt, viel größer und näher ... Sie verschmolzen sich aufs schönste mit den vom Winde getriebenen Nebelmassen, welche wie ein flüssiges Silbermeer in gut gedachte Wolken und Flocken ausliefen ... Ich sah die prächtigsten Bilder, wo der triefende frische Wald die wunderbare Ferne einfaßte. Oft sah ich den Nebel in feinen blauen und durchsichtigen Wallungen wenige Schritte vor mir durch die Tannen fahren« (21, 78. vgl. 5, 34. 6, 145). — Höhen und Wälder sind alsdann »mit einem zarten Duftgewebe[42] bekleidet« (7, 158), »›Türme und Felsen schwimmen in bläulichem Dufte‹« (5, 295), während ringsumher der Gesang der Vögel ertönt (s. 5, 136) oder der »sehnsüchtige Reiz der Glockentöne« (4, 152) beschworen wird, die — in geradezu Eichendorffschen Formeln[43] — »von allen Seiten« (7, 158) oder von »fern aus der blauen Tiefe herüberklangen ...« (4, 152).

›Von allen Seiten‹, ›aus der Tiefe herüber‹, damit wird auch schon der Standort dessen klar, der Landschaft in dieser Weise erlebt: geometrisch gesprochen die Mitte, was das Terrain angeht, ein jedenfalls herausgehobener Blickpunkt. Schon zum Haus des Schulmeisters konnte man »auf zwei Wegen« gelangen, entweder durch das Tal — wie zunächst beschrieben —, oder, wie bei Gelegenheit des Heimweges, indem man »einen lang gedehnten Berg hinter dem Dorfe« erstieg und, »längs auf demselben fortgehend«, das Tal zu erreichen suchte (3, 236/37. vgl. 4, 18/19). Am Morgen vor der Ausfahrt nach München eilt Heinrich noch einmal vor die Stadt, auf eine benachbarte Anhöhe hinaus, um Abschied zu nehmen von der Heimat; und »als ... die alten Kirchen ... durch irgendeinen Bergeinschnitt östlich beglänzt wurden, dazu ein wolkenloser Äther sich über das Land ergoß ...« (5, 136), da enthüllt diese ihm zu Füßen liegende Stadt, »in deren Gassen jetzt die Morgensonne webte und die ersten Kirchenglocken erklangen« (5, 137), einen neuen

[39] Sich verdunkelnd und verschmelzend, ist die Welt bei Nacht in ähnlicher Weise von Mondenschein überspannt wie mit einem Netz von Dunkel und Licht (s. 18, 86. 14, 14).

[40] ›Leben und weben‹ ist eine häufig gebrauchte Formel zur Bezeichnung vegetativer Unzertrennlichkeit. In der letzten Strophe des Gedichts »Abend« wird Gott apostrophiert als der große »Weber« (14, 15).

[41] Dieses Ineinanderverwobensein der Teile muß schließlich auch Susanne Baumann (a. a. O. S. 71) als eine Eigenart Kellerscher Landschaftsbilder anerkennen. Genau dies wäre der Punkt gewesen, von dem aus die Verfasserin Kellers Aversion gegen das Kleinmeisterliche der »Düsseldorfer oder Adalbert Stifterschen« Malermittel (22, 113) hätte ableiten können.

[42] Vgl. die Wendung vom ›zusammenhaltenden‹ Duft 3, 223; dazu 9, 24. 3, 248.

[43] dazu Richard Alewyn, Eine Landschaft Eichendorffs. — In: Euphorion 51, 1957, S. 42—60.

»ungekannten Reiz und Wert...« (5, 136).—Ähnlich wie Heinrich hier verhalten sich alle Spaziergänger bei Keller[44], gleich ob jung oder alt, ja, es wird uns versichert, daß selbst die Bauern ungeachtet ihres Nützlichkeitsdenkens des Sonntags »sehr gewählte Gänge durch Gehölze und an grünen Halden entlang« machen, wobei sie sich »hier auf eine anmutige fernsichtige Höhe, dort an einen Waldrand« setzen, »ihre Lieder ertönen und die schöne Wildnis ganz behaglich auf sich einwirken« lassen (7, 161). Landhäuser sind eben dieser Neigung zur Übersicht wegen vorzugsweise an Hänge und Berghalden gebaut (s. etwa 5, 295. 7, 170. 8, 178/79. 9, 278). Keller selbst steht, was den Hang zum ›Gipfelblick‹ angeht[45], seinen Gestalten in nichts nach. Schon die frühe ›Uto‹-Studie hat eine Bergbesteigung zum Thema, und von seinem letzten Roman, dem »Martin Salander«, weiß man, daß er mit der Vision einer Volksversammlung auf dem Berge enden sollte (s. 12, 452/53)[46].

Was den Gang auf den Berg so erlebnisreich macht, ist der Blick weniger in die Ferne als in die Runde, was man in dieser Situation auf ganz sinnenhafte Art und Weise, mit Hilfe von Auge und Ohr, Geruchs- und Tastsinn (Hautempfindungen) erfährt, ist mehr als landschaftliche Weite, mehr auch als die Summe aller dem Auge erreichbaren Prospekte (s. 9, 23), es ist das Ganze, die Einheit des Weltenrunds. Von solcher Warte aus sucht und sieht man nichts einzelnes[47], sondern, wie Heinrich und Anna während des ›Tellenspiels‹, »alles zugleich, ohne daß wir besonders hinblickten; wie ein unendlicher Kranz schien sich die weite Welt um uns zu drehen ...« (4, 202; vgl. 19. 6, 322).

Die Welt im Bilde des Kreises oder Kranzes, ein Symbol, das Einheit ebenso meint wie (innere) Unendlichkeit[48], diese (Doppel-)Erfahrung ist es, die der Bergwanderer mit hinabnimmt ins Tal (s. 20, 76), wo er ähnliches, wie wir sahen, gewärtigen kann bei Gelegenheit eines Waldspaziergangs. Beides, der Gang durch den Wald wie der Blick von der Höhe sind die immer wieder gesuchten Möglichkeiten, die Welt am Beispiel der Natur als ein Ganzes zu erleben. Von daher

[44] s. Luterbacher, a. a. O. S. 23 u. 67.

[45] Privat wohnte er mehr als sieben Jahre lang auf der luftigen Höhe des »Bürgli«, ehe Beschwerden des Alters ihn 1882 in die Vorstadtgegend von Zürich hinunterzwangen. »... Aussicht und Himmel sind ... flöten gegangen«, läßt er sich in der Folge brieflich vernehmen (3/1, 392 = Gottfried Keller. Gesammelte Briefe. In vier Bänden herausgegeben von Carl Helbling, Bern 1950—54 — im folgenden zitiert als ›Briefe‹ —, Bd. 3, Erste Hälfte, 1952, S. 392).

[46] Eine Szene, die, wenn sie auch ungeschrieben blieb, ihren Konturen nach ablesbar sein könnte an Heinrichs Bergtraum vom Vaterland (s. 6, 136/37).

[47] Deshalb ist der Vorwurf mangelnder Ausführlichkeit, von Susanne Baumann immer wieder (s. vor allem a. a. O. S. 60) erhoben, in diesem Zusammenhang besonders unangebracht, weil die beabsichtigte Wirkung verkennend. Im übrigen ist die Zahl der bloß andeutenden Darstellungen dieses Motivs weitaus größer, als die tabellarische Übersicht (zu S. 30/31) uns glauben machen will.

[48] Vgl. die baum-›bekränzten‹ Bergkuppen 20, 71 u. 78 sowie die Ewigkeitsvorstellung im Bild der »Schlange ..., die sich selbst in den Schwanz beißt« 19, 32; dazu 21, 67.

erklärt sich die allgemein beherrschende Rolle des Waldes[49] in Kellers Landschaftsbildern ebenso wie die Vorliebe für hügelig-gebirgiges Gelände.

Der allumfassend ganzheitliche Charakter der Natur, ihre Fähigkeit, etwas darstellen zu können zugleich mit seinem Gegenteil, ist darüber hinaus Voraussetzung ihrer entscheidenden Qualität der ›Wechseldauer‹. Weniger unendliche Weite als unerschöpfliche Vielfalt, birgt sie Tod und Leben, Vergänglichkeit und Dauer in sich. Was sterblich ist in ihr, ist das jeweils einzelne, es sei Tier oder Pflanze. Ein Baum etwa mag stürzen, vom Sturm entwurzelt, vom Blitz gefällt[50], seine Nachbarn füllen die Lücke aus, der Wald, als Ganzes genommen, ist ewig (s. 9, 5. 3, 3. 7, 1 u. 3). Mit dieser Qualität überwindet Natur nicht nur das Vergängliche in sich selbst, die gleichen Eigenschaften — unauflösliche Einheit bei überquellender Fülle — machen sie auch dem Individuum Mensch überlegen, wie sie in dieser Gestalt, als unzerreißbares Rank- und Flechtwerk, jedesmal die verfallenden menschlichen Besitztümer überwuchert. Auf solche Weise, als unendlich vielgestaltige Einheit, ist Natur Kellers Antwort auf die Herausforderung des Todes[51]. Nicht das Sterben ist in ihrer Mitte ausgeschlossen, wohl aber der Triumph des Todes über das Leben[52]. Damit ist sie nicht nur ein Bereich des

[49] Nicht von ungefähr ist die Gegend um das Haus des Schulmeisters »vorzüglich ... ein rechtes Waldland« (3, 221).

[50] Vgl. die Wirkung der Naturkatastrophe in der Prosaskizze »Das Gewitter«, wo zwar ein menschliches Anwesen zerstört wird, die Natur aber — ungeachtet des einzelnen Todesfalls — insgesamt gestärkt und erfrischt hervorgeht 20, 77 ff.

[51] »Durch unendliche Bande ist alles in der Natur verschlungen ... Körper zerstören sich; aber sie vernichten sich nicht; sie verändern nur ihre Formen«. — Diese Notiz aus Kellers erstem Schreibbuch ist — erstaunlicherweise — keine eigenständige Formulierung des Dichters, vielmehr (wie schon die Textstelle in Anm. 26) wörtliches Zitat aus Karl von Eckartshausen, Aufschlüsse zur Magie aus geprüften Erfahrungen über verborgene philosophische Wissenschaften und verdeckte Geheimnisse der Natur, Bd. I, München 1923, S. 86 ff. Erstaunlich deshalb, weil es nicht nur im verbalen Bereich frappierende Übereinstimmungen gibt (s. 15/1, 263), sondern rückblickend sein ganzes folgendes Werk wie eine einzige Veranschaulichung dieser Sentenz anmutet; was wiederum erklärt, weshalb der damals Siebzehnjährige gerade diese Passage aus einem Wust (nicht immer seriöser) naturphilosophischer Betrachtungen heraus exzerpierenswert fand.

[52] Im Gegenteil sind es immer wieder Üppigkeit und Überfülle der Vegetation, ist es die Vorstellung ›blühenden‹ Lebens, die, dem Tode entgegengehalten, Wirkungen stiften nicht nur ausgleichender, sondern Vergänglichkeit überwindender Art. So wächst »das grünste Gras« auf den Gräbern der Verstorbenen, wuchern eben dort »Rosen nebst dem Jasmin ... in göttlicher Unordnung und Überfülle, so daß nicht einzelne Stäudlein auf ein frisches Grab gesetzt, sondern das Grab muß in den Blumenwald hineingehauen werden, und nur der Totengräber kennt genau die Grenze in diesem Wirrsal, wo das frisch umzugrabende Gebiet anfängt« (3, 2). — Blumen-›Wald‹ lautet das entscheidende Stichwort, insofern es auf den Einheitscharakter der Szenerie, die Vorstellung (fast) unzerreißbaren Geflechts abhebt; darum auch das Verweilen bei dem nicht endenwollenden Reigen der Insekten, unter deren ›zartem Gewebe‹ verdeckt »das Schweigen der Gräber und der Jahrhunderte« liegt (3, 205).

bewegt Lebendigen, sondern auf ihre Weise voll von Lebens-Dauer, wenn man so will, auf Erden eine Zone unvergänglichen Lebens, säkularisierte Ewigkeit.

*

Dauer als Wechseldauer, diese Definition ist nun ferner geeignet, den Charakter der Bewegung, von der früher als von dem entscheidenden Kriterium Kellerscher Landschaften die Rede war, präziser zu umreißen. Wenn wir dabei Landschaft auf Grund des ihr innewohnenden Bewegungscharakters als eine Art Perpetuum mobile verstanden haben, so war das richtig nur insofern, als sie ohne Bewegung in der Tat nicht zu denken ist. Andererseits liegt aller Bewegtheit landschaftlicher Prospekte ein Moment zwar nicht der Starre, wohl aber der Ruhe zugrunde. Bei allem Wandel, »Aufglimmen und Verlöschen« ist die Natur am Ende doch »innerlich ruhigen« Wesens (9, 236). Von der zeitlichen Ebene übertragen in räumliche Dimensionen erscheint das Paradoxon ›Wechseldauer‹ nun als Ruhe in der Bewegung. In den Reflexionen im Anschluß an die Goethelektüre definiert Heinrich dies vertrackte Ineinander mit wünschenswerter Klarheit: »Nur die Ruhe in der Bewegung hält die Welt und macht den Mann; die Welt ist innerlich ruhig und still, und so muß es auch der Mann sein, der sie verstehen und als ein wirkender Teil von ihr sie widerspiegeln will. Ruhe zieht das Leben an, Unruhe verscheucht es; Gott hält sich mäuschenstill, darum bewegt sich die Welt um ihn« (5, 5/6). Gott, eben noch als der ›große Weber‹ bemüht, nun ist er der unbewegte Beweger im Zentrum der Welt, während die Rolle des Künstlers umschrieben wird als die des leidenden Sehers, des (innerlich beteiligten) Zuschauers beim Festzug des Lebens.

Diese Idee der ruhenden Bewegung oder bewegten Ruhe[53] hat, ähnlich wie der Komplex ›Wechseldauer‹, vielfältige bildhafte Gestalt angenommen in den Dichtungen Kellers: Wir erinnern nur an den majestätisch trotzenden, vom Hauch des Lebens zitternden Buchbaum bei Heinrichs Malversuch, an des Dichters Vorliebe, Flußläufe, wie im Falle der ›Heidenstube‹, sich zu seeähnlichen Becken

[53] In seinem Buch »Die Zeit als Einbildungskraft des Dichters. Untersuchungen zu Gedichten von Brentano, Goethe und Keller«, Zürich ²1953, hat Emil Staiger Kellers Werk insgesamt (S. 161—210) dem Aspekt der ruhenden Zeit zugeordnet in der doppelten Absicht, das Komische darin aus dem Abweichen von der erfüllten Gegenwart abzuleiten (s. S. 194) wie dem Dichter die Schilderung dichtester (ruhend nebeneinander gelegener) Gegenständlichkeit (s. S. 188), d. h. aber eine realistische Grundhaltung nachsagen zu können. Dabei war der Verf. freilich gezwungen, das Moment des Ruhevollen nicht nur nachdrücklich zu betonen (s. S. 171/72), sondern mehr noch zu einem Rang von letzter Wahrheit und Vollkommenheit (s. S. 179) emporzustilisieren. Wenn er als Ergebnis schließlich die Darstellung reiner Ruhe postuliert (s. S. 172), so bedeutet dies nichts anderes, als das Moment des Bewegt-Lebendigen in einseitiger und unerlaubter Weise unterdrückt zu haben. — Vgl. den ganz ähnlich lautenden, wenn auch mehr um einer gerechteren Beurteilung des Politikers Keller willen erhobenen Vorwurf von Carl Winter, Gottfried Keller. Zeit — Geschichte — Dichtung, Bonn 1971, S. 313/14.

erweitern und vertiefen zu lassen, bei welcher Gelegenheit die sonst so lebendigen heftigen Wellen ruhiger fließen lernen, ohne darum die Beweglichkeit gänzlich zu verlieren. Ziehende Wolken auf dem Hintergrund ruhigen, tiefen Himmelsblaus (s. 3, 199; 150. 17, 135/36. 21, 55) meinen den nämlichen Sachverhalt. Und nun wird auch verständlich, warum Keller den Weih zu seinem Lieblingsvogel erklären konnte (s. 21, 79 u. 84/85), der Fähigkeit zum Gleitflug wegen, was bei ausgebreiteten Schwingen den Eindruck ruhigen Schwebens hervorruft, während er sich doch — zumeist kreisend (s. 17, 276) — fortbewegt. Auch das Pendant des Vogels, die flinke Forelle der Vorlage, ›steht‹ ruhig im strömenden Wasser, bevor sie mit einem Sprung davoneilt[54].

Ausgeschlossen sind damit, als Kennzeichen des Lebens, Unruhe und Hektik. Ein solches Moment der Hektik scheint am ehesten der Jagd innezuwohnen. Diese ›Jagd des Lebens‹ muß denn auch in den »Züricher Novellen« herhalten zur Demonstration der Unrast und Vergänglichkeit der Welt. Als Hadlaub der Frau Kunigunde den Brief des Bischofs überbringt, hat er Gelegenheit, sich in der Wohnung der Äbtissin umzusehen. Die Wände des Zimmers sind bis zu einer gewissen Höhe mit Teppichwerken behangen: »dieselben zeigten einen grünen Wald . . . Im Hintergrunde unter den Bäumen . . . bewegten sich . . . viele Leute und Tiere, Diana und ihre Nymphen jagten nach Hirschen, Adonis nach dem Eber, Venus beweinte den toten Adonis, Siegfried lief nach dem Bären, und Hagen warf den Spieß nach jenem, es war gewissermaßen die Unruhe der Welt. . .« (9, 57/58. vgl. 7, 333/34), Unruhe, die da, wo sie des Korrektivs entbehrt, das Leben verscheucht, wie im Falle Ital Manesses, der nie zu Hause ist und über der Rastlosigkeit seines Jagdtriebes das Glück versäumt (s. 9, 139/40); oder am Beispiel von Zendelwalds Mutter, die zwar eine vollkommene Jägerin ist (s. 10, 223/24), mit all ihrer Betriebsamkeit freilich um ein Haar just den Boten erschlagen hätte, der gekommen war, ihrem — wie sie meint, allzu trägen — Sohn zu seinem Glück zu verhelfen. — Wo die Passion der Jägerei Zeichen ist für die Lebenskraft und mannhafte Tüchtigkeit einer Gestalt, da sind erneut Züge der Ruhe eingeflochten in das Bild der Bewegtheit, und sei es nur, wie im Falle von Heinrichs Oheim, durch die Angewohnheit des Rauchens — nach Keller Zeichen ruhiger Gemütsart —, weshalb die Zigarre[55] bei seinen Jagdvorbereitungen niemals fehlen darf (s. 3, 200; 219). Ebenso sieht man Landolt in seinen Bildern »dem Abendrot entgegenreiten, ruhig ein Pfeiflein rauchend« (9, 237). Und im Falle der zitierten Hadlaub-Stelle wird nicht vergessen zu erwähnen, daß sich von der allgemeinen Unrast des Lebens »die friedlichen Szenen des

[54] Womit so gut wie alle früher genannten Bewegungsmotive in diesem Zusammenhang erneut aufgetaucht wären.

[55] in silbernem Jagdhörnchen; vgl. die Identität von Pfeife und Gewehr in Heinrichs Traum 6, 117/18. Bezeichnend, daß ›Papa‹ Litumlei (»Der Schmied seines Glückes«) sich nicht auf die Kunst des Rauchens versteht (s. 8, 93).

Vordergrundes« — gemeint ist die Legende von der Gründung des Klosters — abhoben (9, 58).

Ruhe in der Bewegung gehört nicht nur dazu, etwas Lebendiges und Vernünftiges zustande zu bringen (s. 5, 7)[56], sie schließt auch aus, daß man dieser Bewegung trotz aller gelegentlichen Prononciertheit und Betonung den Charakter des Dynamischen zugesteht. So haben wir diese Bezeichnung[57] bislang bewußt vermieden, obwohl sie gerade für den vorliegenden Fall sich anzubieten scheint. Dennoch läßt die Berechtigung solcher Abstinenz sich erhärten am Beispiel der herabgestürzten Felsblöcke, unter Berücksichtigung freilich der (ungenügenden) Dimensionen wie der früher erwähnten Eigenbeweglichkeit vieler Landschaftsteile: Daß es Felstrümmer inmitten eines Baches sind, macht die gestauten Wasser, an sich ein typisches Beispiel für dynamische, in der Überwindung eines Hindernisses Kraftaufwand erfordernde Bewegung, zu dem, was sie sein sollen: nicht mehr als eine weitere Veranschaulichung der These von der ruhevollen (Fels) Bewegtheit (Wasser) alles Lebendigen.

Da man auch diesen bestimmenden Zug unseres Prospektes verallgemeinern darf, ist es nunmehr möglich, den Kellerschen Landschaftstypus näher zu bestimmen. Dynamische Bewegung erfordert große, um nicht zu sagen ›erhabene‹ Landschaftsformen. Wo es hingegen darauf ankommt, Bewegtheit mit Ruhendem zu koppeln, ist große Natur ausgeschlossen. So vermißt man bei Keller die Landschaft des Hochgebirges[58] — Spitzen und Kämme der Bergriesen und ihre Erwähnung (s. u. a. 5, 136. 3, 221. 9, 24) dienen allenfalls dazu, das Panorama gegen den fernen Horizont hin abzuschließen[59] — ebenso wie die Beschreibung des Meeres. Das ist im ersteren Falle doppelt verwunderlich darum, weil er als Zürcher die Alpen sozusagen vor der Haustüre liegen hatte, zum andern deshalb, weil er als Schweizer auf eine (verhältnismäßig lange) literarische Tradition, beginnend mit Albrecht von Hallers Gedicht »Die Alpen«, zurückgreifen konnte. Er hat es nicht getan, sowenig wie er das Meer ausführlicher Beschreibung für wert erachtete. Weder Judiths Überfahrt noch die Pankrazens oder des Paares

[56] Wie das Beispiel der Judith beweist. Nicht nur ist ›ruhevoll‹ eines der ständigen Epitheta zur Kennzeichnung ihrer Gestalt, es ist dies auch die Erklärung dafür, daß sie die Feldarbeit nahezu ausschließlich der Mutter überläßt, während sie »im kühlen Haus und Garten gemächlich waltete« (4, 11). Später bleibt das »Einsammeln des Obstes ... fast die einzige Arbeit, der sie sich mit Liebe und Eifer hingab« (5, 37), und selbst zur Zeit ihres Amerika-Aufenthalts ist sie allenfalls vorübergehend »eine vorsätzliche Tatverrichterin« (6, 316).

[57] anders als Susanne Baumann, die darin allzu sorglos verfährt, a. a. O. S. 101; 110; 123.

[58] s. Baumann, a. a. O. S. 43.

[59] Vgl. ihren sowohl linearen wie ›umgebenden‹ (dazu 17, 23) Charakter, wobei das letztere Moment durch die Bezeichnung ›Bergkette‹ noch betont werden kann (s. 9, 4). Damit erfüllen sie die nämliche (rahmende) Funktion wie der Blick aus dem Fenster (s. 3, 214. 4, 20), wie die Berge der näheren Umgebung rings um das Tal des jeweiligen Vordergrundes. In dieser Weise stellt Natur sich dem Betrachter dar als eine Versammlung von Landschaften (s. 9, 23), angeordnet in konzentrischen Kreisen (vgl. Anm. 38 u. 48).

in der Novelle »Regine«, um nur einige[60] der ausgelassenen Gelegenheiten zu nennen, sind dazu genutzt. — Und ebenso fehlen die ›großen‹ Vorgänge in der Natur, gewaltige Stürme oder Gewitter[61] mit Blitz und Regenfluten, Vorgänge, wie sie seit der Epoche des Sturm und Drang sich zunehmender Beliebtheit erfreuen wegen der Möglichkeit, den Reiz ›gemischter‹ Empfindungen auszukosten. Keller meidet solche gigantischen Naturphänomene für gewöhnlich, bis auf die wenigen Fälle, in denen er (aus begründetem Anlaß) menschlichen Leidenschaften freien Lauf läßt, wie in der ›Romeo‹-Novelle, wo der Streit der Bauern zusammenfällt mit dem Ausbruch eines Gewitters. Im ›Grünen Heinrich‹ lassen sich lediglich zwei vergleichbare Szenen nachweisen: Als Heinrich sich am Abend des Tellenspiels Anna gegenüber leidenschaftlich gibt — die ›Heidenstube‹ ist eine ganz und gar unzureichende, eher idyllisch enge Kulisse für eine derartige ›Anwandlung‹ —, wird das Aufwallen seines Blutes begleitet von einem gewaltigen »Rauschen in den Baumkronen rings umher ...« (4, 206). Der Tag endet mit einem Besuch bei Judith, und auch hier drohen die bislang spielerischen Liebkosungen der beiden einen Augenblick lang umzuschlagen in leidenschaftliches Begehren, diesmal begleitet von gewaltigen Regengüssen, Blitz und Donner (s. 4, 229), Erscheinungen, die die beiden, bezeichnenderweise und im Gegensatz zu den draußen lärmenden liebestollen ›barmherzigen‹ Brüdern, aus der sicheren Ecke eines abgeschlossenen Zimmers verfolgen. Beide Vorfälle stehen am Ende der Jugendgeschichte und markieren so den Übergang des Helden zum Erwachsensein, jenen Zustand, der ihm bei aller Fähigkeit zur Leidenschaft Entsagung abverlangen wird, eine Verpflichtung, zu der auch Judith sich später im Augenblick höchster Bedrängnis (während eines Seesturms) durchringt (s. 6, 323). — Es ist die Idee des Maßes, die die Bewegungsabläufe so charakteristisch dämpft, wie sie Landschaftsformen gemäßigten Charakters hervorbringt, bevölkert mit Menschen, denen aufgegeben ist, die zerstörerischen Leidenschaften des Herzens zu bändigen. So ist die Gegend des Heimatdorfes mit ihren »einfachen und anspruchslosen, aber so ruhigen und lieblichen« Bestandteilen (4, 47) für Heinrich wie den Dichter unendlich reizvoller als das großartige Panorama rings um beider Vaterstadt.

Wenn das Moment des Ruhevollen große Natur weitgehend ausschließt, muß man sich andererseits hüten, allzusehr idyllische Züge in seine Landschaften hineinzulesen, Keller zu einer Art Geßner der Literatur umzustilisieren. Er ist dies trotz mancher Ansatzpunkte nicht, doch hat es bis in die jüngste Zeit hinein nicht an Versuchen gefehlt, sein Werk für dieses Etikett zu reservieren[62]. Daß

[60] Weitere ungenutzte Möglichkeiten verzeichnen Baumann, a. a. O. S. 43; Bolliger, a. a. O. S. 18.

[61] s. Baumann, a. a. O. S. 40. — An die Stelle des Meeres tritt als landschaftlicher Hintergrund leidenschaftlicher Vorgänge gelegentlich die wilde Heide, Heimat so ungebundenen wie ungebändigten Zigeunervolks (s. 8, 414. 9, 236. 10, 216 ff.).

[62] Bruno Hillebrand hat den idyllischen Charakter Kellerscher Szenarien namentlich für die Jugendgeschichte des ›Grünen Heinrich‹ betont und dort ein ungestörtes Verhältnis des

dem ein fundamentales Mißverständnis zugrunde liegt, braucht im Hinblick auf das bislang Gesagte im Grunde nicht eigens betont zu werden. Natürlich kennt Keller — als Vorgang wie Szenerie — Idyllen, gerade von der Wanderung der Gesellschaft wird ja unter dem Titel »Sonntagsidylle ...« berichtet, die Beschreibung des Schulmeisterhauses könnte so oder ähnlich durchaus im »Maler Nolten« stehen, und so haben denn auch gerade die Gegend um den See, die ›Heidenstube‹ oder die stillen Plätzchen in Seldwyla (s. 7, 16/17) als Beleg für die These vom Idylliker Keller herhalten müssen. Alle diese Interpretationen übersehen dabei freilich die Wertungen[63], die der Dichter solchen Schauplätzen jeweils mitgegeben hat: So trägt das Haus am See gerade in der Betonung von Abgeschiedenheit und Stille, mit den Muscheln der Fensterläden, dem dominierenden (leblosen, weil blutlosen) Weiß, der Spiegelung in der Tiefe deutlich das Signum des Abgelebten, ist es ein verwunschenes, lebloses Wasserschloß, aufgetaucht ans Tageslicht aus der Ferne der Vergangenheit, weit eher denn das Anwesen lebenskräftiger Menschen. Wo Landschaft in dieser Weise auf Bildchenformat zusammenschrumpft, Bewegung sich verkürzt und zuletzt verliert, herrscht zwar ›Idylle‹, aber belegt mit den Zeichen des Todes. Kellers ›Gegenden‹ brauchen, um ihre Eigenart entfalten zu können, weiteren Raum, das rechte Maß zwischen romantischer Weite und biedermeierlich umhegter Miniatur.

4. Natur als Ort des (Natürlich-)Wahren

Natur als Ort des Natürlichen[64], das scheint selbstverständlich bis zur Tautologie zu sein, ist es aber nur so lange, wie man den historischen Aspekt außer

Menschen zum (räumlichen) Dasein postuliert (a. a. O. S. 109), wie es im Gefühl der Geborgenheit zum Ausdruck komme. Diese These belegen zu können, mußte die Auswahl der Beispiele vorzugsweise auf die Darstellung kleiner, abgeschlossener Räumlichkeiten beschränkt werden (s. S. 122; 123; 125; 127; 153—57), während die freie Natur wesentlich unter dem Aspekt der Ruhe gesehen ist (s. S. 135/36), die Begegnung mit ihr sich in den Formen von »›Stille‹« und »›Schweigen‹« (S. 139) manifestiert! — Den Wechsel zwischen Enge und Weite des Lebensraumes sowie dessen bildende Kräfte untersucht Herbert Seidler, Beobachtungen zur Raumgestaltung in Gottfried Kellers Roman »Der grüne Heinrich«. — In: Germanistische Studien. Innsbrucker Beiträge zur Kulturwissenschaft, Bd. 15, hrsg. v. Johannes Erben u. Eugen Thurnher, Innsbruck 1969, S. 221—36.

[63] am wenigsten E. Allen McCormick — The idylls in Keller's ›Romeo und Julia‹: A study in ambivalence. — In: GQ 35, 1962, S. 265—79 —, der in allen idyllischen Szenen ein tragisches Element angelegt sieht (s. S. 266) und am Ende der ›Romeo‹-Novelle die Zerstörung der Idyllik durch das Tragische konstatiert (s. S. 278).

[64] Wo Natur, wie bei Herbert W. Reichert — Basic concepts in the philosophy of Gottfried Keller, Chapel Hill 1949 —, wesentlich verstanden wird als Gegensatz zu intellektueller Freiheit, ist, bedingt durch den Ausgangspunkt, d. h. Kellers vereinzelte theoretische Äußerungen, allenfalls ein Teil dieses komplexen Begriffs erfaßt. — Vgl. demgegenüber das Kapitel »Natürlichkeit« bei Rudolf Wildbolz, Gottfried Kellers Menschenbild, Bern/München 1964, S. 103—07.

acht läßt. Seit die Gesellschaft aufgehört hatte, die einzig menschenmögliche und -würdige Umgebung des Individuums zu sein, ja statt dessen mehr und mehr Züge des Unnatürlichen annahm, wurde Natur parallel zu der sich abzeichnenden Kulturkrise des 18. Jahrhunderts von einem bislang gleichsam außerweltlichen Bezirk mehr und mehr zum ersehnten Lebensraum des Menschen, entdeckte dieser in einer Art sentimentalischen Verlangens — die Stadtflucht des 19. Jahrhunderts als Robinsonade en miniature — seine innere Affinität zu ihr. In diesen Traditionsstrom gehört mutatis mutandis auch Gottfried Keller, wobei anzumerken wäre, daß sein erwachendes Interesse am Landschaftlichen als der Heimat des Natürlichen zugleich spezielleren Ursprungs ist, d. h., wenn wir recht sehen, wesentlich mit der von ihm empfundenen Denaturierung des Christentums zusammenfällt (s. p. 84ff.).

Nun ist der Mensch als Lebewesen — um den Ausdruck Geschöpf zu vermeiden — zwar ein Teil der Natur, zugleich aber ragt er, anders als etwa das Tier, über sie hinaus in andere Bereiche; bei Keller nicht sosehr durch seine unsterbliche Seele als vielmehr mit Hilfe seiner geistigen Fähigkeiten, durch Verstand und Freiheit des Willens. Der Gebrauch dieser Gaben setzt ihn instand, den natürlichen Teil seines Wesens zu transzendieren, und dies sowohl in positiver als auch in negativer Richtung, letzteres im Sinne einer Verleugnung seiner ursprünglichen Anlagen. — Hier wächst der Natur die Aufgabe zu, erzieherisch zu wirken im Sinne einer Vernatürlichung, zu welchem Prozeß es darum wenig mehr bedarf als des aufmerksamen Anschauens und täglichen Umgangs mit ihr, weil Natur sozusagen aus sich selbst heraus, durch ihr bloßes Sosein, will sagen auf ›natürliche‹ Art[65] erzieht. Mit dieser ihrer Fähigkeit zur ›leisen‹ Veränderung aber ist sie mehr als nur eine pädagogische Instanz unter vielen, sie ist d i e Erziehungsmacht schlechthin. — Allenfalls kann ihre Funktion und Wirkung unter bestimmten Voraussetzungen von der Frau übernommen werden: Indem — um eines der bekanntesten Beispiele zu erwähnen — Frau Regula Amrain im Grunde wenig oder gar nicht, jedenfalls weniger durch Worte als durch Verhaltensweisen erzieht, leitet auch sie zu Natürlichkeit an auf gleichsam natürliche Weise, eine Übereinstimmung von Wie und Was, Maßnahme und Inhalt des Geforderten, die der Dichter nicht treffender kennzeichnen könnte, als indem er sich zu ihrer Veranschaulichung einer der Natur entnommenen Metapher bedient: »... das Werk bestand fast lediglich darin, daß das junge Bäumchen, so vom gleichen Holze mit ihr war, eben in ihrer Nähe wuchs und sich nach ihr richtete« (7, 201).

Wenn sie in dieser Weise vorbildhaft sein kann, dann profitiert Frau Regula wie manche ihrer geistigen Schwestern von der Anschauung Kellers, wonach Frauen ihrem Wesen nach der Natur näher sind als der Mann, ein Umstand, der sich negativ als hexenhafte Wandelbarkeit bemerkbar macht, während er

[65] Dieser Aspekt des ›Wie‹ ist bislang weitgehend unartikuliert geblieben trotz aller vielfältig registrierten Erziehungstendenzen des Dichters.

positiv zu Buche schlägt entweder als Fähigkeit des sich (dem Partner) Anverwandeln-Könnens (Beispiel ›Sinngedicht‹) oder, wie hier, als ein Vorausbesitz an Natürlichkeit. Aus solcher natürlichen Sicherheit ihres Wesens heraus sind Kellers Frauen ihren Männern für gewöhnlich überlegen, übernehmen sie in den entscheidenden Situationen nicht selten die aktiv führende Rolle. Wenn das im Falle des ›Grünen Heinrich‹ — wie Fritz Amrain vaterlos aufwachsend — anders ist, so ist dieses Versagen vor der Aufgabe rechter Erziehung weniger der Frau Lee anzulasten als vielmehr in der Situation, genauer gesagt, der mangelnden materiellen Basis begründet. Denn ein gewisser Wohlstand ist, wie Keller einräumen muß (s. 7, 206), unabdingbar, um die Freiheit des Individuums zu erhalten. In Not und Armut müssen sich alle Gedanken notwendig um Nahrung, Kleidung und Geld drehen, so daß diese Dinge einen Wert bekommen, der ihnen nach Meinung des Dichters nicht zusteht. Diese Möglichkeit rechter Einschätzung der Lebenswerte zu gewährleisten, hat er folgerichtig die Erzählung um Frau Regula als eine der wenigen Ausnahmen unter den Seldwyler Novellen in ein sozial gehobenes Milieu versetzt.

Da Frau Lee mit dem Tode des Gatten den Hausstand entscheidend einzuschränken gezwungen ist, wird ihre Stelle als Erzieherin Heinrichs von niemand geringerem wahrgenommen als von Judith, die ebenso materiell unabhängig ist wie (auch noch in der zweiten Fassung) ihrem Vetter um die Jahre voraus, daß sie ihn — zuerst als mütterliche Freundin, später als Geliebte — erziehend führen kann. — Mit dem Auftreten Judiths ist der Augenblick gekommen, wo die Interpreten Kellers für gewöhnlich lyrisch werden[66]. Und in der Tat ist diese Gestalt in mancherlei Hinsicht dazu angetan, ins Schwärmen zu geraten. Judith ist nach dem Willen ihres ›Erfinders‹ (s. 21, 21) vor allem eine »Naturmanifestation« (Briefe 3/1, 421), und das schließt sowohl die Züge des Treuherzigen (s. 6, 312) und Volkstümlichen (s. 5, 70), wie des Unverbildeten (s. 4, 226/27) und Kindlich-Unverstellten (s. 6, 312) mit ein. Ihre Naturnähe[67] ist von Keller mehrfach ins Bild gerückt, am eindrucksvollsten vielleicht bei Gelegenheit der Badeszene, in dem Augenblick, als sie sich von der Seite Heinrichs wegstiehlt und, bevor aus den

[66] Noch die Hausersche Schelte ist zu verstehen als eine Art Anti-Lyrismus, a. a. O. S. 7; 79 ff.; 136/37.

[67] Wo Natur der Inbegriff des Natürlichen ist, muß sie, anhand des vom Menschen gewählten Lebensrahmens, zugleich Auskunft geben können über die solcherart vorhandene oder fehlende Natürlichkeit eines Individuums. Sage mir, welchen Lebensraum du bevorzugst, und ich sage dir, wie natürlich du bist, in dieser Abwandlung ließe sich das bekannte Sprichwort auf das Kellersche Personal anwenden. Kann man sich das Naturkind Judith anders vorstellen als unter freiem Himmel, inmitten ihres Baumgartens? — Nicht immer muß ein weiter landschaftlicher Rahmen um Haus oder Gehöft der Lebenshintergrund solcher naturverhafteter Gestalten sein; um Naturnähe anzudeuten, genügt noch das Vorhandensein winziger Reservate — wie umgekehrt gewollte Entfernung von allem Landschaftlichen unnatürliches Verhalten oder absonderliche Charaktereigenschaften signalisiert. Allenfalls in diesem Sinne hat Bolliger Recht mit seiner Behauptung vom Zurücktreten des landschaftlichen Elementes

Fluten der ›Heidenstube‹ auftauchend, gleichsam in die umgebende Natur hinein aufzulösen scheint (s. 18, 86). Wenn diese Szene der späteren Umarbeitung zum Opfer fiel, vor allem, weil ihr Charakter sich gewandelt hatte, so bleiben noch genug Möglichkeiten der Identifikation Mensch — Natur: Judith, unter einer dunklen Tanne stehend, »deren Stamm wie eine Säule von grauem Marmor emporstieg« (4, 101), eine Rosenknospe im Mund; in der späten Fassung (Ersatz für die ›Badende‹) ihr Wiedererscheinen vor dem Felshintergrund der Nagelfluhe, daß es aussieht, »als ob der Geist des Berges aus dem Gestein herausgetreten wäre ...« (6, 311; vgl. 313).

Natürlich-dauerhaft aber ist nur das Wahre. Schon dem geliebten Knaben gegenüber hatte Judith bekannt, die Wahrheit zu lieben wie sich selbst (s. 4, 231); aus Amerika heimgekehrt, trägt jedes ihrer Worte »den Stempel der Wahrheit an sich ...« (6, 317). In Judiths Nähe verbringt der zum Leben bekehrte Heinrich die Zeit seiner Mannesjahre. Und wenn er »in Zweifel und Zwiespalt geriet, brauchte ... [er] nur ihre Stimme zu hören, um die Stimme der Natur selbst ...« (6, 324), wir könnten auch sagen, die Stimme der Wahrheit zu vernehmen. In der unverstellten Ursprünglichkeit ihres Wesens ›Kind‹-Frau bis an ihr Ende, ihrem Erscheinungsbild nach die ›Große‹, Verlockende, ja die Gestalt gewordene ›Mutter Natur‹ selbst, hat sie für Heinrich die Funktion, ihn aus allen Nöten und Verirrungen zurückzuführen zur Wahrheit[68], d. h. zur Klarheit über sich und sein Verhältnis zur Welt. — Und wieder erzieht sie, gleich der Frau Regula, durch ihr schlichtes Dasein mehr als durch alle Worte, ist die klärende, ja mitunter erlösende Wirkung (s. 6, 320. 5, 67), die sie auf Heinrich ausübt, mehr das Werk ihrer bloßen Gegenwart als von Argument und Diskussion.

Natur, im ›Grünen Heinrich‹ und anderswo ist sie die große Lehrmeisterin des Menschen[69], Natürlichkeit, daraus abgeleitet und verstanden im wesentlichen als Naturnähe, Ursprünglichkeit, nimmt in der Hierarchie der Werte für Keller einen so hohen Rang ein, weil sie die Begriffe von Wahrheit und Echtheit einschließt als den notwendigen Bedingungen dauerhaften Seins. — Heinrichs Weg ist ein Weg zur Natur auch insofern, als er endet im Vollzug der Re-Integration, im Wiederanschluß des einzelnen an die Gemeinschaft. Und auch dies Ziel (wie schon den Weg dahin), hätte er dem Sosein der Erzieherin Natur entnehmen können; zu deutlich ist die Analogiekette Baum — Mensch/Wald — Nation, in der auch Zwischenstufen keineswegs fehlen. So bezeichnet Keller Baumgruppen gern als

(a. a. O. S. 89; 92), ohne daß sich daraus eine chronologische Entwicklung ableiten ließe. Keller ist in wesentlichen Teilen auch des späteren Werkes ›Freiluftdichter‹, aus welchem Anlaß zu fragen wäre, ob nicht die Verlagerung in geschlossene Räume Vorgängen von bestimmter Qualität (Heimlichkeiten, Unnatur) vorbehalten bleibt.

68 Vgl. die Wirkung der Natur auf den angehenden Maler da, wo Heinrich sich im Umgang mit ihr »den Sinn des Schlichten, aber Wahren« mit saurer Mühe zurückerwirbt 4, 71.

69 Zur Rolle der Natur als Bildungsmacht im ›Grünen Heinrich‹ vgl. Käthe Heesch, Gottfried Kellers »Grüner Heinrich« als Bildungsroman des deutschen Realismus, Hamburg 1939, S. 37 ff.

›Familien‹, und der Gedanke des Fortdauerns ist in diesem Zusammenhang angedeutet in dem Bei- und schützenden Miteinander der Generationen: »Eine Eichenfamilie. Baumgruppe, an einem Abhange ein seiner Äste beraubter, längst abgestorbener Eichstamm mit einer dichten Moosdecke überzogen, als der Urgroßvater dieser Familie. Ihm zur Seite zwei ebenfalls alte, schon vieler Blätter und Äste beraubte, doch noch mächtige Eichen als seine Söhne; um diese herum mehrere jüngere Eichbäume in der vollsten Pracht, und endlich, um alle und zwischen allen herum verteilt, ganz junger Eichenschlag, als die spätesten Enkel des alten Stamms. Dieses ganze kleine Wäldchen ist nach und nach aus den Früchten des alten erwachsen und schützt und ehrt ihn jetzt, da er seines Schmuckes beraubt ist, mit seinen jungen grünen Laubgewölben« (22, 333)[70]. Erkenntnis des Wesens der Natur im Bild des Waldes – für Heinrich bedeutet dies: Statt des willkürlichen Herausstehlens von Einzelheiten zu künstlerischer Absicht (s. 5, 5) Tätigkeit im Dienste der Allgemeinheit mit der Chance, inmitten des schützenden Waldesdickichts der Nation (s. 10, 70) weiterzuleben über die Grenzen der Individuation hinaus.

5. *›Natur ist Schönheit‹*

»Schönheit ist Natur, Natur ist Schönheit« (22, 328), notiert Keller 1837 auf einen Zeichenblock neben ein eingeklebtes Porträt Guido Renis – ein Aphorismus, der in seinen Werken vielfältige Bestätigung gefunden hat, in seiner lakonischen Kürze freilich eingehender Erklärung bedarf. Ein notwendiges Ingredienz des landschaftlich Schönen ist der Eindruck vegetativer Fülle[71], stilistisch hervorgerufen einmal dadurch, daß die weitaus meisten Substantive[72], sprich Landschaftsteile im Plural auftreten, zum andern durch die Charakterisierung des Flußtals als ›Wildnis‹, eine Bezeichnung, die neben dem erwähnten Ineinander eben die Vorstellung überquellender Fülle beinhaltet (s. 3, 2; 214; 215; 229 u.a.)[73]. Schon dies kleine Fleckchen Erde erweist sich als so reichhaltig, so vielfältig an Form und Gestalt, daß ein ständiger Standort- und Perspektivenwechsel (»hier« – »dort«) nötig ist, alles Sehenswerte zu erfassen, während vom Syntaktischen

[70] Vgl. das Bild der Baumschule im ›Verlornen Lachen‹ mit den zahlreichen anthropomorphisierenden Zügen 8, 427; dazu die Ausführungen bei Thomas Roffler, Gottfried Keller. Ein Bildnis, Frauenfeld/Leipzig 1931, S. 153.

[71] Vgl. das erste Auftreten Judiths, bei dem die Bewunderung ihrer Schönheit Hand in Hand geht mit der Erwähnung der Fülle ihres Haares wie der »Last frisch gepflückter Ernteäpfel« zu der »Masse gebrochener Blumen ... Dies schüttete sie alles auf den Tisch, wie eine reizende Pomona, daß ein Gewirre von Form, Farbe und Duft sich auf der blanken Tafel verbreitete« 3, 210.

[72] sofern es sich nicht um Kollektiva (Wald, Getier) handelt.

[73] Käthe Harnisch verweist darauf, daß Keller in diesem Zusammenhang gern den Ausdruck ›Masse‹ gebraucht, a. a. O. S. 93/94. – Möglicherweise wird von hier aus auch die schon von Baumann (a. a. O. S. 100) bemerkte Vorliebe des Dichters für Nominalkomposita verständlich.

her durch Nebenordnung, verbunden mit den Stilmitteln der Reihung (»und« – »und«; »dann« – »indessen«) und des anaphorischen Gleichklangs (»bald« – »bald«) der Eindruck gleichzeitigen Nebeneinanders hervorgerufen wird als der einzig angemessenen Form, vegetativer Vielfalt beschreibend Herr zu werden[74].

Am eindrucksvollsten offenbart sich die Schönheit der Natur – wie in unserm Beispiel – im Glanz eines wolkenlosen Sonnentages. Die Sonne, zuvor ihrer belebenden Wärme wegen (s. 21, 29) als Quell allen Lebens apostrophiert, ja geradezu göttlich verehrt (s. 20, 73/74), sie wird in diesem Zusammenhang recht eigentlich glanz- und schönheitsschenkend. Auf solche Art ins rechte Licht gesetzt, erweisen Vegetation (leuchtendes Grün) wie Dingwelt (Goldknöpfe), Tiere (schimmernde Forelle) wie Menschen (glänzende Gesellschaft) ihre Dankbarkeit[75] dem Tagesgestirn gegenüber in der Weise, daß sie seine Strahlenfülle auffangen und in vielfältiger Weise widerspiegeln. Insbesondere das Wasser ist in der Bewegtheit der Wellen oder ruhig spiegelnden Fläche eines Sees wie kein anderes Medium geeignet, Sonnenglanz und Sternenschimmer tausendfach zu reflektieren. So steigert sich der Eindruck, den die ›Silberkringel‹ des begleitenden Flüßchens hervorrufen, wenn am Ziel der Wanderung der Blick frei wird auf den »stillen dunkelblauen, mit Silber besprengten See…, der mit seiner friedevollen Umgebung im lautlosen Glanze eines Sonntagnachmittages ruhte« (3, 238). Wenn Heinrich denselben Weg frühmorgens zurücklegt, funkelt und blitzt die Gegend von Tau und Sonne. Haus und Garten sind »vom jungen Tag übergoldet« und werfen »ihr kristallenes Gegenbild in die Flut« (4, 20). – Und was das Funkeln und Schimmern, Blitzen und Flimmern angeht, stehen die Glanznächte (s. 4, 46) den Sonnentagen in nichts nach. Wie man die Tageszeit genießt, indem man von einem erhöhten Standpunkt aus auf das Land hinausblickt, wie es mit Feldern und Wäldern friedevoll im Glanze der Nachmittagssonne schwimmt »wie im reinsten Golde« (4, 201. vgl. 11, 26), so nicht minder die Nächte, von denen es keine gibt, die nicht noch ihren Schimmer hätte (s. 14, 14).

Was die Zeit zwischen Auf- und Untergang der Sonne den Glanznächten voraus hat, ist die Buntheit zu dem Schimmer (s. 4, 169). Schon das Morgenrot wirft die ersten Farbtöne in die Schöpfung (s. 20, 76), wieviel mehr erst bringt die im Zenit stehende Sonne die Farben zum Leuchten! Sind es in unserm Falle die »roten, blauen und weißen Gewänder« der glänzenden Gesellschaft, so später (an der gleichen Wegstrecke) »rosenrote, weiße und blaue Steine«, über welche die »heimlich leuchtenden Wellen« des Baches rieseln (4, 29), oder der quer-

[74] Fülle als Voraussetzung des Schönen überhaupt, das erklärt Kellers (künstlerische wie private) Vorliebe für großgewachsene, üppige Frauengestalten; das ist (im Bereich des Landschaftlichen), nächst der Frage der Dimension, ein weiterer Grund, weshalb Beschreibungen des Meeres fehlen: Meer ist bei Keller eine ebenso weite wie öde Landschaft, darin allenfalls symbolischer Hintergrund der Einsamkeit (s. 11, 127/28) ähnlich wie die (vegetationslose) Wüste, in die Pankraz (s. 7, 75 ff.) und – gedankenweise – auch Wenzel (s. 8, 46) in ihrer Verlassenheit gehen.

[75] s. die Parabel »Vom Fichtenbaum, dem Teiche und den Wolken« 20, 88/89.

gezogene Faden einer frühen Spinne, der »in einem Streiflichte« nach Regenbogenart »mit allen Farben, blau, grün und rot« schimmerte (4, 203). Sonnenlicht weckt die Farbqualitäten der Erscheinungswelt, in ihm wird zu Glanz und Fülle die Buntheit des Lebens offenbar. So ist es nicht verwunderlich, daß Prospekte wie dieser, daß Landschaften vergleichbarer Atmosphäre mit Farbangaben reichlich durchsetzt sind: Lichthelle und Farbigkeit eines Kellerschen Tableaus zu kennzeichnen, ist in erster Linie Aufgabe der Adjektive[76], wiewohl Farben sich nicht selten auch zu Substantiven verselbständigen (Grün, Silberkringel) und grammatisch selbst die Stelle des Subjekts (Goldknöpfe) einnehmen können. — Farbe und Glanz, mit Aufgang der Sonne sind sie nicht mehr zu trennen; stilistisch zu dem Kompositum »Farbenglanz« (9, 58) vereint, beherrschen sie überall die landschaftliche Szenerie. »Ach! sie ist so schön, diese Schöpfung, so reich an Licht und überfließender Fülle ...« (21, 29. vgl. 3, 215), notiert das »Tagebuch« unter dem 11. Juli 1837.

*

Natürlich ist der Schönheitsglanz der Kellerschen Welten häufig bemerkt und ebensooft gepriesen worden. Von Hofmannsthal bis hin zu den jüngsten Arbeiten von Walther Hahn, Catherine Rückert oder Klaus Jeziorkowski sind die Äußerungen zu diesem Befund so einhellig wie die Definitionen unzureichend, die Begründungen stereotyp. Anstatt die Behauptung von der verklärenden Funktion der Glanzlichter zu tradieren, wäre es besser gewesen, nach den Voraussetzungen solcher Wirkung wie den Grenzen ihrer Anwendbarkeit zu fragen. Dabei erweist es sich als unumgänglich, Kellers Begriff des Schönen vorab präziser zu umreißen[77]: Zumindest um menschliche Schönheit ist es bei ihm geheimnisvoll, ja bisweilen unheimlich bestellt (s. 7, 62), insofern äußere Wohlgestalt einhergehen kann mit innerer Hohlheit und Leere des Gemüts[78]. Demgegenüber ist die eigentliche Schönheit, wie im Falle der Fides (»Hadlaub«) oder der Baronin Hedwig

[76] Unter Hinzuziehung der glatten, weil vermutlich — wie an anderer Stelle (s. 3, 124) — weißschimmernden Bachkiesel geben insgesamt zehn Adjektive unseres Beispiels, d. h. nach den Verbalpartizipien ein weiteres Drittel, Licht- und Farbqualitäten wieder. Von daher ist die Behauptung Susanne Baumanns, Keller gebrauche diese Wortart ebenso häufig wie vielseitig, allenfalls in ihrem ersten Teil zutreffend, a. a. O. S. 109.

[77] Versucht bei Joseph Kunz, Die Zweideutigkeit des Schönen bei Gottfried Keller. — In: Diskus 4, 1954, Heft 5, S. 69—72. Leider wird das eigentliche Problem des Schönheitsscheins und seiner verführerischen Macht nur gestreift. Statt dessen ist viel von dem metaphysischen Anspruch des Schönen die Rede, um anschließend, mit Blick auf Kellers Werk, die Inkongruenz von Sein und Reifsein, Schönheit und Güte im Menschenbild dieses Dichters wie der nachklassischen Epoche überhaupt konstatieren zu können.

[78] s. Frauen des Typs Lydia, Wendelgard, Feniza, Salome, Freska, Myrrha u. a. Vexationen dieser Art sind der Fall der Frau darum, »weil große schöne Menschenbilder immer wieder die Sinne verleiten« und die Umwelt leicht geneigt ist, »ihnen einen höheren menschlichen Wert zuzuschreiben, als sie wirklich haben« (10, 251).

(»Die arme Baronin«) eine solche »von innen heraus«, d. h. »wahr und untrüglich« (9, 93. vgl. 11, 175)[79]. — Hält man sich die bisher erarbeiteten Charakteristika der Natur (Ganzheit, Dauer, Natürlichkeit, Wahrheit) vor Augen, so wird deutlich, daß von diesem ethisch gefaßten Schönheitsbegriff her eben der Natur als Ort des Wahren und Echten in Kellers Augen der Schönheitspreis zufallen muß. Daß Natur ihres Echtheitscharakters wegen schön ist, durch und durch schön oder schön »von innen heraus« (20, 128) — im Unterschied zu allem bloß äußerlichen Talmiglanz und Schönheitsschein —, mag das Arrangement der Farbtupfer inmitten des Waldesdunkels (s. 3, 237) ebenso verdeutlichen wie die stilistischen Wendungen vom ›Hervor‹-leuchten (s. 4, 20. 3, 200), ›Auf‹-blitzen (s. 3, 237), ›Hindurch‹-strahlen (s. 4, 203) u. a.[80].

Der Zusammenhang von Schönheitsglanz und Wahrheit ergibt sich über den Begriff der Reinheit[81]. Da der Natur — anders als der Menschenwelt — die Fähigkeit zu Schein und Verstellung abgeht, erscheint ihr Wahrheits- oder Schönheitscharakter im Bilde reinen Glanzes oder glänzender Reinheit. Schönheitsglanz, hervorgehend aus der Wahrheit und Klarheit des Wesens, könnte der Dichter dafür treffendere Bilderfolgen wählen als aus dem Bereich der Edelstein-/Edelmetall-Metaphorik? So erklären sich Wendungen wie ›im reinsten Golde liegend‹ (s. 4, 201), ›Schimmerstücke von Mondensilber‹ (s. 4, 45), ›wie ein Diamantstrahl‹ schimmernd (s. 4, 203) ... Besonders am Morgen (s. 4, 20) oder nach einem erfrischenden Regen wirkt die Erde mit den smaragdenen Kleefeldern (s. 17, 40. 7, 328), den wie Edelsteinen leuchtenden Strömen (s. 21, 87), der kristallklaren Luft (s. 20, 84. 6, 123) rein und edel (s. 20, 71), lauter wie ein kostbares Gebilde aus Edelsteinen (s. 6, 120). — Da der Mensch weniger natürlich, d. h. auch weniger wahr und rein ist als die Erde, auf der er sich bewegt, findet die Edelsteinmetaphorik auf den

[79] Diese Existenz zweiei Schönheitsvorstellungen ist der Forschung bisher entgangen. Das hat zu folgenschweren Mißverständnissen geführt, zu der unglücklichen Identifizierung von Glanz und Schönheitsschein ebenso wie zu weitgehender Verschleierung des wahren Wesens der Welt; was wiederum eine plausible Erklärung für Verbreitung wie Funktion des Scheins unmöglich machen mußte. Beides vermißt man denn auch in den Ausführungen von Wolfgang Preisendanz — Gottfried Keller. — In: Deutsche Dichter des 19. Jahrhunderts. Ihr Leben und Werk, hrsg. v. Benno v. Wiese, Berlin 1969, S. 440—62 —, dessen terminologischen Unterscheidungen namentlich an dieser Stelle (s. S. 442) die nötige Präzision abgeht: Erst aus der Konfrontation mit der zwar soliden, aber glanzlosen Wirklichkeit gehen verführerischer Zauber wie fehlende ›Erdenschwere‹ alles Scheinhaften bündig hervor, wie umgekehrt aus der Verbreitung dieses Phänomens Rückschlüsse erlaubt sind auf Ausmaß und Intensität der reizlos grauen Nüchternheit des Alltäglichen.

[80] In diesen Zusammenhang gehört auch Heinrichs Traumgesicht von der Rückkehr ins Heimatdorf. Das Licht in der Stube des Oheims, die Sonnenhelle darin, die er sich wegen des dichten Efeus vor den Fenstern nicht erklären kann, rühren eben von der inneren Lauterkeit und Naturwahrheit der Bewohner her (s. 6, 115—17).

[81] Vermutlich erklärt sich aus diesem Motiv auch Kellers Abneigung gegen Halbtöne und das Vermischen von Farben, seine Vorliebe für reine und leuchtende Farbtöne; vgl. Harnisch, a. a. O. S. 97/98.

Bereich der Personenbeschreibung nur selten Anwendung. Dennoch ist Reinheit der Gesinnung und Wesensart auch hier ein Ideal, und so sind Vorgänge der Vernatürlichung nun zu verstehen als Prozesse der Reinigung von den Schlacken übler Gewohnheit (s. 3, 206)[82].

*

Noch auf eine andere (als die ethisch akzentuierte) Weise ist das Landschaftlich-Schöne für Keller mehr als ein bloß ästhetisches Phänomen. Wenn der Dichter vom Menschen ein Gefühl für die Schönheit der Natur fordert, so präzisiert er diese Forderung bei Gelegenheit einer brieflichen Korrespondenz[83] dahingehend, daß er »einen großen Unterschied« mache »zwischen dem, der die Natur nur um ihrer Formen, und dem, der sie um ihrer innern Harmonie willen anbetet...« (Briefe 1, 152). Die erstere Haltung ist innerhalb des ›Grünen Heinrich‹ der Fall des Malers Ferdinand Lys, das Ergebnis seines Augenkultes (s. 5, 274) festgehalten in jenem fatalen Skizzenbuch voller weiblicher Schönheiten (s. 5, 197 ff.). Daß dieser »bloße gute Geschmack ... an sich kein Bürge gegen die Unwürdigkeit« (6, 354) ist, zeigt sein Verhalten während des Künstlerfestes Agnes und Rosalie gegenüber. — Bewunderung der Natur um des »harmonischen Ganzen« (20, 76) willen ist die Haltung des Dichters nach der Uto-Besteigung, eine Haltung, die er den besten unter seinen Geschöpfen vermittelt hat als Folgewirkung jenes Blickes von der Höhe, der nicht das einzelne sieht, sondern das Ganze.

Wenn die Welt sich in ihrer Schönheit offenbaren soll, dann tut sie es nach dem Willen des Dichters in der Natur, sei es, wie im Falle von Heinrichs Wanderung zu Anna, im Glanz eines strahlenden Frühlingsmorgens oder, wie bei andern Gelegenheiten, im abendlichen Schein eines erfüllten Spätsommer- oder Herbsttages. Immer heißt das Demonstrationsobjekt — ihrer Wahrheit und inneren Harmonie wegen — Natur, das, was die Augen öffnet für ihre Vorzüge und Schönheiten — Liebe. Sali und Vrenchen (»Romeo und Julia auf dem Dorfe«),

[82] Louis Wiesmann — Gottfried Kellers »Sieben Legenden«. — In: Schweizer Monatshefte 39, 1959/60, S. 1201—15 — hat den Aufenthalt des Schulmeisters Wilhelm im winterlich verschneiten Rebhäuschen (s. 8, 193), Wenzel Strapinskis Beinah-Erfrieren im Schnee (s. 8, 52) als derartige Prozesse gedeutet (s. S. 1204 f.). In seinem Exkurs vermißt man den Hinweis, daß Keller dafür auch die ausglühende Kraft des Feuers setzen kann (s. 8, 293; 112. 6, 81/82), wobei das genau gegenteilige Zeichen wiederum gekoppelt ist mit den Motiven ›Gefangensein‹ oder ›Starre‹: So ist Küngolt angekettet an den Ofen im Haus des Totengräbers (s. 8, 283), während der ›Eisheilige‹ Pankraz — die Wüste als eine Art ›Feuerofen‹ — vor der Bedrohung des Löwen »›wie angenagelt‹« (7, 77) verharren muß, indessen alles Schmollwesen von ihm abfällt. Vgl. ferner die Reaktion Wenzel/Nettchens auf den Schautanz der Seldwyler: »Das Paar aber saß unbeweglich auf seinen Stühlen gleich einem steinernen ägyptischen Königspaar, ganz still und einsam; man glaubte den unabsehbaren glühenden Wüstensand zu fühlen« (8, 46).

[83] an Johann Müller, Zürich, 29. Juni 1837 (= Briefe 1, 151 ff.).

ihnen klingt jeder »in der Sonntagsstille verhallende Ton[84] oder ferne Ruf ... erschütternd durch die Seele; denn die Liebe ist eine Glocke, welche das Entlegenste und Gleichgültigste widertönen läßt und in eine besondere Musik verwandelt« (7, 158; vgl. 182)[85].

Liebende Gemeinschaft öffnet den Sinn für die Schönheit, sprich das harmonische Ganze der Welt; das Bewußtsein, Teil dieses Ganzen zu sein, äußert sich als Glücksgefühl[86], eine Empfindung, die wiederum ablesbar ist im Glanz, der auf den Gesichtern liegt, aus den Augen der Liebenden strahlt und Reflex ist jenes Schimmers über der sonnenbeschienenen Landschaft draußen. Womit Glanz und Sonnenhelle nicht mehr nur meteorologische Phänomene bedeuten, sondern ebensosehr symbolisch als Zeichen von Freude und Glück zu verstehen sind[87]. Als Heinrich seinen ersten Rundgang auf dem Anwesen des Oheims beendet hat, lautet das Fazit seiner Eindrücke: »Hier war überall Farbe und Glanz, Bewegung, Leben und Glück, reichlich, ungemessen, dazu Freiheit und Überfluß ...«[88], und »mein Herz jubelte, als ich alles entdeckte und übersah ...« (3, 215).

[84] Im Schulmeisterhaus — zu abgelegen, um von den Tönen der Kirchenglocken erreicht zu werden — singt man dafür »einige schöne kirchliche Sommerlieder ... Wenn wir einen Vers geendigt hatten, erklang über den See her ... ein harmonisch verhallendes Echo, die Orgeltöne und Menschenstimmen verschmelzend zu einem neuen wunderbaren Tone ...« (3, 248. vgl. 15/1, 100).

[85] Wenn Jukundus und Justine (»Das verlorne Lachen«) unterwegs sind, sich zu versöhnen, beginnen »die Kirchenglocken in der Nähe und in der Ferne zu läuten ...; die tiefen vollen Töne der mächtigen Glocken flossen zusammen und erfüllten weit und breit die Luft wie ein unendliches Klangmeer, welches an das klopfende Herz Justines hinan schwoll und es in seine Tiefe zurückzuziehen drohte. Allein sie kehrte nicht zurück, sondern eilte, getragen von den tönenden Wogen, dem Manne entgegen ...« (8, 426). — Wie hier wird das Meer immer dann metaphorisch bemüht, wenn es darum geht, den Einheitscharakter von Welt und Leben zu demonstrieren. Kein Wunder, daß nächst den Klängen Wald und Volk als die Bereiche der Ganzheit in diesem Zusammenhang auftauchen: Mit seinen im Winde wogenden Laubarten wirkt der Wald wie ein Blättermeer (s. 3, 214); auf der Festversammlung schwimmen die »sieben alten Köpfe« der ›Aufrechten‹ »wie eine von der Sonne beschienene Eisscholle im dunklen Volksmeere ...« (10, 68). Schließlich kann selbst der festgefügte Erdboden Züge des Meeres annehmen, wenn der Reisende durch hügeliges Gelände fährt, als flössen »die sanften, bald fern blauen, bald nah grünen oder braunen Wogen der Erde ... still darunter hin ...« (16, 25. vgl. 7, 392).

[86] Vgl. Heinrichs Empfindungen am Abend der ersten Begegnung mit Anna 3, 247 ff.

[87] Es kann in diesem Zusammenhang nur andeutungsweise auf Kellers ›Wettermetaphorik‹ eingegangen werden, ein Vorgehen, das insofern legitimiert erscheint, als Beispiele sich bei der Verbreitung dieser Erscheinung beliebig auffinden und nachprüfen lassen: Sonnige Tage sind Tage des Glücks, »und wie keine Wolke am reinen Himmel stand, trübte auch keine Sorge in diesen Stunden ihr Gemüt« (7, 162; vgl. 129; 135). Sonnenhelle in der Natur weckt Frohsinn in den Herzen der Menschen (s. 7, 132), bewirkt lachende Augen (s. 5, 113. 10, 81) und strahlende Mienen. Tertium comparationis ist in allen Fällen das Moment der Wandelbarkeit (s. 22, 344): der Natur (aufgesucht im Bereich des Atmosphärischen) sowohl wie menschlicher Empfindungen.

[88] Daß Fülle, Überfluß, auch materiell verstanden, zum Glück sosehr wie zur Schönheit (s. 3, 215;

Im Zusammenhang mit dem inneren Hochgefühl der Spazierenden werden topographische Einzelheiten des Geländes interessant: Als Heinrich mit Anna Freundschaft geschlossen hat — dies allerdings erst bei Gelegenheit eines zweiten, späteren Besuchs —, kehrt er über die Anhöhe ins Dorf des Oheims zurück. Träumend vor Glück, verharrt er einen Augenblick auf der Höhe unter den Sternen. »Ein seliger Schauer schien ... rings vom Gesichtskreise heranzuzittern an den Berg, in immer engeren Zirkeln bis dicht an mein Herz« (4, 19). Salis und Vrenchens Spaziergang führt schließlich zu einem »Wirtshaus an einer einsamen Berghalde ...« (7, 170). Nicht nur erscheint es damit ›schön‹ gelegen — so hat man von dort aus alle Reize der Landschaft vor Augen —, die Lage des Landhauses ist mehr noch symbolisch gemeint. Sowenig genau Keller ansonsten topographisch ist, Angaben in der Vertikalen liefert er zur Genüge: Auf Strapinskis Einladung hin fährt man zu einem »stattlichen Gasthause« in der Mitte zwischen Seldwyla und Goldach, »welches auf einer Hochebene mit der schönsten Aussicht gelegen war ...« (8, 38/39). Mit der Hochzeitsfeier im Saal des ersten Stocks verwirklicht Wenzel seinen Traum, einmal »›einen Augenblick lang groß und glücklich gewesen‹« zu sein und »›hoch über Allen, die weder glücklich noch unglücklich sind ...‹« (8, 57). Geht es irgendwo eine Anhöhe hinauf (s. 8, 8; 178), darf man sicher sein, daß das Schicksal dem Betroffenen eine positive Überraschung bereithält, geht es räumlich bergab, führt der Weg des Wanderers in Unglück und Schuld, bewegt man sich zugleich auf der abschüssigen Bahn des Bösen (s. 8, 13; vgl. 9)[89]. Die Lage des Wirtshauses meint demnach qualitatives Anderssein, Herausgehobenheit aus dem Alltag[90]. Kalendarisch gesehen ist es in Roman wie Novelle Sonntag, d. h. Festtag und also Ausnahmezustand. Und wirklich schließt der Tag, der erste und zugleich einzige, den Sali und Vrenchen miteinander verbringen, mit einem Fest, Steigerung und Höhepunkt liebenden Miteinanders insofern, als ihre Zweisamkeit damit aufgeht in den größeren Rahmen einer

dazu die ursprüngliche Fassung dieser Stelle 17, 16) gehören, zeigen die Ausgangsüberlegungen wie das spätere Verhalten des Herrn Kabys (s. 8, 73). Von daher erklärt sich auch die Betonung des Geldglanzes bei Keller (vgl. Jeziorkowski, a. a. O. S. 551—54). — Wie sehr ein reichgedeckter Tisch der Fülle und Schönheit der Natur entsprechen kann, lehrt die Szene im Gasthof zur Waage, wenn der Dichter die Gläser und Flaschen der Tafel Baum und Wald vergleicht und sich selbst die vertrauten Atmosphärilien Glanz, Duft und Ton einstellen: »Bald sah Strapinski einen kleinen Wald von Gläsern vor sich, aus welchem der Champagnerkelch wie eine Pappel emporragte. Das glänzte, klingelte und duftete gar seltsam vor ihm, und ... der arme, aber zierliche Mann griff nicht ungeschickt in das Wäldchen hinein ...« (8, 17/18).

89 Pankraz durchlebt den Tiefpunkt seiner Existenz, die Auseinandersetzung mit dem Löwen, am Rande einer Wüstenschlucht (s. 7, 76/77; vgl. 347 u. 355); Gebizo findet in einer solchen Kluft sein wohlverdientes Ende (s. 10, 219).

90 Diese Sehnsucht ist das zweite Motiv der ›Berglust‹ Kellerscher Gestalten: Neben der Möglichkeit des Blicks in die Runde mit dem Erlebnis der ›Ganzheit‹ markieren solche Bergaufenthalte Höhepunkte des Daseins.

Gemeinschaft[91]. Es ist dies die bei weitem häufigste Bedeutung Kellerscher Feste[92]: Feier der Wahl des rechten Partners als des entscheidenden Schrittes zu dauerhafter Lebensgründung, ein Sinn, der auch ihre Ansiedlung unter freiem Himmel bestimmt: Festliche Überführung intimer Zweisamkeit in ein größeres soziales Gebilde entspricht genau dem Anschauungsunterricht, den das Bild harmonischer Naturschönheit dem menschlichen Auge liefert[93].

*

In solchen Augenblicken höchsten Glücks erfährt der sterbliche Mensch, wörtlich verstanden[94], den Himmel auf Erden. Nicht allein wird der Tanzplatz in der ›Romeo‹-Novelle »Paradiesgärtlein« genannt, mit seinen vier Erzengeln, die (als Säulen) das Dach tragen, mit den musizierenden Engeln auf dem Gesimse, den Freskomalereien der Decke, »welche lustige Engelscharen sowie singende und tanzende Heilige darstellten« (7, 171), gleicht er in wesentlichen Zügen dem Aufenthalt der Seligen. So ist Vrenchen, wenn sie tanzt, »›wie im Himmel‹« (7, 175), und die weitgehende Identität von Erdenglück und Himmelsseligkeit könnte nicht prägnanter ausgedrückt werden als durch die Formel vom ›himmlischen Glück‹ (s. 7, 150; ferner 129; 145; 156), das sie in Salis Armen erlebt. Auch Heinrichs Weg zum Haus des Schulmeisters dünkt ihn zuletzt ein Weg ins Paradies, wenn der Hausherr die alte Hausorgel des Festsaals öffnet, »daß die glänzende Pfeifenreihe zu Tage trat und das Innere der beiden Flügeltürchen das gemalte Paradies zeigte mit Adam und Eva, Blumen und Tieren« (3, 248). Judith inmitten ihres Baumgartens – in dem Augenblick, da sie Heinrich animiert, von ihren Äpfeln

[91] Daß dies eine Anti-Gemeinschaft, eine Gruppe gesellschaftlicher outcasts ist, kann hier außer acht bleiben, bestimmt aber die Dauer oder besser Vergänglichkeit ihres Glücks.

[92] dazu Jutta Strubelt, Die Feste bei Gottfried Keller. Ihr Wesen und ihre Bedeutung für die Dichtung, Diss. (Masch.) Rostock 1954.

[93] Ausdruck solchermaßen gesteigerten Lebensgefühls, geboren aus der harmonischen Übereinstimmung zwischen Mensch und Natur, glücklichen Menschen in glanzvoll schönem Naturrahmen, ist bei Keller – mehr noch als das Jagdvergnügen – der Tanz darum, weil er Bewegung und Harmonie miteinander verbindet. Im Bewußtsein, Annas Sympathie und mehr als dies errungen zu haben, schlägt Heinrich ihr Liebespfand, »das blumige weiche Tuch, das mir eine Wolke des Himmels zu sein dünkte, um Kopf und Schultern und tanzte darin wie ein Besessener über den nächtlichen Berg« (4, 19).

[94] Demgegenüber möchte Barry G. Thomas – Paradise lost: The search for order in three tales by Gottfried Keller. – In: GR 46, 1971, S. 63–76 – diese Paradies-Metapher sehr viel weniger konkret ausgedeutet wissen, nicht innerweltlich realisierbar, eher als Wunschtraum und allenfalls indirekte Bestätigung der These, wonach in Kellers Erzählungen für gewöhnlich individuelle und soziale Ordnung in Einklang gebracht werde (s. S. 65). Wo dies ausnahmsweise (!) einmal nicht der Fall sei, finde die Sehnsucht nach dieser Übereinstimmung ihren Ausdruck in der Vorstellung vom verlorenen Paradiese (s. S. 76). – Bei dieser Argumentation ist einmal übersehen, daß es zumindest mehrere Möglichkeiten der sozialen Integration gibt, neben der Glückserfüllung immer wieder die weit weniger ›paradiesisch‹ anmutende entsagungsvollen

zu essen (s. 5, 37 ff.), ist sie in all ihrem Schönheitsreiz, in ihrer lockenden Süße[95] niemand anders als ›Frau Welt‹, kommt diese von den Interpreten vielfach beschworene Szenerie der Vorstellung vom Paradiese auf Erden am nächsten. Denkt man an den park- oder gartenähnlichen Charakter Kellerscher Waldungen überhaupt[96], dann scheint es, die genannten Bedingungen vorausgesetzt, nicht zu kühn, die Vorstellung vom Garten Eden auf die Welt insgesamt zu übertragen.

Eine solche weitgehende Identifizierung zweier an sich wesensmäßig heterogener Sphären muß — sowohl was die inhaltliche wie die terminologische Seite angeht — überraschen, zumal bei einem Dichter mit bekannt antikirchlicher Grundeinstellung. Zwei, freilich entscheidende, Retuschen waren nötig, ehe Keller Situationen höchsten irdischen Glücks, die Quintessenz an Weltlust, in das Gewand christlicher Jenseitsvorstellungen kleiden und mit Hilfe biblischer Terminologie wiedergeben konnte: Zunächst ist der Himmel, wie sich bei Gelegenheit der Schilderung von Musas Aufnahme in den Kreis der Seligen zeigen ließe, nichts anderes als ein — zwar idealisiertes — Diesseits, was bedeutet, daß er zuvor seines jenseitigen, seines religiös-metaphysischen Charakters weitgehend verlustig gegangen sein muß. Darüber hinaus aber hat Keller — exemplarisch in den »Sieben Legenden« — die denaturierte Sphäre religiösen Erlebens einem Prozeß der Vernatürlichung unterzogen. Er erreicht dies einmal im Rückgriff auf das Personal der antiken Mythologie. Wenn dabei der christlich-eine Gott durch ein anderes, älteres Göttergeschlecht ersetzt wird, so geht es dem Dichter nicht um Streitigkeiten theologischer Art, dazu ist er zu freisinnig[97], vielmehr allein um den Gegensatz Askese — Sinnlichkeit. Denn im Unterschied zur christlichen Mythologie sind die heidnischen Götter naturnäher, sind sinnenfroh und leiblich, körperfreudig gesinnt und damit dem diesseitig orientierten, weltfrohen Menschen — die

Dienstes an der Gemeinschaft; zum andern wird der Umstand, daß die Paradies-Metaphorik sehr viel weiter verbreitet ist als angegeben, Paradiesesfreuden so realer wie säkularisierter Natur mithin beinah überall — augenblicksweise selbst für Sali und Vrenchen — erlebbar, ebenso verschwiegen wie die häufig ironische (und darin eher antiklerikal denn nostalgisch gemeinte) Diktion.

[95] Wo der Dichter das Dasein von seiner süßesten und verlockendsten Seite zeigen will, da bedient er sich, über die Vorzüge des Weines hinaus (s. 16, 33), der Gestalt eines liebenden und liebenswerten Partners. Die Süße ihrer Äpfel, die Judith Heinrich darbietet, soll diesen dem Leben gewinnen helfen (s. 5, 39). Sie erfüllen damit den gleichen Zweck wie das Zuckerzeug mit den Sinnsprüchen Dortchens (s. 6, 267 ff.), wie das Himbeertörtchen der Dame Litumlei (s. 8, 102) John Kabys gegenüber.

[96] andererseits an die Offenheit ländlicher Gärten zur umgebenden Natur hin, in die sie sich verlieren »ohne Scheidewand oder Hecke ...« (21, 88. vgl. 6, 154/55. 11, 25. 12, 66).

[97] Hier darf man den Katholiken Eichendorff als unverdächtigen Zeugen bemühen, der sich, unbeschadet seiner christlichen Grundhaltung, eines ganz ähnlichen dichterischen Verfahrens bedient: Wo es ihm um die gefährlich doppeldeutige Lockung der schönen Welt zu tun war, hat er die alten heidnischen Götter ins Leben zurückgerufen. Dann feiert Frau Venus in den Gärten italienischer Schlösser Auferstehung, und empfängliche Herzen sind stets in Gefahr, ihrer fraulichen Süße zu erliegen.

Judith unseres Romans trägt so deutlich heidnische Züge wie Anna christliche Attribute — adäquater.

Freilich läßt Keller es nicht bei bloßer Konfrontation bewenden. Vielmehr hat er noch etwas sehr Ironisches getan, um den ganzen Unsinn christlicher Sinnenfeindlichkeit bloßzulegen. Er hat nämlich das christliche (sprich katholische) Personal dem heidnischen angenähert, ja ihm bisweilen ausgesprochen heidnische, d. h. weltliche Züge verliehen. Nicht nur kennt der Himmel Glanz und Ton — die Figuren und Malereien des ›Paradiesgärtchens‹ (s. 7, 171) lassen daran sowenig Zweifel wie die Musikbegeisterung der Engel bei Davids Auftreten vor Musa (s. 10, 287)[98] oder die Szenen auf den Flügeltüren der Hausorgel am See (s. 3, 248) —, er liebt auch das Fest und seine Freuden, ja sein wahrer Charakter wird erst eigentlich in diesem Augenblick, bei festlichen Anlässen, offenbar[99]. So sieht Keller die sympathischsten Züge des Christentums in seinen kirchlichen Festen, eine Vorliebe, die er mit Vater Lee ebenso wie mit Heinrich selbst zu teilen scheint. Von dieser These her, daß das (verdeckte) Wesen christlicher Religion sich am ehesten offenbare in ihren Festen, wird auch die Zwanglosigkeit, ja Folgerichtigkeit verständlich, mit der der sonst so antiklerikale Dichter das sonntägliche Geläut der Kirchenglocken — auf den ersten Blick ein eminent ›religiöses‹ Motiv! — den so ganz anders gearteten übrigen Bestandteilen seiner Landschaften bruchlos einfügen kann. Ihm wie seinem Helden ist »das Glockengeläute in der fernen Tiefe die allerschönste Musik, und ich habe schon oft darüber spintisiert, durch welchen Gebrauch bei einer allfälligen Abschaffung des Kirchentumes das schöne Geläute wohl erhalten werden dürfte ...« (4, 152).

Musik und Wein, Festesglanz und Frauenreiz, davon sind nach Meinung Kellers nicht nur die von Natur aus fröhlichen und kurzweiligen antiken Göttergestalten umgeben (s. 8, 139/40), hinter der Maske griesgrämiger und sauertöpfischer Askese[100] ist dies auch die ursprünglich angestammte Lebensluft biblischen Personals[101]. Recht verstanden birgt das Christentum mehr gesunde Weltlichkeit, als es selbst weiß oder wahrhaben will. Der Gegensatz Sein — Bewußtsein ist,

[98] dazu im einzelnen Arthur Henkel, Gottfried Kellers »Tanzlegendchen«. — In: GRM N. F. 6, 1956, S. 1—15.

[99] Diese ursprünglich vorhandenen Züge aufzudecken, dient neben dem Hinweis auf die Wahlverwandtschaft christlichen und heidnischen Personals auch die Schilderung der Anlage mancher Bauwerke. Hier ist an den gemischten Charakter der meisten Kellerschen Bauten zu erinnern, der sich nunmehr im historischen Nacheinander wie im seinsmäßigen Ineinander von christlichen und heidnischen Stilzügen bewährt (s. 5, 169).

[100] Versinnbildlicht etwa im Kontrast zwischen essigliebenden Ruechensteinern (s. 8, 227/28) und weinseligen Seldwylern. Vgl. die Bezeichnung ›Essighafen‹ zur Kennzeichnung einer mißgünstigen Person 7, 164; ferner 142. 11, 323. Die unfreiwillige Askese der Kammachergesellen besteht den Winter hindurch, wenn das Wandern beschwerlich ist, in fortwährendem Sauerkrautverzehr (s. 7, 261).

[101] Vgl. die Rückverwandlung des Paradiesgärtchens in ein Wirtshaus und die nunmehr teilweise bacchantischen Züge der ehemals geistlichen Anlage.

indem er selbst die höchsten Chargen erfaßt, unübersehbar. Hinter allen derartigen Fällen durchaus komisch gemeinter Schizophrenie aber verbirgt sich als ernste Aussage Kellers Überzeugung, Gott sei weit weniger abstrakter Geist als das in aller Natur waltende, aus ihrem Anblick ablesbare lebenerhaltende Prinzip: »Gott strahlt von Weltlichkeit« (4, 146).

Gott ist tot — diese (zuerst von Nietzsche propagierte) Losung der Zeit, für das Werk Gottfried Kellers ist sie richtig nur so lange, wie man den orthodoxen Gottesbegriff zugrunde legt. Kellers Gottheit lebt (s. 20, 72), nur ist sie erdnäher, menschenähnlicher, d. h. natürlicher geworden. Und wenn die Natur ohne (Christen-)Gott ist, so ist sie darum nicht ohne Geheimnis. Schon Heinrich und seiner Begleitung enthüllen sich unterwegs — darum (u. a.) das Halb- oder Helldunkel des Waldes — »die lieblichsten Geheimnisse« (3, 237). Tausend bunte Geheimnisse bieten die Wälder dem seinen Ruechensteiner Kerkermeistern entkommenen Dietegen (s. 8, 244. 9, 30). In offener Landschaft hat Keller das Motiv des Nebels oder Dunstschleiers bemüht[102], diesen Charakterzug der Natur zu verdeutlichen. Als Sali und Vrenchen zu ihrer Wanderung aufbrechen, sind »die Höhen und die Wälder ... mit einem zarten Duftgewebe bekleidet, welches die Gegend geheimnisvoller und feierlicher machte ...« (7, 158); und wenn der Dichter Judith in ihrem Garten gerne umgeben, eingehüllt von den Schleiern der Herbstnebel zeigt (s. 5, 36 ff.), ist das nur vordergründig der Sprödigkeit des Helden und seiner Rücksichtnahme auf die kranke Anna zuzuschreiben: Indem Keller diese Frau sozusagen dem klaren optischen Zugriff entzieht, rückt er den Geheimnischarakter ihres Wesens ins Bild[103].

Natur, sie bleibt für Keller auch nach dem Auszug oder Verstummen Gottes ein Geheimnis[104], ja zuletzt eine Art Mysterium[105]. Die nunmehr nichts als greifbar

[102] Vgl. die lediglich akustisch, nicht aber optisch gegenwärtigen Kirchen, deren Glockenklänge so von überallher zu kommen scheinen.

[103] Ebenso wie die Verträumtheit des Helden, der, gleich dem verliebten Pankraz, sich in der Welt bewegt wie ein Nachtwandler, »von Träumen so voll hängend wie ein Baum voll Äpfel ...« (7, 53). — Zwar sieht der erwachsene Heinrich mit klarerem Blick auf Welt und Menschen, doch erscheint ihm Judith auch nach ihrer Rückkehr veredelt »durch einen sybillenhaften Anhauch ...« (6, 312).

[104] Zwar ist es das Verdienst zeitgenössischer Wissenschaft, Gott, den Gott des Kinder- und Aberglaubens, aus dem Denken der Menschen verdrängt, aus dem modernen Weltbild eliminiert zu haben, aber es ist ein Irrtum anzunehmen, nunmehr allein mit Hilfe menschlichen Verstandes die verbliebenen Welträtsel lösen zu können; Keller hat diese Haltung ausdrücklich der Kurzsichtigkeit und Torheit gescholten (s. 20, 74). — Nicht als Beweis für den Geheimnischarakter der Welt, sondern lediglich als launigen Einfall, als unerhörte Begebenheit en miniature will Else M. Fleissner — Die künstlerische Bedeutung des Zufalls bei Gottfried Keller. — In: GR 17, 1942, S. 261—72 — dieses Motiv verstanden wissen.

[105] Als Dichter zögerte er so lange, den Feuerbachschen Maximen zu folgen, bis er sicher war, daß Poesie und Geheimnischarakter der Welt auch nach dem Tabula rasa-Machen erhalten blieben, das Leben für den Dissidenten keineswegs »prosaischer und gemeiner« wurde (Briefe 1, 275).

materielle Erde gewinnt alsbald ihrerseits religiöse Züge[106]. Natur wird dem Menschen zum glänzenden und stillen Weltsaal (s. 8, 428; 211), in dem er sich nun ebenso ehrfürchtig bewegt wie einst im Innern einer Kirche. Das Bedürfnis nach Adoration ist geblieben, nur kommt es weniger einem unbegreiflich Andern zugute als der umgebenden Wirklichkeit, genauer gesagt allen Formen naturhaften Seins als den einzig verbliebenen Garanten von Wahrheit und Dauer.

6. Tendenzen der Stilisierung

Wenn wir von unserer Thematik der Landschaftsschilderung her die Frage nach Kellers Verhältnis zur Realität aufwerfen, sind wir uns der Vorläufigkeit dieses Unternehmens bewußt. Erst die Einbeziehung aller Stoffbereiche und Gestaltungsprinzipien kann eine endgültige Klärung dieser Frage erbringen. Immerhin hat man gerade aus der ›glanzvollen‹ Art des Dichters, Natur darzustellen, seinen ›poetischen Realismus‹ schlechthin ableiten wollen. Namentlich Catherine Rükkert[107] gegenüber, die das Moment des Schönheitsglanzes bislang wohl am prononciertesten[108] zum Indiz für diese Behauptung erhoben hat, ist daran zu erinnern, daß hier, was Definition wie (faktische) Nachweisbarkeit des genannten Merkmals betrifft, allzu großzügig verfahren wird. Schönheitsglanz ist im Werk dieses Dichters im wesentlichen für den landschaftlichen Rahmen reserviert, Personen kommt er nur insoweit zu, als sie ihre Natürlichkeit bewahrt oder zurückgewonnen haben, will sagen fast ausschließlich Frauen vom Schlage Judiths[109] oder Lucies (»Das Sinngedicht«).

[106] Der Fels des Berggipfels gerät zum Altar, zum Tisch Gottes (s. 20, 73. 6, 322/23), von dem man zwar weder Heilsgewißheit nimmt noch die Erwartung irdischen Glücks, wohl aber die Verpflichtung, im Bewußtsein des gestellten Stundglases erdenschwer zu werden. — Damit erweist sich Susanne Baumanns Unterscheidung, wonach Kellers Welthaltung die sinnenfreudigen Genießens (a. a. O. S. 154) und ästhetischer (!) Betrachtung (s. S. 147) sei — gegenüber dem ethischen Ernst Stifters (s. S. 155) —, als so unhaltbar wie vordergründig.

[107] Die verklärte Wirklichkeit. Studien zu Gottfried Kellers früher Prosa, Zürich 1967.

[108] ohne darum die erste zu sein. Eine Blütenlese von Elogen auf den ›Herz-Erfreuer‹ Keller findet man gesammelt bei Wolfgang Preisendanz, a. a. O. S. 441/42.

[109] dazu die Ausführungen von Walther Hahn — The motif of light in Gottfried Keller's prose works. — In: Kentucky Foreign Language Quarterly 11, 1964, S. 86—100 —, der die Verwendung des Lichtes als Lebenssymbol (s. S. 89) zwar richtig den Frauen vorbehält, ohne freilich für diese Bevorteilung eine Erklärung bereit zu haben. Wohl aber glaubt er in der Anwendung dieses Motivs mindestens für die Erzählungen (s. S. 99) eine Entwicklung erkennen zu können, die vom zweiten Band der Seldwyla-Novellen über die ›Legenden‹ bis hin zum ›Sinngedicht‹ verlaufe. Dagegen komme dem ›Grünen Heinrich‹ eher der Charakter von Fingerübungen zu, weil der Dichter in diesem Stadium noch nicht in der Lage gewesen sei, »concrete pictures« und »abstract concepts« zu künstlerischer Einheit zu verbinden (S. 97; vgl. 98). Wenn diese Verbindung in der Gestalt Judiths ausnahmsweise und vor der Zeit gelungen sei, dann wesentlich deshalb, weil es sich hier um eine erfundene Gestalt handle: »It is perhaps for this reason

Normalerweise sieht die Welt — auch bei Keller — anders aus, weniger natürlich und also kaum schön und schätzbar genug[110], als daß sie spontan Gegenstand realistischer Beschreibung sein könnte. Wenn Heinrich Armut, Schuld und Einsamkeit bis zur Neige auszukosten bekommt, mag man noch an ›Sonderfall‹ und Übertragung biographischer Momente denken. Aber auch sonst treten die dunklen Züge in Kellers Dichtungen keineswegs so sporadisch auf, wie die Forschung[111] uns glauben machen will. — Wir haben angedeutet, daß das Motiv des Glanzes so symbolisch wie real zu verstehen und dann als Freude und Glück zu interpretieren sei. Wenn diese Behauptung richtig ist, dann muß sie auch in umgekehrter Richtung gelten. Und in der Tat trüben, wenn wir uns noch einmal auf die Wettermetaphorik einlassen, Wolkenbilder am Himmel das Gemüt des Menschen mit Sorge (s. 7, 162. 22, 344), sind Regentage Tage dunklen Leides (s. 21, 37). Oft genug aber wird der Mensch, wie Landolts Malkapelle beweist, »zur Strafe für irgendeine Unart ... bildlich durchnäßt ...« (9, 237), so Heinrich auf dem Rückweg in die Heimat, vor der Aufnahme ins Grafenschloß (s. 6, 145), Schulmeister Wilhelm, bevor er im Rebhäuschen Unterschlupf findet (s. 8, 178), Wenzel Strapinski, ehe der fremde Kutscher ihn aufliest (s. 8, 9). Nur zu oft ist

that Keller succeeded so well in masterfully integrating the motif of light into his overall artistic concept« (S. 98). Im übrigen sind für den Verf. Lichtuntersuchungen allzusehr an Personen (s. S. 100) und ihr Auftreten gekoppelt, womit sie allenfalls noch bestimmten Situationen zugute kommen (s. S. 88—95), alsdann in der Bedeutung von »orderly life in society ...« (S. 88; vgl. 90; 100). — Der Umstand, daß eine solche Entwicklung hypostasiert werden kann, wie die Art ihrer Begründung zeigen, daß bei allem gelegentlichen Herantasten der eigentliche Bedeutungskern dieses Motivs nicht erschlossen worden ist.

110 Im Gegenteil ist der Bereich des (möglichen) Schönen alsdann auf ein Minimum zusammengeschrumpft, bleiben von den blumigen Gefilden des Paradieses allenfalls ein paar kümmerliche Überreste, ein bescheidenes Blumengärtchen vor dem Fenster (s. 7, 17. 8, 141), ein letzter Blütenstrauß (s. 7, 151/52), indes die Erinnerung an die Blüten erlebter Freude (s. 21, 37) zusehends verblaßt gleich den Rosen, mit denen die Pantoffeln des ›Schlangenfressers‹ bestickt sind (s. 3, 100), versinkt in die Nacht des Vergessens, wie im Falle des angelnden Seldwyler Falliten »im zerrissenen großblumigen Schlafrock ...« (7, 115).
Wo die Pflege von Blumengärten ästhetische Neigungen dokumentiert, bezeugen Gemüsebeete den praktischen Sinn des Besitzers (s. 8, 37. 3, 208/09). Anders gewendet: Gärten haben nicht nur einen generellen Stellenwert (Hort des Schönen, des Friedens), sie dienen ebenso der (indirekten) Kennzeichnung des Individuellen (s. 3, 239. 4, 102/03. 11, 24/25). So ist das Blumengärtchen am See für die knospenhaft zarte Anna ebenso bezeichnend wie der weite Baumgarten voll herbstlicher Früchte für die zu fraulicher Schönheit erblühte ›große‹ Judith. — Bruno Hillebrand — Der Garten des ›Grünen Heinrich‹. — In: DVjS 45, 1971, S. 567—82 — sieht keinen Anlaß, in dieser Weise zu differenzieren. Für ihn sind die Gärten des Romans unterschiedslos »Heimatinseln« (S. 576), Stätten realisierter oder erinnerter Geborgenheit.

111 Mit Ausnahme der Arbeiten etwa von Rudolf Wildbolz, Christel Ringel — Die Nachtseite in der Dichtung Gottfried Kellers, Diss. (Masch.) Freiburg 1945 — oder Lilian Hoverland — Gottfried Kellers Novelle »Die drei gerechten Kammacher«. — In: ZfdPh 90, 1971, S. 499 bis 526, bes. S. 501 —, die von verschiedenen Seiten her notwendige Korrekturen am Bild des ›Herz-Erfreuers‹ Keller vornehmen.

das Wetter »gar zu graulich«, d. h. das Brot allzu knapp bemessen (8, 140), erlebt man vom Dasein nichts als die »graue, kotige Seite ...« (20, 84). Und mit solcherlei ›Dunkel‹[112] ist der Pranger der Armut (s. 6, 77) ebenso gemeint wie seelische Not, Einsamkeit und Unglück (s. 8, 373), wie der Sonnenschein hellen Glücks (s. 8, 430) die ganze Skala freudiger Empfindungen von der Zufriedenheit über erreichten Wohlstand bis hin zur seligen Gewißheit des Geliebtseins beinhaltet(e).

In diesem Zusammenhang gewinnt der Farbton ›Schwarz‹ wie seine Abschwächung ins Schwärzliche Hinweischarakter. Wenn Heinrich bei seinem Gang durch den dunklen und herbstlich-feuchten Wald zuletzt auf einen rauchenden Kohlenmeiler stößt und sich genötigt sieht, hier zu übernachten, dann ist damit so recht der Tiefpunkt seiner Existenz bezeichnet (s. 6, 144). Wie sehr er hier, bildlich gesprochen, am Ende ist, geht aus der Synopse einer vergleichbaren Passage aus »Romeo und Julia auf dem Dorfe« hervor: Der Kerl, der hier auftaucht, das Glück der Liebenden zu stören, sieht »übrigens schwarz genug aus; neben einem schwarzen Filzhütchen und einem schwarzen rußigen Kittel ... war auch sein Haar pechschwarz so wie der ungeschorene Bart, das Gesicht und die Hände aber ebenfalls geschwärzt; denn er trieb allerlei Handwerk, meistens Kesselflicken, half auch den Kohlenbrennern und Pechsiedern in den Wäldern ...« (7, 129/30). Der Umgang mit dem Produkt ›Pech‹ hat aus ihm nicht nur einen »schwärzlichen Kerl« (7, 129) gemacht, als ›pechschwarze‹ Erscheinung ist er — wie die Leute dieser Zunft — ein lebendes Bild des Elends und andern ein Unglücksbote. — In ähnlichem Sinne werden die schwärzlichen Erscheinungen der Schuster (s. 8, 74) eingesetzt, wenn es darum geht, die Vorstellung von Armut und Unglück zu evozieren. Auf dem Münchner Künstlerfest als Zunft »schwarz und grün« gekleidet »wie Pech und Hoffnung« (5, 199)[113], hausen sie gemeinsam mit den Schneidern auf der dunklen Seite des Lebens[114].

Nicht nur das Fehlen der notwendigsten materiellen Basis macht es schwierig, ein menschenwürdiges, geschweige denn ein zufriedenes oder gar glückliches Leben zu führen, wesentlich seltener noch sind die Voraussetzungen gegeben, das einzig wahre Glück erfüllter Liebe Wirklichkeit werden zu lassen. Natürlich gibt es gelegentlich — etwa in Kellers wiederholt zitierter ›Dorfgeschichte‹ — ein Glück, aber wie vergänglich ist es, welche subjektive Anstrengung, welches Maß an Seelenstärke und innerer Bereitschaft, insbesondere von seiten des Mädchens, ist nötig, es

[112] Seiner Bedeutung nach erstmals ernst genommen wird dieses Motiv bei Walther Hahn (a. a. O. S. 88/89; 91; 92), wenn der Verf. von einer Systematisierung seiner gelegentlichen Funde auch noch weit entfernt ist. — Immerhin bedeutet diese Haltung einen Fortschritt gegenüber der Arbeit von Catherine Rückert, die das Motiv des Glanzes und seine idealisierende Wirkung im Frühwerk des Dichters sosehr überstrapaziert, wie sie Dunkel und Elend zu Ausnahmen und gelegentlichen Sonderfällen herunterspielen möchte (a. a. O. S. 42; ferner S. 11/12; 41).

[113] Auch sie hantieren ja realiter mit Pech oder Pechdraht.

[114] Vgl. den angelnden Seldwyler Falliten, der, ungeachtet des Aufenthaltes am Wasser »so schwarze Füße« hat, »daß man glaubte, er habe die Stiefel anbehalten« 7, 115.

inmitten von Not und Leid zu erzwingen, und um welchen Preis schließlich – den des Lebens – wird es erkauft! Heinrich aber oder der Landvogt von Greifensee, dem man es womöglich noch eher vergönnte, werden nicht einmal eines solchen kurzlebigen Glückes teilhaftig.

Was allenfalls erreicht werden kann am Ausgang des Lebens, sind Zufriedenheit und Ruhe, vorausgesetzt, man ist bereit, sein Leben den Grundsätzen des Maßes, der Pflichterfüllung und aufopfernden Tätigkeit zu unterstellen. Das Vermächtnis der Natur an den Menschen – Dauer durch Integration –, verstanden als Öffnung ins Soziale statt als Erfüllung privaten Glücks, büßt es im Prozeß der Übertragung, der Anwendung auf den menschlichen Bereich viel von seinem ursprünglichen Glanze ein. So ist Judith, wenn sie gegen Ende des Romans wiederkehrt, zwar noch immer eine ergreifende Gestalt, gegenüber ihrer Jugendzeit sogar gereift, d. h. selbstlos und gut geworden (s. 6, 314 ff.; dazu 8, 294), aber der Glanz früherer Tage ist weitgehend von ihr gewichen, nicht zufällig trägt sie ein Kleid »von leichtem grauem Stoffe und einen grauen Schleier um Hut und Hals gewickelt ...« (6, 311). – Es ist diese Erfahrung der glanzlosen Seite des Lebens, die Heinrich nicht nur nach Glück sich verzehren läßt[115], sondern auch seine Anfälligkeit allem Schönheitsschein gegenüber erklärt; wie sie die Begründung liefert dafür, daß das Thema ›Religiosität‹, über den biographischen Anlaß hinaus, in der Jugendgeschichte einen so breiten Raum einnehmen kann. Religion als eine Art Opium fürs Volk, mit diesem Zug zum Gefährlich-Scheinhaften steht sie als ›Bildungsmacht‹ in einer Reihe neben Theater, Lektüre und Malerei, ist sie am Ende nichts anderes als eine von vielen Fluchtmöglichkeiten in andere, vermeintlich bessere Welten. Blickt man auf das Ende des Kadettenfestes, des Tellenspiels wie des Münchner Faschingstreibens zurück (s. 5, 284), so hätte nicht viel gefehlt, und Heinrich wäre, darin Jukundus Mayenthal (»Das verlorne Lachen«) vergleichbar, noch in der redigierten Fassung von 1878 ein Festlump geworden, »im nüchternen Leben nicht zu brauchen ...« (Briefe 3/1, 183). – Die Bereitwilligkeit der Goldacher Honoratioren, auf Wenzels ›Glanzrolle‹ einzugehen, die permanente Vergnügungssucht der Seldwyler wie überhaupt die Macht und Verbreitung des Scheines und Talmiglanzes bei Keller, dies alles spricht für ein hohes Maß an Empfindlichkeit (von Geschöpfen wie Schöpfer) gegenüber der reizlosen Nüchternheit des Alltags.

So ist die vielzitierte Formel vom »goldnen Überfluß der Welt« (1, 40) in der Tat auf den landschaftlichen Bereich, die Gleichsetzung von Schönheit und Natur zu reduzieren darum, weil dort – ihres Unerschöpflichkeitscharakters wegen – die Bedingung der ›Fülle‹ wesentlich leichter zu realisieren ist als auf sozialem Gebiet,

[115] In der ersten Fassung ist privates Glück noch möglich, Dortchen grundsätzlich erreichbar. Erst individuelle Schuld zerstört diese Verbindung, und es ist eben der Gedanke an das verspielte Mögliche, der Heinrich geradezu physisch umbringt, ihn in Verzweiflung und Tod treibt (s. Briefe 1, 414).

wo materieller Überfluß ungleich seltener und weniger dauerhaft angetroffen wird, menschliches Dasein glanzvoll erscheint nur in Einzelfällen und in Ausnahmezuständen, bei Gelegenheit eines Festes etwa, d. h. in den seltenen Augenblicken zwischenmenschlicher Harmonie, während von der Strahlenfülle der Naturschönheit als Folge alltäglicher Lebenstrübe nichts weiter verbleibt als jenes so gefährdete wie bescheidene goldne Bändchen, mit dem »jedes Unwesen noch ... an die Menschlichkeit gebunden« ist (8, 173. vgl. 6, 225). — Kein Wunder, wenn das Ja zur Welt im Falle Heinrichs spät und gebrochen erfolgt, wie zu vermuten steht, daß — allen Gegenbehauptungen zum Trotz — Kellers privates Einverständnis kaum viel enthusiastischer gewesen sein dürfte als das seines Helden. Sowenig angebracht es scheint, sein Weltverhältnis als atheistisch oder gar materialistisch zu kennzeichnen, so vorsichtig sollte man sein, wenn es darum geht, ihm das Prädikat der ›(Welt-)Frömmigkeit‹[116] zu verleihen. Zwar ist christliche Weltabkehr entschlossener Erdenbürgerlichkeit gewichen, uneingeschränkte Bejahung aber findet auf dieser Erde lediglich die Natur — allenfalls noch die Nation als, wie wir sahen, naturverwandteste Größe. Sollte man darum nicht zunächst einmal bescheidener von Kellers ›Naturfrömmigkeit‹[117] sprechen als ihm pauschal weltfrommen und damit realistischen Sinn nachzusagen?

Sich dazu verstehen heißt freilich auch, über bloß quantitative Abstriche hinaus ein wesentlich qualitatives Anderssein (von Sujet wie dichterischer Grundeinstellung) zu gewärtigen. So sind Kellers Naturprospekte zwar nirgends subjektive Stimmungslandschaften — trotz vielfältiger Übereinstimmung zwischen Mensch und Natur, Atmosphäre und Ereignis wird menschliche Empfindung doch nicht in sie hineingesehen, gibt es nicht die Haltung empfindsamen Genießens (s. 3, 150/51) —, vielmehr ist Natur, wie schon in der Romantik, dem Dichter erneut ein objektives Gegenüber, was freilich nicht heißen muß, daß sie darum schon Gegenstand realistischen Interesses wäre. Von romantischen Landschaften unterschieden durch die größere Solidität der Teile, weniger — wie bei Eichendorff — reiner Raum[118] als ›Raum des Reinen‹, steht sie in ihrem Charakter als Kulturlandschaft, als Boden, auf dem man sich tätig bewegt, dem Alltag immerhin näher als die (angesprochenen) Szenerien Eichendorffs, die menschliche Anwesen allenfalls in ausgefallener Form, als halbverfallene Schlösser oder Einsiedeleien inmitten verwilderter Gärten kennen. Und ebensowenig gibt es bei Keller ›romanti-

[116] etwa bei Karl Schmid, Brot und Wein. Gedanken zu Kellers Weltfrömmigkeit. — In: K. Schmid, Zeitspuren. Aufsätze und Reden, Bd. II, hrsg. v. Heinrich Burckhardt u. Adolf M. Vogt, Zürich/Stuttgart 1967, S. 168—77.

[117] Hans Wysling — Welt im Licht. Gedanken zu Gottfried Kellers Naturfrömmigkeit. — In: Jahresbericht der Gottfried Keller-Gesellschaft 39 (1970), Zürich 1971, S. 3—20 — differenziert an eben diesem Punkte weniger der Sache als lediglich der Terminologie nach, wenn er Naturfrömmigkeit mit Menschlichkeit und (Welt-)Liebe gleichsetzt und zuletzt als ein Stück Kunstmoral des poetischen Realismus versteht (s. S. 13).

[118] Vgl. Richard Alewyn, a. a. O. S. 60.

sches‹, d. h. nicht-alltägliches, unbürgerliches Personal, weder Bohemiens aller Sparten, noch Haufen unorganisierter Soldaten oder vagierender Studenten; selbst die Landadligen sind bei ihm bürgerlichen Zuschnitts, wie das Beispiel des Grafen von Weinberg zeigt, und Zigeuner, outlaws, ›Hudelvolk‹, wie Keller sagen würde, trifft man nur selten und dann eindeutig negativ gezeichnet an.

Dennoch sind auch Kellers Landschaften idealisiert, verklärt, wenn man will, aber aus anderer Absicht und in anderer Richtung. »Resignatio ist keine schöne Gegend« (22, 441 ff.), weder für den Autor, der diesen Seufzer den Zeichnungen und Kritzeleien einer Schreibunterlage anvertraut und damit eine Grundstimmung seines Lebens ins Räumlich-Landschaftliche projiziert, noch für den Helden seines autobiographischen Romans. Billigt man dem letzten Tag im Leben Salis und Vrenchens paradigmatischen Charakter zu, so bedeutet das dort getroffene Arrangement den Versuch, diejenigen, denen irdisches Glück, aus welchen Gründen immer, ganz oder auf Dauer versagt ist, entschädigungsweise zu entführen in einen Bereich, der seinen Qualitäten nach (Zeitlosigkeit, Glanzfülle, Schönheit als Wahrheit und Harmonie) der Vollkommenheit des Paradieses gleichkommt. Sollte der Dichter darum so gern und oft Natur in ihrem Schönheitsglanz geschildert haben, um das Elendsdunkel wie die Schatten der ›Resignatio‹-Gegend überstrahlen zu können? »Wenn ich die Wahl hätte«, schreibt Keller von Zürich aus an seinen Freund Storm, »so würde ich nur Nordlicht in einem Arbeitszimmer haben, wie die Maler, so daß aller Glanz, Licht und Wechsel der Naturstimmung draußen liegt zur gefälligen Einsicht vom ruhigen Schattensitze aus« (Briefe 3/1, 490; vgl. 461). Dann wäre der Aufenthalt inmitten goldnen Überflusses der Natur erneut eine Art poetischer Lizenz, ähnlich dem Verleugnen des Todes, dessen heimliche Gegenwart (s. 6, 212) gleichwohl allem Vergänglichen erst den sinnlichen Reiz und tiefsten Schönheitsglanz verleiht (s. Briefe 1, 275)?

Der Versuch, die Endlichkeit menschlicher Existenz wie die vielfältigen Beispiele von Lebenstrübe herunterzuspielen bis zur (komischen) Belanglosigkeit — wie der Wille zum stilisierenden Gegenentwurf (Natur als Bezirk des Lebendig-Schönen) sind nur die beiden Seiten ein und desselben sentimentalischen Verlangens nach einem besseren, sprich humaneren oder, was für Keller dasselbe ist, natürlicheren Weltzustand. Daß diese Sehnsucht an ihrer Wurzel nicht realistisch ist[119], sollte davor bewahren — vom Schönheitsglanz der Landschaften geblendet,

[119] Wenn wir das Epitheton des Realistischen für den ›Landschafter‹ Keller ablehnen, so möchten wir uns andererseits gegen Versuche verwahren, ihn auf Grund seiner Art der (subjektivistischen) Naturdarstellung unter die Vorläufer des Expressionismus einzureihen, wie dies bei Rainer Würgau — Der Naturbegriff im Werk Gottfried Kellers. Topik der Natur, Materialismus, Mimesis, Diss. Tübingen 1970 — geschieht. Dabei gilt unser Vorbehalt weniger einer (sicherlich) fragwürdigen Modernisierung als vielmehr der dahinter zu beobachtenden Tendenz, die Möglichkeit realistischer Wiedergabe von Wirklichkeit in Dichtung auf diesem Wege überhaupt in Zweifel zu ziehen. In dieser Absicht vor allem ist der Verf. bestrebt, eine philosophisch-theologische Kritik des Naturbegriffs zu koppeln mit soziologischen Analysen und Beob-

von ihrem Ewigkeitscharakter bestochen –, sich den Blick auf die tatsächliche Beschaffenheit des übrigen Werks verstellen zu lassen; nicht aber darf es uns hindern, in diesem Dichter einen der größten ›Landschafter‹ zu erkennen, den das 19. Jahrhundert in deutscher Sprache aufzuweisen hat.

achtungen im gesellschaftlich-ökonomischen Bereich. Indem so Natur mit Hilfe gesellschaftlicher Denkformen, Gesellschaft in Naturkategorien reflektiert wird, gelingt es nicht nur, die als obsolet empfundene immanente Interpretation methodologisch zugunsten des Aufweises von gesellschaftlicher Relevanz auch dieser Themenstellung zu überwinden, inhaltlich ergibt sich darüber hinaus eine Entmächtigung der Natur, d. h. die Auflösung der Identität von Vernunft und Natur und deren Zerfall in bloße Faktizität ohne ontologische Würde — auf dem Hintergrund historisch-gesellschaftlicher Wechselwirkung. — Diese Interdependenz einsichtig zu machen, muß der Verf. zusätzlich ein Kapitel Sprachtheorie bemühen, die These nämlich, wonach Veränderungen im gesellschaftlich-naturalen Bereich sprachlich allenfalls verschlüsselt greifbar werden, in allegorisch-chiffrierter Aussage, die er am Beispiel des Kellerschen Gebrauchs der Lichtmetaphern wie der Topoi des Naturentzückens decodiert. — ›Entqualifizierung‹ der Natur als Spiegelbild gesellschaftlicher Arbeitsteilung, damit werden auf verschiedenen Ebenen Erscheinungsweisen eines generellen Wirklichkeitszerfalls konstatiert, demgegenüber alle mimetische Anstrengung herkömmlicher Art sich als Abklatsch-Realismus disqualifiziert, während allenfalls Homologien verstattet bleiben zwischen Destruktion der Naturauffassung und einem an ökonomische Anarchie verlorengegangenen gesellschaftlichen Harmonieglauben, Homologien, die im Hinblick auf das Problem der (künstlerischen) Realitätserfassung nach Meinung des Verf. zu »neuen, vielleicht feineren und zugleich kräftigeren ästhetischen Kriterien« gelangen könnten als bisher (S. 28). — Hier wird — in der Nachfolge Richard Brinkmanns — auf dem Weg über die Ausdeutung des Kellerschen Naturbegriffs ein (weiteres) Stück Realismustheorie geliefert, nur daß sich über die (terminologische) Sinnentleerung hinaus nunmehr selbst das jeweilige Untersuchungsobjekt im Verlauf der ›Reflexionen‹ zunehmend verflüchtigt, während als sachliches Ergebnis wenig mehr bleibt als die stereotype Auskunft, derzufolge jetzt auch Keller, wie vor ihm Grillparzer, Ludwig, Keyserling und andere, zum Ahnherrn der anscheinend allmächtigen und allgegenwärtigen Moderne erklärt wird.

II. LITUMLEIS SIEGEL

ZUR FUNKTION DER REALIEN ALS BEDEUTUNGSTRÄGER

1. Verwurzelung und Entwurzelung

Bei einem seiner wiederholten Versuche, im Handstreich »tüchtig glücklich« zu werden (8, 81), gelangt John Kabys, Held der Erzählung vom ›Schmied seines Glückes‹, schließlich nach Augsburg in das Haus eines zwar entfernten, dafür aber um so reichern Verwandten. Seiner servilen Art gelingt es rasch, sich das Vertrauen des Gastgebers zu erschleichen. So wird er genötigt zu bleiben, ja bald schon unterbreitet ihm Herr Litumlei jenen absonderlichen Vorschlag, demzufolge John als zukünftiger Sohn und Erbe des kinderlosen Alten zu fungieren hätte. Nicht genug damit, diesen Streich durch ein Testament rechtskräftig abzusichern, erfinden die beiden obendrein eine ebenso leidenschaftliche wie abenteuerliche Geschichte, in deren Verlauf Herr Kabys zum illegitimen Sproß des Litumlei-Blutes erhoben wird. Als ›Vater‹ und ›Sohn‹ diesen Geschlechterroman endlich mit vieler Mühe vollendet haben, unterzeichnen beide zur Bekräftigung, und Litumlei setzt als Krönung des dokumentarischen Charakters sein Siegel darunter, »dessen Wappenschild drei halbe goldene Fischangeln im blauen Felde und sieben weiß und rot quadrierte Bachstelzen auf einem schräg laufenden grünen Balken zeigte« (8, 100).

Die Beschreibung dieses Wappens läßt an Präzision nichts zu wünschen übrig. Wenn man dennoch mehr darin sehen darf als die absichtslose Schilderung sinnlich sichtbarer Wirklichkeit, dann zunächst einmal deshalb, weil wir uns hier auf dem Gebiet der Heraldik bewegen, d. h. in einem Bereich, der die Gleichsetzung des ›Schildes‹ mit seinem Träger ausdrücklich anerkennt. — Bei dem Versuch, die Bedeutung des Siegels zu entschlüsseln, haben wir es wesentlich mit zwei Motivkreisen zu tun: (Fisch-)Angeln sowie Bachstelzen verweisen auf die Tiergattungen ›Fisch‹ und ›Vogel‹ und damit auf die zugehörigen Lebensbereiche Wasser und Luft, zwei Elemente, denen bei aller Verschiedenheit eines gemeinsam ist, nämlich absolut und wesensmäßig veränderlich zu sein. Läßt sich eine wechselvollere Erscheinung denken als die (vom Windhauch bewegte) Oberfläche eines Gewässers? Gibt es andererseits etwas weniger greifbar Konsistentes als die Wolken des Himmels, jene schwerelosen Formationen, die sich »stets neu, leer, leicht und nichtig« bilden, »bald hell und licht, sonnig, bald ernst, kraftvoll finster, schwarz, als ob sie und der Mensch zusammen recht was Großes wären. Sie ziehen und wandern und zerstreuen so die bekümmerte Seele, die ihnen staunend nachblickt, und führen ihn so in ewigem Spiele über die böse Stunde hinweg. Plötzlich, des Nachts, sind sie alle spurlos weggezogen ...« (22, 344/45). Entsprechend schwer zu fixieren sind alle in den genannten Regionen heimischen Lebewesen, die standortlos behenden Fische nicht minder denn die beweglich-flüchtige Vogelwelt. Der Fisch im Wasser, der Vogel in der Luft (s. 1, 196), wie sehr sie ihrer ›Leichtlebigkeit‹ nach zusammengehören, zeigt die selbstverständliche Art, mit der sie von seiten des Dichters in einem Atem genannt werden[1]; und wenn ihr Verhältnis zueinander umschrieben wird als ›sehnendes Verlangen‹ (s. 1, 59), dann ist es diese ihre Wesensverwandtschaft, das Beheimatetsein im jeweils Bodenlosen, was sie ungeachtet aller räumlichen Entfernung einander zugetan sein läßt.

Sich mit derart ›unbehausten‹ Tieren zu befassen, ist denn auch charakteristisch für die desolate Seelenverfassung wie bezeichnend für die soziale Situation (sprich Desintegration) eines Menschen. Auf Fischfang auszugehen bedeutet noch stets Abkehr von geregelter Arbeit und ist darum allenfalls Sache der Falliten (s. 7, 115), d. h. jener Gruppe von Leuten in Seldwyla, die jeden inneren Halt wie alle bürgerliche Reputation längst verloren haben[2]. Die mokante Bemerkung des Vorworts, man erkenne die Seldwyler daran, ob sie Fische zu essen verstünden (s. 7, 3), gilt nicht nur dem Lebensstil der Bewohner, denen Urbanität (offenkundig) vor Solidität geht, sie impliziert auch, daß diese Fertigkeit nicht selten unfreiwillig erworben, häufiger Fischverzehr mithin als Folge ausdauernd betriebenen Fischefangens zu denken ist. Umgekehrt: Wenn Strapinski bei seiner Ankunft in Goldach, wiewohl aus Seldwyla kommend, keinen Fisch zu essen weiß (s. 8, 13/14), dann ist dies, über alle (belächelte) Unbeholfenheit hinaus und manch gegenteiligen Anzeichen zum Trotz ein untrügliches Indiz für die insgeheime Integrität seines Wesens. — Ins Extrem vorgetrieben wirkt die piscatorische Manie dagegen im Falle des Buz Falätscher, wenn der Ritter-Narr von der Manegg sich zuletzt beinah ausschließlich im Wasser herumtreibt (s. 9, 148). Ja, indem er Fischottern fängt und sich aus den Fellen dieser Tiere eine Art Bekleidung anfertigt (s. 9, 142; 149), werden Hantierung wie Aussehen zum Gleichnis für die Nichtigkeit seiner Existenz.

Wenn es insgesamt gesehen weniger ›beflügelte‹ Gestalten gibt als hydrophile Naturen, dann liegt dies wesentlich in physikalischen Unzulänglichkeiten der menschlichen Spezies begründet, darin, daß den Erdenbürgern für gewöhnlich die Fähigkeit abgeht, sich gleichsam selbst auf die Schultern steigen zu können. Allenfalls unter den Bedingungen des Traums findet man sich hineinversetzt in luftige Ätherregionen. Dabei kommt Heinrich Lees Gang »auf einem wunder-

[1] Wenn Karl Hediger im ›Fähnlein‹ die Vorzüge des Vaterlandes rühmt, dann erwähnt er all die guten Dinge darin »›vom bemoosten alten Hecht auf dem Grunde seiner Seen bis zum wilden Vogel, der um seine Eisfirnen flattert‹« (10, 71).

[2] Gleich dem Angelzeug gehören Vogelgarne zu den »Werkzeugen des ländlichen Müßigganges ...« (3, 214). — Von den betrügerischen Weidelich-Zwillingen des »Martin Salander« wird der eine mit Vorliebe angelnd gezeigt, der andere bei der Vogelstellerei betroffen (s. 12, 256/57), Szenen, die hier wie dort der Aufdeckung ihrer skandalösen geschäftlichen Praktiken unmittelbar voraufgehen.

lichen schmalen Brettersteige, welcher sich hoch durch die Äste und Baumkronen wand« (6, 120), noch am ehesten einem Vogelflug gleich[3]. Daß er sich traumweise inmitten von Tausenden von »wilden Tauben, Hähern, Mandelkrähen, Spechten und Weihen« wiederfindet, in einer Situation, in der man noch »die allerfernsten Vögel deutlich erkannte« (6, 121), zeigt die hoffnungslose Verstiegenheit und Erdenferne[4] des Helden zur Zeit seines Münchner Aufenthalts an. — Ansonsten macht der Dichter sich die Möglichkeit metaphorischen Sprechens zunutze, um mit Hilfe ornithologischer Spitzmarken die Unsolidität menschlichen Seins und Verhaltens ins Bild zu rücken. So erscheint der Schulmeister Wilhelm (»Die mißbrauchten Liebesbriefe«) anfangs als ein flatterhaft verliebter Zeisig, will Frau Ännchen, um die Standhaftigkeit seiner Neigung zu Gritli besorgt, die »›Bergamsel‹« (8, 197) versuchen. Was Gritli selbst angeht, ist auch sie sich der Treue des Geliebten lange Zeit nicht sicher, doch glaubt sie am Ende, den flüchtigen Vogel schon festhalten zu können (s. 8, 204; dazu 9, 125). Wenn der Landvogt von Greifensee drei[5] seiner fünf Liebschaften mit Übernamen aus dem Bereich der Vogelwelt belegt, seine Haushälterin gar fragen kann, ob die solcherart avisierten Gäste denn nun auf Stühlen oder besser auf Stänglein zu sitzen kämen (s. 9, 168), dann kommt darin, über die Oberflächlichkeit des einzelnen Frauenzimmers hinaus, die schmerzliche Erfahrung der grundsätzlichen Unbeständigkeit weiblichen Naturells zum Ausdruck.

Theodor Wieser[6] hat die Bedeutung des Baumsymbols bei Keller ausführlich analysiert. Dennoch ist seine Interpretation an entscheidender Stelle unvollständig insofern, als sie von den Elementen Wurzel, Stamm und Krone das erstgenannte und damit die eigentliche Begründung des Kellerschen ›Baumkultes‹ nahezu völlig übersieht. Bäume, insbesondere Eichen, sind mit ihren knorrigen Wurzeln unzerreißbar fest dem Boden verhaftet. Ihre ausgewachsenen Exemplare haben viele Jahrzehnte überdauert dank des zugleich zähen und (fels-)harten Stammholzes (s. 20, 78/79), das sich als ein fast unzerstörbares Material erweist (s. 20, 80). Ihre unlösliche Erdverbundenheit setzt sie instand, die Kronen unbeschadet in Licht und Luft als den Bereich der Freiheit hineinragen zu lassen, indes Stamm und Blattwerk im Sturm dem Wehen der Zeit (s. 8, 358. 14, 218) Trotz bieten. — Mensch und Baum, ihre Vergleichbarkeit basiert auf eben diesem Moment des Verwurzeltseins[7], wie es (als Wesensmerkmal) vielleicht am eindrucksvollsten in der Eingangsszene von »Romeo und Julia auf dem Dorfe« zum Ausdruck kommt.

[3] Vgl. seinen späteren Ritt auf dem fliegenden Pferd 6, 130 f.

[4] dazu die Bezeichnung des Wolkenweges als »Via mala« (1, 190).

[5] Bei der vierten, Wendelgard, kommt das Launenhaft-Unverläßliche schon im Taufnamen zum Ausdruck, während die Koseform ›Kapitän‹ — vom Beruf ihres Vaters abgeleitet — sie überdies mit dem Bereich des Wassers verbindet.

[6] Das Baumsymbol bei Gottfried Keller. — In: Euphorion 54, 1960, S. 109—20.

[7] Um Halt bemüht, klammert man sich an eine Wurzel (s. 20, 70), vergeblich, wie im Falle Meierleins, den Heinrich von sich abschüttelt, indem er den Kopf seines Gegners auf eine Baum-

Hier ist alles bedeutungsvoll[8], die Tätigkeit des Pflügens selbst, bei der die Akteure die Schar fest und kräftig fassen (s. 7, 86), so, als ob sie sich allen Widerständen zum Trotz eingraben wollten in den Boden; die Bewegung der Bauern sodann, die doch zugleich »ruhevoll« wirkt (7, 87)[9] und in ihrer Sicherheit (s. dazu 7, 129) und Unbeirrbarkeit den unerschütterlichen Bahnen der Gestirne zu folgen scheint (s. 7, 87; 95/96)[10]; schließlich ihre Art zu gehen, wenn sie »Langsam und mit einer gewissen Zierlichkeit ... einen Fuß um den andern vorwärts« setzen (7, 86) und mit alldem offenbaren, daß es tüchtige, mit beiden Beinen fest auf dieser Erde stehende Naturen sind, aufrechte, kluge und wehrhafte Männer zumal (s. 7, 102), durch nichts zu erschüttern, durch niemanden vom einmal eingeschlagenen Wege abzubringen.

Und doch können Umstände eintreten, deren minierende Kraft hinreicht, selbst die erprobteste Standfestigkeit in Mitleidenschaft zu ziehen. Da ist das früh auftauchende Motiv einbeinig-unsicheren Stehens, das erste Zweifel weckt. Vorweggenommen in der Kinderszene, dem Spiel mit der Puppe, die nur ein Bein hat (s. 7, 87) und anschließend mißhandelt (d. h. durch die Luft geschleudert wie auch ausgehöhlt) wird, bis nichts Festes mehr an ihr ist (s. 7, 93), kann es auf die Erwachsenen, die Väter, übertragen werden in dem Augenblick, als diese sich des strittigen Ackers wegen in die Haare geraten und so konsequent ruinieren, bis sie beide »von Grund aus in Schulden« stecken und »wie die Störche auf einem Beine auf der Schwelle ihrer Besitztümer« stehen, »von der jeder Lufthauch sie herunterwehte« (7, 104). Am Ende sind die Akteure längst nicht mehr unzerreißbar fest dem Boden verhaftet, ja Manz ist schließlich nur »der erste von den beiden Feinden, der sich nicht mehr halten konnte und von Haus und Hof springen mußte«, indes Marti lediglich noch als geduldeter Gast figuriert, als Herrscher auf Zeit in seinem mehr als »wackeligen Königreich ...« (7, 109). — Auf dem Höhepunkt der großen Wirtschaftskrise, von der »Das verlorne Lachen« berichtet und in deren Verlauf nichts mehr feststeht, beginnen selbst die Männer

wurzel schlägt (s. 3, 176), mit größerem Erfolg bei weniger berechnend-kopflastigen Naturen: der instinktsicheren Ursula, die sich im Augenblick höchster Gefahr in einem guten und starken Baumfundament verborgen hält und so die Wirren des Krieges wie die Veränderungen der Zeit überdauert (s. 10, 174/75).

[8] In bewußtem Gegensatz zu Wilhelm Schneider — Können Sie lesen? Der Anfang von G. Kellers »Romeo und Julia auf dem Dorfe«. — In: Librarium. Zeitschrift der Schweizerischen Bibliophilen Gesellschaft 1, 1958, Heft 2, S. 56—59 — und seiner Behauptung von der (absolut) plastischen Gegenständlichkeit Kellerscher Welten anhand dieser Beispielszene (s. S. 59).

[9] s. dazu Oskar Seidlin, Eine Stilanalyse [= zum Anfang von »Romeo und Julia auf dem Dorfe«]. — In: GQ 15, 1942, S. 12—18, dort S. 15.

[10] Als (in diesem Punkte) gänzlich unhaltbar erweist sich die Interpretation von Hans Dietrich Irmscher — Konfiguration und Spiegelung in Gottfried Kellers Erzählungen. — In: Euphorion 65, 1971, S. 319—33 —, der, von einer Analyse des ›Astronomen‹ Pankraz ausgehend, den Sternbildern (zumindest) der beiden ersten Seldwyla-Novellen eine negative Bedeutung beilegen möchte (s. S. 321).

zu wanken (s. 8, 388/89)[11]. Und auch dies Nachlassen der Spannkraft, der Verlust an Wehrbarkeit ist begleitet vom Schwanken und Stürzen der Bäume und Wälder (s. 8, 330 ff.). Jukundus vermag seine Position zu behaupten, solange die Wolfhartsgeereneiche steht (s. 8, 339). Ein Kind noch, bleibt der Sohn des Forstmeisters (»Dietegen«) im Walde zurück, von einer gefällten Eiche erschlagen (s. 8, 240); vom Leben verbraucht und müde geworden, wird Reginens Vater zuletzt von einem fallenden Waldbaum verstümmelt (s. 11, 74).

›Von Haus und Hof springen‹, schon der Gebrauch dieser Metapher zeigt an, daß die Bauern nunmehr an dem gleichen Punkt angelangt sind, den der schwarze Geiger, dank ihrer Habgier, lange vor ihnen erreicht hat. Daß man ihn beständig zappeln oder springen sieht, ist dem Steckbrief vergleichbar einer aus den Fugen geratenen Existenz; in dem Augenblick, da er sich auf die Steinmasse hinaufschwingt (s. 7, 130 ff.), wird zugleich die Ursache seiner Misere deutlich, sind die Urheber seiner Haltlosigkeit benannt: Den Acker mit allen Steinen dieser Welt zu beschweren (s. 7, 101/02; 87; 96), bedeutet mehr, als ihn jeder Nutzbarkeit zu entziehen, intendiert vor allem, das Band zwischen (menschlichem) Eigner und nährender Erde zu kappen. Erst nach diesem Frevel erscheint der Geiger wahrhaft heimatlos, wie sehr, zeigt sich bei Gelegenheit des nächtlichen Zuges, wenn er über den Acker »sprang und hüpfte wie ein Gespenst« (7, 180)[12], gleichsam als wäre er nicht mehr von dieser Welt.

Erdreich verloren — alles verloren! Boden, der keiner (mehr) ist, insofern er keinen Halt zu bieten vermag, dieses Motiv begegnet erneut im Zusammenhang mit jenem angelnden Falliten, der auf felsigem Ufer (s. 7, 115) als auf dem harten Grund seines Elends steht (dazu 7, 132)[13]. — Vom sicheren Gehen über fruchtbares Ackerland zu sprunghaft-hektischem Gebaren in steiniger Öde, ein solcher Wechsel ist um so gefährlicher da, wo er begleitet wird von zunehmender Annäherung ans Wasser. Ist es Zufall, wenn der verhängnisvolle Fluß just dort vorüberzieht, wo die Äcker liegen (s. 7, 85)? Der Prozeß um das Mittelstück führt jedenfalls auf der einen (s. 7, 115) wie der andern Seite (s. 7, 116/17) von der Feldarbeit weg zu jener verkehrten Wasserpfuscherei (s. 7, 125)[14], läßt die Kontrahenten »auf hundert törichten und verfänglichen Wegen« wandeln, bis sie schließlich »mit jeder Stunde rückwärts ruderte[n] wie ein Krebs« (7, 107).

[11] Strapinski taumelt im Elend (s. 8, 48), ehe er später, nach Bereinigung aller Mißverständnisse, an der Seite Nettchens feststeht wie eine Säule (s. 8, 63).

[12] Ähnlich der Hektik solcher Bewegung fehlt auch der ›Krabbelarbeit‹ das Moment des Ruhevollen (und damit Effektiven); bezeichnend in diesem Zusammenhang das Ende des Knaben Meierlein, sein Sturz vom Dach als Folge allzu großer Betriebsamkeit (s. 3, 178/79)!

[13] Neben dem Aspekt des Unfruchtbaren können Steine vor allem diese letztere Bedeutung annehmen. Einseitig als Inkarnation des Bösen aufgefaßt wird das Steinsymbol bei Udo Kultermann, Bildformen in Kellers Novelle ›Romeo und Julia auf dem Dorfe‹. — In: DU 8, 1956, Heft 3, S. 86—100, dort S. 90 ff.

[14] Vgl. auch den gerade an dieser Stelle decouvrierenden Rückverweis auf Manzens Glanzzeit »vor zwölf Jahren, als er mit einem schönen Gespann pflügte auf dem Hügel über dem Ufer ...«,

Die Kinder aber werden, wenn auch mit zeitlicher Verschiebung und aus andern Beweggründen, noch einmal eine ähnliche Entwicklungskurve durchlaufen: Selbst in den Augenblicken glücklicher Vergessenheit (zu Beginn ihrer erneuerten Bekanntschaft) ist das Rauschen des Flusses unüberhörbar (s. 7, 128). Wenn Sali den Treffpunkt des letzten Tages zunächst am Wasser festsetzt (s. 7, 150), dann aber die Entscheidung ändert, wirkt diese seine Reaktion wie ein (letztes) instinktives Zurückschrecken vor dem Kommenden. Erst später[15], als sie einsehen müssen, daß ein Zusammensein auf Dauer nicht möglich ist, weil der gute Grund und Boden für eine glückliche Ehe fehlt (s. 7, 144 u. 176), nähern sie sich aus freien Stücken dem nassen Element. Einmal entschlossen, ihr Leben hinzugeben, eilt Vrenchen dem Geliebten voraus, federleicht über den Boden springend wie ein Vogel (s. 7, 184). Wenn sie sich schließlich selbst als einen Fisch bezeichnet (s. 7, 185), bedeutet dies nichts anderes als den endgültigen Verzicht auf alle Bindungen an ein ferneres Dasein[16]. Sali aber kann im ziehenden Wasser kaum standhalten, er hat Mühe, sich bei Vrenchens zappelnder Wildheit aufrecht zu halten (s. 7, 185/86) und das Schiff zu erreichen, das ihr letzter Aufenthalt sein soll, bevor sie gemeinsam in die Fluten hinabtauchen[17]. — Gewahrte Distanz oder gewollte Nähe zum Wasser — ziehendes Wasser als Zeitstrom (s. 1, 144; 213 u. 214)[18] —, in dieser Weise erhalten wir Auskunft über Stabilität oder ›Hinfälligkeit‹ einer jeden menschlichen Natur.

Von den bisher genannten Motiven hat die Mehrzahl Eingang gefunden in das Geschehen um »Hadlaub«: Da ist die Mutter der Fides ein Fräulein von Wasserstelz (!), liegt ihre Burg auf einem Felsen inmitten ziehender Flußwirbel (s. 9, 112), einer unsichern Behausung demnach, deren Schutzfunktion noch weiter herabgemindert wird durch den Neid der feindlichen Muhme, die gesonnen ist, das Schwesterkind vom ererbten Stammsitz zu verdrängen (s. 9, 20/21). — Adliger, wenn auch unregelmäßiger Geburt, gehört Fides einer sozialen Schicht an, die

während er jetzt hastig an den einst verachteten Seldwylern vorübereilt »hinter ihren Rücken ... gleich einem eigensinnigen Schatten der Unterwelt, der sich zu seiner Verdammnis ein bequemes einsames Plätzchen sucht an den dunklen Wässern« 7, 116.

[15] Dazwischen liegt der Gang durch den Eichwald, bei dem Sali »schlank aufgerichtet« schreitet, »die Augen auf die festen Eichenstämme geheftet, wie ein Bauer, der überlegt, welche Bäume er am vorteilhaftesten fällen soll« (7, 160).

[16] Keineswegs verbirgt sich dahinter ein Sexualsymbol, wie Gerhard Kaiser — Sündenfall, Paradies und himmlisches Jerusalem in Kellers »Romeo und Julia auf dem Dorfe«. — In: Euphorion 65, 1971, S. 21—48 — voreilig behauptet (s. S. 36). Von philologischen Einwänden abgesehen erscheint namentlich die Prüderie des Dichters zu ausgeprägt, als daß der Bereich des Sexuellen hier oder anderswo, weder direkt noch symbolisch verhüllt, jemals zur Sprache kommen könnte.

[17] Vgl. das Schicksal des unglücklichen Mädchens, dem der grüne Heinrich in der Schule begegnet und das sich später aus freien Stücken ertränkt 3, 99/100. Regine hingegen, deren Lebenszuversicht durch die vorwurfsvolle Strenge ihres Gatten entscheidend gelitten hat, setzt ihrem Dasein ein Ende, indem sie sich — Zeichen radikaler Entwurzelung! — erhängt (s. 11, 133).

[18] Vgl. die Metapher vom (entwurzelnden) Herbstwind der Zeit 6, 40. 8, 358.

sich gleichsam selbst überlebt hat, deren Zeit (wir sind im ausgehenden Mittelalter) eigentlich abgelaufen ist. Kein Zufall, daß schon der Knabe Hadlaub das Mädchen bergen, d. h. vom wasserumspülten Stein ans Land holen muß (s. 9, 30). Erwachsen, rettet Fides sich aus drohender Wassernähe nicht allein ans feste Ufer; indem sie mit sicherem Instinkt für das Bleibende auf Hadlaubs Liebe setzt (s. 9, 122), entgeht sie ebenso den Umwälzungen der Zeit[19]. Fides wird Bürgersfrau an der Seite des Titelhelden, womit der schöne Vogel (s. 9, 125)[20] gleich doppelt (privat wie in ständisch-sozialer Hinsicht) in Sicherheit gebracht ist.

Damit sind wir vorbereitet, die Bedeutung des Litumlei-Siegels zu würdigen, den vielfältigen Implikationen gerecht zu werden, die diesem so beiläufig erscheinenden Konkretum mitgegeben sind: Litumleis fixe Idee gilt der Geschlechtergründung; immer wieder versucht er sich auf diesem Gebiet. Daß es einzig sein Reichtum und Wohlstand ist, der eventuelle Partnerinnen anlockt, darauf verweisen die goldenen Angeln des Wappens, während die Dreizahl (s. dazu 8, 448) sich eigentlich nur auf die Reihe der ›Opfer‹ beziehen kann, die ihm bis dato ins Netz gegangen sind (s. 8, 89). Was er sich von diesen immer erneuten Liierungen erhofft, deutet derjenige Teil des Emblems an, in dem die Bachstelzen — sieben an der Zahl (!) — für den Wunsch nach (möglichst) zahlloser Nachkommenschaft einstehen. Diese Hoffnung wird nun zwar erfüllt, aber sehr viel bescheidener als gedacht — ›Papa‹ Litumlei wird lediglich ›Besitzer‹ eines einzigen Sohnes — und dazu noch auf fatale Weise, indem man dem zeugungsunfähigen Alten einen Bastard unterschiebt! Viele Einzelheiten des Siegels deuten auf diese Art ironischer Verwirklichung voraus, in erster Linie die Wahl der Vogelart — ›Bachstelze‹ —, die Wassernähe wie unsicheres Stehen zugleich signalisiert. Nimmt man den schräg laufenden Balken hinzu, auf dem die erträumte Nachkommenschaft hockt, dann wird mit Hinweis auf diese ›Hanglage‹[21] die Vorstellung evoziert, als drohten die stelzigen Vögel jeden Moment abzurutschen in Bach oder Gewässer, anstatt, wie vorgesehen, im Leben[22] kräftig zu wurzeln. Mit Geburt des Kindes, für das der ›Erzvater‹ nicht verantwortlich ist, ist das Unternehmen ›Familiengründung‹ mithin nur halb geglückt, wie schon die halben Fischangeln Zweifel

[19] Im Gegensatz zum Schicksal des gräflichen Freiers, der bei all seinen Bemühungen um Fides zu wenig mehr als zu einem unfreiwilligen Bad in den Fluten kommt (s. 9, 120/21), welcher Ausgang seiner Helmzierde, dem Wandelburger (!) Doppelschwan (s. 9, 106), alle Ehre macht.

[20] Vgl. die dem heimgekehrten Ex-Adoptivsohn geltende Frage des stolzen Vatergreises Litumlei, ob der Vogel — gemeint ist der kreischende Säugling — nicht schön singe 8, 108.

[21] Vergleichbar jenem »unheimlich kahlen Wesen ...«, an dem Buz Falätscher haust, einer »tiefen Kluft, die einst ein Bergrutsch zurückgelassen hat ... Da bisweilen jetzt noch Gerölle, Steine und Sandmassen die steile Wand herunterkommen, so würde jene Stätte ein unsicherer Aufenthalt gewesen sein, wenn nicht ein struppiges Buschwerk hinter ihr gestanden hätte, welches mit der Hütte zusammen eine kleine Insel in dem Schuttwerke bildete« (9, 141/42).

[22] Zum Grün (der Stange) als Lebensfarbe vgl. p. 63 ff. Ähnliche Bedeutung darf man dem Blau zusprechen, da beide Farbtöne an vielen Stellen des Kellerschen Werkes auswechselbar sind (s. etwa 1, 56. 5, 146. 21, 88 u. a.). Hier ist zunächst einmal ›meerblau‹ gemeint (s. dazu 7, 374),

wecken konnten am späteren Erfolg[23]. Zwar darf sich das Männchen Litumlei am Ende als Stammhalter gerieren, aber der (Stamm-)Baum, an dessen Anfang (nicht nur) sein Name steht (s. 8, 89), er reicht, um im Bild zu bleiben, nicht bis zu den Wurzeln des Lebens, der Plan der Stammesgründung erweist sich vielmehr als auf Sand gebaut.

2. *Auf der Suche nach der verlorenen Unsterblichkeit*

Nicht nur lassen sich beim Vergleich der genannten Erzählungen motivliche Parallelen ausmachen, ist es möglich (und nötig!), einzelne Szenen auf ihren Bedeutungsgehalt hin wechselseitig zu erhellen, mehr noch scheint es, als seien die Übereinstimmungen grundsätzlicher Natur, beziehbar auf den Bereich des Handlungsgefüges schlechthin: Manz und Marti, Litumlei und Kabys, Hadlaub und Fides, jedes dieser erzählten Schicksale bewegt sich zwischen den Polen ›Verwurzelung‹[24] und ›Entwurzelung‹. Drei Beispiele — ein Thema, angesichts solchen

womit das Angeln sich (u. a.) als Versuch herausstellt, im unsichern ›Meer des Lebens‹ Anker zu werfen.
Ob man Farben bei Keller gemeinhin Symbolqualitäten zubilligen darf, ist (trotz mancher Anhaltspunkte) umstritten und über die genannten Beispiele hinaus bislang lediglich für einzelne Nuancen — zur Bedeutung des Roten als des Lebensvoll-Leidenschaftlichen s. Mary Enole Gilbert, Zur Bildlichkeit in Kellers »Romeo und Julia auf dem Dorfe«. — In: WW 4, 1953/54, S. 354—58, dort S. 357/58; vgl. ferner Roy Chadwell Cowen, The symbolic function of red and white in Gottfried Keller's poetry. — In: Kentucky Foreign Language Quarterly 12, 1965, S. 155—67 — überzeugend nachgewiesen; ein Mißstand, dem auch die jüngste Arbeit von Esther Straub-Fischer — Die Farben und ihre Bedeutung im dichterischen Werk Gottfried Kellers, Bern/München 1973 — kaum entscheidend wird abhelfen können, da die Verfasserin über den (allerdings) vielversprechenden Titel hinaus wenig mehr zu bieten hat als eine weithin unsystematische Materialsammlung, die zudem eher (den Einzelfall) beschreibend anstatt deutend vorgetragen erscheint. — Was das weiß und rot quadrierte Vogelgefieder angeht, möchten wir es bei vorwiegend visueller Funktion belassen und — hier einmal in Übereinstimmung mit Straub-Fischer (s. S. 30) — derartige Musterung als Hang zum Auffällig-Prächtigen verstanden wissen (s. dazu 7, 191. 8, 76), die Wünsche Litumleis auf ein blühendes, in Wohlstand lebendes Geschlecht versinnbildlichend.

[23] Stärker ist dies Moment des Trügerischen betont in der Erstfassung, wo das Wappen statt der sieben Bachstelzen drei Enteneier enthält (s. 8, 448) und man gerade ein solches Gelege — das Ei verstanden als Fruchtbarkeits- oder Unsterblichkeitssymbol — als Falschmeldung (›Zeitungsente‹ sozusagen) aufzufassen hätte. Die Stelle wurde vermutlich unterdrückt, um das peinlich Degoutante des Vorgefallenen nicht zu deutlich werden zu lassen.

[24] Dies (erstere) gilt, zumindest bis in die Schlußpartien hinein, auch für die Kinder der streitbaren Bauern. Für Gerhard Kaiser, der Säkularisation allenfalls in pietistischem Sinne, als Aufweichung des Religiösen ins Ideal-Spirituelle verstanden wissen möchte, stellt das Thema der Erzählung sich hingegen dar als Rückzug der Liebenden aus der Welt, als Ausweichen in ein Paradies der Weltlosigkeit, das, weil von gesellschaftlichen Wesen nicht mehr vollziehbar, notwendig in einer Katastrophe enden muß. — Demgegenüber läßt sich nicht nur das Ziel Salis und Vrenchens sehr viel bescheidener und pragmatischer verstehen: als innerweltliches Glück,

Befundes fällt es schwer, an Zufall zu glauben. Und in der Tat ergibt sich bei näherem Überprüfen, daß und wie sehr die Kellerschen ›plots‹ prinzipiell nach diesem einen wiederkehrenden Grundschema gebaut sind. Dauer, in der früher skizzierten Form der Wechseldauer, damit ist nicht allein die bestimmende Qualität seiner Landschaftsräume umschrieben, vielmehr die entscheidende Formel seines Denkens überhaupt gefunden. Sollte man die zentralen Kategorien nennen, die das Schaffen dieses Dichters insgesamt organisierend bestimmen, so sind es eben die Komplexe ›Dauer‹ und ›Vergänglichkeit‹; eine Zuordnung, aus der bereits andeutungsweise hervorgehen mag, weshalb gerade die Vorstellung des Überdauerns eine so magische Gewalt über Keller gewinnen konnte.

Es ist dies wesentlich die Folge zunehmender Skepsis gegenüber der Verbindlichkeit christlicher Glaubensinhalte. Die Vorstellung, das Christentum habe, was den Einfluß auf die Entwicklung der Menschheit — für Keller den humanisierenden Effekt — anlange, seine schuldige Wirkung getan und sei im Gefolge dessen, was bei ihm »Dialektik der Kulturbewegung« (Briefe 1, 400) heißt, mehr und mehr auf die historisch abgestandene Seite, d. h. aber in den Geruch des Leben und Entwicklung Hemmenden geraten, hat den Dichter erst zum Kritiker, schließlich zum erklärten Gegner offizieller Lehrmeinung werden lassen. — Sucht man nach Belegen für die These von der Überlebtheit religiös-metaphysischer Bindungen im Werk[25], so bietet sich etwa die Schilderung jenes Tanzplatzes aus der ›Romeo‹-Novelle an, von dem behauptet wurde (vgl. p. 83), er komme in entscheidenden Punkten einem Abbild des Paradieses gleich. Diese Feststellung bedarf insofern einer Korrektur, als es sich hier ursprünglich um den früh verwaisten Wohnsitz eines ehemals reichen Sonderlings handelt, einen Platz, der inzwischen längst in Verfall geraten und auf Grund seines desolaten Zustands keiner ernsthaften Nutzung mehr zugänglich ist (s. 7, 170). Und wenn der Autor des ›Grünen Heinrich‹ mehrfach bei Beschreibung der ›Heidenstube‹ verweilt, dann dient der Hinweis auf topographische Einzelheiten dort, der Blick etwa auf die nahezu kahle Felswand[26], deren Höhe »diejenige einer großen Kirche« betrug (4, 30), vornehmlich dazu, die Unkraft der vergleichsweise bemühten Institution zu demonstrieren.

bürgerlich, d. h. erreichbar gedacht und, wenn auch nur augenblicksweise, eben im Paradiesgärtchen wirklich erreicht! Auch ihr Verhalten tendiert, weniger rigoros, statt auf »Verinnerung zum Ideal« (a. a. O. S. 42) hin auf Verwurzelung in eben diesem Leben. Daß dies Bestreben letztlich vergebens bleibt, ist weniger Folge von Weltflucht (selbst die Träume der Liebenden sind ganz und gar bürgerlich!) als vielmehr Resultat des Sich-Verweigerns der Gesellschaft.

[25] Zur biographischen Seite dieses Komplexes vgl. neuerdings Kurt Wenger, Gottfried Kellers Auseinandersetzung mit dem Christentum, Bern 1971.

[26] Darf man die einem späteren Aufenthalt dort beigegebene Variante, das Bild von den drei kreisenden Habichten (s. 4, 204), verstehen als Zeichen der Dreieinigkeit? Wenn dies zuviel des Hineingelesenen sein sollte, so stehen die luftigen Vögel zumindest für den traumhaft unwirklichen Charakter von Heinrichs Liebesabenteuer ein. — Wo Vögel im Zusammenhang mit religiösen Motiven wiederkehren, deuten sie noch jedesmal die Wesenlosigkeit der Bezugsebene

Von welcher Seite in dieser Situation religiöser Verunsicherung allenfalls Hilfe zu erwarten ist, lehrt ein nochmaliger Blick auf die Beschreibung des Paradiesgärtleins, dessen bröckelndes Mauerwerk sich zusehends von Weinlaub überwachsen zeigt: »Um das Haus herum standen verwilderte Kastanienbäume, und knorrige starke Rosenbüsche, auf eigene Hand fortlebend, wuchsen da und dort so wild herum wie anderswo die Holunderbäume« (7, 171). ›Auf eigne Hand fortlebend‹, in dieser Wendung haben wir das Schlüsselwort zum Verständnis des Ganzen. Nimmt man hinzu, daß Rosen bei Keller als Symbol körperlichen Lebens gelten (s. 7, 54), dann bietet diese scheinbar so realistische Schilderung nichts weniger als die sinnfällige Anschauung, daß, »›Wenn die persönlichen Gestalten aus einer Religion hinweggezogen sind‹«, zwar »›ihre Tempel‹« verfallen, und der Rest Schweigen ist; »›Aber die gewonnene Stille und Ruhe ist nicht der Tod, sondern das Leben, das fortblüht und leuchtet...‹« (8, 429). Erneut ist hier der (im Eingangskapitel) bereits mehrfach bemerkte Kontrast von Verfall und blühendem Leben, Entwurzeltsein und nachhaltig neuem Wachstum ins Bild gerückt (vgl. ferner 7, 126), und kein Zweifel, daß das Odium der Vergänglichkeit diesmal konkret auf die christliche Lehre gemünzt ist, kein Zweifel aber auch im Anblick der andrängenden Natur, woher dem Menschen Rettung winkt.

*

Wenn der Dichter von dem Prozeß zunehmender Säkularisierung des Lebens betroffen war, dann am schmerzlichsten von dem Gedanken, »daß die persönliche Fortdauer der Seele ein Traum der Vergangenheit sein dürfte« (8, 356). Um so mehr kam es darauf an, sich im irdischen Bereich nach Sicherungen umzutun, die unvermeidliche Existenzverkürzung auszugleichen durch den Versuch, in diesem Leben Spuren zu hinterlassen. An derartigen Versuchen haben alle Gestalten des Dichters mehr oder minder Anteil, es ist dies die bestimmende Triebfeder ihres Tuns. Im wesentlichen kennt Keller drei Wege, dem ersehnten Ziel dauerhafter Existenz näherzukommen: Der Reichtum wohlbestellter Häuser mag materielle Geborgenheit verschaffen, ein persönliches Sicherheitsgefühl (s. 8, 344/45), doch lassen Erfolg oder besser Mißerfolg derartiger Bestrebungen, die Schicksale, die der Dichter solchen mit geradezu manischer Sammelwut ausgestatteten Figuren noch jedesmal zuteil werden läßt, die Charakterzüge, die er ihnen attestiert[27], keinen Zweifel darüber aufkommen, wie er diesen Weg bewertet wissen möchte. — In seinen Kindern kann man physisch überdauern, wie es »Der grüne Heinrich« am Beispiel der Familie des Oheims, speziell des Sterbens von Heinrichs Muhme,

an: etwa, wenn der Knabe Heinrich sich Gott Vater in Gestalt eines prächtigen Wetterhahns vorzustellen sucht (s. 3, 28/29), oder aber der Pfarrer des ›Landvogts‹ sich ausgerechnet aufs Anfertigen von allerlei Vogelbildnissen versteht (s. 9, 231 ff.).

[27] s. dazu im einzelnen p. 200 ff.

vorführt (s. 5, 74). Darum Heinrichs Ehrfurcht vor der »›Anschaulichkeit und Durchsichtigkeit einer langen Vergangenheit, die sich auf uns selbst bezieht‹« (6, 197), darum das »Lob des Herkommens« aus dem Munde des Dichters zu Beginn des Romans und die ganz handfeste Überzeugung der Dörfler, »daß sie eine ununterbrochene Reihe von zweiunddreißig Ahnen besitzen müssen«, sowie ihr Bemühen, »die Kette ihrerseits nicht ausgehen zu lassen« (3, 2/3). Den Novellen Kellers, sofern sie glücklich ausgehen, fehlt am Ende selten der Hinweis auf die zahlreich blühende Nachkommenschaft, ein Motiv, das in der adamitischen Sehnsucht des Herrn Litumlei am nachdrücklichsten thematisiert, ja in den Mittelpunkt einer Erzählung gerückt worden ist. — Das eigentlich Bestand Verbürgende aber ist im Bereich des Ethischen gelegen, das allen Wechsel Überdauernde heißt — Treue des Herzens[28]. Sie bewährt sich gerade an den Frauengestalten — Judith etwa bleibt Heinrich über alle Wechselfälle des Lebens, über Zeit und Kontinente hinweg verbunden —, innerhalb des Kellerschen Oeuvres vielleicht am eindrucksvollsten in den »Sieben Legenden«, von denen die Mehrzahl nicht nur Hohelieder der Liebe, sondern ebenso Preisgesänge der Treue sind, wie sie sich schöner in deutscher Zunge schwerlich werden finden lassen. Von diesem Aspekt her wird auch klar, weshalb die weitaus meisten der Kellerschen Erzählungen Liebesgeschichten sind[29]: Mit der Wahl des rechten Partners bietet sich die Möglichkeit, den Besitzstand zu mehren, eine Familie zu begründen wie die Chance, an der Seite einer treusorgenden Frau und Mutter zu dauerhaftem Glück zu finden.

Zumindest einer der genannten Wege aber wird noch in jeder seiner Geschichten beschritten. Alle Helden Kellers sind, sei es auf rechte, sei es auf abwegige Weise, unterwegs ›auf der Suche nach der verlorenen Unsterblichkeit‹, will sagen deren säkularisiertem Pendant, der Dauer[30]. Damit dürfte die Frage nach der seinen

[28] In den »Züricher Novellen«, in denen das Vergänglichkeitsbewußtsein besonders ausgeprägt hervortritt, so sehr, daß am Ende selbst der Bestand der Nation, des Vaterlandes, in Frage gestellt werden kann (s. 10, 24/25), bewähren fühlende Herzen sich deutlicher als je zuvor als das einzig Beständige. Zwar ist Hadlaub über seiner Aufgabe des Liedersammelns zum Dichter geworden (s. 9, 19), Titelheld der Eingangsgeschichte aber wird er kaum seiner poetischen Produktionen wegen, die er selbst als gering einschätzt (s. 9, 118); vielmehr erscheint an ihm bemerkenswert allein seine unverbrüchliche Liebe, sein Herz, auf das Fides (!) ihre »›sichere Burg und Heimat bauen . . .‹« will. Zu Recht, klingt doch Hadlaubs abschließendes Treuebekenntnis »mit volltönender sicherer Stimme, wie aus einer anderen als der bisherigen Brust, wie wenn sie wirklich aus Panzer, Schild und Helm hervorschallte, wie von der Mauerzinne einer festen Stadt herunter« (9, 122/23).

[29] Weder biographisch-psychologische noch psychoanalytische Argumentationen, etwa die von Eduard Hitschmann — Gottfried Keller. Psychoanalyse des Dichters, seiner Gestalten und Motive, Leipzig (usw.) 1919 —, reichen zur Erklärung dieses Phänomens aus.

[30] Diesem Sachverhalt nahe kommt zumindest der Titel der Arbeit von Paula Ritzler, Das Außergewöhnliche und das Bestehende in Gottfried Kellers Novellen. — In: DVjS 28, 1954, S. 373—83. Inhaltlich bringt die Abhandlung freilich in erster Linie eine Analyse des Außergewöhnlichen, das, wiewohl zutreffend definiert als das (charakterlich) Ausgefallene, d. h. Außer-Gewöhnliche, insgesamt doch so einseitig in den Vordergrund rückt, daß der Dichter

Stoffen (möglicherweise) zugrunde liegenden Idee, von Walter Calé[31] bis hin zu Wolfgang Preisendanz[32] immer wieder gestellt, hinreichend beantwortet sein, freilich zu Lasten jener inzwischen Allgemeingut gewordenen Ansicht, wonach sich auf der thematischen Seite des Kellerschen Oeuvres alles um die Achse Schein — Sein drehe. — Will man das Verhältnis beider Themenkreise zueinander näher bestimmen, empfiehlt es sich, noch einmal zu den Szenarien religiöser Entwurzelung zurückzukehren: ›Gott ist tot‹, behauptet die Wissenschaft seiner Zeit, und damit ist, nach Meinung des Dichters, aller Theologie, allem Priester- und Kirchentum der Boden entzogen. Das, wovon sie reden, ist, wo nicht Lüge oder Ausgeburt der Phantasie, so zumindest nicht mehr wißbar — und also auch nicht lehrbar. Gottes Wort, die christliche Lehre, ihre Jenseitsvorstellungen zumal, um die konkret es hier zu tun ist, das alles ist künftig »eine wesenlose Welt ...« (8, 418). Was er der Zunft vorwirft, ist Inkonsequenz, ja Unwahrhaftigkeit, d. h. hier das Verschweigen des Umstandes, daß die Sache, die sie vertreten, im Zeitalter der Naturwissenschaften zunächst einmal unklar (s. 8, 355 ff.) und unbestimmt (s. 8, 358) geworden ist. Diesen Prozeß des Sich-Verflüchtigens religiöser Substanz hat Keller im Bild festgehalten, wenn er die säulentragenden Erzengel des Paradiesgärtchens »gänzlich verwittert« sein läßt und die Freskomalereien der Decke mit ihren Engelscharen und Heiligen »verwischt und undeutlich wie ein Traum ...« (7, 171)[33]. Den gleichen Sachverhalt meint demnach die Episode in der ›Heidenstube‹, als Anna und Heinrich vermeinen, eine Wiederholung jener Vorfälle aus frühchristlicher Zeit zu erleben, denen die Szenerie ihren Namen verdankt. Daß das »Bild der Höhle ... verwirrt und verwischt« vor ihren emporgerichteten Augen schwimmt (4, 31), muß als ein Beweis angesehen werden für den Legendencharakter des Erzählten[34], wie sich die vermeintlichen Geister der verstorbenen Heidenleute als eine Bande Heimatloser entpuppen, Widersprüche, die wiederum abfärben sollen auf den Wahrheitsanspruch christlicher Glaubensinhalte überhaupt.

darüber — wie aus Gründen des Stils (s. S. 380/81) — zuletzt jede Fähigkeit zur Darstellung des Zuständlich-Dauerhaften verliert!

[31] Nachgelassene Schriften, hrsg. v. Arthur Brückmann, Berlin ²1907, S. 361.

[32] Gottfried Keller. — In: Deutsche Dichter des 19. Jahrhunderts. Ihr Leben und Werk, hrsg. v. Benno v. Wiese, Berlin 1969, S. 440—62, dort S. 443.

[33] Schon früher, bei Beschreibung von Vrenchens »einst bunt bemalte[r] Bettstatt«, war, zumindest in übertragenem Sinne, vom Himmel und seinen inzwischen »verblichenen Sternen« die Rede (7, 156/57).

[34] Entsprechend der Kellerschen These, wonach der Wahrheitsgehalt der Bibel nicht höher zu veranschlagen sei als etwa der alter Sagen- oder Märchenbücher (s. 4, 134). — Von daher erklären sich auch die vielfach ›legendären‹ Züge religiös bestimmter Figuren: Daß die Anna des Jugendromans »unverkennbar als Legendengestalt entworfen« sei, behauptet erstmals Louis Wiesmann — Gottfried Kellers »Sieben Legenden«. — In: Schweizer Monatshefte 39, 1959/60, S. 1201—15 —, ohne daß es dem Verf. gelungen wäre, die Funktion dieser ›Kostümierung‹ präzise zu benennen (S. 1207).

Wenn es augenblicksweise den Anschein haben mochte, als ließen sich — auf dieselben Texte angewandt! —, da also, wo bislang von Stationen des Ver- oder Entwurzeltseins die Rede war, die Begriffe Sein und Schein mit ebensolchem Recht zitieren, so ist am Ende, bei aller vielfältigen Überlagerung beider Aspekte, eine Identifizierung doch nicht verstattet, steht der Austauschbarkeit dieser Etikettierungen ein einseitiges Abhängigkeitsverhältnis entgegen: In der Erzählung vom Schicksal der Heidenleute wird das Moment des Scheinhaften (Zigeuner in rauchgeschwängerter Felshöhle) zugleich des Unnatürlichen verdächtigt[35], d. h. aber als Teil jenes (allgemeineren) Sachverhalts denunziert, der die Voraussetzung darstellt jeder schließlichen Entwurzelung. Womit eben der Punkt erreicht ist, von dem aus das Verhältnis von Schein und Dauer — von Preisendanz leider ebensowenig beachtet[36] wie das von Schein und Unnatur — präzise benannt werden kann: Schein als lediglich eine von vielen Weisen des Unnatürlichen — Naturwahrheit als Voraussetzung von Dauerhaftigkeit (vgl. p. 75)[37], mit beiden Zuordnungen stehen die angesprochenen Wortfelder (und -inhalte) da, wo sie einander tangieren, in einem Verhältnis, das, in der Sprache der Schullogik gesprochen, exakt dem von Unter- zu Oberbegriff gleichkommt.

Verwurzeltsein als Überwindung von Unnatur, Lüge und Schein, Daseinsverpflichtung als Ergebnis des Weges zur Naturwahrheit, damit ist, über die (notwendig abrißartigen) Lebensläufe der Erzählungen hinaus die Entwicklung auch des ›Grünen Heinrich‹ skizziert[38], ja es sind die Prämissen genannt jeder

[35] Dies namentlich im Kontrast zur Vegetation ringsum; wie denn die kirchturmhohe Felswand den Charakter einer Zwingburg (s. 3, 214. 8, 407) gewinnt, in der das natürliche Wesen des Menschen vergewaltigt wird, zumal die Höhle darin aussieht »wie ein recht breites Fenster an einem Turme« (4, 30).

[36] Dabei trägt die Einführung der zeitlichen Komponente nicht nur der spezifischen Strukturiertheit des Bedeutungsgefüges Rechnung — da, wo bisher lediglich die negativ-(scheinhafte) Seite eines in Wahrheit dialektischen Zusammenhangs beleuchtet wurde —, mit der Vorstellung des Überdauerns ist erstmals überhaupt eine plausible Begründung gefunden für die Verbreitung der Schein-Thematik. Sich dieser Erklärung verschließen kann demnach nur heißen, jede Möglichkeit, von der thematischen Seite her zum Nerv der Kellerschen Intentionen vorstoßen zu können, grundsätzlich in Abrede zu stellen. Kein Wunder, wenn der Verf. selbst als Folge dieses Dilemmas auf eine Erörterung der (humoristischen) Erzählperspektive ausweicht. Indessen ist die Behauptung, man verfehle »das Beste« an Keller, wenn man »das Interesse auf die Thematik ...« richte (a. a. O. S. 443), die Irritation, die ihn schließlich angesichts seiner eignen gehaltlichen Aussagen befällt, neben den früher (vgl. I, Anm. 79) bemerkten definitorischen Schwächen wesentlich auf die Vorläufigkeit des von ihm erkannten Themenhorizonts zurückzuführen, nicht aber Folge einer grundsätzlich bestehenden, in der Sache selbst gelegenen Aporie.

[37] die damit längst nicht mehr ein lediglich temporärer Begriff ist, vielmehr, indem sie das Natürlich-Wahre mit umschließt, eindeutig in ethische Bezirke hinaufreicht.

[38] Orthodoxes Christentum ist dem Dichter darum so verdächtig, weil es eine Welt falscher Hoffnungen aufbaut und so den Menschen von der Realität und ihrer Bewältigung abzuziehen imstande ist. Das Schicksal des Albertus Zwiehan, sein Abenteuer mit der nachmaligen Herrnhuterin Afra Zigonia Mayluft (!) soll dem Helden zur Warnung dienen. Heinrichs Ver-

dauerhaften Lebensverwirklichung. Wohl spielt der Schein bei Keller eine ungeheure Rolle, handeln viele Personen nach der Maxime, wichtig sei nicht, was man ist, sondern was man gelte, und man gelte so viel wie man scheine, aber das heißt nicht, daß der Dichter dieser Auffassung gegenüber nicht korrigierend aufträte. Zwar kann man lange Zeit hindurch mehr und anderes scheinen als man ist, am Ende aber siegen nicht Schein und Verstellung, wird noch jedem das Schicksal zuteil, das er seinem wahren Wesen nach verdient: »›Was er ist, das gilt ein jeder!/Gilt ein jeder doch am Ende/Und kein Jota mehr noch minder!‹« (2/1, 248). In dieser Überzeugtheit von der Erfüllung innerweltlicher Gerechtigkeit, mit der Belohnung der soliden Existenz und der Verwerfung verlogenen Wesens zeigt sich Kellers ebenso areligiöse wie eminent bürgerliche Denkungsart. — Noch einmal: Wo Gottes Wort keine verbindliche Kraft mehr besitzt, wo die christlichen Vertröstungen auf ein besseres Jenseits sich als wesenlos erwiesen haben, ist man angewiesen auf diese Erde, wörtlich verstanden auf den Boden, auf dem man steht. Hierher kommt dem Menschen die Kraft, hier gilt es, sich einzugraben, zu wurzeln, wenn man dauern will[39].

*

Weniger die Problematik von Schein und Sein als vielmehr die Dialektik von Vergänglichkeit und Dauer liegt den Handlungsabläufen Kellerscher Erzählungen zugrunde. Daß sich von diesem Spannungsfeld her über Einzelfälle hinaus die Tektonik eines ganzen Erzählzyklus ableiten läßt, dafür geben »Die Leute von Seldwyla« das prägnanteste Beispiel ab. Wenn alle unter diesem Titel zusammengefaßten Stücke vor ein und demselben Hintergrund spielen, dann bedeutet die Wahl speziell dieser Kulisse mehr als nur den Versuch, ansonsten heterogene Teile durch gemeinsames Lokalkolorit mühsam aneinanderzubinden, anderes auch als bloß privates Vergnügen an komischen Käuzen und schnurrpfeiferlichen Lizenzen: Seldwyla ist vielmehr eine Art immerwährender Herausforderung an seine Helden, Seldwylertum die ständige Versuchung, der jeder von ihnen ausgesetzt ist und die da lautet auf den Namen ›Unbeständigkeit‹. — Kollektivlaster einer ganzen Stadt, tritt dieser Sachverhalt im einzelnen (doch) in vielerlei Gestalt zutage, als ständiger Bewegungs- und Tatendrang der Bewohner (s. 8, 3), in einem geradezu ausschweifenden Verlangen nach Abwechslung (s. 7, 4), als Begeisterung auch für alles aufkommende Neue, seien es nun harmlose Modetorheiten (s. 8, 157; 179) oder geistig-geistliche Strömungen der

hältnis zu Anna müßte — unkorrigiert — in ähnlicher Weise am Leben vorbeiführen. Was im Wechsel der Personen (Anna — Judith) als Verführung zum Leben gemeint ist, ist auf begrifflicher Ebene der Schritt von Religion und Malkunst als Bereichen des Scheins und der Unnatur hin zu dauerhafter Lebensgründung — als ein zoon politikon.

[39] So gräbt die kleine Meret aus den frühen Partien des ›Grünen Heinrich‹ sich ein, erst in die Bohnen (s. 3, 52), dann ins Buchenloh (s. 3, 55).

folgenreichsten Art (s. 8, 105f.; 160). Was sich im privaten Bereich als Untreue kundtut (s. 7, 208ff.), geschäftlicherseits in unsolidem Finanzgebaren und weitgehendem Scheinverkehr (s. 8, 74f.) seinen Ausdruck findet, dies alles läuft auf staatlich-politischer Ebene auf nichts Geringeres denn auf Gesinnungslosigkeit hinaus (s. 7, 3).

Mit alledem stellt der Chor der Seldwyler eine Negativfolie dar, von der die Hauptakteure sich in mehr oder minder positiver Hinsicht abheben. Je nachdem, wie weit sie das Seldwylerische in sich haben aufkommen lassen oder überwinden lernten, finden sie am Ende zu dauerhaftem Lebensglück oder wenigstens solider Existenz. Dazu ist freilich, neben aller charakterlichen Energie und Willenskraft, ein guter Kern unabdingbar, eine Ansicht, die zu dokumentieren Keller die letztendlich ›Gutbestehenden‹ entweder von außerhalb kommen, also Zugereiste sein läßt (Frau Regula; Dietegen), oder (umgekehrt) dazu bringt, nach — nicht selten in der Fremde! — bestandener Probezeit der leichtlebigen Heimat für alle Zukunft den Rücken zu kehren[40]. — Um eben diesen Kontrast aber — hie ›Aufrechte‹, dort falliertes oder fallierendes Volk — war es dem Dichter zu tun als der Möglichkeit, die Leistung des einzelnen demonstrativ hervorzukehren und damit — dies die pädagogische Absicht — zu bekräftigen, worauf es seiner Meinung nach (und im Gegensatz zur communis opinio wie zum sog. ›Normalverhalten‹) ankomme im Leben. Nur so ist schließlich die einschränkende Bemerkung des (ersten) Vorworts zu verstehen, er, Keller, wolle nicht eigentlich »solche Geschichten, wie sie in dem beschriebenen Charakter von Seldwyla liegen, ... erzählen, sondern einige sonderbare Abfällsel, die so zwischendurch passierten, gewissermaßen ausnahmsweise ...« (7, 6).

3. Symbol und Realität

Noch ein weiteres ist mit Anerkenntnis der zentralen Idee des Überdauerns, ihres beherrschenden Einflusses auf Fabelgerüst wie Zyklenbau gewonnen, die Antwort auf die Frage nämlich, wie denn Keller nun eigentlich zu lesen sei. Sicher nicht in Erwartung realistischer Erzählweise. Wenn sein ganzes Werk, wie behauptet, von dem Versuch lebt, den Stachel der Vergänglichkeit zu überwinden, dann muß dies Auswirkungen haben auch auf das Verhältnis des Künstlers zu den Realien und die Art ihrer Verwendung. Entsprechend ist das Fazit des einleitenden Exkurses, demzufolge ein Großteil vordergründig scheinender Realität sich als ›bedeutend‹ oder, um es anspruchsvoller zu sagen, symbolisch erwies, zu ergänzen durch die These, daß über Wert oder Unwert, Beschreibung oder Nicht-

[40] Dies der Fall Pankrazens; nicht anders handeln Strapinski, Gritli, Jukundus. — Dagegen kehrt Herr Kabys von seinem Augsburger Abstecher zwar nach Seldwyl zurück, doch ist die Schmiede, in der man ihn zuletzt antrifft, wenn auch nur knapp, immerhin vor den Toren der Stadt gelegen (s. 8, 112).

beachtung jeden Details einzig dessen (jeweils zu ortende) Position innerhalb der Koordinaten Dauer/Nichtdauer, d. h. aber funktionale Kriterien entscheiden.

Diese Behauptung zu belegen, bietet sich über die Welt der Dinge hinaus in erster Linie der Bereich der Personenbeschreibung an. War das sichere Auftreten, die ruhig feste Gangart der Bauern zu Anfang der ›Romeo‹-Novelle Zeichen antäischer Wesensart, die aufrechte Haltung der Pflüger ist konstitutioneller Natur, basiert auf dem knochigen Körperbau der beiden Männer, wie denn bereits das äußere Erscheinungsbild, die Kleidung etwa »von starkem Zwillich, an dem jede Falte ihre unveränderliche Lage hatte und wie in Stein gemeißelt aussah« (7, 86), den Eindruck des schier Unverwüstlichen hervorruft. — Bei den Frauen liegt der Akzent naturgemäß weniger auf der Betonung physischer Robustheit, dennoch gilt Festigkeit, körperlich wie geistig-moralisch verstanden, auch hier als ein Ideal: So ist Frau Amrain zwar schlank, aber doch kräftig gewachsen, dazu frisch, groß und handfest von Erscheinung (s. 7, 194). Was sie und die Besten ihres Geschlechts auszeichnet, ist, bei aller Leidenschaft, das Moment des gesittet Ordentlichen, wie es zum Ausdruck kommt vor allem in wohlgeordnetem (s. 7, 151) oder sorgfältig geflochtenem Haupthaar (s. 7, 194).

Kellers eigentliches Interesse indes gilt dem menschlichen Antlitz, insofern es das »›Aushängeschild‹« darstellt »›des körperlichen wie des geistigen Menschen‹« (11, 57. vgl. 7, 195). Was etwa das Gesicht der Fides angeht, so gibt es darin durchaus »keine unklaren topographischen Verhältnisse, keine unbestimmten oder überflüssigen Räume, Flächen und Linien, alle Züge waren bestimmt, wenn auch noch so zart geprägt, wie in einem wohl vollendeten Metallguß ...« (9, 93). — Das Ganze des Gesichts wiederum wird beherrscht von den Augen als dem Spiegel der Seele, den Fenstern im Haus des Herzens. An ihnen allein ist menschliche Seinsart ablesbar: Wenn bei Gelegenheit von Salis und Vrenchens erster Vorstellung »weiter ... nichts Auffälliges« an den Kindern auszumachen ist, »als daß beide sehr hübsche Augen hatten ...« (7, 88), dann stellt diese ebenso unvollständige wie positive Auskunft doch bereits eine Art Wechsel dar auf die spätere absolute Gutartigkeit der beiden (hier noch unfertigen) Geschöpfe. Dietegen, der Findling, erregt das Wohlgefallen des Forstmeisters namentlich, weil er »›sehr gute Augen‹« hat (8, 236). Selber groß und offen in die Welt blickend (s. 8, 249), gibt dieses Mannes Mienenspiel sein Denken und Fühlen so unverhüllt wieder, daß es seiner späteren Gattin zur Zeit ihrer Brautschaft genügt, auf die Augen des Geliebten zu sehen (s. 8, 260), um seiner Empfindungen sicher zu sein und die Falschheit und Ranküne der Violande weder zu beachten noch überhaupt zu bemerken. — Gute Augen, das heißt vor allem offene Augen, Augen, in deren Klarheit und Tiefe sich die Wahrheit eines unverstellten Wesens zu erkennen gibt[41]. Andererseits bietet gerade der Augenflirt (neben Kleiderputz und ver-

[41] Das menschliche Auge, es ist mehr als nur ein Spiegel der Seele, es ist die Seele selbst, und um eben dieser Identität, um des direkten Zugangs Psyche — Welt willen geschieht es, daß Keller

stellter Rede) den Frauen Gelegenheit zu Schein[42] und Verstellung. Der verhangene Blick der Dame Litumlei, weniger Ausdruck einer schläfrigen Natur, als vielmehr Kennzeichen gefährlich-zweideutigen Wesens, die erotischen Signale aus schmaler Augenzwinkerung (s. 8, 102) bringen Herrn Kabys nicht nur um den Verstand, in letzter Konsequenz werden an ihnen alle seine Zukunftspläne von Reichtum und Glück zuschanden.

Was immer Keller am menschlichen Erscheinungsbild hervorzuheben sucht, es dient dem Aspekt des Bleibenden[43]. Auch darin Teil eines spezifisch bürgerlichen Wertsystems, umkreisen seine Urteile beharrlich zwei Pole: den der Wahrheit zu dem der Dauer. Fest, stark, kräftig von Wuchs, körperlich durabel sind seine vorbildhaften Gestalten, dazu unwandelbar von Gesinnung, zuverlässig und unverstellt, im Denken solide und ehrenfest, ohne Rückfälle, unveränderlich und von unbedingter Treue. — Dies zu demonstrieren, bedarf es, was den Aufwand an charakteristischen Merkmalen, den Umfang des Beschreibens angeht, geringer Mittel bei nur schmalem Raum; überspitzt formuliert, ließe sich behaupten, daß menschliche Erscheinung, verstanden als Bedeutungsträger[44], auf die Wiedergabe eines einzigen Details, des Organs ›Auge‹, zusammenschrumpfen kann[45].

seine Gestalten so gut wie nie Augengläser tragen läßt. Wo dies ausnahmsweise doch einmal der Fall ist, dienen sie weniger der Korrektur eines Sehfehlers — Viggi Störtelers Brille besteht aus gewöhnlichem Fensterglas in Goldeinfassung (s. 8, 129) — als vielmehr der (zumindest zweifelhaften) Erhöhung des Ansehens, womit der Gebrauch dieses Requisits prompt eine Eintrübung auch des Verhältnisses Welt — Psyche zur Folge hat.

[42] Frau Ännchen versucht den Schulmeister Wilhelm mit einem wohlberechneten Augenaufschlag: »Es war freilich kein echter und ursprünglicher Blick, sondern einer aus der Fabrik, ein böhmischer Brillant ...« (8, 207); dagegen strahlt Gritlis (liebendes) Auge womöglich weniger verführerisch, statt dessen aber »viel tiefer und klarer« (8, 214).

[43] Umgekehrt werden alle gegenteiligen Anzeichen, selbst ein so unverdächtig scheinendes Phänomen wie das der Kahlköpfigkeit, sorgfältig gemieden oder ängstlich versteckt, um nicht, wie das Beispiel des Singmännleins aus der Züricher Novelle »Hadlaub« lehrt (s. 9, 99/100), die Assoziation ›Totenschädel‹ aufkommen zu lassen. Was die äußern Anzeichen angeht, bleibt Kellers Personal mithin sozusagen alterslos.

[44] Natürlich kennt Keller daneben andere für die Beschreibung relevante Gesichtspunkte, etwa die Betonung des Üppig-Großen als Voraussetzung für den Schönheitscharakter einer Gestalt. Wo der harmonisch-ganze Mensch zum Ideal erhoben ist, gewinnt die Disproportion der äußern Erscheinung bezeichnenden Charakter.

[45] Daß Keller, was den Umriß der menschlichen Gestalt angeht, vielfach mit ›Leerstellen‹ arbeitet, hat schon Joachim Müller — Vergleichende Studien zur Menschenauffassung und Menschendarstellung Gottfried Kellers und Adalbert Stifters, Diss. Leipzig 1930 — erkannt, wenn er »das Holzschnittartige mancher Kellerschen Menschen« hervorhebt, »das Scharfprofilierte, das Großkonturige vieler seiner Gestalten« (S. 91). Da er diese Eigenart von der perspektivischen Einstellung auf das Besondere ableitet (s. S. 90), ist er genötigt, den Dichter schließlich unter die »›Entzauberer des Menschen‹« einzureihen (S. 128), eine Ansicht, die sich, unabhängig von ihrem (eventuellen) Wahrheitsgehalt, freilich kaum mit der an anderen Stellen behaupteten realistischen Technik und Gesinnung Kellers verträgt.

Solidität des Exterieurs — damit wird nun keineswegs jede Wandlungsmöglichkeit menschlichen Wesens geleugnet, vielmehr gilt auch hier das Paradoxon der Wechseldauer als Richtschnur. Ruhe in der Bewegung, auf den Menschen angewandt, den Bereich der Charakterologie übertragen[46] bedeutet dies: Durchhalten bestimmter Eigenschaften bei Fähigkeit zu Wandel und Anpassung. So ist der Mensch für Keller seiner Natur nach wandelbar, ja zur Unbeständigkeit neigend[47], das Ideal aber ist nicht proteische Wandlungsfähigkeit, sondern Bewahrung des ursprünglichen Kerns unbeschadet aller später notwendigen Korrekturen. Wo Wandelbarkeit allzu ausgeprägt hervortritt, hat er diesem Zug im Bilde des Hexenhaften einen deutlich negativen Akzent verliehen. Sosehr frauliche Wandlungsfähigkeit — in harmloser Form[48] — das Entzücken der Männerwelt hervorrufen kann, wo man vor den Augen der Welt jede beliebige Rolle zu spielen imstande ist, da ist man nicht zufällig von Berufs wegen Schauspielerin (Kätter Ambach) oder in buchstäblichem Sinne böse Hexe, wie die zauberkundige Beghine (»Spiegel, das Kätzchen«); wie denn Unstetigkeit im Umkreis der ›Legenden‹ satanische Züge erhält[49].

Wandlung muß, soll sie positiv bewertet werden, bei aller (möglichen) Plötzlichkeit und Radikalität doch ein Moment der Beharrung enthalten, eine Bedingung, die überall da gegeben ist, wo sie sich als Entfaltung des ursprünglichen Wesenskerns erweist. Als Strapinski die ihm aufgenötigte Grafenrolle innerlich akzeptiert hat, heißt es: »Nun war der Geist in ihn gefahren. Mit jedem Tage

[46] Wilhelm Salber — Charakterentwicklung, Wuppertal/Ratingen/Düsseldorf 1969 — entwirft am Beispiel des sich wandelnden Pankraz (vom Schmoller zum Lebensbejaher) eine Methode, der es gerade darauf ankommt, in aller seelischen Verwandlung — als dem Schlüssel zum Verständnis jeden Charakters (s. S. 51) — den Gedanken der Einheitlichkeit psychologischer Zusammenhänge festzuhalten (s. S. 204). — Indem es psychologische Morphologie betreibt, versteht sich das Buch zugleich als Weiterführung der traditionellen psychoanalytischen Methode.

[47] Wie sehr, zeigen die endlos wiederholten Prüfungen, die das Fräulein in der Erzählung von ›Spiegel, dem Kätzchen‹ ihren Freiern auferlegt (s. 7, 345 ff.; 351), Treuebeweise (und Uneigennützigkeitsproben), wie sie zwar nicht in dieser Häufung, wohl aber in ähnlicher Funktion überall in Kellers Werk wiederkehren.

[48] Das Veränderlichste am äußern Erscheinungsbild einer Frau ist (nächst der Kleidung) die Frisur; entsprechend groß ist Wilhelms ungläubiges Staunen beim Anblick Gritlis, hervorgerufen durch die veränderte Haartracht der Geliebten (s. 8, 212).

[49] Darüber hinaus ist dies vor allem der Fall des schwarzen Geigers, dem »das kleine Filzhütchen ganz unheimlich« steht, »welches nicht rund und nicht eckig und so sonderlich geformt war, daß es alle Augenblicke seine Gestalt zu verändern schien, obgleich es unbeweglich saß, und von den Augen des Kerls war fast nichts als das Weiße zu sehen, da die Sterne [— man vergleiche die in der Bezeichnung Augen-›Stern‹ gelegene Pervertierung des eigentlichen Bildgebrauchs, wonach fester Blick und Fixiertheit der Himmelskörper einander entsprechen! —] unaufhörlich auf einer blitzschnellen Wanderung begriffen waren und wie zwei Hasen im Zickzack umhersprangen« (7, 131). — Von Buz Falätscher heißt es, daß man aus seinem Gesicht nicht klug werden konnte; zu viele kleine Flächen gab es darin, »die immerwährend zitterten, wie ein von der Luft bewegter Wassertümpel . . .« (9, 142).

wandelte er sich, gleich einem Regenbogen, der zusehends bunter wird an der vorbrechenden Sonne« (8, 33). Pankraz hat, wenn er in der Fremde plötzlich zu arbeiten beginnt, sich zuvor doch alles aufmerksam angesehen (s. 7, 27 u. 30). Die beiden Regenbogenschüsselchen in Küngolts Lade sind zu verstehen als Hinweis auf das später wechselseitige Sich-Anverwandeln der Helden (s. 8, 240. 12, 36ff.; 244/45). Mit diesem Bild des Regenbogens als des sinnlichen Zeichens für den Sachverhalt ›Wechseldauer‹ ist die Brücke geschlagen zum Ausgangspunkt des vorliegenden Kapitels, der behaupteten Dominanz des Bedeutungscharakters der Realien, wie wir zum Ursprung dieses Begriffs, den Goetheschen Versen zu Beginn des zweiten ›Faust‹-Teils, gefunden haben.

*

Nicht nur seinem Erscheinungsbild nach ist der Mensch wesentlich Bedeutungsträger, auch sein soziales Umfeld, speziell seine Berufswelt, wird auf diesen Hintergrund bezogen. Wenn wir den ›Schmied seines Glückes‹ insgesamt dem Aspekt der Verwurzelung unterstellt haben, dann gilt dies über die privaten Sehnsüchte der Akteure hinaus nicht minder für deren berufliche Qualifikationen oder Zielvorstellungen: Vor die Notwendigkeit gestellt, etwas Wirkliches zu arbeiten, ergibt sich im Falle des Herrn Kabys, daß er gar nichts kann als »vortrefflich rasieren« (8, 80), ein Umstand, der ihm zwar bei der ersten Berührung mit Litumlei glänzend zustatten kommt, mittels des Charakteristikums ›Seifenschlagen‹ aber an Schaumschlägerei erinnern und so das ursprünglich Unsolide seiner Existenz andeuten soll[50]. Während John in einer frühen Fassung am Ende wieder in seinem Seldwyler Barbierstübchen landet (s. 8, 447), bringt die Schlußredaktion (1873) als Fazit des Augsburger Abenteuers den Verzicht auf alles »flunkernde Ziergeräte« (8, 86), aus dessen Erlös er »eine kleine alte Nagelschmiede vor dem Tore« erwirbt, »in der zwei oder drei Arten einfacher Nägel gemacht wurden«; eine Transaktion, bei der überdies ein alter Geselle mit in den Kauf geht, »von dem der neue Inhaber die Hantierung selbst ohne viel Mühe erlernte und dabei noch ein wackerer Nagelschmied wurde ...« (8, 112). – An die Stelle von Nagel und Hammer können Nadel und Faden treten, wenn es darum geht, das einmal Erreichte zusammenzuhalten oder zu befestigen. Beide älteren Kammacher verwahren unter ihren Habseligkeiten eine »hölzerne Nadelbüchse«, die im Falle Jobstens »scherzhafterweise ein kleines Wickelkindchen ...« darstellt (7, 271). Was es mit diesem ›Scherze‹ auf sich hat, lehrt die Freude Justinens, die sie bei dem Gedanken bewegt, »daß sie den lieben schönen guten Mann

[50] Sein erster vergeblicher Anschlag auf das Vermögen der Dame Oliva endet bezeichnenderweise damit, daß Herr John »das glänzende Oliva entschwinden« sah »wie eine schimmernde Seifenblase im Ätherblau ...« (8, 79).

[Jukundus] in ihr Vaterhaus ziehen und dort mit aller Vorsorge einspinnen[51] und in Seide wickeln könne wie ein zerbrechliches Glasmännchen« (8, 336). Auch Fingerhut und (Steck-)Nadel aus Züs Bünzlins Lade gehören demnach zusammen als Utensilien der Vorsorge, während der Schneiderberuf insgesamt[52] ähnliche Bedeutung gewinnt wie die Ausübung des Schmiedehandwerks[53]. Selbst über diese Berufsfelder hinaus dominiert das Motiv des Zusammenfügens, etwa, wenn im Falle der Schustergilde deren Hantieren mit Pechdraht in den Vordergrund gerückt wird (s. 11, 376); oder der Buchbinder — zu Anfang der ›Pankraz‹-Novelle mit dem Schuster in einem Atem genannt —, obzwar kein echter Zunftgenosse, dennoch, und dies ist entscheidend, »nur so aus dem Stegreif allerhand Pappkästchen zusammen ...« leimt (7, 17; vgl. 281). Kein Zufall, daß Viggi Störteler, nachdem er seine Frau zugunsten der Kätter verstoßen hat, beim Verlassen des Gerichtssaals nacheinander die Schelte von Schuster, Knopfmacher und Kupferschmied über sich ergehen lassen muß. Vox populi, gewiß, doch sind diese Stimmen nicht beliebig herausgegriffen, vielmehr wird gerade im Kontrast zu den Ansichten ›gestandener‹ Männer das ganz und gar leichtfertig Unseriöse von Viggis Entscheidung offenbar. »›Er hats wie der Teufel‹«, läßt der Kupferschmied sich vernehmen; »›ich muß mich verändern! sagte der, nahm eine Kohle unter den Schwanz und setzte sich auf ein Pulverfaß‹« (8, 172). Wo immer dagegen jene Seldwyler, die versäumt haben, rechtzeitig im Leben Fuß zu fassen, dies am Ende ihrer Tage nachzuholen versuchen, ergibt die Summe ihrer Bemühungen nichts anderes als eine nahezu vollständige Aufzählung aller bisher erwähnten Tätigkeiten: »Die Falliten und Alten ... hämmerten, näheten, schusterten, klebten, schnitzelten und bastelten gar emsig darauf los, um den langen Tag zu benutzen und einen vergnügten Abend zu erwerben, den sie nunmehr zu würdigen verstanden« (7, 16).

Bei alledem meint die Erwähnung der beruflichen Sphäre mehr noch als bloßes Überdauern qua gesicherter Lebensstellung. Was man letztlich erstrebt über alle materielle Absicherung hinweg, ist das Glück, am intensivsten verfolgt von Herrn Kabys, der längst schon den Glücksschmiedehammer schwingt, ehe er realiter

[51] Dies für gewöhnlich die Haltung der Frauen bei Keller. So und aus diesem Grunde sehen wir Pankrazens Mutter am Spinnrad beschäftigt, während Estherchen unablässig zu nähen scheint (s. 7, 17).

[52] Am nachhaltigsten im Falle Wenzel Strapinskis, der mit einem Fingerhut (s. 8, 7; 22), d. h. mit nichts anfängt und am Ende durch seiner Hände Arbeit als reicher Tuchherr dasteht (s. 8, 68).

[53] Vertreter beider Zünfte geben denn auch überall da den Ton an, wo es aufs Zusammenhaltend-Dauernde ankommt, etwa unter den Handwerksmeistern der ›Fähnlein‹-Novelle (s. 10, 3 u. 19), wo Schneider und Schmiede (drei von sieben) eindeutig dominieren und selbst bei Schreinern und Zimmermeistern ans Zusammenfügen mehr denn an Zersägen gedacht ist. Vgl. ferner die Beschreibung des Künstlerfestes im ›Grünen Heinrich‹, in dessen Verlauf dem (beruflich erfolglosen) Helden mit Hilfe der Zunftparade die Vorzüge einer solideren Daseinsform vor Augen geführt werden sollen 5, 198 ff.

anfängt, das Hantieren an der Feueresse zu erlernen. Freilich steht das Ergebnis in keinem Verhältnis zu den dabei aufgewendeten Mühen, und auch dies ist sowenig zufällig wie damit zu erklären, daß John die Sache etwa nur falsch anfasse. Vielmehr ist sein Fiasko wesentlich begründet in dem Umstand, daß gerade das Glück nach Kellers Meinung zu den vergänglich-flüchtigsten Erscheinungen dieser Erde zählt! Kein Wunder also, wenn es immer wieder mit den früher ausgemachten Zeichen des Unbestands, mit Fisch- und Vogel-Emblemen also, belegt wird: Sali und Vrenchen, um Gelegenheiten zum Küssen verlegen, suchen den Himmel nach Lerchen ab, »und wenn sie glaubten, flüchtig eine in der Sonne aufblitzen zu sehen, gleich einem plötzlich aufleuchtenden oder hinschießenden Stern am blauen Himmel, so küßten sie sich wieder zur Belohnung ...«, wobei eben dieser Brückenschlag zwischen Glück und winzigem Vogel hoch droben[54] »die Vergänglichkeit alles Lebens mitten im Rausche der Blütezeit ahnen läßt« (7, 135). Entsprechend liegt den Erfahrungen, die Landolt mit seinen Schätzen macht, die Vorstellung von der Kurzlebigkeit noch jeden Liebesglücks[55] zugrunde, ein Umstand, der erklären kann, weshalb der Vielgeprüfte ungeachtet aller fraulichen Kapricen am Ende dennoch kein Misogyn wird. — Je weniger greifbar das Glück, desto mehr sind die Menschen darauf versessen, seiner habhaft zu werden. Nicht nur Kabysens fortwährende Anschläge zeugen davon, auch Litumleis Verhalten muß nunmehr in diesem Lichte gesehen werden: Mit der Schaustellung seines Reichtums wirft er quasi nur die Angel aus, das Glück zu ködern[56]. Und ebenso sind die Schmiede und Schneider damit beschäftigt, etwas vom Glück zu erhaschen, es womöglich an die Wand zu nageln (s. 8, 102). Die Mutter des Jukundus geht, kaum daß sie der Neigung ihres Sohnes innegeworden ist, ungesäumt »an die Arbeit ..., um ein Glück zu schaffen, wohl angemessen und gut genäht« (8, 315)[57], und sie gibt sich erst zufrieden, als

[54] Später werden die Liebenden selbst den Vögeln, genauer gesagt jungen Wachteln im Nest verglichen (s. 7, 135).

[55] Auch der Fisch taucht bei dieser Gelegenheit noch einmal auf, etwa, wenn Fridolins Nadelbüchse statt des Wickelkindes einem solchen Tiere nachgebildet ist (s. 7, 271); vgl. ferner die Redensart vom Schwänzchen oder Federchen des Glücks 10, 224, die sowohl die Flüchtigkeit der Liebesgötter bestätigt wie die bis zur völligen Austauschbarkeit identische Aussagekraft von Fisch und Vogel erhärtet. — Keineswegs aber handelt es sich, was die Schilderung der Vogelwelt bei Keller angeht, um, wie Henrich Brockhaus — Der berittene Naturforscher in Kellers ›Sinngedicht‹. Das Pferd als Symbol bei Gottfried Keller. — In: GQ 42, 1969, S. 368—80 — vermutet, einen lediglich »äußeren visuellen Vergleich ...« (S. 379).

[56] Ähnlich Kabys mit seinen Kleinodien (s. 8, 73/74). Hier müssen noch einmal die angelnden Falliten erwähnt werden. Gleichgültig, ob man mit Angelrute, Netz (s. 8, 77) oder bloßen Händen (s. 7, 116) zu Werke geht, die Chance, das Glück zu greifen, ist allemal so groß oder so klein wie bei einem Lotteriespiel.

[57] Ebenso ist Fides' Geschenk an Hadlaub, die Nadelbüchse (s. 9, 94/95 u. 110), ein Glückssymbol oder Talisman und darin gemünzt auf die erwünschte Dauer dieses Verhältnisses.

Jukundus und Justine vermählt sind, die Braut mit all ihrer Fahrhabe eingetroffen ist, so daß »das geschmiedete oder in diesem Falle das genähete Glück endlich für eine gute Dauer in dem Hause zu wohnen« scheint (8, 330)[58].

So ist Keller am Ende weniger der Verherrlicher handwerklicher Tüchtigkeit, als den man ihn gepriesen — und mißverstanden hat[59], nicht realistischer Schilderer sozialer Zustände aus der vorindustriellen Zeit seiner engeren Schweizer Heimat, vielmehr erweist sich der Blick auf die beruflich-soziale Seite seiner Figuren als ein Mittel, allgemeine Befindlichkeiten (unerfüllt-unerfüllbares Glücksbedürfnis) ebenso wie das ›Gesetzte‹ oder gefährlich Schwankende im Charakterbild des einzelnen aufzeigen zu können. — Wir haben von Kellers genereller Vorliebe fürs Ländlich-Landschaftliche gesprochen (vgl. Kap. I); speziell den in diesem Zusammenhang registrierten ›Bodenkult‹ betreffend, ist der Landbewohner dem Städter gegenüber naturgemäß im Vorteil. Am deutlichsten zeigt sich dies im Kontrast der so selbstbewußt und zielsicher taktierenden wie unbeirrbar pflügenden Bauern zu der Ohnmacht des Steckleinspringers aus dem nahen Seldwyl (s. 7, 89). Daß es in dieser Szene sowenig wie andernorts darum geht, bloß bäuerliche Welt darzustellen — was, wie das Beispiel Gotthelfs beweist, für einen Realisten eine durchaus lohnende Aufgabe sein kann —, den Landmann etwa bei der täglichen Arbeit zu zeigen, mögen Art und Zeitpunkt der Schilderung von Martis Hof verdeutlichen: Es ist des Nachdenkens wert, daß in einem Text, der das Schicksal zweier Bauernfamilien zum Thema hat, in einer ›Dorfgeschichte‹ also, bäuerlicher Alltag, ländliche Umgebung erstmals gezeigt werden, als das fragliche Anwesen hoffnungslos heruntergewirtschaftet und — nicht anders als sein Besitzer — dem endgültigen Niedergang überantwortet ist; wie dem Erzähler wesentlich daran gelegen scheint, die Spuren derartigen Verfalls bloßzulegen. So gesehen ist der Berufswechsel des Oheims (»Der grüne Heinrich«) alles andere als zufällig, vielmehr programmatisch zu verstehen, bezeugt die Hinwendung zu ländlicher Arbeit, wie sie Heinrich gleich bei seiner Ankunft im Dorf demonstriert bekommt, nicht weniger als den Willen, im Leben Fuß zu fassen, die mit Verblassen des religiösen Überbaus notwendig gewordenen Korrekturen vor-

[58] Ihr Mißtrauen, daß nicht vorhalten könne, »was sie nicht gesponnen und gewebt« (8, 372), verweist darauf, daß auch mit dieser Art Beschäftigung nichts anderes beabsichtigt ist, als das Glück herbeizulocken. Vgl. den Bericht von Heinrichs Landsmann über das Treiben der Frau Lee, demzufolge diese den ganzen Tag über am Fenster sitzt und spinnt: »›Wie es scheint, glaubt sie durch diesen Vorrat weißen Tuches, das sie jedes Jahr weben läßt, ... [Heinrichs] Glück herbeizulocken, gleichsam wie in ein aufgespanntes Netz, damit es durch einen tüchtigen Hausstand ausgefüllt werde ...‹« (6, 110).

[59] Dies letztere etwa bei Leo Löwenthal — Gottfried Keller — die bürgerliche Regression. — In: L. Löwenthal, Erzählkunst und Gesellschaft. Die Gesellschaftsproblematik in der deutschen Literatur des 19. Jahrhunderts, Neuwied/Berlin 1971, S. 206—25 —, der einer abfälligen Bemerkung des Dichters über den Waschfrauenstand fälschlicherweise eine soziale Dimension beimißt (s. S. 208).

zunehmen. Von dem sinnbildlichen Charakter solcher Ereignisse her (s. 8, 178 ff.)[60] mag schließlich Kellers Vorliebe für Kulturlandschaften einsichtig werden[61].

*

Realität als Bedeutungsträger, das meint auch, daß die Details, die uns mitgeteilt werden, keineswegs so disparat und gleichsam ›prosaisch‹ im Raum stehen, als daß es einer vermittelnden Erzählperspektive bedürfte, um aus Bruchstücken unpoetischer Wirklichkeit (vor dem geistigen Auge des Lesers) etwas wie den Erwartungshorizont einer schöneren Welt erstehen zu lassen. Wolfgang Preisendanz[62] hat uns ein solches, wie er meint, für Keller typisches Beispiel humoristischer Erzählpraxis[63] vorgestellt in Gestalt und Beschreibung des Herrn Amrain. — Der Versuch hingegen, den Gatten der Frau Regula vor dem Hintergrund des (von uns) skizzierten Bedeutungszusammenhangs zu sehen, ergibt dies: Mit Ankauf des Steinbruchs verschafft Herr Amrain sich nicht bloß die für den Abbau seines Übergewichts nötige Motion, indem er das Knopfmacher-Metier liquidiert (s. 7, 191), gibt er es vielmehr auf, sich fernerhin »einzuknöpfen und steif aufrecht zu halten« (7, 2/3), setzt ein Vorgang ein der Entwurzelung, für den, realisiert man die typischen Arbeiten des Herausbrechens von Material, des Lossprengens von Bodenformationen, nichts bezeichnender sein könnte als eben die Episode ›Amrain als Steinbruchbesitzer‹. So ist diese berufliche Veränderung symptomatisch zu werten als Zeichen für den tieferliegenden Gesinnungswandel dieses Mannes, Beweis auch einer menschlichen Unzuverlässigkeit, die durch Flunkergerät und Sammetweste (s. 7, 192) eher betont als kaschiert wird. Und was seinen sonstigen Habitus anlangt, so sind namentlich von der großmächtigen Statur her (als Folge unbezähmbarer Eßbegier) Rückschlüsse erlaubt auf einen hochgradigen Egoismus (s. dazu p. 141 f.), der ihn schließlich selbst die Liebe seiner Frau aufs Spiel setzen läßt zugunsten bloßer Bequemlichkeit, verbunden mit einem höchst zweifelhaften Zuwachs an sozialem Prestige. Hinter der Wendung »vom Steinbruch [weg] und in die Welt hinaus« (7, 193) verbirgt sich demnach nicht weniger als die Andeutung der diesem Windbeutel gestellten Aufgabe, dort draußen

[60] Vgl. den zu Strapinskis Konsolidierung anscheinend unentbehrlichen Abstecher aufs Land als dem einzig erfolgversprechenden Schauplatz für die von Nettchen arrangierte Aussprache 8, 53 ff.

[61] Nicht dagegen sollte deren Vorherrschen dazu verleiten, von chthonischem Realismus zu sprechen und, wie Heinz Otto Burger — Der Realismus des neunzehnten Jahrhunderts. 1832—1889. — In: Annalen der deutschen Literatur, hrsg. v. H. O. Burger, Stuttgart 1952, S. 621—718 — dies tut, zum Verständnis des Kellerschen Werkes die Philosophie Bachofens zu bemühen (s. S. 676).

[62] a. a. O. S. 445/46; erstmals in: W. Preisendanz, Humor als dichterische Einbildungskraft. Studien zur Erzählkunst des poetischen Realismus, München 1963, S. 173/74.

[63] die sich freilich, wo die Ansehnlichkeit eines Menschen quasi mit der Elle gemessen werden kann, eher als ironisch getönt erweist.

erdenschwer zu werden wie auch das phäakenhaft Sybaritische (s. 7, 192) abzulegen zugunsten selbstloserer Gesinnung. Solchermaßen gewandelt, darf er allenfalls heimkehren und, indem er die Achtung seiner Frau zurückgewinnt, überdies hoffen, zuletzt doch noch in die Schar der zuverlässig Dauernden aufgenommen zu werden.

Natürlich bleibt, selbst wenn man dieses Psychogramm akzeptiert, eine Masse von Unbelichtetem, doch wirft das wenige Vorhandene, recht verstanden, immerhin die für eine erste Taxierung unbedingt notwendigen Indizien ab, wie es wenigstens die Umrisse von Herrn Amrains fernerem Schicksal (seit Vertreibung aus Seldwyla) andeutet. Freilich ist es bei (vom Dichter gewollten) Puzzlespielen dieser Art mit metonymischer Potenz (der Details) allein nicht getan, gibt es bei Keller nichts bloß Faktisches, für den Interpreten nicht die Haltung des ›lediglich‹ oder ›nichts außer‹. Vielmehr erweist alle Faktizität sich als ›zugeordnet‹, ja ihrem jeweiligen Stellenwert nach genau bestimmt (und bestimmbar). Hier wie anderswo ist es das vielberufene Spannungsverhältnis von Vergänglichkeit und Dauer, das der Auswahl und Bewertung von Realien, der Personenbeschreibung wie den Handlungsabläufen, ja zuletzt der Tektonik ganzer Erzählzyklen zugrunde liegt als der gemeinsame Hintergrund, auf den, nach des Dichters eigener Aussage, alles zurückgeführt werden muß. Wo aber »alles richtige Bestreben auf Vereinfachung, Zurückführung und Vereinigung des scheinbar Getrennten und Verschiedenen auf Einen Lebensgrund«, auf Integration per Bedeutung (sprich Verwurzelung) also hinausläuft (5, 7), wird man einer solchen Kunst das Prädikat des ›Symbolischen‹ kaum versagen können. Ihr Einheitscharakter mag dabei um so einleuchtender werden, je mehr das Werk sich dem Interpreten, unabhängig von den jeweiligen Erzählinhalten, als ein Geflecht von Motiven darstellt, die nicht nur Deutungen erlauben, sondern mehr noch einer Systematisierung zugänglich sind[64]; kaum aber bedarf es zur Erhärtung dieses unitarischen Zuges der behaupteten (humoristischen) Vermittlung seitens des Erzählers. — Wie weit das geläufige Synonym vom Humoristen und Realisten Keller einer kritischen Überprüfung standhält, wird uns noch zu beschäftigen haben, hier ist wichtig festzuhalten, daß der aufgezeigte Symbolcharakter dem behaupteten Realismus im Wege steht

[64] die auszuführen eine Sache der Zukunft bleibt, eine Aufgabe, die freilich nur zu lösen sein wird, sobald und solange man das Gesamtwerk im Auge behält. Als heuristisches Prinzip umstritten, ist solche Verfahrensweise bislang kaum je konsequent praktiziert worden, nicht einmal von jenen, die sie (für sich selbst und andere) zur theoretischen Forderung erhoben haben (s. Brockhaus, a. a. O. S. 368); mit der Folge, daß da, wo die Bedeutung einzelner Symbole zur Debatte steht, noch immer größte Unsicherheit herrscht (vgl. Anm. 10; 16; 22), ein Rätselraten, wie es besonders im Falle der Schlange und ihrer möglichen Funktion zu den absonderlichsten Spekulationen geführt hat. — Dagegen ist bei Paul Settels — Symbolische Kunst bei Gottfried Keller, Diss. (Masch.) Köln 1923 —, der sich in Richtung ›Bedeutungsanalyse‹ wohl am weitesten vorgewagt hat, die ungenügende terminologische Abgrenzung zu bemängeln. Würde man seinen Intentionen folgen, wäre am Ende alles — von der gedanklichen Struktur bis hinab zu den kleinsten materiellen Bausteinen eines Textes — Symbol.

insofern, als die Dinge weniger ihres (schönen) Soseins wegen absichtslos vorgeführt werden als vielmehr durchgehend hinsichtlich ihres Verweisungscharakters ausgewählt sind. Wenn Kellers Dichtung ein orbis pictus ist, eine Welt in Bildern, dann in Bildern, die nicht das Leben stellt, sondern die Bedeutung. Daß dabei ungeachtet aller Transparenz die vielgerühmte Anschaulichkeit erhalten bleibt, geht schließlich weniger a conto des ›Realisten‹ als vielmehr des Künstlers Keller.

III. DAS ›WILDE TIER DER SELBSTSUCHT‹

ZUR ROLLE VON BILD, METAPHER UND VERGLEICH IN KELLERS ERZÄHLSTIL

Daß die Bildhaftigkeit der Sprache zu den unverwechselbaren Vorzügen seiner Erzählkunst gehöre, ist eine der Grunderfahrungen, die jeder sensitive Leser Gottfried Kellers sogleich und gerne bestätigen wird. Und ebenso problemlos scheint es zu sein, die Intentionen eines solchen Verfahrens zu benennen. Die Forschung jedenfalls hat sich in diesem Punkte seit langem auf zwei Formeln geeinigt: Abwechselnd wird die Anschaulichkeit des Erzählten gerühmt[1] oder die Absicht humoristischer Durchheiterung des Dargebotenen behauptet[2]. Wer sich mit derartigen Erklärungen nicht zufrieden gibt, weil sie zu allgemein gehalten sind — Gleiches ist schließlich auf eine Vielzahl untereinander sonst gänzlich verschiedener Dichtungen (und Dichter) anwendbar — und das spezifisch Kellersche Sprachtimbre sowenig einfangen wie die darin mitschwingenden poetologischen Implikationen, sieht sich mit seiner Neugier wie seinen Vermutungen weitgehend allein gelassen. Zwar hat Wolfgang Preisendanz[3] schon längst einer Analyse der Verwendung von Bild, Metapher und Vergleich als einem Desiderat der Keller-Forschung das Wort geredet, bisher freilich ohne rechten Widerhall und insgesamt wenig erfolgreich. — Auch die gleichzeitig erschienene Arbeit von Günter Jäckel[4] hat an diesem Mißstand kaum etwas ändern können, vor allem wegen ihrer ungeachtet aller stilkritischen Ansätze in erster Linie soziologisch

1 Dies schon bei Adolf Frey, Erinnerungen an Gottfried Keller, Leipzig ²1893, S. 126. Ihm sind darin u. a. gefolgt: Friedrich Gundolf, Goethe, Berlin 1920, S. 366; Emil Ermatinger, Gottfried Kellers Leben, Zürich ⁸1950, S. 298/99; Paul Schaffner, Gottfried Keller als Malerdichter. — In: Jahresbericht der Gottfried Keller-Gesellschaft 5 (1936), Zürich 1937, S. 3—14, dort S. 10/11; O. S. Fleissner, Bilder und Gleichnisse in Gottfried Kellers Prosawerken. — In: PMLA 55, 1940, S. 484—510, dort S. 484; Hilde Eisenhut, Gottfried Kellers Prosastil, Diss. (Masch.) München 1948, S. 40; August Langen, Deutsche Sprachgeschichte vom Barock bis zur Gegenwart. — In: Deutsche Philologie im Aufriß, hrsg. v. Wolfgang Stammler, Bd. 1, Berlin ²1957, S. 931—1395, dort Spalte 1335; Henrich Brockhaus, Der berittene Naturforscher in Kellers ›Sinngedicht‹. Das Pferd als Symbol bei Gottfried Keller. — In: GQ 42, 1969, S. 368—80, dort S. 368.

2 Etwa bei Hildegard Demeter, Gottfried Kellers Humor, Berlin 1938, S. 55; 119; Fleissner, a. a. O. S. 494; 496; 499; 500; Udo Kultermann, Bildformen in Kellers Novelle ›Romeo und Julia auf dem Dorfe‹. — In: DU 8, 1956, Heft 3, S. 86—100, dort S. 86; Friedrich Witz, Das Tier in Gottfried Kellers Leben und Werk. — In: Jahresbericht der Gottfried Keller-Gesellschaft 33 (1964), Zürich 1965, S. 1—24, s. bes. S. 6; 15.

3 Die Keller-Forschung der Jahre 1939—1957. — In: GRM N. F. 39, 1958, S. 144—78, dort S. 177.

4 Das Bild in der Prosadichtung Gottfried Kellers, Diss. (Masch.) Leipzig 1957.

orientierten Fragestellung, die wissen möchte, »wo unter den gesellschaftlichen Bedingungen der Schweiz die idyllischen Formen[5] in Kellers Dichtung möglich sind und wo der realistische Blick auf das öffentliche Leben das Idyll zerstört« (S. 3). Diese Art wertenden Vergleichens zwischen Realität und Dichtung zu ermöglichen, mußte — nächst kosmetischer Korrekturen am Bild der Wirklichkeit — dem Verf. alles daran gelegen sein, eine insgesamt und durchgängig idyllische Grundhaltung des Dichters zu konstatieren, ein Postulat, das er im ersten Teil seiner Ausführungen mit Hilfe einer Analyse des Bildmaterials zu erhärten sucht, wobei diese Bilder als (stilistische) Vorformen ›idyllischer‹ Werkstruktur verstanden werden (s. S. 16)[6].

[5] Jäckel ist sich der Schwierigkeiten bewußt, die Kellers Dichtungen mit ihrer Tendenz zum Aussparen ganzer sozialer Bereiche wie dem weitgehenden Absehen von allem zeitgenössischen Kolorit der literarhistorischen Einordnung unter die Rubrik ›Realismus‹ bieten. So tritt er gleichsam die Flucht nach vorn an, indem er nicht allein idyllische Tendenzen zugesteht, sondern den Dichter insgesamt zum (zeitenthobenen) Idylliker deklariert. Um dennoch den Bezug zur ›Basis‹ herstellen zu können, muß der Verf. auch diese (letztere) zeigen im Zustand märchenhafter Entrücktheit aus dem Strudel der politischen Ereignisse. Folgerichtig wird die Schweiz der Mitte des 19. Jahrhunderts in toto zu einer Idylle umstilisiert. — Freilich bleibt eine Spannung bestehen zwischen Idyll und Öffentlichkeit. Sie zu mildern, hat Jäckel versucht, Kellers ›idyllische‹ Haltung auf den Einfluß Feuerbachs zurückzuführen (a. a. O. S. 127/28; 131 ff.), d. h. sie (andererseits und im Gegensatz zu den konstatierten isolationistischen Tendenzen) in die Nähe materialistisch(-realistischer) Denkweise zu rücken. So gelingt es eine Zeitlang, diese Antinomie durchzuhalten, ja augenblicksweise zu versöhnen, wie im ›Fähnlein‹ (s. S. 162), wo die »idyllische Gestaltung der Welt im Dienste einer bestimmten Absicht: der Erziehung zur öffentlichen Wirksamkeit« stehe (S. 217). Dennoch wird der Konflikt Idyll — Realität unausweichlich, sobald mit dem Übergreifen des Kapitalismus auf die Schweiz die Entidyllisierung auch dieses Reservats einsetzt: Seit dem ›Verlornen Lachen‹ (1874) sei für Keller dementsprechend keine Idyllik mehr möglich; als er, wie im »Martin Salander«, »ausschließlich Organ der Öffentlichkeit« ist, versage auch seine »dichterische Gestaltungskraft ...« (S. 218). — Insgesamt gesehen führt der Versuch, den ›Realisten‹ Keller auf dem Umweg über den Idylliker — der er niemals war (vgl. p. 71 f.) — zu retten, nicht nur zu gewagten Akzentverschiebungen — das ›Fähnlein‹ als künstlerischer Höhepunkt! — und willkürlichen Zäsuren innerhalb des Gesamtwerks, ganze Teile davon, selbst das im Sinne Jäckels eigentlich eminent idyllische ›Sinngedicht‹ von 1880/81, müssen überdies schamhaft verschwiegen werden.

[6] Erneut ist bei Roy Chadwell Cowen — Die Bildlichkeit in der Lyrik Gottfried Kellers, Diss. (Masch.) Göttingen 1960 — das im Titel genannte Material lediglich funktional gesehen, wenn auch diesmal statt im Dienst soziologischer Fragestellung Mittel zur Erkenntnis des Dichterischen. Daß die Tropik dem Verf. als entscheidendes Merkmal dichterischer Sprache gilt, muß Auswirkungen haben auf den zu untersuchenden Gegenstand: in einschränkendem Sinne, sofern Lyrik (als dem Wesen des Poetischen näherstehend) vor Prosa geht; in ausweitender Richtung da, wo über Bild und Vergleich hinaus der ›bildliche Ausdruck‹, d. h. eine Trias von Sprache, Gegenstand und Bedeutung der Observation zugrunde gelegt wird, einer Analyse, die der stilistischen Seite lediglich ein schmales Zwischenkapitel einräumt zwischen Aufrechnung der Stoffbereiche und eigentlicher Interpretation: Diese bemüht alsdann — am Beispiel der Farben — das Symbolische, das als Integrationsfaktor oftmals heterogenen Materials wie als genereller Bedeutungshintergrund »die höchste Stufe des Bildlichen« darstellt (S. 19). — Nicht

Wenn auch bei dieser Art von Alibifunktion für die Deutung der Bilder und Tropen selbst nicht viel mehr herausspringen kann als eine Wiederholung der oben genannten Stereotypen — auch Jäckel wirft mehrfach die Stichworte ›Verklärung‹ (s. S. 132/33; 217) und ›Humor‹ (s. S. 21; 76 ff.) in die Debatte —, so ist hier doch zum erstenmal und in umfassender Weise der Versuch einer Inventarisierung und Katalogisierung unternommen, wobei neben der imponierenden Fülle der Belege insgesamt die quantitative Ausdehnung der einzelnen Vergleichsebenen wie deren Beziehungen untereinander von höchstem Interesse sind. — Aus einer solchen (zunächst rein numerischen) Aufschlüsselung gehen Tierbilder als die zahlenmäßig weitaus stärkste Gruppe hervor. Leider hat Jäckel — von seinem Axiom idyllischer Verklärung der Wirklichkeit her — dafür keine rechte Begründung zur Hand, zumal er sich auch noch des (durchaus möglichen) Rückzugs aufs Biographische (unnötig) entschlägt mit der Bemerkung, die konstatierte Häufung besage jedenfalls »absolut nichts über ein besonders enges Verhältnis Kellers zu Tieren« (S. 20). Daß dem nicht so ist, weder für den Privatmann noch den Dichter, läßt sich aus Biographie[7] wie Werk leicht nachweisen: Beide legen beredtes Zeugnis ab von der liebevollen Zuneigung Kellers zur Tierwelt insgesamt, wobei, über spezielle Vorlieben hinaus, die allgemeine Sympathie (menschlicherseits) hervorgeht aus einem lebendigen Gefühl kreatürlicher Solidarität[8]. Derart brüderliche Nähe (s. 11, 356) führt dazu, Tiere immer wieder menschlich zu sehen, Einzelexemplaren wie ganzen Arten menschliche Eigenschaften beizulegen, am deutlichsten wohl in der programmatischen Rede der Züs Bünzlin aus den ›Drei gerechten Kammachern‹ (s. 7, 304/05). Umgekehrt kann auch der Mensch tierische Verhaltensmuster befolgen, und zwar, wie wir sehen werden, sowohl in positiver

nur ist damit die eigentliche Funktion bildhaft-indirekten Sprechens bei Keller verfehlt, indem das Räumliche als übergreifende Kategorie erscheint, ein Rahmen, darin das einzelne sich qua (bildlichem) Ausdruckswert in klar abgegrenzter Plastizität darstelle (s. S. 160), wird Bildlichkeit in das Denkschema ›realistische Intention‹ gezwängt, ihr tatsächlicher Sinn (mehr noch) ins Gegenteil verkehrt.

[7] wobei das biographische Material jetzt am leichtesten zugänglich ist in der Zusammenfassung von Friedrich Witz, a. a. O. S. 6; 11.

[8] Jäckel hätte den Ausgangspunkt der Vergleichung Tier — Mensch, die Reduzierung des Menschen auf ein weltimmanentes Wesen, seinem ureigensten Untersuchungsgegenstand, dem Bildbereich selbst, entnehmen können. Wenn Keller, um seelisches Unbehagen auszudrücken, eben diesem ›Organ‹ ein physisches Erscheinungsbild gibt, ja selbst mimische Eigentümlichkeiten zugesteht, ist das (weltanschaulich gesehen) nichts als ein komisch gemeinter Hinweis auf die Liquidation aller Unsterblichkeitshoffnung. Dem entspringen Bilder nach dem Muster: »... meine Seele rümpfte leise die Nase zu diesem Tun« (7, 45. vgl. 6, 10. 5, 42). — Entsprechend erklärt sich auch das von Paul Wohlfarth — Die Bildersprache in Gottfried Kellers »Sieben Legenden«. — In: Muttersprache 62, 1952, S. 273—80 — speziell für die Geschichte vom ›Schlimm-heiligen Vitalis‹ bemerkte Vorherrschen von Dingen des Haushalts, der Küche und des Gartens (s. S. 273/74; 278): Derart ›handfestes‹ Vergleichsmaterial wird bemüht, die Bekehrungsversuche des Mönchs, sein Verhalten wie die Tragfähigkeit des von ihm vertretenen religiösen backgrounds (per Konfrontation) ironisch in Frage zu stellen.

wie in negativer Hinsicht. Wenn so die Grenzen zwischen Mensch und Tier für Keller nirgends unübersteigbar groß sind, bedarf es lediglich noch eines letzten Schrittes, um das Tier zum gleichberechtigten Partner aufrücken zu lassen: der Transponierung des Geschehens ins Märchenhafte.

Im Schlußstück des ersten Seldwyla-Bandes wird dieser Schritt vollzogen, wobei es nichts weniger als zufällig ist, wenn der Dichter die Haupt-›Person‹ auftreten läßt in Gestalt eines sprechenden Katzmanns. Vielmehr hat man die Katze zu den erklärten Lieblingstieren Kellers zu rechnen, womit sie unter den Vierbeinern die gleiche Rolle spielt wie unterm Wassergetier die Schlange oder innerhalb der gefiederten (Vogel-)Welt der Weih. Dieser Umstand sichert ihr zunächst einmal einen wichtigen Platz innerhalb des genannten Textes – »Spiegel, das Kätzchen« ist schließlich der überlegene Held des gleichnamigen Märchens –, überragende Bedeutung gewinnen ihre Artgenossen darüber hinaus (und dies generell, d. h. für das dichterische Gesamtcorpus) auf formal-stilistischer Ebene, als Gegenstand von Bild, Metapher und Vergleich[9]. – Wenn darum im folgenden der Versuch unternommen wird, strukturelle Eigenheiten und Funktionsmerkmale des Tiervergleichs wesentlich anhand einer einzigen, eben der genannten Tierart aufzuzeigen, so unter der Voraussetzung, daß sich hinter deren Bevorzugung mehr verbirgt als eine rational nicht faßbare Marotte des Katzenfreundes Keller. Unterstellt man ferner, daß quantitativ eindeutige Prävalenzen bei einem Künstler von Kellers Graden kaum zufällig sein werden, so glauben wir, daß eine Analyse der Großgruppe ›Tierbilder und -vergleiche‹ (Jäckel nennt dafür allein 376 Belege) durchaus den Schlüssel zu liefern vermag zum Verständnis der Wirkungsweisen und Absichten dieses genuin Kellerschen Stilistikums überhaupt[10].

1. Sinnbilder menschlicher Eitelkeit

Was nun gerade die Katze zum Vergleichsobjekt wie als Gegenstand ausgedehnter Bildfolgen so geeignet macht, ist ihre äußere Wohlgestalt – Katzen sind bei Keller schön (s. 7, 323), ja prachtvoll (s. 3, 202) anzusehen –, verbunden, wie es scheint, mit einem instinktiven Wissen wie einer intensiven Sorge darum. Spiegel jedenfalls ist Katze genug, um die Wirkung seiner Erscheinung genau zu kennen, wie er nach Katzenart der Intaktheit seines äußern Habitus alle erdenkliche Sorgfalt angedeihen läßt (s. 7, 325). Wo der ›Verhaltensforscher‹ Schönheit im Verein mit Putz- und Gefallsucht registriert, drängen sich dem Dichter Asso-

[9] Aus Gründen, die mit fortschreitender Untersuchung einsichtig werden dürften, verzichten wir hier und im folgenden zunächst auf eine exakte (begriffliche) Unterscheidung der verschiedenen Varianten bildhaften Sprechens.

[10] Ein solches in doppelter Hinsicht exemplarisches Verfahren bietet zugleich den Vorteil, der Breite des Materials Rechnung tragen zu können, ohne vor seiner Unüberschaubarkeit kapitulieren zu müssen.

ziationen auf zu menschlichen Verhaltensweisen. Tertium comparationis ist dabei jeweils das Moment des Eitlen, äußeres Zeichen und Sinnbild dieser Eigenschaft jenes Requisit, nach dem der Titelheld des Märchens ausdrücklich benannt ist »wegen seines glatten und glänzenden Pelzes...« (7, 324). Ist es Zufall, wenn Züs Bünzlin unter dem Inhalt ihrer Lade eine Büchse aufbewahrt, in der just ein solches Spiegelchen zu finden ist (s. 7, 275)?[11] »›Bei mir wollen alle Tiere gern bleiben!‹«, läßt sie sich vernehmen, als es darum geht, ihre angebliche Tierliebe zu dokumentieren: »›... unsere Katze streicht mir nach, wo ich geh und stehe...‹« (7, 304). Man will es ihr glauben; so, wie sie sich in Wort und Tat als eine unglaublich eitle, von sich selbst, ihren Tugenden und Fähigkeiten hoffnungslos überzeugte Person geriert, darf sie die Katze zu Recht als ihr Wappentier beanspruchen (s. 7, 306). — In der Gestalt Lydias gerät »Pankraz, der Schmoller« an eine so eitle wie schöne Person, und es scheint, als färbe diese ihre Haupteigenschaft ab auf die Umgebung, angefangen bei den Offizieren, die ihr den Hof machen (s. 7, 71/72), bis hin zu einer so subalternen Gestalt wie dem Schuster, den sie dermaßen betört hat, »daß er jedesmal, wenn er ihr Schuhe brachte, auf dem Hausflur ein Bürstchen mit einem Spiegelchen hervorzog und sich sorgfältig den Kopf putzte, wie eine Katze, da er zuverlässig erwartete, es würde diesmal etwas vorgehen« (7, 72)[12]. — Unter den »Züricher Novellen« ist die Geschichte vom ›Landvogt‹ in der zweiten Hälfte des 18. Jahrhunderts angesiedelt. Es ist ›Geßnerzeit‹, die vornehme Gesellschaft der Stadt trifft sich im Landhaus des Idyllikers im Sihlwalde, und die Gespräche sind voll vom Lobe des eben zu höchstem Ruhm gekommenen Gastgebers; ein Umstand, der den Ehrgeiz des alten Bodmer nicht ruhen läßt, ihn vielmehr schmerzlich daran erinnert, daß seine Rolle als Beherrscher des literarischen Zürich, als Gönner und Führer der Jugend ausgespielt ist. In dieser Situation übellauniger Opposition gegen die literarischen Tendenzen der Zeit bedarf es nur eines Anlasses (Lob des Konkurrenten), seine Poeteneitelkeit aufzustacheln und die versammelten Gäste mit Kostproben aus seinen Patriarchaden zuzudecken. Indes der Vortragende sich dabei zusehends in der Pose des Moralisten und strengen Sittenrichters gefällt, werden wir Zeugen einer seltsam anmutenden Szene: Figura Leu »hatte sich im Hause ein kleines Taschenspiegelchen und einen runden Handspiegel verschafft«. Das erstere weiß sie Salomon Landolt, den sie liebt, »unbemerkt an dem Haarbeutel zu befestigen, worauf er seinen Spaziergang ruhig fortsetzte. Sogleich aber schritt sie, auf dem Moosboden

[11] Vgl. die Spiegelwände im Innern des chinesischen Liebestempels 7, 282. — Michael Shaw — The mirror and its uses. A study of a pattern in G. Keller's prose. — In: Symposium 22 (Syracuse, N. J.), 1969, S. 358—83 — möchte die ›Sache‹ weniger konkret denn metaphorisch, als Erkenntnismittel im Gefolge humoristischer Welt-Spiegelung, verstanden wissen, ein Ansatz, der den Verf. an der zentralen Bedeutung dieses ›pattern‹ letztendlich vorbeizielen läßt.

[12] Die Veränderung dieser Stelle gegenüber der ersten Fassung, in der der Katzen-Vergleich fehlt (s. 7, 382/83), bestätigt das bewußte Vorgehen des Dichters wie die konsequente Handhabung gerade des in Frage stehenden Bildmaterials.

unhörbar für ihn, mit pantomimischen Tanzschritten hinter ihm her, auf und nieder, so leicht und zierlich wie eine Grazie, und führte ein allerliebstes Spiel auf, indem sie sich fortwährend in dem Spiegel auf Landolts Rücken und in dem Handspiegel abwechselnd beschaute und zuweilen den Handspiegel und ihren Oberkörper, immer tanzend, so wendete, daß man sah, sie bespiegele sich von allen Seiten zugleich«. Bodmer selbst, als er die Pantomime bemerkt, kommt der Verdacht, »es werde hier von mutwilliger Jugend das Bild einer eiteln Selbstbespiegelung dargestellt« (9, 204), und wirklich ist hier Autoreneitelkeit ebenso gemeint wie die Pose moralischer Selbstsucht und Selbstgerechtigkeit.

Narzißtisches wie selbstgerechtes Verhalten und seine Folgen im menschlichen Bereich zu verdeutlichen, wird eine Reihe von Bildern und Szenen bemüht, in denen (ihrer Eitelkeit wegen) die Katze jeweils im Mittelpunkt steht: Wenn die junge Küngolt den Knaben Dietegen küßt, »keck und leichthin auf die Wange, halb wie einen Bräutigam und halb wie ein Kind ein junges Kätzchen küßt« (8, 254/55), dann wird die Zuneigung, die aus dieser Geste spricht, nahezu verdeckt von der Haltung kindlichen Besitzgefühls, jenem naiv-vermessenen Anspruch, Dietegen gehöre ihr (s. 8, 254 u. 248), sie könne über ihn verfügen als ihr Eigentum, da sie ihn ja errettet habe vom Tode. Die möglichen Auswirkungen einer solchen Haltung werden deutlich, sobald erotische Besitzansprüche dieser (ausschließlichen) Art von mehreren Seiten zugleich an ein und dasselbe Objekt herangetragen werden: Wir meinen den von Küngolt inszenierten Waldspaziergang in der Johannisnacht, der in einer Szene allgemeiner Eifersucht kulminiert und schließlich mit einer Mordtat endet. Küngolt als die Urheberin wird dafür verantwortlich gemacht und zur Rechenschaft gezogen in der Weise, daß man sie (auf Zeit) der Obhut des Totengräbers überantwortet. In einer Vorhalle des Hauses sich selbst überlassen, erlebt sie dort insbesondere Nächte voller Schrecknisse. »Im Beinhause war eine Katze über die Knochen weggestrichen, so daß dieselben sachte etwas geklappert hatten« (8, 279). Als Anspielung verstanden auf die Art ihrer Schuld, ist das Auftauchen gerade dieses Tieres Zeichen unverblümter Selbstsucht. — In ähnlicher Weise schwingen egoistische Motive mit in den anfänglichen Beziehungen zwischen Judith und dem Helden von Kellers erstem Roman. Während Judith den noch knabenhaften Heinrich nicht ungern bei sich sieht, um bei Gelegenheit ein bißchen zu küssen und zu kosen (s. 4, 231 ff.) — Sehnsucht nach Glück und Rücksicht auf Heinrichs Jugend liegen dabei im Widerstreit miteinander —, sind auch Heinrichs Antriebe zu den nächtlichen Besuchen nicht frei von egoistischen Akzenten. Sein Herz gehört Anna, von deren Krankenbett er sich weggestohlen hat und die er hier an den triebhaftleidenschaftlichen Teil seines Wesens verrät. Kein Wunder, wenn unter solchen Umständen die insgeheimen Wünsche beider sich nur halb hervorwagen, indes ihre egoistischen Hintergründe bildhafte Gestalt annehmen: »... die Furcht, schlechtweg durch Annas krankhafte Träume verraten zu werden«, legte »ein Band um die verlangenden Sinne, während Judith aus Rücksicht für Anna und mich und aus dem Bedürfnisse sich beherrschte, in dem zierlich platonischen Wesen der Jugend noch etwas mitzuleben. Unsere Hände bewegten sich manchmal unwillkürlich nach den Schultern oder den Hüften des andern, um sich darum zu legen, tappten aber auf halbem Wege in der Luft und endigten mit einem zaghaften abgebrochenen Wangenstreicheln, so daß wir närrischerweise zwei jungen Katzen glichen, welche mit den Pfötchen nach einander auslangen, elektrisch zitternd und unschlüssig, ob sie spielen oder sich zerzausen sollen« (5, 72). Noch weniger schmeichelhaft fällt ein Psychogramm aus, was die Zeit frühester Jugend angeht: Als Kind wirkt Heinrich »leicht verletzt und aufgebracht« (3, 34), ausgestattet mit einem entschiedenen Hang zum Hypochondrischen. So muß er das Unschöne und Häßliche der Welt – unter Obhut der Mutter wächst er in ärmlichen, beengten und beengenden Verhältnissen auf – doppelt schmerzlich empfinden, wie er sich von ihrem abweisend-feindlichen Charakter, erfahren am Beispiel der Schule, zutiefst verletzt fühlt: »... nach dem immerwährenden Mißlingen meines Zusammentreffens mit der übrigen Welt hatte eine ungebührliche Selbstbeschauung und Eigenliebe angefangen mich zu beschleichen« (3, 196). Als Folge ergibt sich in psychologischer Hinsicht ein Zurückziehen auf den Bereich der Phantasie, während er de facto auf die vier Wände des elterlichen Hauses retiriert. So trifft man »Das spielende Kind« zuletzt in einer abgelegenen Bodenkammer, damit beschäftigt, mit Hilfe einer verrückten Theosophie eine Welt von eignen Gnaden hervorzubringen in Konkurrenz zu der als glanzlos empfundenen Außenwirklichkeit: Heinrich formt unermüdlich wächserne Gestalten, die er in Gläser bannt und nach seinem Willen sich bewegen läßt. Umgeben von den Ausgeburten einer anarchisch wuchernden Einbildungskraft, droht der Knabe schließlich ein Opfer zu werden krankhaft übersteigerter Introvertiertheit[13]. In diesem Augenblick taucht leitmotivisch das Tier auf, in dem der Dichter die Gefahr hemmungsloser Egozentrik verkörpert sieht: »Auf einmal schneuzte es in einer Ecke, ein Paar feurige Augen funkelten hervor. Eine fremde große Katze war in die Kammer gesperrt, hatte sich bisher ruhig verhalten und wurde nun scheu. Ich wollte sie verscheuchen, da stellte sie sich drohend gegen mich, sträubte die Haare und pfauchte gewaltig; ich machte in der Angst ein Fenster auf und warf ein Glas nach ihr, sie sprang hinauf, konnte aber nicht weiter gelangen und kehrte sich wieder gegen mich. Nun schleuderte ich einen Wachsmann um den andern auf sie, sie schüttelte sich furchtbar und rüstete sich zum Sprunge, und als ich zuletzt die vier Elemente ihr an den Kopf warf, fühlte ich ihre Krallen an meinem Halse. Ich fiel am Tische nieder, die Lichter löschten

[13] Vgl. die Wiederkehr des Wachskabinett-Motivs statt in psychologisch-privatem Umkreis in öffentlich-politischer Umgebung, im Zusammenhang mit den Ereignissen der 48er Revolution 21, 92/93, wobei Wertungen (künstlich, krankhaft) wie Ausgang unverändert beibehalten bleiben: Wie der Rückzug des einzelnen aus der Gesellschaft – im Bild der anspringenden Katze sieht sich Heinrich mit den zerstörerischen Instinkten seines eigenen Wesens konfrontiert – endet auch der Versuch gewaltsamer Veränderung des sozialen Miteinanders in Chaos und Anarchie.

aus und ich schrie in der Dunkelheit, obgleich die Katze schon wieder weg war« (3, 112/13).

2. *Bildwelt und Weltbild*

Die fernere Entwicklung dieser Bildreihe verständlich zu machen, ist es nötig, vorab das Panorama des Lebens, wie es auf dem Hintergrund Kellerschen Erzählens erkennbar wird, wenigstens in Grundzügen vor Augen zu führen. Pankraz, Held der ersten Seldwyla-Novelle, hängt schon als Knabe merkwürdigen Vorlieben und Beschäftigungen nach. So läuft er alle Abende vors Stadttor hinaus, »um dem Sonnenuntergang beizuwohnen«, und »wenn es recht rotes und gelbes Gewölk gegeben, welches gleich großen Schlachtheeren in Blut und Feuer gestanden und majestätisch manövriert hatte, so war er eigentlich vergnügt zu nennen« (7, 10/11). Ansonsten sieht man ihn vorzugsweise befaßt mit dem Studium eines kleinen Heftes, dessen Seiten »mit allerlei Linien, Figuren und aufgereihten Punkten, dazwischen Rauchwolken und fliegende Bomben, gefüllt und beschrieben waren« (7, 11). Herangewachsen, läßt er die Blätter voller bombenwerfender Mörser zurück, läuft er Mutter und Schwester davon — zu den Soldaten! —, und er beginnt seine militärische Karriere (s. 7, 32), indem er sich an einen Waffenhändler verdingt »als ein wilder Büchsenmacher ...« (7, 31).

Es ist die Armut des elterlichen Hauses, die zu diesem seltsamen Betragen führt, ja ihn schließlich in die Fremde treibt, jener Zustand, der um so bedrückender erscheint, als die Familie, bedingt durch den vorzeitigen Tod des Vaters, ihm nahezu schutzlos ausgeliefert ist. Unter solchen Umständen wird die Beschaffung auch nur des Notwendigsten zu einem mühseligen Geschäft. Nicht nur ringt die Mutter Mal um Mal mit dem Armenvogt um den Lebensunterhalt für sich und die Kinder, jede Mahlzeit gerät unter der Hand zu einer Art Kampf und Kleinkrieg unter den Familienangehörigen. In Umkehrung des Schlaraffenlandmotivs wird die Schüssel mit dem wenigen Kartoffelbrei[14] zu einem Miniaturschlachtfeld, einem Labyrinth von Kanälen und Dämmen, Abzugsgräben und künstlichen Stollen, in dem sich erfolgreich zu bewegen höchste Aufmerksamkeit erfordert, da es nur kurze und zudem trügerische Atempausen gibt, die, wie hier durch die Schwester, immer wieder durch offene und einseitige Friedensbrüche unterbrochen werden (s. 7, 12/13).

Sowenig vorübergehend der Mangel an Nahrung, Kleidern und Geld innerhalb dieser Erzählung ist, vielmehr eine »regelmäßige jährliche Erscheinung« darstellt »wie irgendeine am Himmel« (7, 10)[15], sowenig zufällig oder vereinzelt steht diese Misere da, wenn man auf den größeren Rahmen blickt, in dem hier erzählt

[14] Daß es sich bei der Kartoffel für Keller um Arme-Leute-Nahrung handelt, erfährt man bei Gelegenheit der Belehrung des grünen Heinrich durch das Arbeitsmädchen Hulda (s. 6, 93).

[15] Vgl. ferner den Hinweis auf das »Durchblicken des grünen Topfbodens« 7, 10 — gemeint ist

wird: Armut gibt es in der ersten so gut wie in der letzten Seldwyler Geschichte vom ›Verlornen Lachen‹[16], und auch zwischenein ist an Belegen, Prozesse sozialen Abstiegs (»Romeo und Julia auf dem Dorfe«) wie Zustände hoffnungslosen Elends betreffend, kein Mangel. Mittellos bis an die Grenze der Existenzgefährdung erleben wir Wenzel Strapinski (»Kleider machen Leute«) bei seinen ersten Auftritten in Goldach (s. 8, 7/8). Drohende Verarmung treibt John Kabys (»Der Schmied seines Glückes«), sobald sein bescheidenes Erbe aufgezehrt ist (s. 8, 74), auf den Weg nach Augsburg, als Stadt der Fugger nichts anderes meinend als ein zweites Goldach. Bittere Armut ist das Los des Schulmeisters[17] Wilhelm in den ›Mißbrauchten Liebesbriefen‹ (s. 8, 139 f.; 153), und wenn er schließlich auf Dauer dem Elend entgeht, so nur, um anderen (Viggi Störteler und seiner Kätter) seinen lange Zeit angestammten Platz zu überlassen (s. 8, 216). In dieser Weise spielen von den zehn Seldwyla-Novellen acht[18] ganz oder teilweise in einer Art Elendsmilieu, und das entspricht, wie sich zeigen ließe, durchaus der Verteilung von Reichtum und Armut in Kellers ›profaner‹ Dichtung überhaupt.

Und immer ist, wie im Falle Pankrazens, das Vorhandensein oder Hereinbrechen dieses Zustandes verbunden mit dem Aufkommen von Bildern und Metaphern des Kampfes. Selbst eine sowenig kämpferische Natur wie John Kabys wird durch die Dürftigkeit der äußeren Lebensumstände gezwungen, sich zur Wehr zu setzen. Unter seinen Accessoires findet sich eine Busennadel, die als Miniaturgemälde die Schlacht von Waterloo zeigt (s. 8, 76), als Hinweis zu verstehen auf die Beschaffenheit der Welt — wie auch den Ausgang des Kabysschen Gefechtes gegen die Armut vorwegnehmend. Anders als bei John verrät sich Dietegens Kämpfernatur schon auf onomatopoetischem Wege (s. Briefe 3/1, 349), und so ist es in Anbetracht seiner trostlosen Lage kein Wunder, daß er zugreift, sobald sich Gelegenheit bietet, eine Waffe zu bekommen. Mit der eingetauschten Armbrust

der Butter- oder Vorratstopf des Hauses —, wobei die Farbgebung erlaubt, die angesprochenen (kümmerlichen) Verhältnisse wenn nicht als allgemein verbindlich (Grün als Farbe des Lebens!), so doch als für weite Teile des Kellerschen Sozialraumes repräsentativ anzusehen.

[16] Hier freilich nur vorübergehend und dann in der Absicht, das Versagen geistlicher Tröstungen in Zeiten der Not zu demonstrieren. — Umgekehrt sind Jukundus/Justine die übrige erzählte Zeit hindurch wohlhabend: zu Anfang, um sie immun zu halten gegenüber den Versprechungen der Kirche, während am Schluß Reichtum und Glanz restituiert werden, um die Hinwendung zum diesseitigen Leben nicht bloß als lästige Verpflichtung erscheinen zu lassen. In dieser Absicht, der kirchlichen These vom irdischen Jammertal Paroli bieten zu können, sind die meisten ›Reichtumsausnahmen‹ bei Keller zu verstehen, die der ›Legenden‹ ebenso wie Lucies und Reinharts materielle Privilegiertheit im ›Sinngedicht‹.

[17] Wieder ist hier, über Einzelfälle hinaus, gleich ein ganzer Berufsstand zur Armut verdammt. Mit den schon erwähnten Schustern (s. 4, 52/53), Schneidern und Lehrern scheinen auch die Buchbinder dieses Los zu teilen, zumindest in Seldwyla, wo man wenig oder gar keine geistigen Bedürfnisse verspürt. In Armut lebt dort ferner jenes Heer der Falliten, will sagen ein Großteil der Bevölkerung einer ganzen Stadt.

[18] zu den Besonderheiten des Sozialstatus der ›Frau Regula‹ wie deren Begründung vgl. p. 74.

schießt er gegen den Turm der Stadt, lehnt er sich auf gegen Not und Zwang der äußeren Verhältnisse (s. 8, 228)[19]. — Daß Armut, zumindest in ihrer extremen Form, nicht irgendein Mangel ist, vielmehr die Summe aller Schrecken, etwas wie die Büchse der Pandora, macht die Furcht deutlich, mit der die Menschen sie fliehen, die Hartnäckigkeit, mit der sie an der Hoffnung auf Besserung festhalten. Je unübersehbarer die Drohung, desto verzweifelter das Bemühen, sich zu salvieren. Am Existenzminimum angelangt, besteht das Leben zuletzt nur mehr aus Tagen der Arbeit und des Kampfes (s. dazu 11, 244). Da nur wenige ihr Geld im Handstreich verdienen (s. 3, 79), läuft es bei den meisten auf lange Feldzüge hinaus. Das kümmerliche Leben der Ursula (»Das verlorne Lachen«) besteht in dieser Weise aus einer Kette von Waschfeldzügen (s. 8, 412). Mit ihrer Tochter gehört sie zu der Armee von Berufstätigen (s. 4, 51), deren Leben in seiner Mühsal dem Marschtritt auf einer endlosen Heerstraße gleichkommt (s. 6, 44. 9, 28).

Pankraz bringt es im fernen Indien zu leidlichem Ansehen, ja er führt zuletzt ein Leben ohne Mühe und Sorgen (s. 7, 33). Dennoch bleibt er nicht nur weiterhin bei den Soldaten, es verlangt ihn sogar von sich aus in Krieg und Kampfgetümmel! Als die Affäre mit Lydia für ihn unglücklich zu verlaufen droht, meldet der ›Schmoller‹ sich an die Front, und je blutiger und gefährlicher es dort zugeht, um so willkommener für den Verzweifelnden und Lebensmüden (s. 7, 55 u. 67/68). Auch Sali trägt sich vorübergehend mit dem Gedanken, Soldat zu werden, sobald feststeht, daß er Vrenchen nicht für immer sein eigen nennen kann (s. 7, 144). Der Kaufmann, der sich in Spiegels Erzählung von dem Fräulein verschmäht glaubt, zieht in die Schlacht, um auf diese Weise seinem Leben ein Ende zu setzen (s. 7, 356)[20]. Und ebensowenig zufällig ist das Zusammentreffen des Zerwürfnisses zwischen Heinrich und Judith (s. 5, 93 ff.) mit dem Beginn seiner Wehrdienstzeit: Wie im Zustand materieller Bedürftigkeit zeigt die Welt sich in Augenblicken seelischer Bedrängnis, in Einsamkeit und Unglück[21], von ihrer feindlichen Seite.

Nun setzt Kampfmetaphorik dieser Art nicht erst ein mit dem unglücklichen Ausgang einer Liebesgeschichte, vielmehr weitaus früher, ja eigentlich schon an ihrem Beginn. Pankraz wehrt sich zunächst gegen die Reize der schönen Lydia

[19] während er, sobald es ihm besser geht, das Leben sich mit dem Wechsel ins Forsthaus von einer freundlicheren Seite zeigt, Küngolts Versuch, mit dem Jagdspieß des Vaters im Wasser herumzustochern, um eine Schlange — Symbol beweglichen Lebens — aufzustöbern, als (unnötigen) Mißbrauch der blankgeschliffenen schönen Waffe wertet und entsprechend zu verhindern weiß (s. 8, 245).

[20] Ähnlich treibt es Dietegen in die rauhe Kriegsluft hinaus (s. 8, 285/86), als Küngolt für ihn verloren scheint.

[21] Es steht zu vermuten, daß Kellers berüchtigte Raufereien ihren Ursprung, nicht anders als bei seinen Helden, anfangs in materieller Bedrängnis, später mehr und mehr in den seelischen Nöten der Vereinsamung hatten.

(s. 7, 40ff.); einmal verliebt, belagert man die Auserwählte (s. 11, 46)[22], erobert sie (s. 7, 317/18) oder zieht am Ende erfolglos ab (s. 7, 66 u. 73). Beim Flirt schießt man Blicke aufeinander (s. 8, 201), Hände bekriegen sich, wo es zu Liebkosungen kommen sollte (s. 7, 134)[23]. Man wandelt auf Freiersfüßen nicht anders denn auf Kriegspfaden, zieht mit der Absicht zu heiraten aus »wie ein Lacedämonier, der in die Schlacht geht« (9, 247)[24]. Als es unerwartet Hindernisse gibt auf dem Wege der Verehelichung Wenzels mit Nettchen, drohen augenblicksweise nicht nur die betroffenen Familien, sondern darüber hinaus ganz Goldach und Seldwyla aneinanderzugeraten. Nur mühsam kann ein Waffenstillstand vereinbart werden (s. 8, 66), währenddessen sich die Parteien drohend gegenüberstehen; »der Stadttambour drehte bereits an seiner Spannschraube und tat einzelne Schläge mit dem rechten Schlägel« (8, 47), ja es gewinnt »den Anschein, als ob Seldwyla ein neues Troja werden sollte« (8, 66/67). Indem hier, bei aller Leichtigkeit des Tons, ein zunächst privates Ereignis mit Hilfe mythologischer Anspielung ins Große und Grundsätzliche gehoben erscheint, wird zugleich mit den drohenden Folgen der militante Hintergrund allen Lebens transparent.

Liebe als Krieg, geschildert in der Sprache des Kampfes? Wo man diese auf den ersten Blick ungewöhnlich anmutende Art der Darstellung zur Notiz genommen hat — es gilt dies bislang allenfalls für Teile des Kellerschen Werkes —, da nicht ohne ein gewisses Befremden, eine Haltung der Ratlosigkeit, die dazu verleitete, das Erkannte nicht recht ernst zu nehmen oder allzu voreilig durch den Gedanken der Harmonie zu verwässern[25]. Dazu besteht nun freilich angesichts der Verbreitung dieses Phänomens wenig Anlaß, im Gegenteil, als Scherz oder bloße Marotte hätte diese Eigenart sich längst bis zur Peinlichkeit abnutzen müssen. Statt dessen liegt der in Frage stehenden Form uneigentlichen Sprechens die Auffassung von der Urfeindschaft der Geschlechter zugrunde. Niedergeschrieben aus aktuellem Anlaß (s. Briefe 2, 19f.), aus privater Enttäuschung, ist diese Äußerung doch mehr als nur die augenblickliche Reaktion Kellers angesichts der

[22] Wo die Akteure in mittelalterlichen Kostümen auftreten, kann der Dichter den Aufenthaltsort einer Frau in buchstäblichem Sinne zur Festung erheben, wie im Falle der Fides (s. 9, 104/05).

[23] s. Frau Regulas Bedrängnis, wenn sie sich der Nachstellung des Werkführers zuletzt ganz unmetaphorisch-handgreiflich erwehren muß 7, 197ff.

[24] Vgl. die kriegerische Attitüde der Kammachergesellen. Als sie sich aufmachen, im gegenseitigen Wettstreit die Hand der Züs zu erlangen, haben sie ihre Felleisen auf Räder gestellt, um die Kräfte zu schonen, und so sieht ihr Aufzug aus »fast wie ein Artilleriewesen, das da hinauffuhrwerkte, um oben eine Batterie zu besetzen« (7, 298). — Ist die Frau schließlich erobert, kann es geschehen, daß sie alsbald den Spieß umkehrt, den Mann regiert (s. 7, 319) und allen Ehefriedens ungeachtet einen insgeheimen häuslichen Krieg beginnt (s. 9, 73/74).

[25] So bei Ernst May, Gottfried Kellers ›Sinngedicht‹. Eine Interpretation, Bern/München 1969, S. 61—63; zur Kampfmetaphorik vgl. ferner Jäckel, a. a. O. S. 21 f.; Hans Bracher, Rahmenerzählung und Verwandtes bei G. Keller, C. F. Meyer und Th. Storm. Ein Beitrag zur Technik der Novelle, Leipzig 1909, S. 40 f.; Priscilla M. Kramer, The cyclical method of composition in Gottfried Keller's ›Sinngedicht‹, New York 1939, S. 263.

Vergeblichkeit seines Werbens um Luise Rieter, vielmehr wird die Zurückweisung gerade von seiten einer geliebten Frau zum Anlaß genommen, um in allerdings drastisch zugespitzter Form eine Grundbefindlichkeit der Welt vor Augen zu führen.

Daß kein Mißverständnis aufkomme: Die Welt kann glanzvoll sein, schön und friedlich wie ein sonnenbeschienener Blumengarten[26]; weit eher freilich als in Reichtum und Überfluß zeigt das Dasein sich von seiner grauen und dürftigen Seite, und damit geht zu allem Schönheitsglanz[27] jeder Zug des Hellen[28], Weichen, Angenehmen, ja Liebens- und Lebenswerten[29] verloren. Eine spürbare Veränderung im Atmosphärischen tritt ein: Die Lebensluft wird rauher (s. 8, 286)[30], härter, die Daseinsbedingungen schwieriger. Es sind »Mangel, Schuldbedrängnis und Verpflichtung . . ., die von allen Seiten feindlich« lauern (9, 28) und, im Verein mit leidvollen Erfahrungen, diesen Wandel bewirken. Gemeinsam auftretend, machen sie aus der Welt, die einem Garten Eden zum Verwechseln ähnlich sehen kann, alsbald eine Art Gefechtsterrain, einen Kampfplatz, auf dem es um die Selbstbehauptung geht des einen — gegen die Interessen des anderen. In diesem ebenso ernsten wie umfassenden Wortverstande stellt sich bei Keller das Leben dar als ein »Zirkel von Verteidigung und Angriff . . .« (6, 1).

*

[26] Damit treten Blume und Waffe ihrer Bedeutung nach in Gegensatz zueinander. Daß die Pflege von Blumen das Gemüt verweichlicht, muß der gärtnernde Soldat Pankraz als Faktotum des Gouverneurs erfahren (s. 7, 35).

[27] Pankrazens Heft erweist sich bei näherem Zusehen als ein zusammengefalteter Bogen Goldpapiers (s. 7, 11), von dem man freilich, entsprechend der mißlichen Situation des Helden, nur die weiße, sprich glanzlos-leere Rückseite zu Gesicht bekommt, die in Augenblicken der Enttäuschung und Verbitterung zu den erwähnten kriegerischen Zeichnungen herhalten muß. — Vgl. die Traumaufzeichnung vom 3. Dezember 1847, in der die Unerreichbarkeit des Schönen für den Darbenden deutlich wird in der Angst des Träumers, die angebotenen Blumen des jungen Mädchens nicht bezahlen zu können 21, 85.

[28] Zur Verdüsterung der Szenerie vgl. p. 88 f. Nimmt man die Vorstellung des Dumpfen, der Beengtheit, die Wendungen vom Kot, Schlamm (s. 21, 29) und Morast des Grundes (s. 9, 237) hinzu, dann ist, verglichen mit der Möglichkeit souveräner Überschau von so fernsichtigen wie ›wirklichkeitsreinen‹ Höhen, die Veränderung — nicht nur des äußern Bildes — total.

[29] An die Stelle verlockender Süße tritt das Motiv der Bitternis und des Essigsauren. Daß Dietegen wegen des angeblichen Diebstahls ausgerechnet eines Essigkännchens (s. 8, 227/28) zum Tode verurteilt wird, ist bezeichnend ebenso für die sauertöpfischen Ruechensteiner wie für das Elend des Delinquenten. Zur Bitternis des Todes vgl. die Formel vom Tod im (Essig-)Häfelein 7, 142.

[30] Ein Umstand, der notwendig abfärben muß auf das Gebaren der Menschen, den Umgangston etwa von Herrn Landolts Haushälterin, die das Leben so gebeutelt hat, daß sie am Ende eher »einem alten Husaren« gleicht als einer Wirtschaftsdame, und die fluchen kann »wie ein preußischer Wachtmeister . . .« (9, 165). Vgl. die poltrigen Reden von Nettchens Vater aus Anlaß der Verlobung, hinter denen sich freilich (ebenso) der Schmerz über den bevorstehenden Verlust der Tochter verbirgt 8, 37/38.

Materielle Bedürftigkeit, dies genau umreißt die Situation innerhalb der Tierwelt, und so findet das Verhältnis der Tiere zueinander seinen Ausdruck vor allem in Bildern der Jagd. Heinrichs Oheim, passionierter Waidmann, nimmt den Neffen schon bald nach dessen Ankunft im Dorf mit hinaus auf einen ersten Jagdstreifzug. Während die beiden noch gespannt den Ausgang der Hatz verfolgen, zeigt sich im Haferfeld unmittelbar vor ihnen »eine riesenhafte Bauernkatze, welche uns ansah und davonschlich« (3, 221). Ehe noch der Oheim sich von seiner Verblüffung erholt hat, jagt die Hundemeute vorbei, ohne daß man das aufgescheuchte Wild — statt des erwarteten Fuchses lediglich ein junger Hase — zu Gesicht bekommen hat. In der frühen Fassung ist die Szene weiter durchgeführt, wird der Leser Zeuge, wie die Katze »das zarte Tierchen erschnappt, nicht ahnend, daß es sechs Hunde hinter sich habe, und diese zerrissen sie in selbem Augenblicke samt ihrem Opfer. Wir hatten genug zu tun, mit unseren Stöcken den Knäuel auseinander zu treiben. Mein Oheim war verdrießlich über den Verlust des Hasen und er tröstete sich nur mit dem Tode der unbefugt jagdliebenden Katze« (17, 22/23). Deutlicher als in der Überarbeitung wird hier die Grundabsicht des Ganzen erkennbar: am Beispiel der Jagd ein Bild zu geben des allgemeinen Weltlaufs, bei dem Züge des Grausamen nunmehr Hand in Hand gehen mit der Vorstellung vom Kampf aller gegen alle. — In einer der späteren Szenen desselben Romans treffen wir Heinrich bei Gelegenheit eines Spaziergangs inmitten eines öffentlichen Parks an. Über sein privates Geschick wie über den Gang der Welt räsonnierend, gerät er unversehens »an eine Hecke wilder Rosensträuche, zwischen denen die ausgespannten Netze vieler Spinnen hingen« (6, 17). Es handelt sich um eine Kolonie gelber Kreuzspinnen, die entweder aufmerksam auf einen Fang lauern oder »mit Unfrieden einen bösen Nachbar« beobachten. »Denn an der Grenzmark eines jeden Netzes, im Blattwerke verborgen, saßen gleichfarbige, aber ganz dünnleibige Spinnen, welche keine eigenen Netze bauten, sondern sich darauf beschränkten, den Erwerb der fleißigen Künstlerinnen für sich zu packen«. Heinrich fängt eine Fliege und wirft sie »auf ein Gewebe, dessen Inhaberin reglos im Mittelpunkte hing. Sogleich stürzte sie über das unglückliche Tier her, drehte und wendete es einigemal zwischen den Pfoten ... und stellte so ein handliches Paket her, das sie bequem nach ihrem Sitze schleppte. Aber schon war die parasitische Raubspinne von ihrem Lauerposten mit kurzen Rucken halbwegs herangenaht, bereit, dem rechtmäßigen Jäger die Beute zu entreißen, und kaum ersah dieser den Feind, als er den Waidsack an das Gitter seines Burgsitzes hing und sich wie der Blitz gegen den Angreifer wendete. Mit funkelnden Augen und ausgestreckten Vorderfüßen gingen sie sich entgegen, versuchten sich wie zwei förmliche Fechter und rannten sich an« (6, 17/18). Wieder wird das Miteinander von Lebewesen berichtet, und wieder ist es gesehen unter den Aspekten der Jagd[31] wie des Kampfes. Dabei ist der Gedanke nur wenig beruhigend,

[31] s. dazu die Schildereien des Wandteppichs aus der Novelle »Ursula« 10, 132/33.

es handle sich hier lediglich um das Verhalten von Tieren untereinander. Zwar verbleiben wir im Bereich der Tierwelt, mit ihren zahlreichen anthropomorphisierenden Zügen wie dem verallgemeinernden Fazit, wonach »die luftige Stadt dieser Ansiedler« ein Bild des allgemeinen Weltlaufes darstelle (6, 17), läßt die Beschreibung indes keinen Zweifel zu über die Anwendbarkeit des Gemeinten.

So ist es denn auch die weitgehende Identität der äußeren Lebensbedingungen – hier wie dort geht es vielfach um das gleiche Ziel, die Befriedigung leiblicher Notdurft –, die als Bezugspunkt und tertium comparationis herhalten muß für eine ganze Serie von Vergleichen nach dem Muster »arm wie die Tierlein des Feldes ...« (8, 405)[32]. Gleich dem Buchbindergesellen der ›Kammacher‹-Novelle – in der Verehrung der Züs Bünzlin darum so erfolglos wie schwärmerisch – sind viele der Kellerschen Gestalten »arm wie eine Maus ...« (7, 281; vgl. 352. 8, 402; 392. 11, 156), muß man zuzeiten der Not arbeiten »wie ein Haustierchen ...« (7, 109; vgl. 261). – Und es scheint, als sei mit den geschilderten sozialen Verhältnissen auch die Reaktion der Betroffenen vorgegeben: notabene aktive Teilhabe an der Jagd des Lebens, sei es nun, wie im Falle der katzenfangenden Ursula[33], um der Lebensfristung willen oder, wie am Beispiel Pankrazens ersichtlich, in eher selbstzerstörerischer Absicht (s. 7, 75).

Dennoch ist die Frage berechtigt, ob die Gleichung total aufgeht, d. h. ob der gleichen Ausgangslage notwendig die nämliche Verhaltensweise entsprechen muß; eine Ansicht, die zu überprüfen wir noch einmal zum Bild der Spinnenkolonie zurückkehren: Das Kapitel (IV, 2), in dem diese Szenerie ausgemalt wird, trägt die Überschrift »Vom freien Willen«. Durch den Vortrag eines seiner Universitätslehrer in Zweifel gestürzt, ist es Heinrich bei seinen Beobachtungen darum zu tun,

[32] Ein Zusammenhang, den O. S. Fleissner (a. a. O. S. 509) unberücksichtigt läßt, wenn er Vergleiche dieser Art am Beispiel ihrer Handhabung in Kellers letztem Roman als farblos und stereotyp abzuwerten versucht. Ohne den »Martin Salander« künstlerisch aufwerten zu wollen, bleibt festzuhalten, daß der Dichter verblaßten Formeln, abgegriffener Sprachmünze gegenüber zu keiner Zeit, auch nicht im Frühwerk, anders verfahren ist, als sie ebenso konsequent wie wirkungsvoll den Absichten seines uneigentlichen Sprechens nutzbar zu machen.

[33] Von nagendem Hunger gepeinigt, lockt sie eines Tages »eine dicke Bauernkatze, die in der Nähe der Hütte im Felde schlich, zog ihr das Pelzröcklein aus und sott sie im Wasser, um den schwarzen Hunger zu stillen; auch nahm sie sorglich das Fett ab zum Kochen einiger Wassersuppen für den Fall, daß ein wenig Mehl oder Brot ins Haus käme« (8, 405). Daß man ihr dies als Gewalttat anrechnet, ja kirchlicherseits als – verbotene – Weltlust deklariert, zeigt die Hartherzigkeit der Menschen ebenso, wie es die Unmenschlichkeit der fraglichen Institution und ihrer Askese-Forderung ironisch bloßstellt. In Wahrheit haben wir es hier mit den Folgen bitterster Armut zu tun, einem Elend, das noch die kaum überbietbare Selbstgenügsamkeit dieser frommen Dulderin zuschanden werden läßt, ihr schließlich tierische Verhaltensformen abnötigt. – Vgl. Kellers Entschlossenheit, die eigne Ausbildung selbst unter demütigenden Umständen und um den Preis größter Entbehrungen abzuschließen. Brieflich weist er der Mutter gegenüber das Gerede, er wolle aufgeben und nach Hause kehren, zurück mit der Bemerkung, er habe einmal seine Bahn angetreten »und werde sie auch vollenden, und müßte ich Katzen fressen in München« (Briefe 1, 30).

die Existenz dieser Willensfreiheit zu erhärten. Zu diesem Zweck wiederholt er das früher beschriebene Experiment, wirft er nach einiger Zeit eine weitere Fliege ins Netz — mit dem nämlichen Erfolg. Schließlich zerreißt er das Gewebe, aber als er nach einer Viertelstunde den Ort der Zerstörung abermals passiert, ist die Spinne bereits unverdrossen dabei, den entstandenen Schaden zu beheben. Heinrich bewundert die Entschlußfähigkeit »in dem winzigen Gehirnchen«, die sich — seine Wunschvorstellung — »beinahe zu der menschlichen Willensfreiheit« erhob, oder, dies die Alternative, »diese zu sich herunter[zog] in den Bereich des blinden Naturgesetzes ...« (6, 20). In der Tat sind damit die Grundunterschiede der Verhaltensweisen genannt: Während das Tier, und nicht nur das notleidende, in seinem Handeln (besser: seiner Reaktion) dem blinden Naturgesetz unterliegt, ist es dem Menschen gegeben, sich aus dem Bereich des Zwanghaften zu erheben in die Sphäre der Freiheit und sich damit die Möglichkeit der Entscheidung wie die Gelegenheit zu moralisch verdienstvollem Tun offenzuhalten.

So weit, so gut, gäbe es nicht Umstände, unter deren Einwirkung der Mensch Gefahr läuft, dieses Freiheitsspielraums verlustig zu gehen. Was ihn einengt und zuletzt bis zur Unkenntlichkeit reduziert, ist eben das Fehlen materiellen Rückhalts, sind Not und Elend, d. h. aber gerade jene Gegebenheiten, zu deren Bemeisterung er dieser seiner Fähigkeit am dringendsten bedürfte! Ein solcher Prozeß schwindender Willensfreiheit, ja Entscheidungsunfähigkeit ist komisch gesehen in »Kleider machen Leute«. Von Natur aus eher schüchtern als selbstbewußt und willensstark, fühlt Wenzel sich, kaum daß er nicht mehr in Arbeit und Brot steht, nicht allein physisch geschwächt, sondern mehr noch dem Schicksal — oder soll man sagen, dem Dämon Zufall — willenlos ausgeliefert. In derart reduziertem Zustand besteigt der Wanderer die Kutsche, läßt er sich in den Gasthof geleiten, bewirten und am Ende von einer ganzen Stadt — bewundern. Wohl versucht er immer wieder, sich aufzumuntern, aber seine Widerstandskraft ist, solange er Hunger leidet, nicht groß, sein Mut bald gebrochen[34]. So endet sein erster Fluchtversuch statt im Freien — auf der Toilette, und der Kellner hat nicht einmal sonderliche Mühe, den »Mantelträger ohne Widerspruch, sanft wie ein Lämmlein«, dort hineinzukomplimentieren (8, 12). Vollends muß der Duft der aufgetragenen Speisen den Darbenden seiner Selbstbeherrschung berauben (s. 8, 13)[35], aber

[34] Daß er in einer solchen Notsituation nicht ›fechten‹ kann (s. 8, 7), vielmehr wehrlos dasteht im übertragenen wie wörtlichen Sinne, erscheint nur zu verständlich.

[35] wobei die Folgen zunehmender Enthemmung, diesmal freilich in harmlos komischer Form, erkennbar werden an dem sich wandelnden Verhalten Strapinskis, dessen unerbetene Mahlzeit zuletzt einer hastig belebten Einfuhr gleicht, »wie wenn bei aufsteigendem Gewitter das Heu von der nahen Wiese gleich auf der Gabel in die Scheune geflüchtet wird« (8, 16). Was ihn ermuntert, den Schüchterling abzulegen zugunsten des (beinah) wilden Mannes, sind die entfesselnden Sonnengeister des Weines (s. dazu 8, 92). Vom Weine erwärmt und aufgestachelt (s. 8, 15 u. 20), wandelt sich die anfangs gesittet ›gräfliche‹ Nahrungsaufnahme in ein Freßgelage von Rabelais'scher Exuberanz. — Seiner befeuernden Wirkung wegen wird dieses Getränk folgerichtig als »Goldfarbner Löwe« bezeichnet (1, 179).

immer noch regt sich das Gewissen, und so dauert es — hier wie bei späteren Gelegenheiten — geraume Zeit, ehe er sich in die Situation ergibt und die Gunst der Stunde wie die Dummheit seiner Umgebung zu nutzen beginnt. Dieses Zögern, diese Haltung zwischen Tun und Geschehenlassen, die später zu seiner Entlastung herhalten muß, insofern er gar nicht entscheiden konnte (und also auch gar nicht verantwortlich zu machen ist), sie haben bei aller Komik doch einen durchaus ernstzunehmenden Hintergrund: Es ist der Zwang der äußern Umstände, dem der Schneider hier unterliegt, wenn auch nur als das Opfer einer Komödie menschlicher Entmündigung, wie er andererseits dem Überfluß solche Verführungskraft verleiht, daß Wenzel sich — wieder im Besitz einiger Mittel — zuletzt vorkommen muß wie der Jüngling am Scheidewege (s. 8, 32).

Fehlt dieser komödiantische Einschlag, dann weicht ein eher spielerisches Geplänkel[36] nur zu leicht den Schrecknissen handgreiflicher Auseinandersetzung, bei der man voller Haß und mit bloßen Fäusten aufeinander einschlägt (s. 7, 119; 286/87). Was dabei verlorengeht im Menschen, ist mit der Erinnerung an die mögliche Schönheit der Welt jede zartere Empfindung und Rücksichtnahme, der Gedanke der Schonung fremden Lebens, ja zuletzt die angeborene Scheu[37] und Ehrfurcht allem Lebendigen gegenüber. — Keller spricht in diesem Zusammenhang von der wilden Not des Lebens (s. 7, 21), und ihre Wirkung ist in der Tat die der Verwilderung und Enthemmung. Mit der Herrschaft des freien Willens ist auch seine zügelnde und sittigende Kraft dahin. Not läßt den schlechten Eigenschaften die Zügel schießen und dieselben sich zu Lastern ausbilden (s. 7, 105). Das ist um so bedenklicher, als zugleich mit der geistigen Überlegenheit auf moralischem Gebiet das Gefühl der Scham abhanden kommt (s. 3, 82). In der Not trägt der Mensch »die unbefangene Schamlosigkeit des Tieres geradewegs in das moralische Gebiet hinüber und gebärdet sich da ... so naiv wie die Hündlein auf den Gassen« (7, 232; vgl. 105). — Ohne geistige Kontrolle oder sittigendes Korrektiv gewinnen

[36] s. das Verhalten der Goldacher Honoratioren, denen es im Schutze ihres Reichtums gelingt, ihrem Gaste »den Lauf der Welt« gleichsam im Spiele vorzuführen, indem sie zwei Parteien bildeten und Wenzel — aus mancherlei Gründen zum Zuschauen verurteilt — »die bedeutendsten Wendungen, Handstreiche und Ereignisse« zu erklären suchten (8, 21). — Nicht anders wandelt sich der Charakter der Jagd. Was beim ersten Erwachen Heinrichs im Hause des Oheims ein spielerisch-übermütiges Durcheinander ist von Mensch und Tier (s. 3, 202), gerät dem Verzweifelten und innerlich einsamen Menschen zu einem mit furchtbarer Entschlossenheit betriebenen Handwerk von blutigem Ernst (s. dazu 21, 79/80). Während man zu glücklicher Stunde das Wild verfolgt »mehr um in bewegter, freudiger Art auf die oberste Bergeshöhe zu gelangen, als der Beute wegen« (9, 81), oder, solange man sich geliebt wähnt, im Anblick des Opfers zu schießen vergißt (s. 7, 45), reagiert der Argwöhnende oder schmerzlich Betroffene wie Pankraz, welcher »wutentbrannt einen ungeheuren rauhen Eber niederschoß, der eben durch die hohen Bergkräuter heranbrach, und meine Kugel saß fast gleichzeitig und ebenso unvermutet und unwillkommen in seinem Gehirn wie jener niederträchtige Gedanke in dem meinigen ... Ich setzte mich auf die tote Bestie« (7, 46; vgl. 62).

[37] Vgl. die normale menschliche Reaktion beim Anblick von Blutvergießen etwa in dem Gedicht »Sonntagsjäger« 1, 66.

zu den schlechten Eigenschaften vor allem die schlimmen Leidenschaften die Oberhand. Wo die Not existenzbedrohend wird, treten die nackten, rohen Instinkte der Selbsterhaltung beherrschend hervor. Nicht nur fällt der Mensch damit auf die Stufe des Tieres zurück, wo der Hunger wölfisch wird, die Herrschaft des geistigen Menschen verlorengegangen ist an die ungebändigten Naturkräfte (s. 6, 65)[38], gewinnt er bedrohlich-gefährliche Züge, erscheint er zuletzt raubtierhaft unbezähmt. »Was ist der Mensch«, ruft Brandolf klagend aus, als er die kaum verhüllte Gier seiner Hauswirtin, der verarmten Baronin, bemerkt, »was sind Mann und Frau! Mit glühenden Augen müssen sie nach Nahrung lechzen, gleich den Tieren der Wildnis!« (11, 156)

In dieser Situation existentieller Bedrohtheit stellt eine neue Bildfolge sich ein, die der wilden Bestie, und ebenso erfährt die Szenerie, der landschaftliche Rahmen, in dem der verwilderte Mensch sich bewegt, (gegenüber früher) entscheidende Veränderungen. Beruflich gescheitert und gänzlich mittellos finden wir Heinrich in München zwar »in einem offenen Garten« sitzend, dabei jedoch angesichts des drohenden Hungertods von einem Gefühl übermannt, »wie wenn ich in menschenleerer Wüste von einem Tiger oder Löwen angefallen wäre« (6, 65). — Gleich hinter dem Tale, in dem das Haus von Pankrazens Vorgesetztem steht, beginnt realiter eine solche »wilde unfruchtbare Landschaft, welche zuletzt gänzlich in eine Gebirgswildnis verlief, die nicht nur Schwärme und Scharen unschuldigeren Gewildes, sondern auch von Zeit zu Zeit reißende Tiere, besonders große Tiger, beherbergte« (7, 35/36). Vor dieser Kulisse[39] spielt sich der Höhepunkt der Novelle, die Löwenjagd ab, und bezeichnend, wie Pankraz dabei geschildert wird, wenn er »so seelenallein auf den heißen Höhen herumstreifte und einem starken wilden Burschen auf der Spur war« (7, 75), bezeichnend um so mehr, als er zuvor bei gärtnerischer Tätigkeit[40] angetroffen wurde (s. 7, 35). — Daß die Stunde der größten Not zugleich der Augenblick schlimmster Entmenschlichung sein kann,

[38] In diesem Zusammenhang wird das Phänomen ›Leidenschaft‹ gern gesehen im Bild der lohenden Flamme oder des zerstörerischen Feuers, etwa 7, 68/69; 130. 8, 251; 265 u. 270.

[39] Vgl. Heinrichs Kampf mit Meierlein inmitten einer wilden Schlucht 3, 175. Daß der verhaßte Gegner sich im Verlauf des feindlichen Ringens »behend wie eine Katze« erweist, deutet bereits auf die Erbitterung hin, mit der die ›schlagende‹ Auseinandersetzung geführt wird. Zwar in die Knabenzeit der beiden Kontrahenten fallend, wird der Zwischenfall andererseits geschildert im Rahmen einer militärischen Übung, indes die Empfindungen dabei kaum einer Steigerung fähig sind. Heinrich jedenfalls verspürt ein »wildes Weh, welches ich sicher bin niemals tiefer zu empfinden, ich mag noch so alt werden und das Schlimmste erleben« (3, 176).

[40] In dem Kontrast zwischen Blumengarten und Wüstenei (s. dazu 7, 124) ist zu der landschaftlichen Verwilderung ebenso der Gegensatz zwischen möglicher Schönheit und bestehender (oder subjektiv empfundener) Trostlosigkeit der Welt gemeint. — Mit dem Abschied vom Traum der Jugend gewinnen Gärten als Refugien und Erholungsplätze des Lebens (s. 21, 54) rasch etwas zunehmend Unwirkliches, ›religiös‹ gesprochen: paradiesische Züge. In der Vorstellung vom Heeresviereck als eines eisernen Gartens (s. 8, 286) schwingt die Sehnsucht nach Geborgenheit aus, vergehend unter dem kältenden Anhauch kriegerisch andrängenden Lebens.

zeigt das Aufeinandertreffen der Bauern Manz und Marti, bei dem die ergrauten Männer sich gebärden, als wollten sie sich »auffressen wie zwei wilde Tiere« (7, 176). Nach der einleitenden Schimpfkanonade, in der sie sich – Zeichen ihrer Vertiertheit – wechselseitig mit zoologischen Bezeichnungen belegen (s. 7, 117/18), springt insbesondere Marti »wie ein Tiger den Bach entlang ...«, um den verhaßten Gegner anzufallen; der Grund, »warum er der Wütendere war, lag in seiner Meinung, daß Manz als Wirt wenigstens genug zu essen und zu trinken hätte ...« (7, 118).

Wenn bei den Männern die Entfesselung der Leidenschaften sich Luft macht in Anfällen von Mordlust und wildem Dreinschlagen, sittliche Verwahrlosung am Ende einmündet in unehrenhaftes[41], ja verbrecherisches Tun, macht Verwilderung sich auf seiten der Frau bemerkbar statt in raubtierhaft gefährlicher Aggressivität in erotischer Libertinage. So gibt sich das Hudelvölkchen der Recht- und Besitzlosen im Paradiesgärtlein der ›Romeo‹-Novelle offen und ungeniert der Promiskuität hin (s. 7, 178). Nichts anderes als Zank und Partnertausch beobachtet Heinrich bei seinem Ausflug in die Welt der Arbeitsleute um das Mädchen Hulda (s. 6, 90ff.; 142/43). Wo Abirrungen dieser Art beim schönen Geschlechte[42] zuletzt gewerbsmäßig betrieben werden, stellt sich erneut das Löwenbild ein. Die Kurtisane etwa, die »Der schlimm-heilige Vitalis« zu bekehren sich vorgenommen hat[43], ist dem Äußern nach »eine ungewöhnlich große und feste Gestalt mit schönen großen aber trotzigen Gesichtszügen, um welche ein rötliches Haar in reichen wilden Wellen gleich einer Löwenmähne flatterte« (10, 250). Entsprechend wird ihr Aufenthaltsort, das Hurenhaus, als »›Löwenhöhle‹« bezeichnet, die noch dazu bewacht ist von einem grimmigen Kriegsmann, und kein Wunder, daß es in der Nähe dieser »besonders gefährlichen Person« (10, 249) zu Streit und Blutvergießen kommt. Die scheinfromme Beghine aus »Spiegel, das Kätzchen« ist in Wahrheit ein triebhaftes Weib, und je mehr sie am Tage Gottesfürchtigkeit und strenge Askese zur Schau trägt, um so ungehemmter läßt sie ihren Leidenschaften und heimlichen Wünschen freien Lauf, wenn sie des Nachts als eine Hexe auf ihrem Besen dahinfährt »in dem weißen Scheine ihres Leibes ...«, »jung und schön und splitternackt, wie Gott die Weiber geschaffen

[41] Mindestens dazu darf man die Verleumdungskampagnen rechnen, von denen »Das verlorne Lachen« zu berichten weiß. Und wieder ist von diesem Tun im Bild raubtierhaften Verhaltens die Rede, wenn das Vernichten des Ansehens prominenter wie unbekannter Leute anzuhören ist »wie das Schreien eines Hühnchens, das ein Marder nächtlicher Weile einsam erwürgt. Oder es fielen ein paar der Herzoge unter den reißenden Tieren einander selbst an auf irgend einem besondern Wechselplatz, kehrten aber mit zerbissenen und blutigen Schnauzen zum allgemeinen Reichstage zurück, ohne daß es ihnen dort etwas geschadet hätte. Sie beleckten sich die zerzausten Bälge und nahmen frech wieder das Wort« (8, 377; vgl. 419).

[42] s. auf Männerseite Lysens Verhalten während des Künstlerfestes, dessentwegen er mit einem Raub- und Wechseltier verglichen wird 5, 222.

[43] Einer dieser Versuche zeigt uns den Mönch in frommem Gebet, die wilde rote Löwin (s. 10, 252 u. 259) gefesselt und allmählich sanft werdend wie ein Lämmlein.

und der Teufel sie gern sieht«, »indes ihr langes rabenschwarzes Haar wie eine Nachtfahne hinter ihr her flatterte« (7, 367). Als man sie einfangen will, erhält Spiegel »einen solchen Nasenstüber, daß er beinahe in Ohnmacht fiel und einsah, wie man auch einer Löwin im Netz nicht zu nahe kommen dürfe« (7, 372).

Bliebe nachzutragen, daß mitunter auch Spinnen die Funktion von Tiger oder Löwe übernehmen können, so im Falle von Heinrichs Menagerie, wo »Mehrere große Spinnen ... in Wahrheit die Stelle der wilden Tiger« versehen (3, 107). Was sie dazu geeignet macht, ist, abgesehen von der entsetzlichen Furcht Heinrichs vor diesen Tieren, ganz allgemein die Schnelligkeit, mit der sie sich bewegen. So bricht eines Tages »eine Kreuzspinne aus ihrem Käfige« und läuft Heinrich »rasend über Hand und Kleid ...« (3, 108). Diese Schnelligkeit — Zeichen leidenschaftlichen Antriebs (s. 6, 20) — setzt sie instand, sich über ihre Opfer herzustürzen (s. 6, 17) ebenso wie sich gegenseitig kämpfend anzurennen (s. 6, 18. 10, 230). — Nicht nur sind die Bilder von Jagd und Kampf mit dem Verhalten dieser Tiere in Zusammenhang gebracht, inmitten ihrer Mordgewebe gewinnen insbesondere die großen Kreuzspinnen das Ansehen von Raubtieren (s. 20, 86). Was sie zu entsprechendem Verhalten treibt, ist, wie könnte es anders sein, die Not (s. 1, 52). So ist die Spinne der Skizze »Die Reise in die Unterwelt« »gezwungen, zu ... [ihrer] kümmerlichen Nahrung« dem »wehrlosen Mückengeschlechte den Tod zu bereiten ...« (20, 86). Und auch die parasitische Raubspinne verhält sich bei Heinrichs Experimenten so und nicht anders, weil ihr »der Hunger keine Wahl lassen mochte«. Folgerichtig nimmt sie ihr Opfer »kurzweg zwischen die Freßzangen und trug es, wie der Bär das Lamm, ... nach einem Refugium« (6, 18/19). Mit diesem Rennen und Jagen nach Beute, bei dem die Metapher des einander ›Spinnefeindseins‹ aktualisiert wird[44], erweist sich das Bild der Spinnenkolonie im Nachhinein als besonders geeignet, das Wesen der Welt (unter dem Aspekt der Notdurft) wiederzugeben. — Schließlich kann, über das Moment der Schnelligkeit[45], selbst ein direkter Zusammenhang zwischen Spinne und Katze als dem für Keller nächst der Schlange beweglichsten Tier hergestellt werden, und so ist es nicht zufällig, wenn der jüngste der Kammacher, sich als Tierfreund gerierend, beteuert, er habe noch »›niemals ... eine Katze geschlagen oder eine Spinne getötet‹« (7, 303).

Damit sind wir zum Ausgangspunkt unserer Überlegungen, dem Katzenbild, zurückgekehrt. Ob Haustier oder Großwild, ›Kätzchen‹ oder todbringender Löwe, beide gehören sie ein und derselben Tiergattung an. Dennoch bedingt unterschiedliche Größenordnung, wie immer bei Keller, über bloße Veränderung der Maße

[44] Im Verlauf des Kampfes um die Person der Züs werden die sonst so sanften Kammacher einander schließlich so »zuwider wie drei Spinnen in einem Netz« (7, 293).

[45] Auf den Menschen angewandt, kann dies spinnenhafte Sich-Fortbewegen zum bildlichen Ausdruck feindlicher Empfindungen werden, etwa, wenn der Page Don Correas seinem verhaßten Herrn davonrennt »Wie eine Spinne ...« (11, 259).

hinaus qualitatives Anderssein, statt der Eitelkeit des Haustiers ungezügelte Mordgier im Falle der Raubkatzen; wobei dies letztere nun doch wieder nichts anderes ist als die Abwandlung jenes früheren Lasters, das Ergebnis nämlich unkontrolliert wuchernder Selbstsucht auf dem Nährboden von Not und Verzweiflung[46]. Diesem Sachverhalt trägt die, wie es nun (gegen p. 135) richtiger heißen muß, alt-neue Bildfolge Rechnung, indem sie das ursprüngliche Grundmuster beibehält, wenn auch ins Monströse und Bestienhafte emporstilisiert.

3. Das ›Laster‹ Selbstsucht und die Möglichkeiten seiner Überwindung

Freilich kommt materieller Bedürftigkeit, so wichtig ihre Funktion nach allem bisher Gesagten eingeschätzt werden muß, letztlich doch nur die Rolle des auslösenden Faktors zu, ist sie zwar Anlaß, nicht aber schon Ursache dessen, was sich, läßt man die Not allzu nahe herankommen, mit dem Menschen ereignen kann; zumindest gibt es unter all den Formen und Schattierungen von Egozentrik, die hinter den Bildern von Katze und Löwe erkennbar werden, auch Spielarten, die unabhängig von sozialen Gegebenheiten auftreten können.

Prototyp eines solchen Falles von Selbstsucht ›ohne Not‹ ist die Gestalt der Lydia aus der ›Pankraz‹-Novelle. Wo, wie hier, äußere Schönheit die Bewunderung des andern Geschlechtes notwendig herausfordert, ist die Eitelkeit stets in Gefahr, überhandzunehmen und das normale Maß zu überschreiten; insbesondere dann, wenn falsche Erziehung — Lydia ist das verwöhnte Kind wohlhabender Eltern — erschwerend hinzukommt oder jedes Korrektiv von eigner Hand notwendig fehlen muß, weil es sich um eine Person ohne Seele und damit ohne eigentliche Mitte handelt. Da Lydia diesen ihren Mangel instinktiv spürt, ist sie fortwährend bestrebt, die insgeheimen Zweifel an sich selbst, ihrem eignen Wert zu überspielen, indem sie alle Welt zwingt, verehrungsvoll vor ihr im Staube zu liegen. Ja sie ist da, wo ihr nicht sogleich »Artigkeit und Ergebenheit« begegnen (7, 61), imstande, ihrem Gegenüber eine Komödie des Verliebtseins vorzugaukeln, »›alle Zeichen der reinen und tiefen Liebe und Selbstentäußerung zu verwenden‹« (7, 62), eine »wundersame Leidenschaft«, welche nichts anderes ist als »die Liebe zu sich selbst ...«, so aufs äußerste zu empfinden und darzustellen, »als ob es eine wirkliche Liebe zu einem Manne wäre« (7, 58). — Nicht aus Selbsterhaltungstrieb erwachsen, ist ein solches Unverhältnis zur Welt doch kaum weniger gefährlich als die früher bemerkten aggressiven Übergriffe und Verzweiflungsakte. Zumindest

[46] Diese deformierende Wirkung ist nicht genügend berücksichtigt bei Rudolf Wildbolz — Gottfried Kellers Menschenbild, Bern/München 1964 —, für den Armut allenfalls in biographischem Umkreis (s. S. 15/16), und auch dort nur als Stimulans zu vermehrter Leistungsbereitschaft (s. S. 17) erwähnenswert scheint. So bleibt das Menschenbild an einer entscheidenden Stelle unvollständig, da ihm kein Porträt der Welt korrespondierend zur Seite steht.

stellt sich erneut die von daher vertraute Bildfolge ein: Pankraz, lange Zeit hoffnungslos verliebt, wird bei Lydias Eröffnungen plötzlich kalt und besonnen, und wenn sein Herz eben noch vor dem »vermeintlich guten und liebevollen Weibe ... gezittert« hatte, »vor dem wilden Tiere dieser falschen gefährlichen Selbstsucht zitterte ich so wenig mehr als ich es vor Tigern und Schlangen zu tun gewohnt war« (7, 61/62)[47].

Derart zur Grundlage aller egoistischen Antriebe erhoben, rangiert die Eitelkeit[48], was Gefährlichkeit wie Verbreitung angeht, mit Abstand an der Spitze des Kellerschen Lasterkatalogs, erscheint diese Eigenschaft als der locus minoris resistentiae des menschlichen Charakterbildes schlechthin. »Neid, Habsucht, Hartherzigkeit, Verleumdungssucht, Trägheit, alle diese Laster lassen sich bändigen oder einschläfern; nur die Eitelkeit ist immer wach und verstrickt den Menschen unaufhörlich in tausend lügenhafte oder wenigstens unnötige Dinge, Brutalitäten und kleinere oder größere Gefahren«, heißt es aus Anlaß der Waldhüter-Episode gegen Ende des ›Grünen Heinrich‹ (6, 150). An ihr »versengen sich Freundschaft, Liebe, Freiheit und Vaterland und alle guten Dinge«, und mit dieser zerstörerischen Kraft ist eitles, selbstsüchtiges und selbstgerechtes Wesen ein wahrer Moloch, »dessen gelindes Feuer Menschen und Kieselsteine frißt. Er bleibt stets er selbst, der Moloch, und fürchtet sich nicht und lächelt sein ehernes Lächeln, während sein heißhungriger Bauch glüht . . . und wenn er nichts mehr zu fressen hat, wird er ein kalter Ofen voll Asche« (6, 151. vgl. 5, 219).

Um so dringlicher wird die Frage nach ihrer Bemeisterung. Wenn Selbstsucht, wie behauptet, vor allem eine Frage des Charakters ist, dann kann Abhilfe, außer über Veränderung der Lebensbedingungen, nur eine Sache sein erziehenden Belehrens, bei Keller möglich einzig auf dem Wege der Demonstration. Als ihr nachhaltigster Adressat erscheint Pankraz[49], wird er doch gleich in eine doppelte

[47] Ähnlich wie hier die Lydia wird Feniza (»Don Correa«), da sie »nur an sich selbst, an ihren Reichtum und an die Kirche, sonst aber an nichts in der Welt glaubte« (11, 266), ihrem egozentrischen Wesen gemäß »mit dem schönen weichen Fell einer geschmeidigen Tigerkatze« verglichen (11, 274), und es ist die Folge des verführerischen Zaubers ihrer (narzißtischen) Schönheit, daß Don Correa die »Bestie in ihr« nicht rechtzeitig erkennt (11, 275). — In die gleiche Richtung zielt der Hinweis auf das ›Fell‹ (s. 8, 271) der Violande — auch sie gehört der Gruppe der Hohlherzigen und Selbstsüchtigen an (s. 8, 259) — in dem Augenblick, als sie den Forstmeister aus eigennützigen Motiven an sich binden will.

[48] Selbst Christus war in Kellers Augen »›ein bißchen eitel, denn er hielt Haar und Bart gelockt und ließ sich die Füße salben!‹« (6, 151)

[49] Nicht anders wird die anfangs ebenso unbeherrscht wie egoistisch wirkende Küngolt von ihrer Selbstsucht geheilt, indem man sie ihrerseits der Habgier fremder Menschen aussetzt. Auf einer öffentlichen Steigerung ausgestellt, bewerben sich nacheinander der Stadtpfeifer, ein alter Seckler sowie ein Geldwechsler um ihre Person, nicht aus Nächstenliebe, sondern um persönlicher Vorteile willen, und so hat Küngolt ausgiebig Gelegenheit, diese Haltungen des Geizes und der Lüsternheit zu studieren, um so mehr, als solche moralischen Defekte, wie oft bei Keller, umgeschlagen sind in körperliche Mißbildungen, Schnapsnasen, Triefaugen, Auswüchse am Kopf oder einen offenen Schaden am Bein (s. 8, 277).

erzieherische Kur genommen: In dem Augenblick, da der Schmoller Welt und Menschen gegenüber endlich zugänglich zu werden verspricht, gerät er an eine zur Liebe unfähige Person, eine Frau, die an nichts glaubt als an sich selbst und einzig damit beschäftigt ist, diese ihre Selbstwertgefühle bis zur Neige auszukosten. Sie verweigert sich ihm darum so, wie er es (lange Zeit) tut hinsichtlich der Welt. Keller greift hier auf einen alten Märchentopos zurück, indem er jemanden mit genau der Unart bestraft, deren er sich zuvor selbst schuldig gemacht hat. — Pankraz verhärtet sich als Folge dieses unglücklichen Abenteuers erneut, diesmal mit letzter Radikalität, und in dieser äußersten Verbitterung trifft er schließlich auf den Löwen. In der Bestie, die ihm da in den schlimmsten Stunden seines Lebens gegenüberhockt (s. 7, 77ff.), bereit, ihn zu zerfleischen, hat er Gelegenheit, sich selbst, sein eignes Zerrbild wiederzuerkennen, ja es läßt sich, ohne die tatsächliche physische Bedrohung schmälern zu wollen, die Behauptung vertreten, er stehe hier in Wahrheit seinem alter ego, dem schlechteren Teil seines Selbst gegenüber[50]. — Demnach hätten beide Abenteuer vieles miteinander gemeinsam, und wenn es Unterschiede gibt, dann eigentlich nur hinsichtlich ihres Wirkungsgrades: Während Pankraz zunächst ein Opfer fremder Selbstsucht wird[51], ist er in der Löwenepisode zur Konfrontation mit sich selbst, seiner ureigensten Marotte, gezwungen. In diesem Sinne lautet denn auch, wie der Bekehrte im übrigen selbst (glaubhaft) versichert, die »Moral von der Geschichte ... einfach, daß er in der Fremde durch ein Weib und ein wildes Tier von der Unart des Schmollens entwöhnt worden sei« (7, 81).

*

Auch was Art und äußere Begleitumstände seiner Rettung angeht, hat Pankraz Glück. Wenn die Bestie schließlich tot vor ihm liegt, dann nur als ein Erfolg gemeinsamer Aktion (s. 7, 79/80). Und wie Pankraz sich eingestehen muß, daß er an seiner ersten Enttäuschung nicht ganz unschuldig war, insofern er sich damit

[50] In ähnlicher Weise steht Buz Falätscher dem »dräuenden Löwen« — diesmal der Anführer eines Trupps welscher Landsknechte — gegenüber (9, 144). — In »Don Correa« wird der einheimische Fürst, mit dem der Admiral es zu tun hat, als ein schrecklicher »Tyrann und Wüstenlöwe« bezeichnet (1, 277), und vergleichbar despotisch gebärdet sich Pankraz lange Zeit gegenüber Angehörigen wie Untergebenen. Bei anderer Gelegenheit wird er, sicher nicht zufällig, ein ›großes Tier‹ genannt (s. 7, 33), während umgekehrt der verfolgte Löwe menschliche Züge bekommt und als starker, wilder Bursche und durchtriebener Geselle apostrophiert wird (s. 7, 75).

[51] Manz und Marti (wie auch die Kammacher) bekommen jeweils einen genau gleichgearteten Kontrahenten vorgesetzt, und wenn sie nicht so gänzlich verblendet wären, hätten sie Gelegenheit, ihre eignen Fehler getreulich im andern, im Pendant und Gegenüber, abgebildet und wiederholt zu finden. So aber ergibt ihr Starrsinn eine Lehre allenfalls für den Leser, der die Folgen derartigen Tuns ebenso demonstriert bekommt, wie er auf den Exempelcharakter des Vorgefallenen verwiesen wird (s. 7, 176).

begnügte, sozusagen ein Phantom zu lieben (s. dazu 11, 57), anstatt Lydia zum Sprechen und damit zur Offenbarung ihres wahren Wesens zu veranlassen, lernt er nun, daß man nicht gut allein bestehen kann in diesem Leben[52]; eine Erkenntnis, die ihn in der Folge zwar nicht glücklich macht, wohl aber gesprächig und hilfsbereit. Er beherzigt diese Lehre, indem er sich dem Dienste an der Gemeinschaft verschreibt.

Wenn Keller da, wo die Voraussetzungen (materiell wie charakterologisch) günstiger sind, Egozentrik und isolierende Selbstsucht statt in sozialem Verhalten aufgehen läßt in liebendes und liebevolles Miteinander, dann ist das in seinen Augen nichts anderes als die konsequente Fortführung des Gedankens wechselseitiger Hilfe. Dies zu verstehen, ist es nötig, den Charakter der Liebe näher zu erläutern, und bezeichnend, daß dies am ehesten in Verbindung mit einem so unerotischen Motiv wie dem des Essens, dem prosaischen Faktum der Nahrungsaufnahme, geschehen kann! — Von der zuletzt mehr tierischen als menschlichen Reaktion auf die fehlende oder nicht genügend vorhandene Möglichkeit zur Befriedung leiblicher Bedürfnisse war die Rede. Um indes die rechte Einstellung Essen und Trinken, Kleidung und Geld gegenüber bewähren zu können, bedarf es, der Wahl- und Entscheidungsfreiheit wegen, einer Situation, in der die genannten Dinge des täglichen Bedarfs, wenn nicht im Überfluß, so doch in ausreichendem Maße vorhanden sind. In diesem Moment freilich ergibt sich Erstaunliches: Wo immer nämlich über das notwendige Maß hinaus viel und gut gegessen wird bei Keller, da ist solches Verhalten die sicherste Gewähr für egoistische und selbstsüchtige Gesinnung[53]. Umgekehrt spricht selbstloses Wesen aus der liebevollen

[52] Die gleiche sozialisierend wirkende Erfahrung macht »Die arme Baronin«, anfangs ein Teufel von Unerbittlichkeit gegen sich selbst (s. 11, 166), als sie sich in Not und Krankheit schließlich doch helfen lassen muß.

[53] Vgl. die überzeugende Art, in der es Herrn Amrain gelingt, sich als Landflüchtiger »glücklich durch die Fernen« zu fressen 7, 193; ferner die geradezu monströs entwickelte malmende Freßlust der Kätter Ambach aus den ›Mißbrauchten Liebesbriefen‹ 8, 162; 167. — Wenn sie nicht gerade schläft, weiß der Erzähler von der Dame Litumlei zu berichten, so pflegt sie etwas Gutes zu essen (s. 8, 101). Herr Kabys läßt sich diese Vorliebe gern gefallen, hält man ihn doch gleich nach seiner Ankunft in Augsburg dazu an, »eine gehörige Erfrischung« einzunehmen, »wobei ihm das Ehepaar so eifrig half wie Kinder, die zu jeder Stunde Eßlust haben«. John zieht daraus den Schluß, es müsse sich hier um Leute handeln, »die sich nichts abgehen ließen und welche noch Freude an den guten Dingen hätten«, und entsprechend richtet er sein Verhalten ein. Der Leser freilich kann dem Umstand, »daß jedes der beiden Leutchen seine eigenen Leibgerichte auftragen« läßt (8, 87), bereits das Unverhältnis zwischen den Eheleuten entnehmen, von denen beide diesen Bund aus vorwiegend egoistischen Motiven eingegangen sind: Litumlei, um die Frau zur Mutter seiner Kinder zu machen, diese, um an seinem Wohlstand zu partizipieren. — Demgegenüber wirkt die bei Klaus Jeziorkowski — »Eine Art Statistik des poetischen Stoffes«. Zu einigen Themen Gottfried Kellers. — In: DVjS 45, 1971, S. 547—66 — vertretene Behauptung von der geselligkeitsfördernden Kraft solcher Mahlzeiten (s. S. 557) ungeachtet mancher Einschränkung immer noch viel zu undifferenziert.

Sorge[54] um das leibliche Wohl des Partners (s. 8, 135/36. 7, 87)[55]. In dem Augenblick, da der Schulmeister Wilhelm über dem Briefstellern für Gritli zum erstenmal wirklich verliebt ist, bringt er die Abendsuppe nicht mehr herunter, »so gesättigt fühlte er sich von allen guten Dingen, während er sonst bei seinen geträumten Liebesverhältnissen allzeit die größte Eßlust empfunden hatte« (8, 143), ein Zeichen dafür, daß der kindliche Egoismus früherer Tage (s. 8, 141) überwunden ist. Und ähnlich kann auch die Wandlung Pankrazens vom Egoisten zur Selbstlosigkeit an der gewandelten Einstellung zum Essen verfolgt werden: Während er sich als Kind (freilich auch bedingt durch die Not) täglich um das Essen zankte, während er Mutter und Schwester für sich sorgen und arbeiten ließ und sich in allen Stücken wie ein kleiner Indianer gebärdete (s. 7, 12), ist ihm in der Fremde das Essen schon bald »nichts Wichtiges mehr« (7, 34), hat er später, bei der Heimkunft, an alles gedacht, dessen die Mutter bedürftig sein könnte; und so bringt er nicht nur »einen Korb mit verschiedenen guten Speisen« mit (7, 23), sondern hat auch noch einige Wachskerzen eingekauft (s. 7, 24), die kümmerliche Beleuchtung zu ergänzen. — Während man Eßlust also als eine der zentralen Äußerungsformen von Selbstsucht anzusehen hat, deutet umgekehrt Abstand, degagiertes Verhalten allem Wohlleben gegenüber hin auf mehr als bloß materialistische Gesinnung, ist Freigebigkeit in allen Stücken gar Zeichen eines selbstlosen und damit liebefähigen Herzens. Zugleich aber rückt, über die genannten Fälle hinaus, Liebe bei Keller ganz allgemein in die Nähe von Selbstlosigkeit und Güte. Wenn beide auch nicht gänzlich identisch sind miteinander, so ist Selbstentäußerung doch die entscheidende Voraussetzung zu echter Liebesfähigkeit.

In dieser Bedeutung aber wird liebevolle Zuneigung zum eigentlichen Gegenspieler der Selbstsucht, ja man kann getrost die Behauptung wagen, die Auseinandersetzung beider Grundhaltungen sei eines der Hauptthemen Kellerschen Erzählens[56]: In »Romeo und Julia auf dem Dorfe« sucht die selbstlose Liebe der Kinder sich gegen Habgier und Hartherzigkeit der Väter zu behaupten, in der Parallelgeschichte des zweiten Seldwyla-Bandes scheint die Selbstlosigkeit der Alten — Küngolts Eltern haben den mittellosen Dietegen in ihr Haus geholt und an Kindes Statt angenommen — vergessen über dem (zumindest vorüber-

[54] Von hier aus müßte das angebliche Unverhältnis zwischen Liebe und Sorge bei Albert Hauser — Gottfried Keller. Geburt und Zerfall der dichterischen Welt, Zürich 1959 — erneut diskutiert und auf seine Richtigkeit hin überprüft werden.

[55] s. dagegen das ständige Lamento des Waagwirtes gegenüber der Köchin, bei dem sich das in Wahrheit geizige Naturell dieses Mannes offenbart 8, 10ff., in komischem Kontrast zu seinen Pflichten als Gastgeber. Wenn er den Ankömmling schließlich doch (und mehr als nötig) umsorgt, dann vor allem deshalb, weil er auf das Renommee seines Hauses bedacht ist und in gar keinem Fall mit den Seldwylern verglichen werden möchte, die in ihrem Egoismus »›alles Gute selber fressen und den Fremden die Knochen vorsetzen!‹« (8, 12. vgl. 7, 88)

[56] Für »Die Leute von Seldwyla« zumindest teilweise erkannt bei Doris Fulda Merryfield, Gottfried Kellers »Dietegen«, Eine Analyse. — In: GQ 42, 1969, S. 158—71, dort S. 165.

gehend) aufkommenden Egoismus der Jugend. Schließlich aber darf Dietegen seine wahre Natur bewähren, indem er sich bereitfindet — zunächst mehr aus Mitleid denn aus Liebe —, die vermeintlich böse Hexe Küngolt vom Galgen weg zu ehelichen. Nicht nur wird auf diesem Wege der Charakter der Liebe — weniger Eros als Agape[57] — noch einmal unterstrichen, damit ist zugleich die (nächst dem Todesmotiv) wohl entscheidende Korrespondenz zwischen beiden Stücken benannt.

Wenn viele seiner Gestalten[58] anfangs in ähnlicher Weise wie Küngolt und Dietegen zur Liebe unfähig sind, so ist dies doch auch die große Stunde des Didaktikers Keller. Gleich seiner Frau Regula ist er unermüdlich domestizierend am Werke, wie jene großzügig in vieler Hinsicht, aber unerbittlich ankämpfend gegen die tausend kleineren »Züge und Zeichen des Neides, der Mißgunst, der Eitelkeit, der Anmaßung, der moralischen Selbstsucht und Selbstgefälligkeit ...« (7, 204). — Daß eine solche Wendung zum Besseren möglich wird, muß der eigensinnige, von sich selbst eingenommene Mensch seine Fehlerhaftigkeit einsehen lernen, muß er dazu gebracht werden, sein früheres Verhalten zu bereuen. Diese Bereitschaft, sich selbst in Frage zu stellen, der alsdann einsetzende Prozeß der Selbstbesinnung, sie äußern sich in der Fähigkeit zu weinen. Tränen aber sind bei Keller immer ein Zeichen der Menschlichkeit (s. 7, 305), des Durchbruchs zum Guten, wo sie strömen, lösen sich Hartherzigkeit und Selbstgerechtigkeit. Freilich ist eine solche Erscheinung selten genug. Daß der aus allen Glücksträumen gerissene Wenzel über sich selbst weinen kann, hebt ihn aus einer Unzahl von Menschen heraus (s. 8, 48). Küngolt weint in dieser Weise aus Reue über ihr Tun, und weil sie bis zu solchem Grade »selbstlos und gut« geworden ist (8, 294; vgl. 297), bleibt ihr die letzte Konsequenz des Ganges zum Galgen erspart, wird sie gerettet — zur Ehe!

Indem Liebe die Haltung der Ichsucht überwindet[59], überwindet sie (immer wieder) auch deren Folgen, als deren gravierendste wir Aggressivität und Streitigkeiten jeder Art kennengelernt hatten. Zwar sind Feindschaft und Haß nicht

[57] s. die Betonung des Mitleids- (oder Güte-)Charakters der Liebe in den sogenannten ›Treppenheiraten‹ des ›Singgedichts‹.

[58] Vgl. Heinrichs Schwanken zwischen Anna und Judith 5, 274/75. Wenn er am Ende gerettet werden soll für die menschliche Gemeinschaft, müssen zuvor die Züge von Ichsucht und Selbstgerechtigkeit gemildert werden. In seinem Fall heißt das u. a.: Rücknahme der Folgen des Duells mit Lys (s. 5, 273/74; 276/77; 280 ff. gegen 18, 245 f.), während bei Judiths Wandlung zur Güte vor allem die Badeszene entfallen mußte.

[59] Auswirkungen lassen sich bis in den Bildbereich hinein verfolgen, wenn selbst das Katzenbild, im ›Verlornen Lachen‹ noch sicheres Indiz für selbstsüchtiges Gebaren (s. 8, 389/90), nunmehr (freilich erst nach gehöriger Schrumpfung) auf eine Szene fürsorglichen Mitleids übertragen werden kann: Brandolf nennt die ›Arme Baronin‹ ihres menschenfeindlichen Wesens wegen bei sich eine ›wilde Katze‹ (s. 11, 156). Entschlossen, die Bestie zu zähmen, entdeckt er statt Bosheit nichts als menschliches Elend, angesichts dessen er sich sofort zu helfen entschließt. Dem Leben zurückgewonnen, sieht die Baronin, die menschliche Fürsorge noch niemals erfahren

verschwunden aus dieser Welt, gibt es auch weiterhin Auseinandersetzungen der früher beschriebenen Art, aber daneben treten doch nun auch versöhnlichere Züge, den Szenen des Kampfes korrespondieren Bilder des Friedens[60]. — Nicht nur erhält die Welt damit ein weniger martialisches Gesicht (s. 7, 168), liebendes Begegnen vermag zugleich das Trennende des Streites[61] zu überwinden. Einer Bagatelle wegen hoffnungslos zerstritten, versündigen Manz und Marti sich mit dieser Verkehrung einstigen friedlichen Nebeneinanders vor allem an dem natürlichen Zusammenhang der Welt, zumal er ihnen quasi handgreiflich vor Augen geführt wird in Gestalt der drei Äcker, die sich nebeneinander erstrecken »gleich drei riesigen Bändern ...« (7, 85). — Ganz anders dagegen Reaktion und Verhalten der Kinder: Kaum daß sie das Essen in dem Wägelchen herangebracht haben[62], sieht man sie bei einem Streifzug auf dem wilden Acker, und wenn sie dabei just »in der Mitte dieser grünen Wildnis« hinwandern, »Hand in Hand«, und sich daran belustigen, »die verschlungenen Hände über die hohen Distelstauden zu schwingen« (7, 91), dann ist dieses scheinbar so absichtslose Verhalten in Wahrheit doch das genaue Gegenteil des Tuns der Väter. Mit fortschreitender Verfeindung wird nicht nur ein Zusammensein dieser Art zunehmend schwieriger; obwohl gewachsen, können Sali und Vrenchen einander bald nicht einmal mehr sehen, da die Steine aus beiden Feldern zuletzt die Form eines ordentlichen Grates erreicht haben (s. 7, 96)! Um so größer ist die Freude bei der (vorläufig) letzten Zusammenkunft aus Anlaß der Versteigerung des verbliebenen Mittelstücks. Als Manz, der den Acker zugeschlagen bekommen hat, das Unkraut beseitigen läßt und dazu niemand andern als seinen Sohn Sali hinausschickt, findet auch Vrenchen sich ein, nutzen beide noch einmal die (ersehnte) Gelegenheit, zueinanderzuschlüp-

hatte, die Welt in freundlicherem Licht: Aus der wilden Katze, dem Drachen in der Höhle (s. 11, 149 u. 152), ist ein zierliches, liebebedürftiges Kätzlein geworden. Brandolf ist's zufrieden, seine Freunde finden ihn in aufgeräumter Stimmung vor. Nach der Ursache seiner Heiterkeit befragt, antwortet er mit einer närrisch anmutenden Geschichte: »›Ei‹, sagte er, ›meine Katze hat Junge, und als ich heut eines der Tierchen in die Hand nahm, gingen ihm in demselben Augenblicke die Äuglein auf und ich sah mit ihm die Welt zum ersten Mal‹« (11, 170).

[60] oft genug freilich als bloße Wunsch-Bilder, wie am Beispiel des von Tauben bewohnten Lebkuchenhauses ersichtlich, das Sali seiner Geliebten kauft (s. 7, 166).

[61] Vgl. Justines Erinnerung an das Bild des holzzerkleinernden Paares und seines seltsamen Betragens, eine Reminiszenz, von der sie just im Augenblick krisenhafter Zuspitzung ihres Verhältnisses zu Jukundus befallen wird: »›Das regnete, regnete unaufhörlich, das Holz war naß und die Säge war naß und der Mann und die Frau waren durchnäßt und sie rissen die Säge unablässig hin und her und zankten bitterlich mit harten Worten! ... Sie stritten um die Not, um das Elend, um die Sorge, und schämten sich nicht im geringsten vor den Leuten, die zuhörten —‹« (8, 337).

[62] Die Endstation des Fuhrwerks »im Schatten eines jungen Lindengebüsches« (7, 88; vgl. 91) meint ausdrücklich einen Ort des Friedens (s. dazu 9, 259).

fen, und sie tun dies, sooft sie getrennt werden (s. 7, 100)[63]. In der Streitszene der Väter auf der Brücke – wieder mißbrauchen die Erwachsenen einen ›Verbindungsweg‹! – behindern sie die Kämpfenden mehr, als daß sie helfen, ja beim Wegwenden und Trennen finden sie noch Gelegenheit, sich heimlich die Hand zu drücken (s. 7, 121). Und wenn sie nach Jahren der Trennung eben jenen Streitacker zum Ort des Wiedersehens erwählen, dann ist das mehr als nur eine Rückkehr des Geschehens an den gleichen Ort zu kompositorischen Zwecken, vielmehr der Versuch einer Korrektur und Wiedergutmachung früherer unheilvoller Geschehnisse. – Gegenüber dem Trennenden des Hasses dokumentiert Liebe hier ihre verbindende Kraft[64], wie sie sich zuvor bewährte als pazifizierendes Element. Keller spricht oft und gern vom ›Leben und Weben‹ der Liebe. Indem sie den Dämon des Zwiespalts (s. 7, 290) überwindet, alles (fehlerhaft) einzelne zusammenbindet zu einem so unzerreißlichen wie harmonisch-schönen Ganzen, ist sie nicht allein d i e integrierende Kraft dieser Welt, schafft sie zugleich die Voraussetzung zu zeitüberwindender Kontinuität[65].

*

Wo das Leben bestimmt ist von Mangel und Not, muß man (andererseits) tüchtig, mannhaft und wehrbar sein, um im Widerstreit der Interessen bestehen zu können, Erfolg zu haben bei der »einsilbigen Jagd des Lebens ...« (7, 255). Heinrichs Oheim ist ein solcher tüchtiger Jäger, wie der Empfang bestätigt, den er seinem Neffen bereitet[66]; Erikson, einer von Heinrichs Freunden aus der Zeit

[63] Vgl. ihr Verhalten auf dem Tanzplatz, wo sie nach jeder Trennung wieder zueinander fliegen 7, 174/75.

[64] Bezeichnend die Schildereien an Salis Liebeshaus mit den ineinander verfließenden Konturen der ›Kuß-Lippen‹ (s. 7, 166); dazu die voraufgegangene Szene gemeinsamen Nächtigens auf dem Herd, wo sie derart aneinander gelehnt hatten, daß die rechte Wange Vrenchens und die linke Salis »von dem Drucke ganz rot gefärbt« waren (7, 145).

[65] Hier trifft sich die These von der Liebe als großmütiger Überwinderin selbstsüchtiger Egoismen mit der früheren (vgl. p. 104) Behauptung, Keller habe vorzüglich deshalb Liebesgeschichten erzählt, weil sie die Chance böten, der Endlichkeit des Daseins zu entkommen: Überwindung von Streit und Trennung ist conditio sine qua non jeglichen Überdauerns. – Kein Wunder, daß gerade diese Qualitäten der Liebe immer dort am prononciertesten hervorgekehrt und ins Spiel gebracht werden, wo es gilt, den seitens der Wissenschaft apodiktisch behaupteten Streitcharakter der Welt zu widerlegen, im ›Sinngedicht‹ etwa, wo das Wunder der Liebe darum unter jeder Bedingung, über soziale wie ethnische Schranken hinweg möglich ist und eine Reihe »jener langen Rechnungen über Lust und Unlust, die unsere modernen Shylocks eifrig aufsetzen und dem Himmel so mürrisch entgegenhalten, wieder einmal wenigstens ausgeglichen« wird (11, 184).

[66] Dieser kommt gerade noch zurecht, um mitzuerleben, wie der Hausherr einen Raubvogel zur Strecke bringt (s. 3, 200). Es könnte dies für Heinrich, der zu Beschaulichkeit und weinerlicher Selbstbemitleidung neigt, der Auftakt werden eines Prozesses der Ertüchtigung. – In ähnlicher Weise reift der Schulmeister Wilhelm während seines Aufenthaltes in der Natur von einem

seines Münchner Aufenthalts, versteht sich in dieser Weise auf das Leben, ist ein Jäger mehr denn ein Maler, und so kommt es, daß man in seinem geräumigen Atelier kaum berufliches Handwerkszeug findet und Spuren der Arbeit, dafür aber »ein paar Jagdflinten an der Wand, auf dem Boden ausgestreckte Wasserstiefel und auf dem Tische liegende Pulverhörner und Schrotbeutel ...« (5, 151). Salomon Landolt sieht sich auf seinen Bildern abwechselnd im Kostüm des Jägers oder Kriegers (s. 9, 237; 196), und wenn der Erzähler ihn schildert, wie er die Manöverbewegungen seiner Truppe befehligt, auf »rot glänzender Fuchsstute über die Höhen« jagend (9, 159), wird er folgerichtig ein »Jägeroffizier« genannt (9, 161). Immer aber sind, im Unterschied zu den eingangs gezeigten Szenen menschlicher Verwilderung, Züge des Mäßigenden[67] wie des Ruhig-Beschaulichen (vgl. p. 68 ff.) eingeflochten in diese (kriegerisch getönten) Bilder kraftvoll-bewegter Lebensbemeisterung.

Nicht hemmungslose Wildheit, sondern gezügelte Leidenschaft ist gefordert, ein Ideal, zu dessen Veranschaulichung sich das Bild des Reiters oder Ritters geradezu aufdrängt. Die Bedeutung dieser Figur oder besser Gruppe, handelt es sich doch jeweils um Roß und Reiter, ergibt sich im wesentlichen gerade aus der Verbindung von Mensch und Tier, wobei das Pferd den triebhaft-leidenschaftlichen Teil verkörpert, während der Reiter, insofern er Gangart[68] und Bewegungsrichtung zu bestimmen vermag, den domestizierenden Part übernimmt[69]. Kraft seines Willens macht der Berittene sich zum Beherrscher der Kreatur (oder darf man folgern: des

allzu weichlichen, ja fast kindischen und jedenfalls so blumenfreundlichen wie wenig ernst zu nehmenden Schüchterling zum ›gestandenen‹ Mannsbild heran, bis er eines Tages das Grab eines keltischen Kriegers entdeckt, dessen Waffen er heimträgt als Zeichen der vollzogenen Wandlung zur Wehrbarkeit (s. 8, 184/85). Kann es eine bessere Schulung geben für den anfänglich, im Ruechensteiner Elend, wehrlosen Dietegen — der sich darum von der mutwilligen Küngolt alles gefallen läßt — als den Aufenthalt im Forstmeisterhaus, den Umgang mit Waffen und das Erlernen des Jagdhandwerks (s. 8, 248/49)?

[67] Vgl. die Schießproben Karl Hedigers während des Schützenfestes, mit denen er die Mannestugend der Wehrbarkeit ebenso unter Beweis stellt wie die Fähigkeit zur Selbstbeherrschung 10, 80 ff.

[68] Wie im Falle der Spinne (vgl. p. 137) ergibt sich auch der Zusammenhang Pferd — Leidenschaft über das Moment der Schnelligkeit, die Möglichkeit, auf seinem Rücken eine ›wilde Jagd der Leidenschaften‹ (s. 7, 338) zu entfesseln (s. 4, 201. 5, 70/71. 6, 254. 8, 96 ff.).

[69] Beherrschte Leidenschaftlichkeit offenbart die kontrollierte Galoppade Nettchens (s. 8, 33; 51; 53). In ihrer Nähe fängt auch das (sonst schüchterne) Schneiderblütchen an, »seine Sprünge zu machen und seinen Reiter davonzutragen« (8, 25). Wenn Wenzel zuletzt, als es darum geht, seine Ansprüche gegen die Widerstände der Umwelt durchzusetzen, gar mit der Attitüde des wilden Mannes versehen daherkommt (s. 8, 63), dann ist das eine liebenswürdig-komische Übertreibung, versteht er es doch jetzt so gut wie zu Anfang, »die feurigen Pferde aufs beste anprallen« zu lassen (8, 20; vgl. 63). — Reginens Bruder hingegen geht in der Stunde der Not zugleich der Herrschaft über sich selbst verlustig. Vom einstigen Reitersmann zum Knecht eines Pferdehändlers heruntergekommen, gerät er mit seinem Herrn in Streit: »der Meister hieb dem Knechte mit der Peitsche über das Gesicht, und der Knecht schlug ihn hingegen wieder ohne Zögern tot und floh auf einem der Pferde aus dem Walde« (11, 136).

Kreatürlich-Triebhaften in sich?). Indem er das Tier zu zügeln, nach seinem Willen zu lenken versteht, wird aus dem geübten Reiter ein Ritter, d. h. ein nicht bloß pferdeverständiger, sondern vor allem gesitteter Mensch. — Ritterliches Wesen äußert sich als gebändigte Kraft, in selbstloser Weise eingesetzt zum Wohle anderer, mit dem Ziel, den Schwachen zu helfen, die Wehrlosen zu schützen. Ritterliche Gesinnung bewährt sich darum gerade den Frauen gegenüber[70], in dem Geleit, das Erwin Altenauer der Regine bietet, daß sie sich gegen die andrängende Roheit der Gasse nicht wehren muß wie eine Katze (s. 11, 77/78 u. 68); in dem beherzten Auftritt des Amrain-Söhnleins, mit dem er seine Mutter vor den Nachstellungen des Werkführers bewahrt, eine Rettungsaktion, bei der er ausschaut wie ein kleiner Kreuzfahrer oder Rittersmann (s. 7, 199)[71].

Es ist vor allem die Idee des Maßes, der der ritterliche Mensch sich verpflichtet weiß. Schon vom Erscheinungsbild her ausgestattet mit ebenmäßigen Zügen (s. 11, 66) und gleichmäßigem Wuchs (s. 9, 160), ist er bei aller Leidenschaftlichkeit seiner Natur — schließlich liebt er das Pferd und die Vergnügungen der Jagd — doch gebunden an die Kette[72] der Gesetze. In diesem Miteinander von Leidenschaft und Gesetz, Freiheit und Bindung liegt für Keller das Leben beschlossen (s. 7, 224). Weder der Schrecken seiner Umgebung noch unzuverlässig in kritischen Fällen (s. dazu 3, 79/80), verkörpert der Ritter die genaue Mitte zwischen wildem Draufgängertum und zager Unmännlichkeit[73], stellt er nach Erscheinung und Gesinnung das Idealbild dar des ganzen, d. h. zugleich leidenschaftlichen wie beherrschten Menschen. In der schon früher zitierten Passage »Vom freien Willen« findet sich die Bedeutung von Pferd und Reiter, dazu ihr wechselweises Sich-Bedingen, in beinah allegorischer Direktheit ausgesprochen: »›Die Schule des freien Willens kann man am füglichsten mit einer Reitbahn[74] vergleichen. Der Boden

[70] Als Zeichen des Schönen und Wehrlosen (s. 7, 41) wird die Blume zum geläufigen Epitheton Kellerscher Frauengestalten. Aber auch hier gilt das Ideal gesitteter Wehrbarkeit, und so ist die Rose mit ihrer schützenden Dornenrüstung Kellers Lieblingsblume darum, weil sie Schönheit und Wehrbarkeit in sich vereinigt.

[71] Vgl. Wenzels anfängliche Schüchternheit, die Nettchen ihrem »Ritter« als Ehrerbietung auslegt und gegen die ungehobelte Art der »Herren Wildfänge von Goldach« ausspielt 8, 25.

[72] Vgl. das Schlußbild der Novelle »Dietegen«, das den Titelhelden auf der Höhe seines Ansehens zeigt »mit langem Bart und goldener Ritterkette ...« 8, 300. — Leidenschaftlicher Trotz spricht aus dem Verhalten der jungen Küngolt, wenn sie unbeherrscht ihre Halskette zerreißt (s. 8, 248; 257).

[73] Dies der Fall des Männchens Litumlei, das zwar gleich den Eingang seines Domizils, das Treppenhaus, in »eine ordentliche Rüstkammer« verwandelt hat, »behangen ... mit Rüstungen und Waffen aus allen Jahrhunderten; rostige Panzerhemden, Eisenhüte, Galakürasse aus der Zopfzeit, Schlachtschwerter, vergoldete Luntenstäbe, alles hing durcheinander, und in den Ecken standen ziervolle kleine Geschütze, grün vor Alter« (8, 83/84), selbst aber außerstande ist, ein Schwert zu führen. Reduziert auf ein Schermesser, kann er nicht einmal damit umgehen (s. 8, 84) und wird so von Kabys im Handumdrehen ›entwaffnet‹.

[74] Das andere Ideal des sichern Steuermanns kann hier nur andeutungsweise zur Sprache kommen. Ihm liegt die Metapher vom ›Meer des Lebens‹ (s. 1, 170) zugrunde, die Vorstellung vom

derselben ist das Leben dieser Welt, über welches auf gute Manier hinwegzukommen es sich handelt ... Das wohlgeartete und geschulte Pferd ist das besondere, immer noch materielle Organ, der Reiter darauf der gute menschliche Wille, welcher jenes zu beherrschen und zum freien Willen zu werden trachtet, um auf edlere Weise über jenen derben Grund hinwegzukommen; der Stallmeister endlich mit seinen hohen Stiefeln und seiner Peitsche ist das moralische Gesetz, das aber einzig und allein auf die Natur und Gestalt des Pferdes gegründet ist und ohne dieses gar nicht vorhanden wäre. Das Pferd aber würde ein Unding sein, wenn nicht der Boden existierte, auf welchem es traben kann, so daß also sämtliche Glieder dieses Kreises durch einander bedingt sind und keines sein Dasein ohne das andere hat...‹« (6, 14/15)[75].

Zugleich gibt der weitere Verlauf der Erörterung Auskunft darüber, was die Voraussetzung ist dieser Willens- und Bändigungsleistung, erlaubt doch erst die Zugehörigkeit zum Offizierskorps, der Augenblick, wo »›Zwang und Schlendrian, das bitter Notwendige der Masse aufhört‹«, die Unterscheidung in »›sogenannte gute Reiter, schlechtere und vorzügliche Reiter‹« (6, 15). Materieller Wohlstand ist auch jetzt die notwendige Voraussetzung der Bewahrung und Bewährung freier Menschlichkeit. So ist der Ritter immer zugleich und schon durch den Besitz des Pferdes[76] ein wohlhabender Mann. Ein Leben hoch zu Roß bedeutet zugleich,

(Lebens-)Schiff, das es zu steuern gilt in den Stürmen des Lebens (s. 9, 269), vorbei an Klippen und tausend Gefahren (s. 7, 220). Dabei bewährt sich nur der tüchtige Steuermann, während andere Gefahr laufen, den Kompaß zu verlieren (s. 7, 313) oder Schiffbruch zu erleiden (s. 6, 44). Frau Regula ist ein solches sicheres Frauenfahrzeug (s. dazu 7, 52), eine Person, die das Schicksal der ihr Anvertrauten mit fester Hand zu lenken weiß. Erikson hat nicht nur eine Passion für die Jagd, sein kraftvolles Naturell zeigt sich auch in den Liedern, denen zufolge er gern auf hoher See wäre und fest am Steuer säße (s. 5, 152 ff.; 299). Selbstbewußt und voll jugendlicher Kraft geben sich Karl und Hermine aus dem ›Fähnlein der sieben Aufrechten‹. Wenn sie auf den See hinausfahren, sieht man, daß jedes von ihnen ein Boot zu steuern versteht (s. 10, 10/11), wie beide nicht ungeübt scheinen im Zusammenfahren (s. 10, 11). Bei aller Zurückhaltung dennoch leidenschaftlicher Reaktion fähig, läßt Karl sich zu seinen gelegentlichen Enterversuchen hinreißen (s. 10, 14), Manövern, denen die wehrbare Hermine geschickt zu begegnen weiß (s. 10, 11 u. 12). — Mit derart beherrschter Leidenschaftlichkeit ist der Steuermann der Bruder des Ritters, und so tritt diese Bildfolge kaum zufällig in unmittelbarer Nachbarschaft zur Vorstellung vom Leben als einer Reitbahn auf (s. 6, 16). Ob das gesteckte Ziel endlicher Geborgenheit erreicht wird, ist eine andere Frage. In jedem Falle muß ausgefahren werden, gilt es, das Lebensschiff flottzuhalten — angesichts der (weit größeren) Gefahr, auf einer Sandbank zu stranden (s. 7, 28/29. 13, 97), d. h. das Leben zu versäumen —, auf daß der schließliche Tod nur »Stapelplatz, nicht *Hafen* sei!« (13, 97. vgl. 6, 105)

[75] Gerade dieser entscheidende Zusammenhang ist bei Brockhaus übersehen. So enthält seine Arbeit zwar viel Richtiges über die Symbolbedeutung des Pferdes, indem er jedoch seine Aufmerksamkeit einzig auf das Tier, d. h. lediglich auf einen Teilaspekt der Gruppe konzentriert, müssen die Wertungen sich notwendig zum Negativen hin verschieben, was den Verf. (u. a.) statt von Leidenschaft bezeichnenderweise von Triebhaftigkeit sprechen läßt, a. a. O. S. 378.

[76] Frau Margret hat in ihrer Jugend noch glänzende Hochzeiten gesehen, wo sämtliche Gäste beritten waren und über hundert Pferde zusammenkamen (s. 3, 75). — Litumlei reitet in seinem

herausgehoben zu sein aus den Niederungen des Daseins, sich im Schutz seines Reichtums leicht und sicher über alle Hindernisse hinwegzubewegen. Daß er mit Pferden umgehen kann, ist das sicherste Indiz für die Goldacher, in Strapinski einen großen Herrn vor sich zu haben (s. 8, 20). Wenn er später, nunmehr bereits im Überfluß sitzend, »auf dem besten Pferde der Stadt, an der Spitze einer ganzen Reitergesellschaft«, durch die Alleen galoppiert »und die fallenden Blätter der Linden ... wie ein goldener Regen um sein verklärtes Haupt« tanzen (8, 33), dann ist das die genaue Umkehrung der Eingangssituation, in der Wenzel sich zu Fuß und kümmerlich durch die dunklen Niederungen des Lebens schleppen mußte (s. 8, 8)[77]. — Am deutlichsten hat diese Gleichsetzung von Pferd und Reichtum und die (befeuernd) beflügelnde Wirkung beider Gestalt angenommen in Heinrichs ›Heimatsträumen‹. Auch hier zunächst, wie bei Wenzel, die Vorstellung materiellen Überflusses, wenn die Körner der Bauern zu Geld werden, das, in die Luft geworfen, als Goldregen niederfällt (s. 6, 112/13) und sich schließlich in einen Goldfuchs verwandelt (s. 6, 113), ein Pferd, das nicht nur jede Gangart beherrscht, sondern sogar fliegen kann (s. 6, 130/31). Heinrich genießt dieses »Traumvergnügen des Fliegens und Reitens zugleich in vollen Zügen ...« (6, 131), um so mehr, als er in Wahrheit alles andere als materiell unabhängig ist, weit entfernt davon, wie sein Traum-Ich »mit dem glänzenden Schwerte der Willensfreiheit bewaffnet« zu sein (6, 20).

Da der in dieser Weise ›ideale‹ Mensch nicht unbedingt auch den Glücklichen zuzurechnen ist, vielmehr Mäßigung und Bändigung der Leidenschaften ebensosehr Voraussetzung sind von Entsagung, werden die Bildfolgen ›Ritter‹ und ›Steuermann‹ gleichermaßen in diesem Zusammenhang angetroffen: Wie Salomon Landolt Pferde zu zügeln versteht, weiß er auch das Steuer eines Schiffes zu bedienen, korrespondiert dem Reiterbild des Anfangs jene Szene zu Ende des ›Schätzekongresses‹, da der Landvogt seine einstigen Liebschaften über den See hinüberrudern läßt, selber das Schiff lenkend (s. 9, 276/77)[78]. — Daß dieser Prozeß

Roman phantasieweise auf einem glänzenden Pferd, und natürlich zahlt er alles in bar (s. 8, 96/97)! Wenn das Bild vom verwegenen Rotrock auch eine unzukömmliche Maskerade ist, was die angebliche Leidenschaftlichkeit dieses ›Neutrums‹ betrifft, stimmig ist es insofern, als es seinen tatsächlichen Reichtum widerspiegelt.

[77] Daher auch seine Anfälligkeit gegenüber dem Anerbieten des Kutschers, die herrschaftliche Equipage zu besteigen (s. 8, 8/9). — Eine Skala solcher ›Gebärden der Fortbewegung‹ stellt Mathilde Eppmann — Gottfried Keller: »Kleider machen Leute«. (Versuch einer Stilbetrachtung). — In: DU 5, 1953, Heft 1, S. 108—111 — auf, leitet sie aber ab allein aus der seelischen Verfassung der Betroffenen, ohne die jeweils auslösende materielle Situation zu berücksichtigen.

[78] Ihres jugendlich ungestümen Naturells wegen zur Entsagung unfähig, geben Sali und Vrenchen am Ende des gemeinsam verbrachten Tages das Steuer ihres Lebensschiffs freiwillig aus der Hand. Indem sie das Schiff der Bauern steuerlos treiben lassen, wird es zum Totenschiff (s. 7, 186; dazu 16, 37) nicht minder als durch seine Ladung. — So schön die Blumen sind, hält Züsi den Kammachern vor Augen, es wird am Ende doch Heu daraus (s. 7, 299). — »›Meine Blumen gehen mir voraus‹«, hört man Vrenchen im Angesicht des ziehenden Stromes rufen

der Entsagung nicht verwechselt werden darf mit jener Haltung der Selbstgenügsamkeit, wie sie wohl am auffälligsten von seiten der Kammacher praktiziert wird, dies klarzumachen dient vorzüglich jene Tierparade, die in »Pankraz, der Schmoller« der Heimkehr des Sohnes unmittelbar voraufgeht. Dabei ergibt sich die Verbindung Mensch — Tier, psychologisch gesehen, im Denken der Angehörigen, während sie sachlich aus der Bedeutung der auftretenden Tiere, in Beziehung gebracht zu Schicksal und Entwicklung des Helden, erhellt. Wenn aus einer Kollektion von Exoten der »böse Bär« hervorragt (7, 19)[79], dann seines vermeintlich wilden Wesens wegen; doch fürchten die friedlichen Leute sich in diesem Falle wohl ohne Not, da die Bestie nicht nur sorgsam gefangen gehalten wird, sondern darüber hinaus ob ihrer possierlichen Künste als weitgehend gezähmt zu gelten hat. Womit der Bär zu Recht und mehr als die Mutter ahnen kann dem gewandelten Pankraz gleicht, der nach Hause kommt als jemand, welcher gelernt hat, seine schlimmen Leidenschaften zu bändigen. Daß dies möglich war nur auf dem Umweg über Indien, nach einer Wanderschaft um die halbe Erde, bei der es galt, die Welt zu ›erfahren‹, dessen versichert uns der Auftritt jenes Herumtreibers »mit einem großen fremden Vogel in einem Käfig, den er unaufhörlich zwischen dem Gitter durch mit einem Stäbchen anstach und erklärte, so daß der traurige Vogel keine Ruhe hatte. Es war ein Adler[80] aus Amerika; und die fernen blauesten Länder, über denen er in seiner Freiheit geschwebt, kamen der Witwe in den Sinn und machten sie umso trauriger als sie gar nicht wußte, was das für Länder wären noch wo ihr Söhnchen sei« (7, 18). So paßt dieser Vogel wohl auf Pankraz, die Reaktion aber auf seine Vorführung ist bezeichnend für Situation und Haltung der Mutter. Weniger ist der Vogel traurig zu nennen als vielmehr ihr eignes Los, dessen trostlose Kümmerlichkeit nicht einmal die Möglichkeit zu freier Entscheidung offenläßt. — Anders als Bär und Vogel haben das Kamel und die Affen es der Tochter angetan. Das Kamel, kann man Züs Bünzlins wortreichen Ausführungen entnehmen, »›trägt den Kaufmann durch die Wüste und bewahrt ihm frisches Wasser in seinem Bauch‹« (7, 305), d. h. es praktiziert genau jene krämerhaft-philiströse Haltung, wie sie als mimische Eigentümlichkeit schon aus seinem selbstvergnügten Gesicht (s. 7, 19) abzulesen ist und von den Affen, die es bewohnen, als den komischen Tieren par excellence

(7, 184). Wenn sie sich ihrer entledigt, sind die letzten Zeichen des Schönen dahingewelkt. Was bleibt, ist Hoffnungslosigkeit, ein Aspekt, unter dem das Leben zuletzt jede Anziehungskraft verliert.

[79] Vgl. die Bestien im Zuge der Annachinga (»Don Correa«). Um Correa zu imponieren, schickt sie ihm als Geschenk des Königs »eine Herde wilder Tiere, Elefanten, Giraffen, Löwen, Tiger und dergleichen«, an Ketten geführt, »und zwar von Männern, die mit ihrem hohen Wuchs und trotzigen Aussehen die Kraft und Überlegenheit des Volkes zeigen sollten, mit welchem man es zu tun habe« (11, 278).

[80] Im »Traumbuch« (!) beschreibt Keller die rührende Freude, die er empfindet, »zum erstenmal einen Adler in seiner Freiheit schweben zu sehen« (21, 86).

(s. dazu 9, 252 f.) gebührend verspottet wird. Wenn Estherchen sich darüber mokiert, dann lacht sie auch, ohne es zu merken, über sich selbst. Mutter und Tochter bewähren gemeinsam die Haltung grämlicher Selbstgenügsamkeit, sie haben sich abgefunden mit der Dürftigkeit ihrer Existenz, ohne jemals einen Ausbruch versucht, den Kampf um ein besseres Los aufgenommen zu haben. Pankraz, den Sohn und Bruder, will diese Haltung des Verzichts von Anfang an mit Recht erbärmlich bedünken (s. 7, 27), weil sie allenfalls eine Sache ist von Kopfhängern und schwachen Naturen, während Entsagung da, wo sie als ethische Leistung gelten soll, nicht nur in Freiheit vollzogen werden muß — darum Pankrazens Wanderschaft und sozialer Aufstieg —, sondern immer auch ein leidenschaftliches Naturell und dessen Bändigung[81], Selbstüberwindung also, voraussetzt[82].

4. Uneigentliches Sprechen als Mittel der Entrealisierung

Vor die Aufgabe gestellt, zwischen Bild, Metapher und Vergleich formal zu unterscheiden, bleibt uns lediglich die resignative Feststellung der Unmöglichkeit eines solchen Vorhabens[83], verbunden mit dem Hinweis, daß die Gründe dafür ausschließlich in der Sache selbst, d. h. in der Kohärenz des zugrunde liegenden Vergleichsmaterials zu suchen sind. Um bei unserem Paradebeispiel zu bleiben: Es gibt den Löwen als ›Bild‹ — am ausgeprägtesten wohl in »Pankraz, der Schmoller« — ebenso wie in ausgeführtem Vergleich, etwa, wenn der notleidende Heinrich zuletzt vollständig das Gefühl hat, von einem Tiger oder Löwen angefallen zu werden (s. 6, 65); es gibt schließlich die metaphorische Wendung vom ›wilden Tier der Selbstsucht‹, bei welcher Gelegenheit wir die Metapher (forma-

81 Landolts Brief an Salome zeigt, daß auch der Landvogt Züge überbordender Wildheit in seinem Charakterbild zu überwinden hatte, während Figura Leu sich schon durch ihren Namen — neben historischer Reminiszenz ein Hinweis auf den ›Löwen der Reformation‹ (s. 19, 64) — dem Bereich des Leidenschaftlichen als zugehörig erweist.

82 Richtig gesehen bei Hanna Wildbolz, Mensch und Stand im Werke Gottfried Kellers, Bern 1969, S. 151, während Leo Löwenthal — Gottfried Keller — die bürgerliche Regression. — In: L. Löwenthal, Erzählkunst und Gesellschaft. Die Gesellschaftsproblematik in der deutschen Literatur des 19. Jahrhunderts, Neuwied/Berlin 1971, S. 206—25 — dies wesentlich defensive Moment (als ethische Leistung) zugunsten von Passivität und Verzichthaltung weitgehend unterschlägt (s. S. 207 ff.). Zwar gibt es ernsthaft keine Erotik bei Keller (dagegen spricht der selbstlose Charakter der Liebe ebenso wie die immer wieder betonten kindlich-platonischen Züge geschlechtlicher Zuneigung), und so kann erotisches Begehren auch nicht, wie Rudolf Wildbolz (a. a. O. S. 48) behauptet, unter den entfesselnden Mächten die erste Stelle einnehmen; doch sollte dessen Fehlen sowenig wie die Tabuierung des Sexuellen zum Anlaß genommen werden, den Geschöpfen seiner Phantasie jegliches Temperament abzusprechen.

83 Auch die bisherige Forschung, Jäckel (a. a. O. S. 24) nicht ausgenommen, hat in diesem Punkte kapituliert, was in Weitherzigkeiten hinsichtlich der Materialauswahl wie in additiven Titeln (›Bilder und Gleichnisse bei ...‹) zum Ausdruck kommt.

liter) als verkürzten Vergleich verstanden wissen möchten[84]. Nicht nur bedienen sich alle diese Formen bildhaften Sprechens (weitgehend) desselben Motivbestandes, um die Bedeutung des jeweiligen Bildes, einer einzelnen Metapher, eines bestimmten Vergleiches herausarbeiten zu können, ist es unumgänglich, unbekümmert um formale Unterschiede auf eben diese gemeinsame (gehaltliche) Wurzel zu rekurrieren, d. h. Beispiele aus allen Sparten ›vergleichender‹ Rhetorik zum Zwecke wechselseitiger Erhellung zusammenzutragen. — Wenn demnach dem Bemühen um begriffliche Präzision im vorliegenden Falle etwas leicht Akademisches anhaftet, so kann und muß andererseits eine Trennungslinie gezogen werden zwischen bildhaftem und symbolischem Erzählstil[85]. Während Kellers ›Bilder‹ ihren Ursprung haben im Faktischen, im wesentlichen Antwort sind auf bestimmte soziale Verhältnisse und deren Begleiterscheinungen, ist die Bedeutung der Symbole vor allem gebunden an Vorentscheidungen weltanschaulicher Art, abhängig vom Verhältnis des Dichters zu den Komplexen Religion, Tod, Unsterblichkeit. Zwar gibt es auch hier gelegentliche Überschneidungen, grundsätzlich jedoch sind die Bezugspunkte und geistigen Zentren beider Systeme weder dekkungsgleich noch überhaupt auf ein und derselben Ebene gelegen.

Um von der Funktion bildhaften Sprechens zu handeln, so sind (wieder einmal) negative Ausgrenzungen diesbezüglich sehr viel leichter vorzunehmen denn positive Bestimmungen zu finden. Es gilt daran zu erinnern, daß die Rolle der Katze als eines bevorzugten Gegenstandes von Bild, Metapher und Vergleich verständlich wurde erst nach Analyse der allgemeinen Lebensbedingungen Kellerscher Gestalten. Und auch diese Auskünfte wurden ganz selten direkt gegeben, waren ihrerseits in der Mehrzahl wiederum nur verschlüsselt greifbar. Die Folgen dieses doppelten Vexierspiels? Nebelschwaden über der Arbeitswelt, Ratlosigkeit der Forschung, was die materielle Basis der Figuren dieses Erzählwerks anbelangt. Genau dieser Effekt der Verunklärung aber legt die Vermutung nahe, daß es dem Dichter bei aller Konsequenz bildhaften Sprechens nicht um Anschaulichkeit[86]

[84] gegen Roy C. Cowen, der hier klare Trennungslinien ziehen zu können glaubt: Während für metaphorisches Sprechen die Bereiche des Subjektiven und des Objektiven ununterscheidbar verwoben seien (a. a. O. S. 156), würden beim Vergleich — der darum für Keller typisch erscheine — die Dinge »nicht als Träger der Gefühle des Sprechers, sondern als selbständige Dinge aufgefaßt« (S. 159).

[85] Unter der Vermengung von Bild und Symbol leiden — über die Ergebnisse der Arbeit von Cowen (a. a. O. S. 172 ff.) hinaus — insbesondere die Ausführungen von Udo Kultermann, der zwar am Beispiel der ›Romeo‹-Novelle versucht, den einzelnen Erzählabschnitten jeweils einen geschlossenen Bildbereich zuzuordnen, aber eigentlich nur zu Anfang (Tierbilder, a. a. O. S. 86 f.) und gegen Ende hin (Märchenvergleiche, s. S. 88; 95 ff.) beim Thema ›Bildformen‹ verbleibt, während er mit den Komplexen ›Stein‹, ›Haus‹ und ›Strom‹ in den Bereich symbolischer Verweisungen hineingerät.

[86] Auch die anscheinend unausrottbare Vorstellung vom Maler-Dichter Keller, der das in der Kindheit Gesehene und Erlebte (Fleissner, a. a. O. S. 500; 502) in ebenso anschaulicher wie realistischer Manier (Wohlfarth, a. a. O. S. 274; 277) umgesetzt habe in dichterische Visionen,

zu tun gewesen sein kann. Im Gegenteil, wenn Keller solche in seinen Augen repräsentativen Fakten, wenn er Grundbefindlichkeiten menschlichen Daseins bildhaft umschreibt, dann um der Verschleierung bestimmter Sachverhalte willen, in der Absicht, den Abbau der Gesittung, den Verlust der Menschenwürde über Not und Elend zwar nicht zu verschweigen, wohl aber nach Kräften zu kaschieren. Bildhaftes Sprechen bietet hier in der Übertragung auf eine andere Realitätsebene die Möglichkeit des Abrückens und Distanzierens, erwünschte Gelegenheit für ein dünnhäutiges Naturell, massive Wirklichkeit eines Teiles ihrer schockierenden Direktheit zu entkleiden. Es ist dies die gleiche Haltung, die für die Tilgung von Grausamkeiten[87] verantwortlich zeichnet. Ersatzlos gestrichen oder zumindest auf Vergleichsebene gehoben, handelt es sich allenfalls noch um Derbheiten zweiten Grades, ist die Wirkung filternder oder entwirklichender Natur.

Daß damit die eigentliche Absicht des Verfahrens benannt ist, dafür sprechen eine Reihe weiterer Indizien. Da ist einmal der Umstand, daß nicht nur ›negative‹ Wirklichkeit im Vergleich erscheint, sondern außer und vor ihr bereits weite Teile alltäglicher Realität überhaupt, bäuerliches Leben etwa, wenn von Manz und Marti behauptet wird, die »Gedanken der sonst so wohlweisen Männer« seien »so kurz geschnitten wie Häcksel« (7, 102), oder ganz allgemein die berufliche Seite menschlicher Existenz: Kabys, der Gelegenheits-Barbier, rasiert seinen Adoptivvater »so leicht wie ein Zephir« (8, 87), Strapinski, gelernter Schneider, leidet als Märtyrer seines Mantels Hunger »so schwarz wie des letztern Sammetfutter« (8, 8). Indem die Vergleiche Berufsfeldern entnommen sind, wird ein Stück Wirklichkeit, das man zentral und im Vordergrund der jeweiligen Erzählung vergeblich erwartete, ganz abbreviaturhaft und sozusagen im Blick durch spaltbreit geöffnete Hintertüren gegenwärtig. — Sali schaut Vrenchen verliebt in die Augen »gleich einem Hungrigen, der ein süßes Weizenbrot erblickt ...« (7, 132); Pankraz hat in den Jahren seiner Abwesenheit von Seldwyla »sein Wesen ... wohl konserviert, wie der scharfe Essig ein Stück Schöpsenfleisch ...« (7, 25). Wo der Erzähler Gelegenheiten wie diese zum Anlaß nimmt, ein Auge in Richtung Küche oder Keller zu riskieren, da geschieht das gleichsam en passant und bestenfalls um komischer Effekte willen[88], wobei im Einzelfall offenbleiben kann, ob die Komik

ist als Gegenbeweis wenig ergiebig, zumal diese Argumentation geflissentlich übersieht, daß Keller selbst sich expressis verbis energisch gegen eine derartige Vermengung der Künste gewandt hat (s. 5, 160/61).

[87] Vgl. die Jagdszene des ›Grünen Heinrich‹ (I, 19) in ihrer endgültigen Redaktion, bei der gegenüber der Erstfassung offenbleibt, ob Hase wie Katze mit dem Leben davonkommen. An anderer Stelle (s. 3, 238) legt schon die Wahl des Unterlegenen — das Friedenstier Taube als Opfer derartiger Auseinandersetzung — die Vermutung nahe, der Dichter möchte das Leben nicht generell als mörderischen Kampf verstanden wissen.

[88] In dieser Hinsicht erwies sich der ursprüngliche Vergleich »wie der scharfe Kampher einen Schmetterling« (7, 381) von seinem Ansatz (Tötung eines Tieres) her als unbrauchbar und wurde zugunsten der Schöpsenfleisch-Version fallengelassen.

mehr dem Abstraktum oder dem Konkreten, Vergleichendem oder Verglichenem gilt. Sicher scheint indes, als habe auch der Schweizer Dichter mit dieser Art, Wirklichkeit zu behandeln, teil an der für den deutschen Sprachraum lange Zeit typischen Eigenart, alltägliche Umwelt nur zögernd, und wenn, dann allenfalls auf dem Umweg über uneigentliches Sprechen und begleitet von Gesten verschämter Komik einzuführen. Wenn diese Reaktion schon angesichts normaler Wirklichkeit zu beobachten ist, wieviel mehr muß dem Dichter daran gelegen sein, Zonen und Verhältnisse dunkel-trostlosen Charakters mit Hilfe komischer Vergleichung aufzuhellen!

›Entrealisierung‹ — unter diesem Stichwort ist des weiteren auf die Gruppe der ›Märchen‹-Vergleiche[89] hinzuweisen: Wenn es Keller darum zu tun war, den Grad des Wahrscheinlichen und Verläßlichen herabzumindern zugunsten unverbindlichen Spiels mit dem bloß Möglichen, so hat er mit Hilfe von Bild und Vergleich den Märchen- oder Legendencharakter der jeweiligen Wünschbarkeit (Wohlleben, Glück, Glaubensgewißheiten u. a.) vor Augen geführt[90]. — Angewandt auf einen negativen Aspekt der Wirklichkeit, läßt sich mit dem gleichen Verfahren, bedingt durch die nunmehr entschwerende Kraft des Märchens, die genau gegenläufige, sprich neutralisierend-positive Wirkung erzielen: Die Geschichte einer Verelendung und ihrer zerstörerischen Kraft auf das Wesen des Betroffenen, — nichts anderes ist ja doch das Thema von »Spiegel, das Kätzchen«. In Tierkostüm gesteckt und im Ton eines Märchens erzählt, liest das Ganze sich nicht nur weit weniger schrecklich, am Ende kann daraus sogar der Triumph des Geistes werden über die Nöte physischer Existenz. Womit, am Beispiel des Spezialfalls Märchen-Vergleich, in lediglich prononcierter Form die allgemeine Absicht vergleichenden Sprechens bei Keller — Aufhellung per Distanzierung — deutlich geworden sein mag.

Wir haben eingangs den exemplarischen Charakter der von uns interpretierten Beispielreihe betont. Deren Schlüsselstellung mag noch deutlicher werden, wenn man beachtet, daß um die Wortfelder Selbstsucht, Leidenschaft, Mäßigung, Selbstgenügsamkeit herum zusätzlich eine Reihe der wichtigsten verbleibenden Bildsequenzen gruppiert sind. Demnach steht das Tier nicht bloß zahlenmäßig eindeutig an der Spitze aller Vergleichsobjekte, ins rechte Licht gerückt erscheinen die bei Jäckel verzeichneten Relationen erst, sobald man die Komplexe ›Jagdrevier‹, ›Reitbahn‹, ›Meer‹ u. a. der Gruppe der Tiervergleiche zugeschlagen und zu dem verblieben restlichen Material in Beziehung gesetzt hat. Als Fazit ergibt

[89] dazu Fleissner, a. a. O. S. 505—09.

[90] Dieser Umstand ist nun auch im Falle des Ritter-Bildes zu berücksichtigen, dessen (zum Teil) verminderten Realitätsgrad es hier nachzutragen gilt: Als Idealtyp per Vergleich ins Historische oder gleich in märchenhaft-unerreichbare Fernen entrückt, bewährt sich die kaschierende Wirkung (wie die insgesamt ambivalente Struktur) ›vergleichsweisen‹ Sprechens, sobald bei Betonung der Entsagungs-Komponente eine Retusche (zwischenmenschlicher Misere) vonnöten ist.

sich alsdann ein eindrucksvolles Überwiegen jener Bildbereiche, die der Dialektik von Leidenschaft und Bändigung als dem zentralen Anliegen Kellerscher Lebensformung zugeordnet sind; wie die große Zahl der Tiervergleiche[91] in der Tat nicht anders zu erklären ist als aus dem Umstand, der Kardinalschwäche des Menschen, seiner Eitelkeit[92], nach Art eines Kryptogramms beigegeben zu sein.

Selbst wenn diese Zusammenhänge und Dominanzen bislang nur höchst unzureichend erkannt sind[93], hätte der bloße Rückschluß von der Quantität uneigentlichen Sprechens auf die Qualität des Verglichenen, den Zustand der Welt, doch bereits Zweifel aufkommen lassen müssen hinsichtlich des ›Realisten‹ Keller. Mindestens sosehr wie die schier unübersehbare Vielfalt des Materials aber imponiert die Konsequenz der Methode. Nicht nur spricht Keller vieltausendfach in uneigentlichem Jargon, andeutend und verhüllend zugleich, recht besehen spricht er überhaupt und immerzu in bildhaft-indirekter Weise, ist sein Erzählen insgesamt, wie die Geschichten, mit denen die Helden des ›Sinngedichts‹ einander zu unterhalten wie zu überzeugen suchen — ohne sich dabei mit der Welt unmittelbar einzulassen! —, ein Erzählen in Bildern und Gleichnissen (s. 11, 338)[94]. Es sind allemal Gleichnisse des Menschlichen, Fabeln vom rechten Menschsein auf Kosten des direkten Bezuges zur Wirklichkeit. Daß sie gleichwohl schön sind, sollte nicht eigens erwähnt werden müssen, wohl aber, daß sie schön sein können nur um den Preis des Retuschierens und Distanzierens, d. h. von Absichten, die zwar künstlerisch legitim sind, nicht jedoch die Bezeichnung ›realistisch‹ verdienen.

[91] Das Material ist sicher umfangreicher als bei Jäckel angegeben. Hier wie in andern Fällen (etwa der erwähnten Kampfmetaphorik) scheint manches überlesen zu sein. — Andererseits sind von der Gesamtsumme der bei ihm verzeichneten ›Bilder‹ einige Gruppen (Sternbilder, Material aus dem Gebiet der Personenbeschreibung, die Komplexe ›Krankheit‹, ›Tod‹ u. anderes) ganz oder teilweise abzuziehen und dem Bereich der Symbolzeichen zuzuschlagen.

[92] Wo sie und ihre Stiefschwester ›Selbstsucht‹ nicht gereizt werden, wie in den »Sieben Legenden«, weil dort besondere Lebensbedingungen herrschen, da liegt umgekehrt sachlich kein Anlaß vor, gerade das Tierbild in den Vordergrund zu rücken, aber auch keine Berechtigung, die angeblich mindere Qualität des wenigen (gelegentlich dennoch) vorhandenen Materials zu beklagen, wie dies bei Wohlfarth (a. a. O. S. 275) geschieht.

[93] Noch Jäckel ordnet vielfach falsch zu, sowohl was Einzelbilder wie die Beziehung ganzer (Bild-)Gruppen zueinander angeht, so daß die tabellarische Übersicht am Ende der Arbeit (a. a. O. S. 240) Zusammengehöriges und Disparates in bunter Mischung vereint. Daß Cowen sich, die Aufteilung der Stoffbereiche betreffend, den ›Ergebnissen‹ seines Vorgängers ausdrücklich (a. a. O. S. 64) und vorbehaltlos anschließt, macht auch seinen Versuch der Skizzierung zusammengehöriger Bildketten (und Symbolkreise) nahezu wertlos (s. S. 179).

[94] Im Vertrag mit dem Verleger werden die nachmaligen ›Leute von Seldwyla‹ noch als »Lebensbilder« aufgeführt (7, 379).

IV. DIMINUIERTE WELT

ZU QUALITÄT UND WIRKUNGSWEISE DES ›KELLER-TONS‹

1. Arten und Funktionen des Diminutivs

Neutralisation negativer Sachverhalte

In »Romeo und Julia auf dem Dorfe« hat Keller, wie man weiß, einen zeitgenössischen Vorfall (s. 7, 391) zum Anlaß genommen, die Fabel vom Schicksal zweier Liebender auf dem Hintergrund des Hasses der Väter noch einmal zu erzählen; auf seine Weise natürlich, was bedeutet, daß es just diese Feindschaft ist, die die Bauern schließlich ebenso menschlich ruiniert, wie sie ihre (ursprünglich) materielle Wohlhabenheit ins Gegenteil, in Armut und Mangel verkehrt. Wenn sie sich dabei wechselseitig zugrunde richten, so wird Martis Widersacher Manz doch als erster von Haus und Hof vertrieben, so früh, daß kaum Gelegenheit bleibt, seinen und seiner Familie sozialen Abstieg zu schildern. Nur das Ergebnis, schlechtes Gerät, verdorbene Betten (s. 7, 109ff.), bekommen wir zu Gesicht, wenn die Trümmer der Habe in die Stadt gebracht werden, wo die Manzens in abgelegener Gegend eine trübselige Winkelschenke (s. 7, 110) beziehen, die mit ihrem billigen Inventar, ihren feuchten Wänden und schmutzigen Böden einer Räuberhöhle ähnlicher sieht als einem zum Verweilen einladenden Gasthof.

Der Wandel der Verhältnisse, einst gutbesorgter Bauersmann – jetzt Pächter eines Elendsquartiers, ist vollkommen und verbunden, so scheint es, mit Responsionen im formal-stilistischen Bereich. Gleich die Einführung des fraglichen Gasthofes als »Spelunkelein« (7, 111) läßt aufhorchen, und wenig später nur ist von einem »Kneipchen« die Rede, in dem man hockt, ohne recht »leben noch sterben zu können« (7, 114). Beim Gang durch das Innere gibt es »außer der dunklen unfreundlichen Gaststube ... nur noch ein paar schlechte Kämmerchen ..., und überall hatte der ausgezogene Vorgänger den trostlosesten Schmutz und Kehricht zurückgelassen«. – Was hier euphemistisch ›Spelunkelein‹ genannt wird, ist in der Tat »ein trauriger Gasthof« (7, 111), das, was Keller in biographisch-privatem Zusammenhang einmal als ›Gramspelunke‹ bezeichnet, eher denn die stattliche Schenke, die die Manzin sich als neue Heimat erträumt hat. Freilich hätten ihr derartige Illusionen längst vergehen müssen im Blick auf die nähere Umgebung, ist die Absteige doch »in einem abgelegenen schmalen Gäßchen« gelegen, inmitten einer Gegend, der man sich bei hellichtem Tage am besten nur auf Seitenwegen nähert, so sehr wird das Straßenbild beherrscht von Falliten und ähnlich verlumptem Gesindel[1]. — Daß die Manzens dennoch nicht zu Unrecht in ein solch tristes Milieu gehören, lehrt ein Blick auf die verbliebene Fahrhabe, demzufolge Hausrat und (künftiges) Domizil einander weitgehend entsprechen. Von Manzens Nachfolger auf dem Hofe lediglich ausgeliehen und gezogen von mageren Pferden, ist die »Gerümpelfuhre« (7, 110) kaum noch verschieden von dem Gefährt, das Marti später ins Spital bringen wird, jenem mit Ochsen bespannten »Wägelchen«, das »ein ärmlicher Bauersmann nach der Stadt führte, um zugleich einen oder zwei Säcke Kartoffeln zu verkaufen ...« (7, 141); im Gegenteil, während Marti (freilich in erster Linie seiner Unzurechnungsfähigkeit wegen) den Vorzug genießt, an den ihm bestimmten Ort gefahren zu werden, muß Manz den bittern Gang in die Stadt zu Fuß und ohne fremde Hilfe tun, da das »letzte schäbige Knechtchen, das er gehabt«, ihn schon seit Wochen verlassen hat (7, 110).

Ausgehend vom Lebensrahmen des Schankwirtes Manz ergibt sich, daß soziale Verhältnisse wie diese von Keller ebenso konsequent wie auffällig mit Hilfe von Diminutiven beschrieben werden, häufig genug zumindest, um notfalls, d. h. überall da, wo (Ab-)Wertung und Diminuierung einander weder grammatikalisch ›beigefügt‹ noch, wie im Idealfall des ›Jammerhabitchens‹, zum Kompositum verschmolzen sind, auch die umgekehrte Schlußfolgerung[2] — vom Diminutiv auf vorhandenes Elend — zuzulassen: ›Kämmerchen‹ wie in dem genannten Losament sind allemal ›schlecht‹ oder ›dunkel‹ (s. 7, 122), d. h. kümmerlich beleuchtet oder allenfalls von armseligen Tranlämpchen erhellt (s. dazu 7, 23; ferner 7, 360. 8, 54; 142; 415 u. a.). Zwar erscheint die Frau, die gekommen ist, Vrenchens letzte Habseligkeiten zu holen, in Begleitung eines dienstbaren Geistes, in dem Augenblick aber, da er seines Amtes walten soll, ist von diesem Burschen die Rede als von einem »Knechtchen« (7, 156), eine Diminuierung, die trotz nachfolgender Anspielung auf den biblischen Kraftmeier Simson eine Herabsetzung der frag-

[1] Zur Kleidung als Gradmesser der Unzulänglichkeit des erreichten Sozialen s. den Anfang der ›Pankraz‹-Novelle 7, 10 oder die Schar der buntscheckig geflickten armen Teufel um den schwarzen Geiger 7, 173. Wenn der Bereich des Habituellen in ›Romeo und Julia‹ weniger diminuiert-ärmlich erscheint als erwartet, dann deshalb, weil dort ein Teil der Hauptakteure sozusagen über seine Verhältnisse lebend angetroffen wird: die Manzin, die ihren besten (verbliebenen) Staat anlegt, um als Wirtin auf die Seldwyler Eindruck zu machen (s. 7, 112), Vrenchen, die an ihrem letzten Tag gekleidet geht »›wie eine Prinzeß‹« (7, 153; vgl. 150). Nur gelegentlich blitzt der wahre Sachverhalt auf, etwa, wenn davon die Rede ist, daß das Mädchen in seiner Armut und bei der Gleichgültigkeit des Vaters die »größte Not [hat], ihre anmutige Person einigermaßen auszustaffieren, sich ein allerbescheidenstes Sonntagskleid zu erobern und einige bunte, fast wertlose Halstüchelchen zusammenzuhalten« (7, 106).

[2] Wenn Sali sich auf dem Weg ins Heimatdorf »durch dessen verdeckte Gäßchen« schleicht (7, 124), dann heißt das, daß er, um möglichst unerkannt zu bleiben, einen Umweg durch die ärmeren Teile der Ansiedlung (s. dazu 9, 188) nimmt. — Am Ziel seiner Wünsche angekommen, lehnt er sich augenblicksweise an ein altes Scheunchen (s. 7, 126), um sich vom Anblick des stillen wüsten Hauses, dem Ausmaß der Verkommenheit ringsum ein wenig zu erholen. Vgl. ferner das kleine, baufällige Häuschen, das Pankrazens Vater der Familie hinterläßt 7, 9, das Gebäudchen, in dem Ursula und Agathchen ihre Zuflucht finden 8, 412/13 u. a.

lichen Person bedeutet, weil, wer um ›Nachlässe‹ dieser Art bemüht ist, kaum wohlhabend genug sein dürfte, sich geeignetes Personal halten zu können. — Wie dieses ›Knechtchen‹ als eine Art Synonym anzusehen ist für den Sachverhalt ›schäbiger Knecht‹[3], so besteht auch anderswo, ja generell und grundsätzlich kein Anlaß, ›Leer‹-Stellen vergleichbaren Charakters, d. h. kommentarlos gesetzte Diminutive affektiv aufzuladen, im Gegenteil: Ausgehend von den Fällen bezeugter Armut und deren Diminuierung ließe sich überall da, wo präzise Angaben hinsichtlich der äußern Umstände fehlen[4], auf vorhandenes Elend zurückschließen, wäre nicht von seiten des Dichters anderes, ja im Grunde Gegenläufiges intendiert. Womit wir bei der Differenz zwischen ›Knechtchen‹ und ›schäbigem Knechtchen‹ angelangt sind sowie der Frage, wann und weshalb Keller zwischen präzisierteindeutigen und interpretationsoffenen Diminutiven differenziert. In diesem Zusammenhang darf die zuletzt herangezogene Passage als typisch gelten insofern, als mit Abzug der Bäuerin das Schicksal des Hauses Marti (im Unterschied zum ›Schwebezustand‹ der Manzens zwischen Hoffen und Verzweiflung) endgültig besiegelt, Vrenchen, was die materielle Seite ihrer Existenz angeht, auf dem absoluten Tiefpunkt angelangt, d. h. gänzlicher Mittellosigkeit preisgegeben ist. Schon vorher hatte Sali sich vergeblich nach den letzten Überbleibseln an Hausrat umgetan, aber feststellen müssen, daß rein gar nichts, »›kein Hölzchen, kein Pfännchen . . .‹« (7, 152) verblieben war. Im Augenblick, da sie den Hof verlassen, herrscht in Haus und Garten gähnende Leere. Diesen Eindruck des Häßlichen, ja Trostlosen zu mildern, verwendet Keller vorzugsweise das zusatzlose Diminutiv, das (bei aller funktionalen Versatilität) in erster Linie verunklärend wirken, d. h. das Ausmaß bestehender sozialer Mißstände oder eintretender Katastrophen mit dem wohltuenden Schleier des Ungefähren umgeben soll[5]. So sind denn Vertreter aller jener Berufe, die, wie wir sahen, in Kellers Dichtungen ihren

[3] Vgl. jene Szene aus »Kleider machen Leute«, in der Nettchen, mit sich und Wenzel ins Reine zu kommen, das Anwesen einer ihr bekannten Bäuerin zum Ziel genommen hat: Es ist spät, doch noch brennt Licht hinter den kleinen Fenstern, »ein schwach flackerndes Lämpchen . . .«, das die Stube mehr im Halbdunkel beläßt als wirklich erhellt. Wenn die Witwe, in deren Augen »Glück und Glanz dieser Welt in diesen zwei Personen über ihre Schwelle getreten« sind (8, 54), ein Knechtchen weckt, die Pferde der Ankömmlinge zu versorgen, besteht kein Zweifel, daß damit allenfalls ein kümmerlich dürftiger Handlanger gemeint sein kann.

[4] Hier ist zu ergänzen, daß erläuternde Hinweise dem direkten Zusammenhang entzogen sein und entweder weiter vorauſliegen oder bei späterer Gelegenheit nachgetragen werden können (s. 7, 168 u. 182); auch dies eine Form gewollter Verunklärung? Den Fall des Spelunkeleins betreffend, das erst, wie wir sahen, eine trübselige Winkelschenke, hernach ein trauriger Gasthof genannt wird (s. 7, 110; 111 u. 114), ist dem Erzähler vor allem an einem allmählich schonungsvollen Herausarbeiten der wahren Verhältnisse gelegen.

[5] Entsprechend ist der Überarbeitung zur zweiten Auflage die einzig konkrete Angabe hinsichtlich des anfänglichen Wohlstands zum Opfer gefallen, um so den Vergleich zwischen Einst und Jetzt zu erschweren und das Ausmaß der Verelendung im Bereich der Vermutung zu belassen; dazu Fränkel: »Bei Beginn der Erzählung pflügte jeder der beiden Bauern mit vier stattlichen Pferden . . .; jetzt wird die Bespannung mit Bedacht in Dunkel gehalten . . .« (7, 384).

Mann nur kümmerlich ernähren, in dieser Weise chiffrierend ›beschrieben‹: Ein Schneiderlein ist ein armer Schneider, auch und gerade da, wo dies nicht expressis verbis (s. 8, 17 gegen 8, 7) hervorgehoben wird, die Bezeichnung ›Schulmeisterlein‹ (s. 8, 180) kaschiert nur notdürftig die Situation eines notorischen Hungerleiders (s. 8, 153; 139), hinter einem ›Weiblein‹ verbirgt sich ein so armes wie törichtes Weib (s. 9, 145) usf. Und gleiches gilt für die Umgebung, das räumliche Umfeld der sozial Schwachgestellten: Das Plätzchen, an dem sie wohnen (s. 7, 25), ist — unbeschönigt gesehen — ein unbelebter Winkel abseits des eigentlichen, pulsierenden Lebens; die Gäßchen, in denen sie hausen, wären — unfiltriert — geschwängert von Armeleutegeruch.

Das pejorative Diminutiv

Nun ist die ›Romeo‹-Novelle zwar nicht von Anfang an eine ›Mangel‹-Geschichte, dennoch kennt auch die frühe Zeit des Wohlstands, da Küche und Keller beiderseits noch intakt sind, bereits Passagen diminuierten Zuschnitts, etwa die Frühstücksszene auf dem Felde, zu der das Essen von den Kindern der Bauern gemeinschaftlich herangeschafft wird. Dazu dient »ein grünbemaltes Kinderwägelchen«, ein »kleines artiges Fuhrwerklein«, in dem für jeden Teil »ein schönes Brot, in eine Serviette gewickelt, eine Kanne Wein mit Gläsern und noch irgend ein Zutätchen« liegen, »welches die zärtliche Bäuerin für den fleißigen Meister mitgesandt ...« (7, 87). Natürlich sind diese Diminutivformen (auch) affirmativ gemeint, Zeichen ehelicher Zuneigung ebenso wie der Anteilnahme des Dichters an seinen Geschöpfen. Und doch ist dies, wie ein Blick auf »Die mißbrauchten Liebesbriefe« lehrt, allenfalls die halbe Wahrheit: Wenn Gritli ihren reisefertigen Gemahl zum Abschied »mit einem allerliebsten Handköfferchen ...« überrascht, »in welchem ein gebratenes Huhn, einige Brötchen, zwei Kristallfläschchen mit altem Wein und Likör, ein silbernes Becherchen, ein Besteck und zwei kleine Servietten auf das bequemste und appetitlichste zusammengepackt waren« (8, 135/36), dann darf man darin, namentlich was Auswahl und Zusammenstellung angeht, wohl auch einen Akt liebevoller Aufmerksamkeit sehen, zugleich aber ist — von der Dimensionierung derartiger Leckereien her — eine Warnung beabsichtigt an den Adressaten, diese Dinge nicht zu überschätzen! Entsprechend könnte der Transport der Mahlzeiten im Kinderwagen (über alles vordergründig Realitätsbedingte hinweg) einen Fingerzeig bedeuten, den Hinweis darauf, wie bedenklich es ist, das Lebensglück allzu ausschließlich auf eine wohlbestellte Küche zu gründen, wären die gleichzeitigen Diminuierungen zu interpretieren als stilistischer Ausdruck der Ansicht, welche Nebensache[6] das Essen doch eigentlich auf dieser

[6] Eine Behauptung, die sich noch stützen ließe durch den Hinweis auf die angebissenen Äpfel im Kinderwagen, Früchten, von denen sich zeigen wird (s. p. 198), daß sie bei Keller stets in bagatellisierender Richtung zu interpretieren sind.

schnellen Lebensfahrt ist (s. 7, 203)[7]. — Natürlich gibt es bei Keller Schlemmereien, denken wir nur an den Empfang Strapinskis in Goldach, an die Mästung des Katers Spiegel (»Spiegel, das Kätzchen«) usw. Aber wer diese Beispiele und die Völlerei der Betroffenen verallgemeinert, übersieht die besondere Situation der derart Bewirteten: Es sind jeweils Ausgehungerte, und wo lange Zeit »gar nichts zu essen ist, da wird dieses natürlich jeden Augenblick zur nächsten Hauptsache«, muß »alles Sinnen und Trachten ... [notwendig] nach dem Essen gerichtet« sein (7, 206). Kein Wunder, wenn es Herrn Pineiß gelingt, den schmachtenden Kater mit dem Versprechen stets reichlicher Nahrung zu ködern, bezeichnend gleichwohl die eigentümlich degagierte Art der Schilderung solcher Üppigkeiten: Zwar handelt es sich bei dem, was dem Leser vor Augen geführt wird, um ein Stilleben schlaraffenlandähnlichen Zuschnitts, doch ist das Terrain den Dimensionen nach (Wäldchen, Tannenbäumchen) eher klein gehalten, wobei die Diminuierung gerade der Leckerbissen (s. 7, 332) abzielt auf deren Bedeutungsverminderung. Freilich ist der Kater noch nicht soweit, dies einzusehen, erst in sattem Zustand wird er der rechten Einschätzung fähig. Im Anblick des vergnüglich gefüllten Vogelmägleins (s. 7, 333) — Spiegel hat eines Tages einen hübschen Krammetsvogel von den Ästen heruntergeholt — kommt er zur Besinnung, begreift er, daß er gleich seinem Opfer dabei ist, sich um des Wohllebens willen am Leben zu versündigen. Warntafeln dieser Art, vielerorts in seinen Dichtungen aufgestellt, lassen Keller keineswegs als den sinnenfreudigen Genießer erscheinen, als der er bis in die jüngste Zeit hinein immer wieder dargestellt werden konnte[8]. Vielmehr messen die besten und einsichtigsten unter seinen Gestalten, ohne darum Kostverächter zu sein, Fragen der (materiellen) Lebensführung genau jenen beiläufigen Rang zu, der ihnen nach Meinung des Dichters einzig zusteht.

Wenn die Liebenden unterwegs auf ein Kirchweihfest gelangen, hat jeder von ihnen das Bedürfnis, dem anderen etwas zu schenken. Vrenchen kauft für Sali ein Lebkuchenherz als Zeichen ihrer Treue (s. 7, 167), dieser wählt zum Geschenk »ein großes Haus von Lebkuchen, das mit Zuckerguß freundlich geweißt war, mit einem grünen Dach, auf welchem weiße Tauben saßen und aus dessen Schornstein ein Amörchen guckte als Kaminfeger; an den offenen Fenstern um-

[7] Vgl. dagegen die ungeschickte Heiligkeit, mit der Heinrichs Mutter das Essen zu behandeln pflegt 3, 37 ff. Wenn ihr Sohn schließlich das Beten bei Tisch verweigert, ist das weniger Halsstarrigkeit als eine Sache natürlichen Empfindens. — Komisch gesehen wird diese Haltung ungebührlicher Ernsthaftigkeit im ›Sinngedicht‹, wenn das Pfarrerstöchterlein vor Reinharts Augen »einen Pudding so sorgfältig auf den Tisch« setzt, »wie wenn sie die Weltkugel hielte« (11, 14).

[8] zuletzt bei Klaus Jeziorkowski, »Eine Art Statistik des poetischen Stoffes«. Zu einigen Themen Gottfried Kellers. — In: DVjS 45, 1971, S. 547—66, dort S. 554 ff. — Zieht man hingegen jene Auffassung in Betracht, die übermäßiges Essen als Ausdruck selbstsüchtiger Gesinnung gewertet wissen möchte (vgl. p. 141 f.), dann bietet sich, im Verein mit dem Stilmittel der Diminuierung, im Gegenteil (und eher umgekehrt) Gelegenheit, die Legende vom Epikureer Keller nachhaltig zu korrigieren.

armten sich pausbäckige Leutchen mit winzig kleinen roten Mündchen, die sich recht eigentlich küßten, da der flüchtige praktische Maler mit einem Kleckschen gleich zwei Mündchen gemacht ... Schwarze Pünktchen stellten muntere Äuglein vor« (7, 166). Inmitten einer verführerisch freundlich gezeichneten Welt — helle Farbtöne, lockende Süßigkeit (des Materials) — erscheint dieser Liebestempel als Haus des Friedens und der Eintracht, ersehnter Hort der Geborgenheit — und damit als das genaue Gegenteil dessen, was ist, des dunkel-bittern Loses der Heimatlosigkeit nämlich. Daß bei dieser Gelegenheit Diminutive in einer Häufung auftreten wie nirgends sonst in dieser Novelle, zeigt am deutlichsten die Unvereinbarkeit von Herzensglück und materieller Bedürftigkeit[9], d. h. den letztlich illusionistischen Zug des Ganzen auf, wie er an gleicher Stelle außer in konsequenter Diminuierung in dem Surrogatcharakter gemalten Liebesglücks zum Ausdruck kommt.

Zwar kein Glück auf Dauer[10], wohl aber ein paar Stunden seligen Zusammenseins sind den Liebenden schließlich im Paradiesgärtlein vergönnt. Und wenn wir dies Diminutiv zunächst lediglich auf den zweiten Teil des Kompositums und damit auf die Verkommenheit des Anwesens bezogen haben (vgl. p. 102f.), dann darf man es nun mit ebensolchem Recht auf seine erste Hälfte anwenden; womit alsdann die Relativierung auch der Jenseitsvorstellung, will sagen eines zentralen Bestandteils religiöser Glaubensinhalte gemeint ist. Wie wenig ein solches despektierlich anmutendes Verfahren vereinzelt dasteht, vermag schon die flüchtigste Umschau in benachbarten Erzählungen zu erhärten. Und im Blick auf das übrige Werk kann man leicht die Bestätigung einholen, daß Keller sich immer wieder des Mittels der Verzwergung bedient, wenn es darum geht, die Schwäche der kirchlichen Position, die Belanglosigkeit der von ihr vertretenen Lehre zu demonstrieren. Stilistisch greift er dabei mit Vorliebe auf Diminutivformen zurück. Nicht nur werden Vertreter von Gottes Wort zu ›Pfäfflein‹ reduziert (s. 10, 197)[11], überall in seinem Werk ist gerade katholische Welt einem Schrumpfungsprozeß unterworfen, der in erster Linie einen Wandel vom Ernsten ins Komische und Lächerliche, spaßhafte Verminderung also, bewirkt. Wo Prie-

[9] Vgl. die voraufgegangenen Träumereien vom Idyll zu zweit, bei denen Vrenchen sich just in dem Augenblick, als der letzte Hausrat weggetragen wird, vorzustellen versucht, wie das ganze Gerümpel, mit dem Frau und Sohn vom Hof ihres Vaters abziehen, »›noch ein artiges Gartenhäuschen‹« abgäbe »›oder eine Laube, wenn mans in einen Garten pflanzte, ein Tischchen und ein Bänkchen drein stellte und Winden drum herumsäete!‹« 7, 157

[10] Dessen Flüchtigkeit zu betonen, tritt der Beschaffenheit des Vergleichsmaterials (Wolken, Fische, Vögel) die Diminuierung des Vokabulars (zu den schon erwähnten Beispielen s. Verkleinerungen wie ›Weltfreudelein‹, ›Glücklein‹ 10, 136 u. a.) ergänzend zur Seite.

[11] Freilich ist hier zuzugeben, daß der religiöse Bereich, was die ›Romeo‹-Novelle angeht, nur spärlich repräsentiert ist, etwa in der Sentenz, mit der der Dichter Salis Gefühle (dem wiedergefundenen) Vrenchen gegenüber zusammenfaßt und wonach nichts »dem Reichtum und der Unergründlichkeit eines Glückes [gleicht], das an den Menschen herantritt in einer so klaren und deutlichen Gestalt, vom Pfäfflein getauft und wohl versehen mit einem eigenen

ster und Gemeinde (s. 7, 226), Mutter Gottes-Bilder samt deren Aufenthaltsorten gleichsam wie mit umgekehrtem Fernrohr betrachtet werden, sinkt das Wort, sinkt christliche Botschaft ab zur bloßen Kinderlehre (s. 8, 140), bleibt Gott allenfalls ein Gott der Kindheit (s. 8, 143) oder der alten Leute, d. h. jener Menschen, die nicht nur körperlich verzwergen (s. 8, 400 ff.), sondern auch geistig auf den Stand ihrer frühesten Jugend zurückfallen.

Resümiert man, so scheint es vor allem zwei Gruppen von Diminutiven zu geben. Maja Fischer[12] hat sie ›neutralisierend-abschwächende‹ und ›pejorativ-ironische‹ Verkleinerungsformen genannt, Bezeichnungen, die wir gern übernehmen, da sie die unterschiedlichen Wirkungsweisen zutreffend beschreiben. Leider möchte die Verfasserin beide Varianten scharf getrennt wissen, trifft sie wesensmäßige Unterscheidungen da, wo diese (in so strikter Form) weder möglich noch nötig sind. Sehen wir recht, so scheint es sich vielmehr um unterschiedliche Ausprägungen ein und desselben Grundtyps zu handeln, wobei die (allerdings konträre) Wirkung von der jeweiligen Ausgangsposition abhängt: Wird ein negativer Sachverhalt (Armut, Schuld) diminuiert, ist die Wirkung notwendig neutralisierend, wohingegen bei positivem Ausgangspunkt (gleich, ob Gaumenfreuden oder ideelle Werte) jede Bedeutungsverminderung negativ zu Buche schlagen muß, der Effekt diminuierenden Verfahrens folgerichtig pejorativ zu nennen ist. Um die beiderseitige Zusammengehörigkeit an einem Beispiel evident werden zu lassen: ›Leute‹ und ›Volk‹ – soziologisch gesehen machen diese Bezeichnungen für Keller den Unterschied aus zwischen Bürgertum und viertem Stand, materieller Sorglosigkeit und Armut, Reputation und Ehrlosigkeit. ›Leute‹ sind Vrenchen und Sali, seit sie die Heimat verlassen haben, nicht mehr, ›kleine Leute‹ (s. 7, 133) waren sie zuletzt als Kinder. Wenn die Wirtin sie dennoch für rechtliche junge Leutchen zu halten scheint (s. 7, 159) und man auch im nächsten Dorf »›recht ordentliche Leutlein‹« in ihnen vermutet (7, 164), dann spricht gewiß Anerkennung aus diesen Titulierungen, aber ebenso deutlich trägt die Diminuierung der (nicht bloß) materiellen Differenz Rechnung, gilt sie Personen, die bei allem Wohlwollen doch das Kainsmal der Verarmung und also des Unbürgerlichen an der Stirn tragen. – Aus Übelwollen hellsichtig, neigt die Kellnerin eher dazu, Sali und Vrenchen als zum Volke gehörig zu taxieren, ja dem Subproletariat der Heimatlosen zuzuschlagen. Auch das ist richtig und falsch zugleich, eine Rechnung, die nunmehr in negativer Hinsicht überzogen und darum ohne den Wirt (sprich Dichter) gemacht erscheint, der sich beeilt, die Wirkung dieser Insinuation

Namen, der nicht tönt wie andere Namen« (7, 122). Wo es gilt, die letzten Glücksmöglichkeiten (eines ansonsten armselig freudlosen Lebens) auszuschöpfen, und sei es um den Preis der ewigen Seligkeit, finden kirchliche Ansprüche wenig Gehör, erscheint christliche Glaubenswelt allenfalls als Realität zweiten Grades und also weitgehend in das Gebiet der Metaphorik verbannt.

[12] Die Diminutive im Deutschen und im Französischen. Ein Vergleich von Gottfried Kellers Erzählungen »Die Leute von Seldwyla« mit ihren französischen Übersetzungen, Diss. Zürich 1962, S. 11.

durch ein Diminutiv abzumildern, indem er die Bedienung am Ende lediglich von ›Hudelvölkchen‹ sprechen läßt (s. 7, 164).

›Pejorativ‹ oder ›neutralisierend‹, nicht nur handelt es sich dabei um ein und dieselbe Gruppe von Diminutiven, angewandt auf Sachverhalte unterschiedlicher Wertigkeit, — oft reicht ein bloßer Wechsel der Perspektive hin, das pejorative Moment in neutralisierende Wirkung zu verkehren (und umgekehrt): Wenn der Enkel des Trompeters dem Kesselvolk das Geigelein streicht (s. 7, 90), kann es sich, nach allem, was man von diesem ›Fetzel‹ und seinem ›Sozial‹-Status weiß, nur um mehr oder minder grausige Melodien handeln, hervorgebracht auf einem billigen, schlechten Instrumente. Die Bestätigung dieser Vermutung, der quasi ›objektive‹ Tatbestand findet sich (unvermutet) an ganz anderer Stelle, in der ›Armen Baronin‹ des ›Sinngedichts‹, wenn die Brüder der Titelheldin und ihr einstiger Gatte, zu Bettelmusikanten verkommen, auftreten als »drei lange verwilderte Kerle mit struppigen Bärten und elenden Kleidern, welche verdorbene Musikinstrumente bei sich trugen« (11, 186). Auch eine Violine ist darunter, und der »Rittmeister Schwendtner hatte in seinen jüngern Jahren etwas geigen gelernt und wußte mit Not noch eine Saite aufzuziehen und darauf zu kratzen« (11, 187/88). — ›Geigelein‹, aus dem Munde der Bauern ist das sicher abwertend gemeint; als Äußerung des Dichters verstanden, klingt dieselbe Vokabel sehr viel weniger verächtlich, eher als neutralisierendes Korrektiv und in dieser Funktion das Ausmaß des Schäbigen verkleinernd[13] um der Liebenden willen und weil der Geiger — anders als die adligen Kujone, die zu schonen kein Anlaß besteht — hier als Opfer gesehen ist fremder Habsucht. In dieser Weise können, je nach Blickrichtung, einem einzigen Diminutiv wiederholt beide Akzente inhärent sein, was kaum möglich sein dürfte, wäre das Erzielen des jeweils beabsichtigten Effekts an das Vorhandensein kategorial verschiedener (Wort-)Gruppen gebunden.

Das laudative Diminutiv

So gewiß der Humorist Keller im Bewußtsein der Literarhistoriker eine unverrückbare Größe darstellt, sowenig hat man die ironischen Töne seines Erzählens bislang ernsthaft zur Notiz genommen. Zwar konzediert Wolfgang Preisendanz[14], Kellers Sprache könne »ganz und gar gesättigt sein von Ironie« (S. 444), dennoch bleibt zu bemängeln, daß der Verf. es in der Folge bei einigen wenigen Andeutungen beläßt, während konkret, wie wir sahen (vgl. II, Anm. 63), bei Ausdeutung einer für die Schlüssigkeit seiner Thesen immerhin zentralen Belegstelle der ironische Zungenschlag überhört ist zugunsten der behaupteten humoristischen

[13] gegen Fischer, die in diesem ›Geigelein‹ nur das pejorative Element sieht, a. a. O. S. 11.

[14] Gottfried Keller. — In: Deutsche Dichter des 19. Jahrhunderts. Ihr Leben und Werk, hrsg. v. Benno v. Wiese, Berlin 1969, S. 440—62.

Erzählweise. – Anlaß genug für uns, den Möglichkeiten und Grenzen ironischen Sprechens bei Keller einmal systematisch nachzugehen. Was von einer ironiebetonten Grundeinstellung der Welt gegenüber zu halten ist, hat der Dichter in Gestalt und Schicksal des Malers Ferdinand Lys (»Der grüne Heinrich«) veranschaulicht. Unter Heinrichs Münchner Freunden der einzige, der über nennenswert künstlerische Potenzen verfügt, erscheint es um so verwunderlicher, daß er fast gar nicht malt![15] Der Schlüssel zu diesem offenkundigen Mißverhältnis zwischen Können und Vollbringen liegt in seinem Weltverhältnis begründet, und dieses wiederum ist in entscheidenden Zügen den (wenigen) vorhandenen Gemälden, ihren Themen wie der Art ihrer Darstellung zu entnehmen. Insbesondere den Figuren des letzten Bildes (›Bank der Spötter‹) ist die ironische Attitüde gemeinsam: Der Greis, »ganz verzwickt freundlich mit den Augen« blinzelnd (5, 163), bewährt sie ebenso wie »ein stattlicher Mann in Uniform«, der »ruhig, fast schwermütig, aber doch mit mitleidigem Spotte« dreinblickt, oder ein Abbé, »welcher, wie eben erst aufmerksam gemacht, einen forschenden stechenden Blick auf den Beschauer richtete, während er eine Prise zur Nase führte und in diesem Geschäft einen Augenblick anhielt, so sehr schien ihn die Lächerlichkeit, Hohlheit oder Unlauterkeit des Beschauers zu frappieren und zu bösen Witzen aufzufordern« (5, 164). Erst recht scheint Ironie ein Lebenselixier zu sein jenes ausgemachten Taugenichtses und Hanswurstes im Zentrum der Gruppe, »welcher mit offenbarem Hohne, die Nase verziehend, aus dem Bilde sah und seinen Hohn dadurch noch beleidigender machte, daß er sich durch eine vor den Mund gehaltene Rose das Ansehen gab, als wollte er denselben gutmütig verhehlen« (5, 163/64). So kommt es, daß der Beschauer sich unter den Blicken dieser Versammlung – Lys nennt sie seine ›Hohe Kommission‹ (s. 5, 165) – alsbald höchst unwohl befindet, und das Motto der Komposition, das biblische ›Wohl dem, der nicht sitzet auf der Bank der Spötter‹, unter Seufzern und in bezeichnender Abwandlung auf sich selbst bezieht: Weh dem, der vor der Bank der Spötter steht (s. 5, 163). Es ist der absprechende Tenor des Ganzen, der dieses Unbehagen hervorruft, die deutlich spürbare (welt-)verneinende Tendenz, die in Haltung und Äußerungen des Künstlers ihre Entsprechung findet, besonders deutlich da, wo es um die Schätze des Skizzenbuchs geht, jene Zeichnungen, die »eine Welt von Schönheit und zugleich der Verspottung derselben« (5, 168) offenbaren. Im Anschluß an deren Musterung fehlt denn auch nicht ein privates Statement, ein direktes Bekenntnis ihres Urhebers: Auch das wildeste Wesen, äußert Lys den Freunden gegenüber, müsse »›fromm sein und einfältig wie ein Kind, wenn es allein ist und arbeitet. Mir fehlt vielleicht die Frommheit oder Frommkeit; ich bin nie allein, sondern alle Hunde sind bei mir, mit denen ich gehetzt bin!‹« (5, 169). Es ist diese Zerfallenheit mit sich und der Welt, die seinen Schaffensdrang hemmt und schließlich

[15] Daß er sich diesen Luxus des Untätigseins leisten kann, hat der Erzähler ihn (auch dies ausnahmsweise) von Haus aus wohlhabend gemacht.

ganz zum Erliegen bringt. Zum Malen brauche man die Augen, schreibt er, in die Heimat zurückgekehrt und mit dem Aufbau einer politischen Karriere beschäftigt, an seinen Freund Erikson (s. 5, 305), und diese Bemerkung ist nur insoweit kryptisch, als er (für diesmal) das Attribut des Kindlich-Frommen ausgespart hat. — Mangelnde Frommkeit, Ironie also, dies hat Keller im ›Apotheker von Chamounix‹ in der Person seines Dichter-Kollegen Heine einer ganzen Generation und Kunstrichtung, der romantischen Schule, vorgeworfen. Dort satirisch verhandelt (s. V, Anm. 86), wird die nämliche Haltung in Lysens Falle am Beispiel der Gestalten seines ›Spott‹-Bildes ad absurdum geführt. Dieser Absicht dient die Auswahl der Figuren ebenso wie der Kontrast zwischen objektiven Gegebenheiten und subjektiver Einstellung: Jüngling und Kirchenmann, fehlende Jahre und religiöse Herkunft sollen auf die Weltunkenntnis der Spötter verweisen und ihren Hohn als unbegründet, weil nicht auf Erfahrung gründend, abtun[16]. Auf nichts anderes zielt die Diskrepanz ab zwischen äußern Umständen und menschlichen Umtrieben: Nicht nur strotzen die Spötter vor Gesundheit, hineinversetzt in üppige Fülle, glanzvoll-schöne Szenerie (s. 5, 163), muß ihr Zynismus ebenso befremdlich wirken, wie es pausbäckiger Schwermut an Überzeugungskraft gebricht (s. 5, 164)[17].

Zusammengenommen sollen all diese Unstimmigkeiten Kellers Auffassung belegen, nicht die Welt sei schlecht, sondern allenfalls der Mensch, seine Art zu sehen, sich andern gegenüber aufzuführen. Auch Lys könnte glücklich sein, wäre er nur imstande, die (durchaus vorhandenen) Vorzüge etwa seiner Bekannten Agnes zu würdigen. Verlagerung also vom Objektiven ins Subjektive — heißt das nun, daß der Dichter blind ist für die Unvollkommenheiten des Daseins? Keineswegs! Weder ist ihm der oftmals erdrückende Zwang der äußern Verhältnisse entgangen, noch sind die vielfältigen menschlichen Schwächen übersehen. Aber ähnlich einem seiner frühen Helden (Pankraz) behilft der Autor sich in derartigen Fällen mit der Devise, wonach es inmitten einer Flut von Unzuträglichkeiten ideales Leben schon gebe, »nur niemals da wo wir eben sind, oder dann wann wir leben« (7, 50). Mit anderen Worten: Fehlerhaftigkeit ja, aber individuell und okkasionell. Höchstens graduell ist dies Leben zu verwerfen, nicht grundsätzlich, weshalb es kurzsichtig und ungerecht wäre, von der (Einzel-) Fallstudie verleitet, auf das Ganze rückschließen zu wollen. Höher vielmehr und feiner als die Verachtung erscheint die Achtung vor der Welt im Ganzen (s. 7, 220). Es ist Frau Regula, die diese Maxime bewährt, ihrem Sohne vorlebt, obwohl sie allen Grund hätte, auf ihre Seldwyler Mitbürger verächtlich herab-

[16] Dies Moment der Unerfahrenheit gilt auch für den Greis, der sich dazu kindisch benehmen muß, während andererseits Schwermut bei einem jungen Menschen als Verkehrtheit wirkt (s. 5, 163).

[17] Solchen Ungereimtheiten inhaltlicher Art entspricht, auf die Ebene des Formalen ausgedehnt, der Widerspruch zwischen kritischem Gegenstand und freudigem Glanz der Ausführung (s. 5, 165).

zusehen. — ›Frommkeit‹ also anstelle ironischer Ablehnung, und doch alles andere eher als Anlaß zu voreiligen Schlußfolgerungen; denn weder ist diese Haltung des Freisinns leicht zu erreichen, noch darf sie unbesehen überall vorausgesetzt werden, so, wie wenn Welt als Summe alles einzeln Existenten unterschiedslos bejaht würde. Im Gegenteil sinkt alles bloße Detail leicht zum beziehungslos-unbedeutenden Appendix herab, ist es lediglich ein Schritt vom Einzelwesen zum Unwesen, das dem Ganzen oft nur mühevoll integriert werden kann. Frommkeit, im Bereich des Kompositionellen macht sie sich bemerkbar als Vorliebe für das Prinzip zyklischen Erzählens[18]; bezogen auf die Frage nach der Erzählhaltung bedeutet sie: Ironien, keine Ironie. Ist damit nun der Weg frei für den Humoristen Keller? Der Schluß liegt nahe, zumal beide Perspektiven, sofern sie mehr sind als nur vorübergehende Sageweisen, einander ebenso ausschließen[19] wie Ironie und Realismus, während humoristisches Sprechen sich um so besser mit realistischer Einstellung der Wirklichkeit gegenüber zu vertragen scheint[20]. — Wohl am konsequentesten ist Keller in den Arbeiten von Wolfgang Preisendanz mit dem Begriff des Humors in Zusammenhang gebracht worden. Humor als dichterische Einbildungskraft[21], das meint ein Formprinzip (s. S. 151; 205), das, auf die Objektwelt bezogen, zwischen Faktischem und Menschlichem (s. S. 172), Erscheinung und Geschehendem (s. S. 157) vermittelt und so, indem es die heterogenen Bezirke des Dinglichen und Seelischen vereint (s. S. 159), Poesie überhaupt erst möglich macht. Freilich ist diese zentrale Stellung des Humors als eines Zauberstabes, mit dessen Hilfe allein (und letztmalig?) widerstrebende Wirklichkeit sich der Kunst bequemt, an zwei Voraussetzungen gebunden: jene allgemeine, sozusagen geschichtsphilosophische, die eine zunehmend un- oder antipoetisch werdende Wirklichkeit postuliert[22] und spätestens seit der

[18] »Die Leute von Seldwyla« betreffend, sind strukturelle Entsprechungen und motivliche Interdependenzen zwischen den einzelnen Erzählstücken bislang am überzeugendsten nachgewiesen bei Hubert Ohl, Das zyklische Prinzip von Gottfried Kellers Novellensammlung »Die Leute von Seldwyla«. — In: Euphorion 63, 1969, S. 216—26.

[19] und folglich begrifflich möglichst sauber getrennt werden müssen. Ob dies so reinlich geht, wie Dietrich Pregel — Das Kuriose, Komische und Groteske in Kellers Novelle »Die drei gerechten Kammacher«. — In: WW 13, 1963, S. 331—45 — es vorgeschlagen hat (s. S. 343 ff.), mag bezweifelt werden; andererseits sollte eine derart sorglose Verwendung der Termini Humor, Komik und Ironie, wie Emil Staiger — Die Zeit als Einbildungskraft des Dichters. Untersuchungen zu Gedichten von Brentano, Goethe und Keller, Zürich ²1953 — sie sich im Falle Kellers (s. S. 183 ff.) ungerührt leistet, guten Gewissens nicht länger erlaubt sein.

[20] An der axiomatischen Sicherheit dieser Einschätzung kranken im Grunde alle Arbeiten zu diesem Thema. Bezeichnend der frühe Titel von Leo Berg — Gottfried Keller oder Humor und Realismus, Berlin 1889 (= Deutsche Litterarische Volkshefte Nr. 2).

[21] Dies der Titel der Habilitationsschrift des Verf., die auch die wesentlichste Literatur zum Thema ›Humor bei Keller‹ aufarbeitet (s. S. 143—51); dazu ergänzend Hermann Boeschenstein, Gottfried Keller, Stuttgart 1969, Realienbücher für Germanisten 84, S. 92—101.

[22] Wenn wir dagegen von ›Fehlerhaftigkeit‹ sprechen, dann meinen wir (mit Keller) einen überzeitlichen, sozusagen metaphysischen Defekt, der jedem einzelnen qua Existenz anhaftet und

Mitte des 19. Jahrhunderts — mit Hegel zu sprechen — das Ende der ›Kunstperiode‹ gekommen sieht; eine spezielle — Undeutlichkeit des thematischen Horizonts — sodann, in der sich, den konkreten Fall Keller betreffend, die behauptete Sprödigkeit des (modern) Faktischen niedergeschlagen habe. — Gegenüber derartiger Verabsolutierung des humoristischen Prinzips als der im Grunde einzig verbleibenden poetisierenden Kraft mimetischer Kunst sind bereits von anderer Seite (grundsätzliche) Bedenken angemeldet worden[23]. Hinsichtlich des Kellerschen Oeuvres glauben wir nachgewiesen zu haben (vgl. p. 116 f.), daß eine Disparatheit der Gegenstände und Stoffe, wie Preisendanz sie hypostasiert, nicht existiert, sich vielmehr ein einheitlicher thematischer Horizont ausmachen läßt, auf den hin alles Detail des Vordergrundes bezogen ist, und von dem her seinerseits Tendenzen ausgehen ebenso strukturierender wie entrealisierender Art; was in der Konsequenz bedeutet, daß Humor als objektbezogener Integrationsfaktor in dem Maße, wie die Preisendanzschen Konklusionen dies voraussetzen, weder notwendig noch vorhanden ist.

*

Ob es spezifische Stilmittel des Humors gibt, ist eine noch immer offene Frage. Falls sie bejaht werden darf, gehört das Diminutiv wohl am ehesten in diese Kategorie, insofern es, dem alltäglichen Sprachgebrauch entsprechend, auch bei literarischer Verwendung als Koseform sowohl wie in bagatellisierendem Sinne eingesetzt werden kann. Maja Fischer spricht in diesem Zusammenhang von laudativen Diminutiven, einer Spezies, die sie als das entscheidende Stilistikum Kellerschen Humors verstanden wissen möchte. Freilich steht dieses Ergebnis ihrer Arbeit von Anfang an fest, wird die (weitgehende) Gleichsetzung von diminuierendem und humoristischem Sprachgebrauch[24] vorausgesetzt, da das eigentliche Augenmerk der Verfasserin den Möglichkeiten der Übertragbarkeit eben dieses (zu beweisenden) affirmativen Zuges ins Fremdsprachliche gilt. Weder verwundert daher die Behauptung, wonach Laudativa die zahlenmäßig weitaus stärkste Gruppe stellen, noch der Umstand, daß sie gleich einleitend vor allen andern (möglichen) Bedeutungsnuancen abgehandelt werden.

Affektiven Charakter tragen bei Keller vor allem und eindeutig nachweisbar eine Reihe von diminuierten Personennamen. Der Held der Novelle »Ursula« etwa ist ein Hüne von Gestalt, und so meint die Verkleinerungsform ›Hansli‹

folglich in der Zeit beginnender Industrialisierung höchstens deutlicher hervortreten kann.

[23] dazu die Besprechung des Buches durch Fritz Martini, Germanistik, 5. Jahrgang 1964, S. 633—35.

[24] Ironische Töne werden allenfalls theoretisch (a. a. O. S. 103) und dann in Verbindung mit den Pejorativa zugestanden. Deren Anzahl freilich soll, wenn es nach dem Willen der Verfasserin geht, verschwindend gering sein: Vier Belegen in ›Romeo und Julia‹ stünden insgesamt nur sechs weitere Nachweise für die übrigen Erzählungen des Zyklus zur Seite (s. S. 111); ein Verfahren, das in seiner Rigidität auf nichts anderes hinausläuft, als Ironie zumindest aus dem Umkreis diminutiven Sprechens weitgehend zu eliminieren (s. S. 108 f.).

keinen objektiven Sachverhalt, geht sie nicht zurück auf unzureichende Körpermaße, vielmehr drückt sich darin »eine gewisse vertrauliche Beliebtheit und der Ruf der Zuverlässigkeit aus, in welchem der Träger unter seinen Genossen stand« (10, 94/95). Für »Die Leute von Seldwyla« ist das Moment des Zärtlichen ausdrücklich gesichert im Falle des Jukundus Mayenthal (»Das verlorne Lachen«), der »mit allgemeiner Zärtlichkeit schlechtweg der Jukundi genannt« wird (8, 305), und gleiches läßt sich bereits für die Eingangsnovelle dieses Zyklus ausmachen: Wenn Pankrazens Mutter ihre Tochter Estherchen ruft (s. 7, 13 ff.), ist damit sicher mehr gemeint als das kleine, heranwachsende Mädchen dieses Namens; und ganz gewiß erkennt man in den Zärtlichkeitsformeln »Söhnchen« (7, 18), »Söhnlein« (7, 12), in der Anrede »Pankräzlein« (7, 18) das bevorzugte Objekt mütterlicher Fürsorge[25]. — Und doch ist nicht jede Namensverkleinerung automatisch Beleg einer affirmativen Haltung! Pankrazens Schwester etwa wird nicht bloß in familiärem Kreise Estherchen genannt, auch der Erzähler tituliert sie so, und zwar unbekümmert darum, ob es sich um das Mädchen von zwölf Jahren (s. 7, 11) oder eine bereits herangewachsene Person handelt. Wenn sie schließlich noch als alte Jungfer (s. 7, 16) ›Estherchen‹ bleibt, dann ist das (eventuelle) laudative Element längst zurückgetreten hinter den Versuch, mit Hilfe dieses Diminutivs klarzumachen, daß und wie sehr ihr der nötige Lebensernst abgeht und sie einen, gemessen an ihren Jahren, nachgerade unzukömmlichen Leichtsinn bekundet (s. 7, 14). — ›Estherchen‹ also als die zwar alt gewordene, aber in vieler Hinsicht töricht gebliebene Schwester — mit Humor hat dies sowenig zu tun wie die Bezeichnung des komischen Alten aus der Nachbarschaft des grünen Heinrich, der zu nichts Ernsthaftem zu gebrauchen ist und darum Vater Jakoblein (s. 3, 76) genannt wird; im Gegenteil ist jedesmal Abwertung im Spiel, sei es als Hinweis auf ein intellektuelles oder typologisch, d. h. in fehlendem Temperament begründetes Manko[26]. In der ›Romeo‹-Novelle finden sich die Namen des Pärchens derart konsequent diminuiert, daß man z. B. den eigentlichen Taufnamen des Mädchens (Veronika, Verena?) nur erschließen kann. Einmal mag dies an der Stärke gegenseitiger Zuneigung liegen[27], die um so inniger ist, je mehr Sali und Vrenchen

[25] Ein derart laudativ-zärtliches Element wie zwischen Eltern und Kindern findet sich sonst nur noch unter Ehegatten, besonders eindrucksvoll im Falle des Forstmeisters (»Dietegen«), der für seine Gemahlin eine Reihe von Übernamen erfindet und die geliebte Frau schließlich als sein ›Weißkehlchen‹ tituliert (s. 8, 251). Vgl. ferner die Art, in der Gritli ihren Gatten brieflich als »›mein liebes Männchen‹« anredet 8, 151.

[26] Vielleicht darf man den Namen Litumlei(n), entsprechend den bei John Kabys zu beobachtenden anglisierenden Tendenzen, als Kontamination von ›little‹, ›tumb‹ plus der Endung -lein verstehen und als ›kleiner Dümmling‹ deuten? Im Falle der Züs Bünzlin bedeutet die Wahl der süddeutschen Endung (-lin statt -li), wie Fränkel klargemacht hat (s. 7, 401), lediglich Verschleierung (des pejorativen Verweises auf die Beschränkheit der Trägerin) aus Rücksichtnahme auf das Schweizer Geschlecht der Bünzli.

[27] Vgl. die vielfältig gestuften Abwandlungen bis hin zum zärtlichsten ›Vreeli‹; dazu (auf Sali gemünzte) Koseformen wie ›Schätzchen‹ (s. 7, 136), ›Närrchen‹ (s. 7, 147) u. a.

elterliche Liebe entbehren müssen; zum andern aber ist es von seiten des Erzählers, über alles Wohlwollen hinaus, der Hinweis darauf, daß dies Kinder bleiben ihr Leben lang, was nicht nur positiv (als Unschuld, Reinheit) zu deuten ist, sondern ebensosehr die Unbesonnenheit der Jugend meint. Entsprechend wird Sali nur ein einziges Mal, in dem Augenblick, als er über seine Jahre hinaus alt, erwachsen sein möchte, korrekt beim Namen genannt (s. 7, 96), ansonsten aber heißt es nicht Salomon, sondern Sali[28], und das ist, besonders im Vergleich zum Landvogt und dessen Haltung entsagungsvollen Verzichts, abwertend[29] gemeint insofern, als ihm die Reife abgeht, die nötig wäre, wie jener auch in verzweifelter Situation auszuhalten, das Leben zu bestehen.

Zwar ist nicht jede ›gestutzte‹ Anrede eine Koseform, doch gibt es das Laudativum andererseits auch über den Bereich der Namensgebung hinaus: »Dankbarlich ließ er schöne Kürbisstauden und Winden an dem niedrigen schwärzlichen Häuschen emporranken, das außerdem von einem großen Holunderbaum überschattet war und dessen Esse immer ein freundliches Feuerlein hegte« (8, 112). Diese Stelle findet sich am Ausgang der Geschichte vom ›Schmied seines Glückes‹, und sie scheint uns in der Tat humoristisch gefärbt (vor allem) mit Hilfe diminuierender Sprechweise. Der objektive Sachverhalt ist kurz dieser: Von Augsburg nach Seldwyla zurückgekehrt, hat Kabys mit dem Rest seiner Barschaft eine ebenso alte wie unbedeutend winzige Nagelschmiede erworben, ein Häuschen, das man sich — dunkel und niedrig, dazu mit kümmerlicher Feuerstelle versehen — eher als Hütte denken muß denn als stattlichen Betrieb. Einzig ein großer Baum wächst vor der Türe, aber auch daraus darf nicht, wie sonst üblich (s. 3, 205/06 gegen 208), auf alten Wohlstand geschlossen werden, vielmehr macht die nähere botanische Kenn-

[28] Im »Martin Salander« macht Keller von der Möglichkeit Gebrauch, die Schlußsilbe des gleichen Namens zu verkleinern. Auf Grund seiner gesetzten Lebensart zwar wohltuend abstechend von der Betriebsamkeit und Hektik ringsum, gerät Salomon Wighart mit seinem Hang zu großzügiger Zeitbewirtschaftung doch allzusehr in die Nähe der notorischen »Spaziergänger und Schoppenstecher« (12, 11), womit er das Ideal weiser Lebensführung um einige Nuancen verfehlt und also ›Möni‹ genannt wird.

[29] Einen ähnlichen Akzent enthält die Verkleinerung im Falle der Grafentochter aus dem ›Grünen Heinrich‹. Dortchen liebt den Helden, aber manches steht zwischen ihnen: monetäre Ungleichheit ebenso wie ständische Schranken. Um Heinrich Mut zu machen, ihn dazu zu bringen, sich zu erklären, gibt sie sich weniger ernsthaft und erwachsen, als sie tatsächlich ist, vielmehr als mutwilliges Kind und, in Gesellschaft der Gärtnerstochter Röschen, vor allem als Bürgerliche. Nicht Dorothea Gräfin von Weinberg, sondern das gesellschaftlich auf gleicher Ebene stehende junge Mädchen, dies alles sucht die diminuierte Namensform zu suggerieren — ohne Erfolg. Ist es der Bürger in Heinrich, der die Aura des Hoheitsvollen erahnen läßt durch alle Maskerade hindurch? Jedenfalls gibt es nichts, was seine Gewißheit (und Zurückhaltung) in diesem Punkte zu erschüttern vermöchte, auch nicht die Enthüllung vom (vermeintlichen) Findelkind Dortchen (s. 6, 194 ff.), zumal sie im Rittersaal des Schlosses vorgetragen und somit schon vom Atmosphärischen her um ein Großteil ihrer etwaigen (nivellierenden) Wirkung gebracht wird.

zeichnung (Holunder) deutlich, daß es sich hier, ungeachtet der (ausnahmsweise) üppigen Dimensionen, um Wildwuchs (s. dazu 7, 171), d. h. aber um materiell wertloses Gewächs handelt. Und doch neutralisieren die in diesem Zusammenhang gesetzten Diminutive das Quasi-Elend nicht nur, wie im Falle des ›freundlichen‹ Feuerleins bringen sie es mehr noch fertig, die allgemeine Trostlosigkeit ein wenig aufzuhellen[30]. Es ist der freundliche Spiegel des Humors, seine verklärende Wirkung zumal, denen es gelingt, eine Reihe von Glanzlichtern auf die ansonsten kümmerliche Szenerie zu werfen, ihr zumindest den Charakter des Annehmbaren zu verleihen. — Dennoch, das Unzulängliche schaut überall durch, zumal dann, wenn man sich Kabysens Zielvorstellungen und das endlich Erreichte vor Augen hält. Er, der ausgezogen war, tüchtig glücklich zu werden, ist zu diesem Zeitpunkt weder das eine noch das andere, weil er Glück vor Tüchtigkeit stellte, und mit Ausgang der Erzählung allenfalls dabei, die vernachlässigte Charaktereigenschaft doch noch zu gewinnen. Die Diskrepanz zwischen Gewolltem und Erreichtem, sie bleibt — trotz aller Beschönigung — beachtlich, groß genug jedenfalls, daß Kabysens Arrangement mit der Wirklichkeit von daher eher einem Akt der Entsagung denn einem Augenblick des Triumphes gleichkommt[31]. Ein so geartetes Einverständnis zu bewirken, bedarf es ebenso langwieriger wie schmerzlicher Erfahrungen[32], vor allem aber muß ihm das Verlöschen jedweder Hoffnung, muß Resignation, geboren aus erlebter Einsicht in die Unmöglichkeit des Erstrebten, vorangegangen sein. Entsprechend kann die Aussöhnung zwischen Ich und Welt allenfalls spät und (dann freilich) am ehesten im Zeichen versöhnlich-versöhnenden Humors[33] erfolgen. Womit dieser, über die qualitative Bestimmung hinaus eine zugleich quantitative Reduzierung erfahren hat: Humor, ja — aber wenn es ihn gibt bei Keller, dann im wesentlichen auf die Schlußpartien des

[30] Wobei die (verschönernde) Wirkung der Diminutive unterstützt wird durch die Abwandlung des Schwarzen ins Schwärzliche, aufgehellt durch das Grün der Kürbisstauden, während die Erwähnung der Frucht vermutlich helfen soll, die Bitternis der Lage zu versüßen.

[31] s. das ›dankbarlich‹ 8, 112, wobei das Suffix als Einschränkung allzu stürmischer Dankbarkeit gesetzt ist!

[32] Darin unterscheidet sich diese ›weltliche‹ Entsagung vor allem von der so verlachten wie bekämpften doktrinär-christlichen Haltung. Niemals steht sie deshalb am Anfang, vor aller Weltkenntnis, vielmehr erst am Ende, als deren Ergebnis. Frau Marianne, Herrn Landolts Haushälterin, von einer bösen Stiefmutter in jungen Jahren ins Kloster gebracht, erhebt, als sie Profeß tun soll, »einen so wilden und furchtbaren Widerstand, daß sie mit Schrecken entlassen wurde« (9, 164). Sie geht in die Welt hinein, lernt die Wechselfälle des Lebens kennen, erfährt Eheglück und Kindersegen und ist zur Entsagung erst bereit, als sie vom Mann verlassen, vom frühen Tod ihrer Kinder geprüft, zuletzt alt und müde geworden ist.

[33] der, gegen Preisendanz (a. a. O. S. 151) und mit Pregel (a. a. O. S. 343), nun doch weniger Formprinzip als vielmehr Teil (und Ausdruck) einer Welthaltung ist. Klischeehaft würde diese Bestimmung erst dann, wenn man über der versöhnenden Wirkung das Moment des schmerzlich Resignativen außer acht ließe.

jeweils Erzählten beschränkt[34], und in seinem Charakter bestimmt von schwermütiger Resignation[35].

2. *Der Effekt des ›Zierlichen und Manierlichen‹ — seine Applikationsfelder*

Was es bedeutet, in Not und Elend hineingeboren zu werden, diese Erfahrung macht der grüne Heinrich in dem Augenblick, da die Mutter sich entschlossen hat, ihn gemäß dem Willen ihres verstorbenen Mannes in die Armenschule zu schicken. So kommt es, daß der Held sich unvermutet zwischen den Kindern »von Holzhackern, Tagelöhnern, armen Schneidern, Schustern und almosengenössigen Leuten« wiederfindet, »buntscheckig geflickten armen Teufeln«, unter denen Heinrich fast für vornehm gilt, was ihn nicht hindert, sich alsbald vertraulich mit ihnen, ihren Sitten und Gewohnheiten zu stellen, »insofern sie nur nicht allzu fremd und unfreundlich waren. Denn obgleich die Kinder der Armen nicht schlimmer und etwa boshafter sind als die der Reichen oder sonst Geborgenen, ... so haben sie doch manchmal grinsende Derbheiten in ihren Gebärden, welche mich bei einigen Mitschülern abstießen« (3, 96). Grob und ungeschlacht von Erscheinung, ist die in den Niederungen des Daseins angesiedelte Menschheit für gewöhnlich von enervierend schlechten Manieren, wird die Verwahrlosung des Äußern begleitet von zunehmender Verrohung der Wesensart und Sitten. Fabrikware der Natur, so stellt sich, mit Thomas Mann zu reden, die Auswirkung der Armut auf Physis und Psyche des Menschen dar. — Salis und Vrenchens Leidenszeit, an ihrem Anfang steht die schmerzliche Erfahrung, daß der Mensch weniger danach eingeschätzt wird, was er ist, als nach dem, was er hat. In ihrer Mittellosigkeit der Verachtung derer preisgegeben, die früher ihre Gespielen waren, sind sie schließlich zurückverwiesen auf das Paradiesgärtlein, jenen außerhalb der bürgerlichen Bann-

[34] Auch die Erzählung vom ›Landvogt von Greifensee‹ ist in diesem Punkte kein Gegenbeweis! Zwar handelt es sich hier um das wohl schönste und jedenfalls ausführlichste Beispiel Kellerschen Humors, doch wird der durchgehend humoristische Tenor nur erreicht, weil die Geschichte vom Ende her, in der Rückblende erzählt, der Held also von Anfang an ein Entsagender ist; eine Technik, mit deren Hilfe sich die Beispiele erzählerischen Humors nahezu beliebig vermehren ließen, ohne daß der resignative Charakter des Ganzen darum verwässert würde. — Nur ein gradueller Unterschied besteht zwischen dem ›Landvogt‹ und den Schlußpartien von »Kleider machen Leute«: Wohl wird Strapinski glücklich, doch sieht dies Glück erheblich anders aus als erträumt, bescheidener vor allem, ganz und gar bürgerlich und bei genauem Hinsehen sogar ein wenig zum Spießigen neigend. Es ist dieser Abstand zwischen Ideal und Erfüllung, der nunmehr humoristisch verbrämt werden muß und (dabei) von seiten des Autors mit einem Schuß Melancholie versetzt erscheint.

[35] Aus dieser Abgrenzung ergibt sich des weiteren, daß das Laudativum als zählbare Größe zwar durchaus vorhanden, insgesamt gesehen freilich mit einem gewissen Seltenheitswert behaftet ist; ein Umstand, der bei gleichbleibendem Gesamtaufkommen an Verkleinerungsformen nur den beiden übrigen Spielarten zugute kommen kann.

meile gelegenen Ort, an dem »die Kinder der ganz kleinen Bauern und Tagelöhner und sogar mancherlei fahrendes Gesinde« verkehrten (7, 170). Verlumpte Leute aus Seldwyla sind darunter, armes Volk von allen Enden (s. 7, 172), und je weiter die nächtliche Stunde vorrückt, desto eindeutiger wird die Szene von demjenigen Teil des Publikums beherrscht, der eigentlich »nirgends zu Hause war und sich zum guten Tag auch noch eine gute Nacht machen wollte«. Die Liebenden inmitten sozialen Auswurfs — um ein derartiges Beieinander konfliktlos arrangieren zu können, mußte die Reduzierung der outlaws zum »Hudelvölkchen« (7, 173) voraufgegangen sein, ein Schrumpfungsprozeß, dessen Implikationen sich am ehesten bei Betrachtung der Gestalt des schwarzen Geigers erschließen.

Wo immer er dem Paar bisher begegnete, war er ihnen ein Anlaß des Schrekkens, und dies nicht allein der schicksalhaften Verflochtenheit, des zwischen ihnen stehenden Unrechts wegen als vielmehr darum, weil diese Figur in ihrer kompakten Schwärze, ihrer unübersehbaren Düsternis zugleich das personifizierte Elend dieser Welt verkörpert. Kein Wunder, daß das Wiedersehen auch jetzt auf seiten der Kinder alles andere als freudige Empfindungen auslöst. Und doch scheint ihre Furcht diesmal unbegründet. Nicht nur ist das äußere Erscheinungsbild des Geigers aufgehellt durch einen grünen Tannenbusch an seinem Hütchen, bezeichnend auch die Pose, in der er angetroffen wird: »... zu seinen Füßen hatte er eine Flasche Rotwein und ein Glas stehen, welche er nie umstieß, obgleich er fortwährend mit den Beinen strampelte, wenn er geigte, und so eine Art von Eiertanz damit vollbrachte« (7, 172). Mit der (zuletzt zitierten) Objekt-Gruppe des Konzessivsatzes ist das entscheidende Stichwort gegeben. Roheit, ansonsten übliche Begleiterscheinung der Armut, hier erscheint sie aufgelöst in tänzerische Anmut, eine Pantomime, die noch das zarteste Glas verschont, indes Exzentrik und wilder Überschwang der Bewegung gebändigt wirken in einer Weise, als ginge es darum, etwas so Empfindliches wie ein rohes Ei vor dem Zerbrechen zu bewahren. — Was für den Geiger als das heimliche Oberhaupt der Bande gilt, trifft in ähnlicher Weise auch auf die Gestalten seiner Umgebung zu, die, an bürgerlichen Maßstäben gemessen, allenfalls »von dürftigem Aussehen« (7, 174) sind und entsprechend »fremdartig« wirken »in ihrer zusammengewürfelten Tracht« (7, 173), ansonsten aber, aller latent vorhandenen Zügellosigkeit unerachtet, »in bester Eintracht untereinander« verkehren, ja sich, nachdem man gemeinsam das Aufgehen des Mondes abgewartet hat, »so still, artig und seelenvergnügt« zu den Klängen der Musik bewegen, »als ob sie im Glanze von hundert Wachskerzen tanzten« (7, 174). So meint denn das Diminutiv ›Hudelvölkchen‹ eine Wandlung vom Rohen und Verwilderten ins Zierliche, Artige und Manierliche, Adaption bürgerlicher Seins- und Verhaltensweise[36] von seiten der underdogs, eine zugleich

[36] In diesem Zusammenhang wird die Kopfbedeckung des Geigers bedeutsam: Als bloßes Kleidungsstück sicher minderwertig, ist das Filzhütchen (s. 7, 129 ff.) — der Hut als Zeichen des (bürgerlich) freien Mannes (s. 19, 244) — zugleich Teilstück eines Adaptionsversuchs, von seiten

soziale[37] wie menschliche Stilisierung, die so weit geht, daß eine Bande streunender Habenichtse den Liebenden augenblicksweise soigniertes Publikum, die festliche Gesellschaft des erträumten Hochzeitstages zu ersetzen vermag (s. 7, 179/80).

*

Obwohl Keller bestrebt ist, negative Außenwelteinflüsse in ihrer Wirkung weitgehend zu entschärfen, bleibt die Minierarbeit der Not doch nicht gänzlich ohne Einfluß auf den Menschen. In die Zwangslage gebracht, mit ansehen zu müssen, wie Vrenchens tobender Vater die Geliebte mißhandelt, rafft Sali in seiner Not »einen Stein auf und schlug mit demselben den Alten gegen den Kopf, halb in Angst um Vrenchen und halb im Jähzorn« (7, 138). Das Ergebnis ist bekannt: Zwar handelt es sich nicht, wie zunächst befürchtet, um Totschlag, wohl aber bleibt es bei gefährlicher Körperverletzung mit nachhaltigen Folgen. Entsprechend schwer fällt das Geschehene auf den Urheber zurück; sein Gewissen ebenso belastend wie die Beziehung zu dem geliebten Mädchen, ist es ein entscheidendes Hindernis auf dem Weg zu gemeinsamem Glück (s. 7, 138/39 u. 176). — Dies Gefühl der Schuld auf ein erträgliches, die Lebensantriebe zumindest nicht lähmendes Maß zu reduzieren, hat der Erzähler die genannte Krudität mit einer früheren vergleichsweise harmlosen Situation in Verbindung gebracht: Wir meinen jenes kindliche Spiel mit der Puppe, das, von seiten des Knaben mutwillig geführt, mit einem Steinwurf beginnt (s. 7, 91) und über verschiedene Stationen der Mißhandlung hinweg schließlich in gänzlicher Destruktion und Auflösung des Marterleibs endet. Nach ›Tatort‹, (Figuren-)Konstellation und Ergebnis eine genaue Vorwegnahme des später Eintretenden, bleibt menschliche Grausamkeit hier doch aufs Kindesalter beschränkt (s. 7, 93/94). Und wenn sie hernach in gewandelten Dimensionen, gleichsam in voller Lebensgröße auftritt, so soll man in den Erwachsenen dieses Augenblicks doch immer noch die Kinder von einst wiedererkennen. Ertappt, reagieren die Akteure denn auch zunächst wie erschrockene Kinder (s. 7, 137), im Augenblick der Tat ist Sali ohne rechte Besinnung, hernach steht er gänzlich rat- und willenlos da (s. 7, 138 u. 139). Davongelaufen, begegnet er zuletzt einem Kinde[38], dem er beschreibt, wo Hilfe nötig ist (s. 7, 139). Die

des Trägers das Bestreben ausdrückend, das Außerbürgerliche seiner Existenz zu überspielen, aus der Perspektive des Dichters folglich neutralisierend gemeint.

[37] s. dazu die zumindest vergleichsweise Heranspiegelung materiellen Überflusses mit Hilfe des (zauberischen) Mondlichtes.

[38] Natürlich trägt dieser Hinweis zunächst einmal lediglich den Forderungen der Erzähllogik Rechnung: So muß der Begegnende klein sein, um plausibel zu machen, daß er Sali aus Altersgründen nicht kennen (und evtl. später verraten) kann. Freilich kehrt die nämliche Konstellation auch bei andern Gelegenheiten wieder, wo es nicht darauf ankommt, den Täter im Anonymen zu belassen, ja im Gegenteil Zeugen dringend erwünscht wären: Als Gritli sich in harmloser

Absicht dieser Veranstaltungen ist klar: Indem Keller beide Szenen aufeinander bezieht, die Katastrophe aus Erwachsenenmilieu herauslöst und in Kinderschuhe steckt (s. Briefe 3/2, 196), geht es ihm darum, die inzwischen älter Gewordenen zwar nicht unschuldig zu machen wie Kinder (s. dazu 7, 348), wohl aber das bleibend Kindhafte ihres Naturells zu zeigen, den späteren Vorfall in Richtung auf das Erstereignis hin zu verkindlichen, d. h. seinen Dimensionen nach zu verzwergen und so, indem er — nach Art eines ›feedback‹ — das Einst mit dem Heute verbindet, den Unterschied deutlich zu machen zwischen einem Verbrechen und einer Kinderei[39].

War Sali zum Zeitpunkt der Tätlichkeit nicht völlig Herr seiner Sinne, so ist Marti es im Nachhinein nicht mehr. Zwar erholt er sich allmählich von den Folgen des Schlages, aber es zeigt sich immer deutlicher, daß er darüber ›hirnschellig‹ geworden ist[40]. Noch ans Bett gefesselt, scheint er vornehmlich damit beschäftigt, »sich die schwarzwollene Zipfelmütze in die Augen und über die Nase herunter« zu ziehen, »daß diese aussah wie ein Sarg unter einem Bahrtuch« (7, 140); mit welchem Vergleich auf das Motiv des ›Lebendig Begrabenseins‹ angespielt ist[41]. Inmitten von Armut und Sorge hatte Marti längst vor der schicksalhaften Begegnung auf dem Acker nur mehr ein kümmerlich schattenhaftes Dasein gefristet. Und nicht nur war über der Härte des Elends die Welt glanzlos geworden, schwerer wog, daß nicht einmal mehr die Hoffnung blieb auf Besserung. Mit Verabschiedung dieses Lebensprinzips (s. 20, 84) aber stirbt man entweder unverweilt—Martis Ehehälfte aus besseren Tagen (s. 7, 104/05; dazu 7, 357. 8, 372)! —

Mission an den Schulmeister wendet, kommt es in den ›Mißbrauchten Liebesbriefen‹ zu einem absolut unschuldigen ›Dreiecksverhältnis‹. Nicht nur, daß Wilhelm die Bittstellerin anlacht »wie ein halbjähriges Kind, welchem man ein glänzendes Ding zeigt«, in seiner Einfalt ist er drauf und dran, »mit den Händen nach ihrem Kopfe zu fahren, um ihn auch nach dem Munde zu führen, wie es die Kinder machen, die den Raum noch nicht zu beurteilen wissen« (8, 141). Während des späteren Prozesses gibt es denn auch nichts, was die beiden ernstlich belasten könnte: »Nur ein Kind hatte mehrmals die Briefe in die Hecke tun oder daraus nehmen sehen« (8, 167/68)! Hier wie in Salis Fall wird mit Hilfe derart ›verjüngten‹ Personals angedeutet, daß die vermeintlichen Verbrecher in Wahrheit so unschuldig sind wie Kinder.

39 Um diese Differenz geht es auch in »Kleider machen Leute«: Indem Strapinski zögert, sein Inkognito zu lüften, macht er sich Nettchen gegenüber schuldig. Als der Betrug schließlich aufgedeckt ist, kommt er sich vor »wie ein Kind ..., welches ein anderes boshaftes Kind überredet hat, von einem Altare den Kelch zu stehlen« (8, 47). Befragt, ob er schon früher solche Streiche begangen habe, verneint er wahrheitsgemäß, korrigiert seine Aussage aber dann und erzählt — sich dabei unbewußt entlastend — die Geschichte eines ›Treubruchs‹ aus Kindertagen (s. 8, 60/61).

40 Reduziert auf seine Instinkte, zeigen die Reden des eßbegierigen Blödsinnigen (s. 7, 141), sein Singsang von Igel und Füchslein im Felde (s. 7, 142), wie sehr der seines Verstandes beraubte Mensch vertiert ist.

41 Schon in der Puppenszene des Anfangs hatten die Kinder mit der (im Spielzeug) gefangenen Fliege »etwas Geformtes und Belebtes begraben ...« (7, 94).

oder verfällt einem Zustand abgrundtiefer Resignation[42] als ein quasi schon zu Lebzeiten Begrabener[43].

In dieser Weise ›halb‹-tot zu sein, bedeutet nächst der Entlastung des Täters ebensosehr subjektive Erleichterung für das Opfer, das so, zu einem Zeitpunkt, als das Leben kaum noch lebenswert erscheint, von seinen bewußten Leiden befreit werden kann. Was hier vorgeht, mag im Blick auf die Biographie von Heinrich Lees künstlerischem Mentor Römer deutlich werden, der über der Not absoluter Erfolglosigkeit zuletzt wahnsinnig wird und sich in diesem Zustand einbildet, ein von fremden Mächten verfolgter einflußreicher Politiker zu sein. Zwar ist auch dieses Schicksal noch schlimm genug, doch sind die eingebildeten Leiden leichter zu ertragen als die wirklichen (s. 5, 55), Grund genug für den Dichter, die genannten Wahnideen an ihre Stelle treten zu lassen. Weil der Suizid als Frevel am Leben tabuiert erschien, ohne daß sich andererseits die unidealen, Sozialisation

[42] Umgekehrt wird von hierher die (lebenerhaltende) Funktion des ›Prinzips Hoffnung‹ klar, während Resignation zumindest ›halbem‹ Gestorbensein gleichkommt. Anstatt das eine (Resignation) als psychologische Voraussetzung des andern (Entsagung) zu begreifen, möchte Liselotte Pfeifer — Resignation und Entsagung in der Dichtung Gottfried Kellers, Diss. (Masch.) Würzburg 1952 — beide Phänomene unabhängig voneinander als Weisen überwundener Verzweiflung gedeutet wissen. Nimmt man den behaupteten Gradualismus hinzu, demzufolge der Entsagende die Vorbehalte der Welt gegenüber gründlicher und — entgegen dem eigentlichen Wortsinn — aktiver korrigiere als der lediglich resignierende Mensch, dann ergibt sich, zumindest für den Novellisten (sprich ›Realisten‹) Keller, eine durchgehende Verharmlosung dieser letztern (verzichtbereiten) Spezies.

[43] Eindrucksvollstes Sinnbild unzuträglich-unerträglicher Lebensbedingungen, ist der Motivkomplex lebendigen Begrabenseins ungeheuer verbreitet bei Keller: Seldwyla beherbergt eine ganze Galerie solcher quasi Gestorbener, die Schar der Falliten, von denen der Heimkehrer Pankraz sich umgeben sieht »wie ein alter Heros in der Unterwelt von den herbeieilenden Schatten« (7, 25). — Kurz vor der Abreise vom Grafenschloß sucht Heinrich Lee das Grab jenes Burgunderritters auf, der der Überlieferung zufolge an unglücklicher Liebe — eine Büchse bewahrt »das einbalsamierte und vertrocknete Herz des Beigesetzten« (6, 262) — gestorben sein soll. Die Parallelisierung ist deutlich, zumal der Dichter seinen Helden bei Dortchens Besuch in der Krypta gleichsam den Part des steinernen Mannes übernehmen läßt, so die Hoffnungslosigkeit seiner Lage, die innere Unmöglichkeit einer Verbindung mit diesem Mädchen demonstrierend. Freilich hatte Heinrich schon früher, zur Zeit seiner Freundschaft mit Anna, als seine Empfindungen einer ihrerseits ›lebendig Begrabenen‹ galten, lernen müssen zu entsagen. Diesen Zustand ›halben‹ Gestorbenseins andeuten zu können, ohne den Betroffenen unsern Augen entziehen zu müssen, hat der Dichter wiederholt zum Bild des gläsernen Sarges oder kristallenen Grabes gegriffen. Wenn Annas Spiegelbild bei den Besuchen der ›Heidenstube‹ aus der Flut heraufschaut, »das weiß und rote Gesicht wie durch ein dunkles Glas fabelhaft überschattet« (4, 29; vgl. 205), ist ihr Ende — Anna aufgebahrt im Sarge, durch dessen Glasscheibe hindurch man »das weiße zarte Gesicht der Leiche« erkennt (5, 85) — bereits vorweggenommen. — In diesem Zusammenhang findet ferner das berühmte Bild des Seebaums seine Erklärung: Der grüne Baum, Symbol lebendigen Wachstums, hinabversetzt in die dunkle Nacht des Meeresgrundes, — nicht nur ist damit erneut die Vorstellung in der Tiefe begrabenen Lebens beschworen; indem Keller die Szenerie hinausverlegt in eisige Winterstarre, erscheint die Situation gläserner Abgeschlossenheit versehen mit dem Signum des Unabwendbaren (s. 1, 79).

hemmenden Verhältnisse in Welt und Menschenleben verleugnen ließen, hat Keller in Gestalt des ›halben‹ oder ›kleinen‹ Todes eine so eigenartige wie für sein Weltverhältnis bezeichnende Lösung gefunden.

Wo es um die Entproblematisierung des Todes, d. h. um mögliche Formen seiner Reduzierung geht, mag des weiteren ein Blick aufschlußreich sein auf die Reihe der Menschen, denen Keller vor unsern Augen zu sterben erlaubt: Eines Tages werden Heinrich und die Mutter von einem Besuch des Schulmeisters und seiner Tochter überrascht, und bald ergibt sich, daß diese auf den ersten Blick so erfreuliche Visite einen durchaus ernsten Hintergrund hat. Seltsame und beängstigende Anzeichen haben sich im Befinden Annas eingestellt (s. 5, 27), ohne daß die Ärzte zu sagen wüßten, um was genau es sich handelt. Judith ergeht sich später in geheimnisvollen Anspielungen, aber wenn sie von der Krankheit ihrer Rivalin spricht, dann mehr erinnerungsweise, zurückverlegt in die Zeit der frühesten Kinderjahre. Heinrich sieht in diesen Erzählungen deutlich vor sich »ein frühes und leidenvolles Krankenlager, auf welches das kleine Wesen ... jahrelang gelegt wurde, so daß ... [er] nun ein schlohweißes, länglichgestrecktes Leichnamchen erblickte ...« (5, 35). Zwar verlieren sich diese Erscheinungen noch einmal für Jahre, aber als sie erneut und diesmal endgültig zurückkehren, ist Anna — zumindest in den Augen des Dichters — noch immer ein Kind, ein krankes Kind, und das eine ist die Voraussetzung für die Demonstrierbarkeit des andern! — In diesem Sinne, mit dieser Absicht vor allem werden die ›Moribunden‹ und das Geschehen um sie herum in Kellers Werk diminuiert. Wenn Anna eingeführt wird in das Romangeschehen als »das junge Bäschen«, sehen wir sie aus der Perspektive der vom Berge herabkommenden Gesellschaft, von ferne also, und mit ihren »blauen Äuglein«, den »schmalen Wangen« und dem »lächelnden Munde«, aus dem »das feine Glockenstimmchen ... kaum vernehmbar« klingt (3, 239), wirkt sie wie eine überzarte Knospe (s. 4, 12), dem Anhauch des Lebens nicht gewachsen, ihre Umgebung, das Haus am See mit dem zierlichen Treppchen, dem duftenden Rosen- und Nelkengärtchen (s. 3, 239) unwirklich wie ein Puppenheim oder Märchenschloß. Und doch ist dies alles nicht in erster Linie liebevolle Kleinmalerei eines Idyllikers, sondern Distanzierung zum Zwecke der ›Entstofflichung‹, der Wendung ins gleichsam Ätherische. Natürlich gibt es, je nach Dauer der erzählten Zeitspanne, diverse Krankheits- und Sterbefälle in den Prosawerken Gottfried Kellers, wirklich dargestellt aber werden solche Vorgänge ganz überwiegend an Kindern[44] und alten Leuten[45]. Vorverlegt in eine unbewußte Lebensstufe bei noch keimhaft unentwickelter Vitalität — oder hinausgezögert

[44] Neben Annas Krankheitsbericht tritt im gleichen Roman die Leidensgeschichte der kleinen Meret. Vgl. ferner das Schicksal der Haushälterin des ›Landvogts‹ und ihrer neun Kinder 9, 165 f.; dazu das Gedicht »Bei einer Kindesleiche« 2/1, 85/86.

[45] Heinrich Lee wird mit dem Vorgang des Sterbens erstmals konfrontiert am Beispiel seiner Großmutter. Bald schon, nachdem der Enkel sie kennengelernt hat, erkrankt die alte Frau, nicht schwer, wie es scheint, aber dann »doch immer ernstlicher, und nach wenigen Wochen sah

bis in die Phase vitaler Abschwächung und verdämmernden Bewußtseins, bieten ›Vorzugsobjekte‹ dieser Art die Möglichkeit, den Leidensweg abzukürzen, das schließliche Sterben erträglicher zu gestalten.

Für Anna kommt der Tod zuletzt sanft und unmerklich, in diminuierter Gestalt sozusagen. Womit seine Erscheinungsform dem Charakter des ›Opfers‹ entspricht, und dies um so vollkommener, je mehr man die Sehweise des Autors akzeptiert: Danach war Anna zeitlebens ein zartes Wesen, schon immer dem Himmel mehr verpflichtet als dieser Erde. Rein physisch hat sie dem Tod wenig entgegenzusetzen, wie denn Heinrichs Großmutter, müde vor Alter, längst nicht mehr unzerreißbar fest diesem Leben verhaftet erscheint. Kind oder Greis[46], auf beiden Lebensstufen löst man sich leicht wie ein Blatt vom Baum des Lebens (s. 9, 278/79). — Wenn die Großmutter Landolt den Enkel von seinen Heiratsabsichten abbringen will, dann kann sie die Wirkung ihrer Worte nicht nachhaltiger unterstreichen, als indem sie aus der Lade ihres Schreibtisches ein bezeichnendes Bildwerk hervorholt: jenes aus Elfenbein künstlich und fein gearbeitete, vier Zoll hohe »Skelettchen mit einer silbernen Sense, welches das Tödlein genannt wurde und an dem kein Knöchlein fehlte«. Nur in dieser Größenordnung ist das Faktum Tod, der Gedanke daran erträglich; verzierlicht zum »Gerippchen« (9, 218), reicht sein Anblick doch hin, Salomon die Schauer der Vergänglichkeit ahnen zu lassen (s. dazu 8, 31; 277/78). — Anstatt eines Kunstprodukts ist »Das Meretlein« ein lebendiges ›Tödlein‹ dieser Art. Und wieder häufen sich die Diminutive, um das Schreckhafte ihres doppelten Endes abzumildern. Als vermeintliches »›Leichlein‹« steckt man sie in ein »›Todtenbäumlein‹«; noch einmal zum Leben erwacht, klettert das Kind als »›Tödlein‹« aus dem »›Gräblein‹« (3, 54). — Schließlich: Wenn Keller doch einmal — dies freilich ausnahmsweise und allenfalls zu didaktischen Zwecken — einen Sterbevorgang in den Mittelpunkt des Geschehens rückt, dann hat er, wie in der ›Kleinen Passion‹, zum ›Helden‹ nicht etwa einen Menschen gewählt, sondern, der verminderten Sensitivität und Leidensfähigkeit wegen, ein Tier, und auch keine beliebige Kreatur, vielmehr, am Beispiel der Mücke, ein Nichts an Leben! Die Tendenzen der Verzwergung auf die Spitze zu treiben, ist dies Prinzip mehrfacher Reduktion erneut gekoppelt mit dem Stilmittel der Diminuierung. Freilich war es Keller dabei vorwiegend nicht um Ästhetisierung zu tun, nicht darum, ein häßliches Insekt aus innerer Zuneigung heraus ›kosmetisch‹ aufzuputzen. Wenn er über den Sachzwang hinaus Diminuierung betreibt,

man, daß sie sterben würde«. Sie leidet, und dieser Anblick wie der Aufenthalt in der Krankenstube dünken Heinrich »ungewohnt und trübselig ...«. Das eigentliche Sterben zieht sich über mehrere Tage hin, aber in dieser heftigsten Phase, da die Greisin »röchelnd im Todeskampfe« liegt (4, 33), ist sie ohne Bewußtsein.

[46] Hier (Meretlein, Meierlein) wie da (Vater Jakoblein, Schmalhöfer u. a.) sind schon die Namen onomatopoetisch gesetzt: sei es, daß sie auf den (beiderseits) geringen Vitalitätsstand verweisen oder, wie im Falle des Singmännleins der Hadlaub-Novelle, ein rasches Ende andeuten (s. 9, 99 ff. u. 103).

dann um eines Effektes willen, der im Text selbst präzise und unmißverständlich benannt ist: jenes »zierliche und manierliche Wesen« zu schaffen (2/1, 127), dessen Sterben — unerachtet seines Widerstandes dagegen — am Ende doch frei ist von den Schrecknissen und der Wildheit vergeblichen Aufbäumens, Akzenten, wie sie ein solches Ereignis in ›Großformat‹ (oder bei stärkeren Naturen) mit Sicherheit bekäme.

*

An den Nasen Kellerscher Gestalten läßt sich (konkret) ablesen, wie sehr quantitative Schrumpfung immer zugleich umschlägt in qualitatives Anderssein. In einer Welt, in der das Große ernst (s. 7, 195. 11, 12), ja schreckbar erscheint, wie im Falle des schwarzen Geigers und seines monströsen Riechorgans (s. 7, 130) oder der Ruechensteiner Nasenparade (s. 8, 220ff.), muß Verkleinerung, ein Stumpfnäschen zumal, sogleich die Wendung ins Spaßhaft-Possierliche (s. 7, 195) nach sich ziehen. Dieses Moment des Lustigen, ja Komischen[47] ist nun für viele früher erwähnte Fälle nachzutragen, in der ›Romeo‹-Novelle überall da, wo sich Züge der Not und (in ihrem Gefolge) des Wild-Bedrohlichen allzusehr bemerkbar machen. Auf dem verwildernden Acker belustigen sich schon die Kinder (s. 7, 91), später ist den Heranwachsenden die wilde Arbeit etwas Lustiges (s. 7, 100), erscheint überwuchernde Natur als lustiges Geranke, das in den Verfall des Martischen Anwesens freundlichere Züge hineinträgt (s. 7, 126); ja selbst die Steinschlag-Szene wirkt vom Ergebnis her, der Art, in der Martis Verstand dabei ›ver-rückt‹ wird, weniger schrecklich als verwunderlich: Von Sali mehr aus Angst denn aus Zorn oder gar in böser Absicht angegangen, ergibt sich, daß Vrenchens Vater blödsinnig geworden ist, »und zwar auf die wunderlichste Weise. Er erinnerte sich nur dunkel an das Geschehene und wie an etwas sehr Lustiges, was ihn nicht weiter berühre, lachte immer wie ein Narr und war guter Dinge. Noch im Bette liegend, brachte er hundert närrische, sinnlos mutwillige Redensarten und Einfälle zum Vorschein ... Als der Alte aber aufstehen konnte, war gar nichts mehr mit ihm anzustellen; er machte nichts als Dummheiten, lachte und stöberte um das Haus herum, setzte sich in die Sonne und streckte die Zunge heraus oder hielt lange Reden in die Bohnen hinein« (7, 140). Mit welchen Veranstaltungen letztendlich weniger Entlastung gemeint ist für die Geschöpfe, sei es nun Opfer oder Täter, als vielmehr Erleichterung für den Dichter selbst: Die ›Aporie‹ Tod zu vermeiden, setzt Keller den Wahnsinn an die Stelle bewußten Erlebens (oder buchstäblichen Erschlagens) als eine Form lebendigen Begrabenseins. Daß er ihn im Gewand der Narrheit auftreten läßt, gibt den deutlichsten Aufschluß über die beabsichtigte

[47] Wie es nunmehr heißen darf, ohne Mißverständnisse befürchten zu müssen: Abwertend ironisch gemeint bei pejorativen Diminutiven, kontrapunktisch gesetzt zu Lebensernst und schicksalhafter Bitternis in neutralisierenden Fällen.

Wirkung: Es geht um komische Erleichterung[48], und um nichts anderes ist es zu tun im Falle der Diminuierung, wie sie alle Leidens- und Sterbeprozesse, am intensivsten aber Gestalt und Darstellung des Todes selbst begleitet. — Womit, was die (von seiten des Autors) beobachtete Dezenz derartigen Sachverhalten gegenüber angeht, nicht nur ästhetischen Bedürfnissen (Verzierlichung des Kruden und Rohen) oder ethischen Geboten (Sittsamkeit statt moralischer Verderbnis) entsprochen ist, vielmehr einer geradezu existentiellen Notwendigkeit Rechnung getragen wird, ist doch das Zurückschrauben der Dimensionen zugleich Voraussetzung dafür, daß das lähmende Entsetzen, dem die Geschöpfe der Kellerschen Phantasie noch jedesmal anheimfallen (s. 7, 111; 124), sobald Not und Tod groß und unabweisbar vor ihnen stehen, einer rational-gelösteren Betrachtungsweise weichen kann.

An dieser Stelle nun ergeben sich aus dem bisher Gesagten eine Reihe von Folgerungen: Zunächst wird die Notwendigkeit konsequenter Diminuierung gerade für die ›Romeo‹-Novelle einsichtig, die Zwangsläufigkeit auch, mit der bei Sequenzen materieller Verelendung, bei einer Beinah-Mordgeschichte zudem, der Anteil insbesondere der neutralisierenden Spezies überproportional hoch liegen muß[49]. Zugleich aber stellen (inhaltliche) Befunde vergleichbarer Art die wesentlichste Erklärung dar für Diminutivhäufungen bei Keller überhaupt[50]: Es ist das (unzureichende) soziale Milieu, das den Dichter hier, stellvertretend für alle übrigen ›Elends‹-Erzählungen, zu der insgesamt wohl konsequentesten Kaschierung herausgefordert hat. Allenfalls noch die Folgeerscheinungen der Not, als die wir,

[48] Wenn der Landvogt von Greifensee — er selbst hat inzwischen entsagen gelernt — bei Gelegenheit des ›Schätzekongresses‹ die vergängliche Zeit auftreten läßt, andere zu mahnen, dann auch diesmal nicht anders als in komischer Gestalt, in der Maske des Affen Cocco, »welcher, für diesen Tag besonders abgerichtet, als eisgraues Mütterchen gekleidet, auf einem mächtigen Haubenbande die Inschrift trug: Ich bin die Zeit!« (9, 252)

[49] In dieser Richtung ist die frühere Bemerkung (vgl. Anm. 35) von der Zwangsläufigkeit solcher numerischen Umgruppierung der einzelnen Diminutivarten zu präzisieren. — Für Maja Fischer hingegen scheint, nachdem schon die pejorative Gruppe verschwindend gering war (vgl. Anm. 24), auch die Zahl der neutralisierenden Diminutive nicht groß (a. a. O. S. 127). Besprochen werden etwa ein Dutzend Beispiele (s. S. 115 ff.), so daß rund acht Zehntel aller registrierten Verkleinerungsformen laudativen Charakter tragen müßten! — Hier sind entscheidende Umgewichtungen vorzunehmen für eine Erzählung, die nicht zu den Entsagungsnovellen gehört und in der sich darum außer den genannten Koseformen nur ganz wenige Laudativa nachweisen lassen. Von den bei Fischer aufgeführten Beispielen rechnen mit Sicherheit nicht dazu: Filzhütchen, Ackerzipfelchen (s. S. 9), Gäßchen (s. S. 73), Plätzchen (s. S. 81), Bimmelglöcklein (s. S. 74), Löckchen (s. S. 78), Ringelchen (s. S. 83), Löchelchen (s. S. 93).

[50] Von daher ist es keineswegs erlaubt, alle Diminutive unbesehen der laudativen Gruppe zuzuschlagen, wie dies bis in die jüngste Zeit hinein noch immer geschieht und etwa bei Ulrich Karthaus — Die geschichtsphilosophische Sonnenuhr. Methoden der Literatursoziologie. — In: DU 24, 1972, Heft 6, S. 86—101 — dazu geführt hat, die Essensszene der ›Pankraz‹-Novelle (s. S. 93 f.) so weit zu verharmlosen, daß die Grundkonzeption — Schilderung eines Lebenskampfes en miniature — nicht mehr erkennbar ist.

am Beispiel von Salis momentanem Sich-Vergessen, moralische Entgleisungen kennengelernt haben, sind geeignet, Kellers Reizbarkeit in ähnlicher Weise zu wecken. — Um ein Dreiecksverhältnis und seine Folgen geht es im ›Schmied seines Glückes‹[51]. Kein Vergehen also gegen das Leben, eher umgekehrt, dennoch aber ein in moralischer Hinsicht verwerfliches Verhalten und Herrn Kabys um so mehr belastend, als es sich dabei zusätzlich um Vertrauensbruch handelt, der Gehörnte niemand anders ist als sein Gastgeber, Gönner und zeitweiliger Adoptivvater! Gründe genug, einen derart verfänglichen Sachverhalt sorgfältig zu redigieren und, wenn überhaupt, so jedenfalls nicht ›unvermindert‹[52] passieren zu lassen. Wieder hat darum eine Reduktion statt, nur daß sie, wo ›Verkindlichung‹ nicht gut den Täter betreffen kann, diesmal dem Geprellten gilt. So ist Litumlei bis zur Gnomenhaftigkeit verzwergt, nähert sein Untermaß ihn schon rein optisch kindlicher Statur an, und das erste, was wir von ihm hören, klingt denn auch weniger nach männlichem Organ als nach dem Geschrei eines größeren Kindes (s. 8, 84), akustischer Hinweis darauf, daß ein Wesen mit solchem Stimmchen (s. 8, 85) alt sein muß bis zur (erneuten) Geschlechtslosigkeit. Im übrigen ist Infantilität hier[53] so konsequent begleitet von diminuierenden Tendenzen, daß wir es, je nach Belieben, entweder mit einem großen Kinde oder einem winzigen Greischen (s. 8, 84), Männchen (s. 8, 84 u. 85; 87; 92; 110) oder Alterchen (s. 8, 85) zu tun haben, was alles den Hausherrn nicht nur den letzten Rest prätendierter Alterswürde kostet, vielmehr vor allem das Treiben der beiden Übeltäter entlastet, es verständlich, ja beinahe sympathisch macht; welch letzterer Effekt dazu angetan ist, die Richtung zu bestätigen, in der man die Wirkungsweise

[51] Zwar ist der ›Schmied‹ weniger eine Geschichte der Armut als eine solche menschlicher Verschuldung, doch zeigt sich in diesem Fall, daß schon die bloße Furcht vor möglichem (künftigem) Elend hinreicht, den Sinn fürs Schickliche verkümmern zu lassen, während die Erinnerung an durchlebte Notzeiten zur Triebkraft wird aller Übeltaten.

[52] Von Fischer kaum beachtet, wäre die (relativ) große Zahl von Diminutiven gerade dieser Erzählung geeignet, Zweifel an der behaupteten ›Sachbedingtheit‹ des erörterten Stilmittels aufkommen zu lassen (a. a. O. S. 183), insofern es sich hier nicht (oder nur nebenbei) um Schilderung kleinbürgerlicher Verhältnisse handelt. — Nicht minder bemerkenswert erscheint in diesem Zusammenhang die Hilflosigkeit der Verfasserin angesichts der Fülle auftretender Diminutivhäufungen, die schließlich (am Beispiel von Vrenchens Liebeshaus, s. S. 143) aus der angeblich naiven Freude des Autors an diesem Stilistikum — eine ›Neigungs‹-Begründung, wie sie sich angesichts der nun freilich (weitgehend) wahllos-unreflektierten Handhabe der Verkleinerungsformen viel eher auf Kellers Landsmann Gotthelf anwenden ließe! — abgeleitet werden.

[53] Die gleiche Methode, Verzwergung ins Kindliche mit Diminutiven zu begleiten, ist auch in der erwähnten ›Romeo‹-Szene erkennbar, wenn das von Sali zu Hilfe gerufene Kind als ›Knäbchen‹ bezeichnet wird (s. 7, 139). — Vgl. ferner die Diminuierungen schon der frühen Kinder-Szene: Die Fingerchen, die den Puppenleib martern 7, 93, sind dieselben, mit denen der Knabe gleich darauf in aller Unschuld Vrenchens Zähne zählt, während die Szenerie um das Puppengrab ungeachtet alles Grausligen doch in erster Linie ein von Kräutern bewachsenes, beinah-idyllisches Plätzchen bleibt 7, 94.

der Mehrzahl aller Kellerschen Diminutive zu suchen hat: Bezogen auf Armut, (sittliches) Verschulden und Endlichkeit, dienen sie ganz allgemein der Neutralisierung negativer Sachverhalte.

Lachen, so sagten wir, sei bei Keller nicht selten im Umkreis der Phänomene Not und Tod angesiedelt als deren beschwichtigende Korrektive. Wenn dieser Nexus gilt, dann bekommt umgekehrt das Lustige von daher einen deutlichen Zug ins Wilde, ja mitunter Hektische. Insbesondere Frauen verfügen bei Keller über ein nahezu unbegrenztes und bisweilen erschreckendes Talent zur Lustigkeit und Lustigmacherei. So will Pankrazens Schwester sich beinah krank lachen über das Fell des toten Löwen (s. 7, 22 u. 15), ist vor allem Figura Leu (»Der Landvogt von Greifensee«) nur deshalb so lustig und töricht, um die Schatten der Schwermut zu vertreiben (s. 9, 207); und ganz ähnlich spannt sich schon Vrenchens Lachen über einen Abgrund von Trauer und Verzweiflung. Hier wird der komplementäre Charakter des Komischen offenbar, das, zu therapeutischen Zwecken gedacht, oft genug Züge dessen annimmt, das verlachend zu lindern es eingesetzt war, und das namentlich mit den Ingredienzien des Grausigen und Makabren — Küngolts Späße kommen deutlicher als irgend sonst vom Rand des Grabes her (s. 8, 288/89 u. 238) — meilenweit vom Lächeln des Humors entfernt ist.

Sich nicht erdrücken zu lassen von den Schatten des Todes, hat Keller den Vorgang des Endens nie anders als ins Ziervolle (und Lustige) abgemildert zugelassen. Bliebe nachzutragen, daß der Dichter es nicht genug sein läßt mit derart erreichter Fazilität, vielmehr den eigentlichen ›Übertritt‹ nicht selten gänzlich ausspart! Von Annas Tod erfährt man nur verspätet und indirekt aus dem Munde des Schulmeisters, und für die Beteiligten, Angehörige wie Leser gleichermaßen, kommt dies Ereignis, trotz aller Vorbereitung, schließlich doch überraschend, »da man es am wenigsten dachte ...« und als »Alle hofften, daß sie am Ende wieder aufleben würde« (5, 74). Der Tod sei eingetreten, heißt es lapidar im Falle von Heinrichs Großmutter (s. 4, 34/35), und ähnlich gibt es viele Wege (und noch mehr Beispiele), das ›Ergebnis‹ auszuklammern, es zeitlich vorzuverlegen oder gleichsam hinter der Bühne, in einem unbewachten Augenblick sich vollenden zu lassen. Verbunden mit den genannten Auswahlprinzipien wie dem in Rede stehenden Stilmittel aber stellen Lakonismen dieser Art, bezogen auf den Autor, unübersehbare Anzeichen dar einer insgeheimen Schwäche dem Phänomen ›Sterblichkeit‹ gegenüber.

Diese Insuffizienz ist so gravierend, daß sie über die Stoff(ab-)Wahl hinaus Auswirkungen zeitigt auch auf den Bereich der Darbietungsformen. Womit schließlich ein Ansatz gefunden wäre, Kellers ebenso langwährende[54] wie zeit-

[54] Sie ist schon früh, mindestens aber seit 1844 (s. dazu Fränkel 20, 212 u. 219) vorhanden und lebendig bis weit in die 80er Jahre hinein, ehe der Dichter kurz vor seinem Tode (1889) entschlossen scheint, »einige jener dramatischen Projekte aus den jüngern Jahren in Gestalt von Erzählungen erscheinen« zu lassen (21, 28).

lebens unglückliche Liebe zum Drama begreiflicher erscheinen zu lassen. In der Tat ist beides, das produktive Versagen wie das zähe Festhalten an wechselnden Dramenplänen[55] nur schwer einsehbar, ja dies Unvermögen muß um so rätselhafter wirken, wenn man weiß, daß Drama und Tragödie in Kellers Augen weitgehend identisch sind[56]. Unverständlich deshalb, weil, zieht man seine weltanschauliche Position zu Rate, mit Ablehnung aller christlichen Tröstungen zumindest eine, wenn nicht die entscheidende Voraussetzung für das Vorhandensein des Tragischen überhaupt gegeben ist, die Unwiderruflichkeit nämlich allen Tuns und Unterlassens. Für den christlichen Dichter allenfalls wäre die Frage nach dem Sinn des Lebens (wie seines Gegenteils) befriedigend zu beantworten: Wem das Leben keinen letzten Wert bedeutet, der Tod kein Ende, sondern nur die Tür zu einem andern, nunmehr ewigen Leben, für den, und nur für den ist die Möglichkeit echter Tragik aufgehoben. Was bleibt, ist die Schilderung ewiger Verdammnis — auch sie nur für den Fall des verstockten Sünders — wie die Ausmalung menschlicher Leiden, die den Christen nicht zufällig treffen, aber auch nicht endgültig, und die angenommen werden in der Gewißheit künftiger Erlösung. — Die Antwort des Feuerbach-Schülers Keller kann demnach nicht zweifelhaft sein. »Die Welt«, so läßt er sich denn auch brieflich an seinen Freund Baumgartner vernehmen, »ist mir unendlich schöner und tiefer geworden, das Leben ist wertvoller und intensiver, der Tod ernster, bedenklicher ...« (Briefe 1, 290). Er sei fest überzeugt, daß kein Künstler mehr eine Zukunft habe, »der nicht ganz und ausschließlich sterblicher Mensch sein will«. Gerade darum sei ihm Feuerbach für seine »dramatischen Pläne und Hoffnungen viel wichtiger geworden als für alle übrigen Beziehungen ...«. Und als Fazit des Ganzen: »Jedes dramatische Gedicht wird um so reiner und konsequenter sein, als nun der letzte *Deus ex machina* verbannt ist, und das abgebrauchte Tragische wird durch den wirklichen und vollendeten *Tod* einen neuen Lebenskeim gewinnen« (Briefe 1, 291)[57]. Warum

[55] Vor allem von der 48er Revolution scheint er für sich selbst den Durchbruch zum Dramatiker erwartet zu haben. Nicht zufällig stammen die meisten Pläne und Entwürfe aus der Zeit um die Jahrhundertmitte.

[56] Eine Gleichsetzung, die sich aus der Überprüfung seiner bevorzugten Lektüre, seiner Theaterbesuche ebenso nachweisen läßt wie anhand der erwogenen Stoffe und Titel oder mit Hilfe der theoretischen Auslassungen Hermann Hettner gegenüber.

[57] Natürlich sind diese Äußerungen der Forschung nicht entgangen, aber entweder hat man ihre Bedeutung nicht erkannt, wie Emil Ermatinger — Gottfried Kellers Leben, Zürich ^{8}1950 —, der aus ihnen nur das Positive heraushört und sie an ganz anderer Stelle (s. S. 188) als in seinem Dramen-Kapitel (s. S. 239 ff.) placiert, — oder sie doch zumindest mißverständlich interpretiert: Christel Ringel — Die Nachtseite in der Dichtung Gottfried Kellers, Diss. (Masch.) Freiburg 1945 — etwa, die den im Titel genannten Aspekt des Kellerschen Werkes eingehend untersucht und dort neben Unnaturen und Bösewichtern auch das Tragische angesiedelt findet — freilich unter vielen Fällen unausgeführter Tragik nur drei wirklich tragische Konstellationen (s. S. 43)! —, kann sich das Ausbleiben der Tragödie (s. S. 44) schließlich nur mit einem Rest verbliebener Religiosität (s. S. 59) auf seiten des Autors erklären!

also, noch einmal gefragt, ungeachtet dieser (zumindest theoretisch) denkbar günstigen Ausgangsposition keine Dramen aus der Feder Kellers, wo doch der Tod endgültige Vernichtung bedeutet, die Hoffnungen auf ein Weiterleben im Jenseits aufgegeben und die Grenzen der Existenz in den Daten von Geburt und Tod abgesteckt sind? Die Antwort ist in der zitierten Briefstelle mitgegeben, sobald man ergänzt, daß der Tod dem Nichtchristen Keller über (lediglich) ernste Bedenklichkeit hinaus zum übergewaltigen Schrecknis aufsteigt. Und eben weil in dieser Valenz und Größenordnung nicht zu ertragen, muß er auf alle erdenkliche Art und Weise verkleinert werden: Eine winzige Kreatur, ein Mücklein, in die tragische Situation par excellence gestellt, dazu konsequent verzierlicht — und die Tragödie erscheint herabgemindert zur ›Kleinen Passion‹. Jene oben bemerkte ›Sterbens‹-Angst, stilistisch sich äußernd als diminuierende Tendenz, als Zwang zu spaßhafter Verminderung[58], dies ist, wenn wir recht sehen, die letzte Wurzel des Kellerschen Unvermögens dem (Dramatisch-)Tragischen gegenüber[59]. — So bleibt auf dem Gebiet der Darbietungsform das höchste Erreichbare die tragische Novelle[60]; was die Tonlage angeht, statt des heroischen Pathos das Ineinander von Schreckbarkeit und Komik, Groteske demnach; auch dies noch, gemessen an dem Ideal tragischen Ernstes, eine niedere Stilschicht und von daher, gleich der komischen Prosa[61], behaftet mit dem Makel des Spätzeitlichen[62].

[58] Ein Prozeß, der stofflich am deutlichsten zu greifen ist in den erhaltenen Notizen zu dem Lustspielplan »Die Rothen« von 1851, darin die Greuel der Revolution ins Komische gezogen und schließlich ad absurdum geführt werden sollten dadurch, daß ein Monarchist und ein Republikaner sich wechselseitig zum Tode verurteilen und anschließend genötigt sehen, der Exekution (leibhaftig) beizuwohnen, worauf »das lehrreiche Spiel« mit Hilfe von Scheintod und unverhoffter Begegnung eine »possierliche Lösung« erhalten hätte (20, 257). — »Jedem das Seine« (s. 20, 158 ff.; 247 ff.) überträgt den (tragischen) Liebeskonflikt — das ›Theresen‹-Thema! — ins Komödiantische, macht daraus eine Art von Partnertausch und komischem Menuett zu viert. Im epischen Bereich wird das gleiche Problem erneut (und in ähnlicher Weise) unblutig gelöst (»Die mißbrauchten Liebesbriefe«), während ein Dreiecksverhältnis — in »Therese« noch mit dem Freitod der Mutter endend — im ›Schmied seines Glückes‹ ohne ›Menschenopfer‹ ausgetragen werden kann.

[59] Der Dichter selbst freilich will es anders, und er hat darin engagierte Unterstützung gefunden besonders von marxistischer Seite. Allen voran hat Georg Lukács — Deutsche Realisten des 19. Jahrhunderts, Bern 1951, S. 147 ff. — den verhinderten Dramatiker Keller als Opfer der damaligen gesellschaftlichen Zustände in Deutschland sehen gelehrt.

[60] statt der dramatischen Vorlage bei Shakespeare; ein Prosastück, in dem die Todesfälle auf verschiedene Weise und in unterschiedlicher Stärke, vom ›kleinen‹ Tod Martis bis zum gleichnishaften Ende der Liebenden — Tod als Rückkehr in das all-eine Meer des Lebens (s. dazu 1, 170. 2/1, 86) —, entwirklicht sind.

[61] Kellers theoretische Äußerungen dazu gesammelt bei Rätus Luck — Gottfried Keller als Literaturkritiker, Bern/München 1970, S. 401 f. —, während die Beziehung zwischen Theorie und Praxis vielleicht am deutlichsten über »Die mißbrauchten Liebesbriefe« hergestellt werden kann, wo sich Frau Gritlis Anekdote vom armen Schorenhans liest wie die Bestätigung der Ansicht, wonach jede Zeit »gesunde brauchbare Momente« habe und »in ihnen den Stoff [liefere] zu einer schönen, wenn auch episodischen Poesie« (22, 338). Was sie ihrem Gatten

3. *Entwirklichung der Welt ins Märchenhafte*

Was die Auswirkungen sozialer Verelendung auf den Menschen angeht, in »Romeo und Julia auf dem Dorfe« lassen sie sich am deutlichsten anhand des Wandels in Erscheinungsbild und Gebaren der elterlichen Generation ablesen. Billigt die Eingangsszene den Bauern noch ausdrücklich eine gewisse natürliche Zierlichkeit des Habituellen zu, so tritt das Moment des Ziervollen mit fortschreitender Erzähldauer mehr und mehr zurück hinter Züge aufkommender Roheit, eine Haltung, die sich zunächst gegen die eigenen Angehörigen — Schlagen der Kinder (s. 7, 100/01), Zank der Eheleute untereinander — kehrt, ehe sie sich in Verbalinjurien fremder Menschheit gegenüber Luft macht und im Wiedererwachen von Faustrecht-Mentalität[63] wie in Anfällen bestienhafter Verwilderung kulminiert. — Anders die Kinder, die — bei gleicher Ausgangsposition — gegen Regressionen dieser Art gefeit scheinen. Zart und fein von Gestalt, verkörpert insbesondere Vrenchen das Ideal des Ziervollen (s. 7, 160)[64] wie das Vorbild des

zu berichten weiß in der Hoffnung, ihn von seiner genialischen Verstiegenheit abzubringen, ist freilich bloß »›eine kleine närrische Geschichte‹« (8, 146), etwas, das sie nicht einmal in den Hauptbrief zu setzen wagt, und damit ist nicht nur der Grund gegeben für Viggi, diese Anregung zu verschmähen, sondern vor allem ein Zusammenhang hergestellt zwischen zeitgenössisch-alltäglichem Sujet und — notabene — komischem Tonfall des Erzählten. — Und wie Kellers ureigenstes Betätigungsfeld (Prosa) gegenüber der ›klassischen‹ Kunstform Drama in uneigentlich-zweitrangiger Position erscheint, wird man sich auch daran gewöhnen müssen, die Tendenzen der Verzierlichung losgelöst von herkömmlichen (sprich einseitig laudativen) Wertvorstellungen zu sehen, als Verkümmerung der ursprünglichen Dimensionen zu begreifen. Hier müßte die Erzählung von ›Spiegel, dem Kätzchen‹ Erwähnung finden, ist doch die Titel-Apposition typisch nicht sosehr für den Katzenfreund Keller, nicht nur oder in erster Linie laudatives Diminutivum, sondern Hinweis darauf, daß der Kater, ungeachtet aller liebenswerten Vorzüge, seiner zierlichen Katzenwürde (s. 7, 327), als Vertreter einer zoologischen Spezies und verglichen mit dem Löwen (innerhalb der Katzenfamilie) eben doch nur eine kleine, verzierlichte und damit spätzeitlich-zweitrangige Kreatur abgibt; wie umgekehrt die »Löwenlaune« des Forstmeisters aus »Dietegen« sich »zu dem kleinen Katzenjammer der Heutigen ... [verhält] wie der Löwe zur Katze« (8, 250).

[62] Wenn Keller selbst das (behauptete) Element des Zeitbedingten über Gebühr in den Vordergrund rückt, dann u. a. darum, weil er so immer wieder auf Besserung der Schaffensbedingungen hoffen konnte; wie damit (umgekehrt) allenfalls das hartnäckige Festhalten an den Dramenplänen erklärt ist, nicht schon deren Scheitern.

[63] Dies bei den Männern. Im Falle der Manzin macht die ursprüngliche Wesensart weniger der Rauheit als vielmehr einer falschen Geziertheit Platz, die die alternde Frau in ihrer Rolle als Wirtin »mit angestrengter Anmut« herumschwänzeln und tänzeln läßt (7, 112).

[64] Salis Schatz, heißt es, sei ein gar feines Ding (s. 7, 136; vgl. 151). Wenn der Spielgefährte aus Kindertagen beim ersten Wiedersehen seit Jahren erneut die Zähne des Mädchens zählen will, scheint die Zeit stehengeblieben — augenblicksweise wohl auch für den Dichter, der erst ›Zähnchen‹ (s. 7, 381) setzt, ehe er das Diminutivum bei der Korrektur zur zweiten Auflage aus sachlichen Erwägungen (Vrenchen ist inzwischen erwachsen geworden) tilgt, freilich nicht, ohne das Moment des (konstitutionell) Feinen anderwärts, bei Beschreibung der Augenpartie seiner Heldin, neuerlich hervorzuheben (s. 7, 134).

Manierlich-Sittsamen[65]. Zwar ist mit dem Verkauf der Bettstatt das letzte Zierstück aus ihrer Umgebung verschwunden, doch bleibt — zumindest verbal[66] — die Reaktion des Mädchens davon unberührt, erhält Vrenchen Gelegenheit, ihre auch im Elend unverändert altruistische Gesinnung unter Beweis zu stellen, wenn sie der Bauersfrau ihren angeblichen Reichtum ausmalt und jene, wenn auch nur in Gedanken, daran teilhaben läßt (s. 7, 154ff.). Daß auch Sali dem Mädchen vor allem in puncto Sittsamkeit kaum nachsteht, zeigt die ›Schuhmacher‹-Szene, wenn er, in einem Augenblick, da die Not längst auch in sein Elternhaus eingekehrt ist, unbekümmert um ihre beiderseits trostlose Lage darauf beharrt, Vrenchen das gewünschte Paar Tanzschuhe zu kaufen und sich in Ausführung dieses Planes daranmacht, seiner Angebeteten Maß zu nehmen, »indem er den zierlichen Fuß[67] der Länge und Breite nach umspannte mit dem Schnürchen und sorgfältig Knoten in dasselbe knüpfte« (7, 147). — Aufs Ganze gesehen geht das Moment des Ziervollen[68] sowenig verloren wie das des (gemäßigt) Manierlichen, wandern Vrenchen und Sali an ihrem letzten Tage so unbeirrt »sittig und ehrbar«[69] dahin, »als ob sie nicht aus zank- und elenderfüllten vernichteten Häusern herkämen[70], sondern guter Leute Kinder wären, welche in lieblicher Hoffnung wandelten« (7, 160)[71].

[65] Von der Verwilderung ringsum trennt sie auch jetzt das Moment des Gebändigten, ein Unterschied, den zu verdeutlichen wiederum Diminutive herhalten müssen: Zur Zeit der Ausfahrt liegen »die sonst so wilden Löckchen« des Mädchens »fein und lieblich um den Kopf« (7, 151). Nach dem Entschluß zum Selbstmord wirkt sie zwar ungebärdiger als sonst, aber doch immer noch als ein ›lieber Teufel‹ und ein ›tobendes Liebchen‹ (s. 7, 185), und das ist nicht nur zärtlich gemeint, sondern ebensosehr (Verwilderung) mäßigend.

[66] Wenig später ergänzt durch nicht minder selbstloses Verhalten: Denn obwohl sie kaum weiß, woher ihr die nötige Wegzehrung wachsen soll, ersteht sie doch schon bei nächster Gelegenheit, auf der Kirchweih, »einen Ring von schwarzem Gemshorn, auf welchem ein goldenes Vergißmeinnicht eingelegt war«, während Sali seiner Braut »ein vergoldetes Ringelchen mit einem grünen Glassteinchen« kauft. — Die anschließende Vermutung des Erzählers, wonach sie den gleichen Gedanken gehabt hätten, »sich diese armen Zeichen bei der Trennung zu geben« (7, 168), schreibt den ›objektiven‹ Marktwert der fraglichen Stücke fest, wobei die zutage tretende Geringfügigkeit noch einmal Anlaß ist für die voraufgegangenen (pejorativen) Diminuierungen.

[67] Erneut bietet sich Gelegenheit, in eins mit dem Ziervollen die gute Manier des Mädchens herauszustellen, wenn sie unter dem Bemühen des Geliebten schämig errötet (s. 7, 148), während Salis Bravheit im Ergebnis, d. h. der gelungenen Abnahme der nötigen Maße, zum Ausdruck kommt.

[68] Vgl. die ungetrübte Freude im Umgang mit dem feinen Geschirr, den silbernen Kaffeelöffelchen des Gasthauses 7, 159.

[69] Ablesbar auch an der bleibenden Intaktheit von Vrenchens Staat (s. 7, 162), während Sali, bei aller Dürftigkeit seines Sonntagskleids, »den Hemdkragen, den er sonst immer umgeschlagen, ehrbar und männlich in die Höhe« gestellt hat (7, 149).

[70] ›Normal‹ wäre das Abgleiten in kriminelles Milieu. So ist Salis Vater zu diesem Zeitpunkt längst ein Diebshehler geworden (s. 7, 143), während Marti nur durch Einlieferung in das ›Narren-Spital‹ vor einem ähnlichen Schicksal bewahrt bleibt. Nicht viel Gutes verheißt die

Arm, aber zierlich von Erscheinung und Manieren (s. 8, 18) wird Strapinski geschildert, und dieses Adversativum deutet an, wie die Zusammenhänge normalerweise aussehen, zeigt, wie sehr es sich hier, abweichend davon, um einen Sonderfall handelt. Daß es zu dieser besonderen Entwicklung kommt, daß (und wie) der Held sich unter den Händen des Dichters verändert, genau dies macht den Unterschied aus zwischen dem anekdotischen Rohmaterial vom ›Schneidergesellen, welcher den Herrn spielt‹, und der endgültigen Fassung des Themas in »Kleider machen Leute«: Nicht die Verarmung, wohl aber die Verrohung des Berliners (!), des Mannes der Straße, bleibt Strapinski dabei mit Hilfe diminuierender Verzierlichung erspart ebenso wie der gierige Neid auf die Reichen dieser Welt (s. 20, 1–6)[72]. – Was sich im Zeichen konsequenter Verzwergung auf sozialer Ebene in Wahrheit ereignet, lehrt am eindrucksvollsten eine Synopse von privaten Äußerungen und deren (gewandelter) Wiederkehr im Kunstwerk: Aus Anlaß seiner verschiedenen Deutschlandaufenthalte boten sich Keller genügend Möglichkeiten der Begegnung mit dem sich neu herausbildenden Großstadtproletariat. Was seine diesbezüglichen Erfahrungen in Heidelberg angeht, so hat er »ein roheres und schlechteres Proletariat ... noch nirgends gesehen als hier; man ist nachts seines Lebens nicht sicher, wenn man allein über die Straße geht«, klagt er in einem Brief an Wilhelm Baumgartner (Briefe 1, 280). Berlin wird, wohl nicht zuletzt der dort herrschenden sozialen Verhältnisse wegen, pauschal und lapidar als ›Saunest‹ abgetan (s. Briefe 1, 109), in München schließlich hängt er noch den Weibsbildern der bürgerlichen Klasse das Etikett des Rohen an (s. Briefe 1, 19). Wenn dagegen der Romanheld am Ende seines Münchner Aufenthalts – nach Scheitern seiner künstlerischen Erwerbspläne auf der Stufe bloßer Lebensfristung angelangt, d. h. gezwungen, Hand anzulegen – auf die Ebene des vierten Standes herabsinkt, unter Arbeitsleute gerät, dann begegnet er in diesem Milieu weder der grinsenden Derbheit von Gassenjungen noch rohem Weibervolk, wohl aber, bei

(bisherige) Entwicklung von Huldas Schatz, der, als Heinrich das Mädchen kennenlernt, bereits zum wiederholten Male im Gefängnis sitzt (s. 6, 98).

71 Selbst der Ausgang der Erzählung ändert nichts an diesem Befund, im Gegenteil: Daß die Liebenden imstande sind, die Aufforderung des Geigers ungeachtet ihrer verzweifelten Situation in den Wind zu schlagen, daß es ihnen gelingt, sich dem Sog des nächtlichen Bacchanals zu entziehen, eben dies macht ihre eigentliche sittliche Leistung aus, wobei die Form, in der sie Verzicht tun, keinen Einwand darstellt. Vielmehr steht hinter ihrem Freitod der Versuch, die Treue des Herzens (aus aller sozial-menschlichen Gefährdung) hinüberzuretten in eine Zone moralischer Unanfechtbarkeit und wechselloser Ruhe.

72 Genau dies ist Kellers Einwand dem Kommunismus und seinen (damaligen) Propheten gegenüber. Nicht nur sind sie ihm verdächtig ihrer »fanatischen, Welt stürmenden Gedanken« wegen (21, 43), was sie, die ›Roten‹, bringen, ist seiner Überzeugung nach eben nicht soziale Gerechtigkeit, sondern Pöbelherrschaft, die Umkehrung aller bestehenden Verhältnisse als Folge einer (menschlich durchaus verständlichen) Aversion »gegen die Reichen dieser Welt ... Sie wollen nicht, wie Weitling deutlich sagt, bloß zu essen, sie wollen es vollauf, üppig und gut haben: sie wollen auch einmal an die Reihe. O ihr Toren! –« (21, 42)

Gelegenheit des Fahnenstangenmalens im Schmalhöferschen Verliese, der Arbeiterin Hulda samt ihrer nähenden Gefolgschaft. Und als er sie bei späterer Gelegenheit in einem volkstümlichen Tanzgebäude wiedersieht, haben die Mädchen sich »gar anmutig herausgeputzt«, ist er überrascht, »so hübsche Geschöpfe in ihnen zu finden ...« (6, 89). Die ›Kleine‹ selbst wird in diesem Moment beschrieben als eine »außerordentlich feine Gestalt, in einen ziemlich feinen weißen Sonntagsshawl gehüllt; auf dem Tische lag die zierlichste kleine Hand, deren zarte Fingerspitzen freilich von unzähligen Nadelstichen eine rauhere Haut bekommen hatten, und rechnete man hinzu das weiche braune Haar, das unter dem luftigen Hütchen hervorquoll, sowie das Licht des jungen Busens, wenn das helle Tuch sich einen Augenblick lüftete, so erschien hier im Schatten der Armut ein Schatz von Reizen verborgen, wie ihn mancher Reichtum vergeblich wünschte« (6, 90/91)[73]. Kein Wunder, daß Heinrich verwirrt ist, ja zu träumen glaubt, zumal, als sich herausstellt, daß diese unverhoffte Eroberung zu allem Überfluß auch noch Hulda heißt; ein Umstand, der zwar durch den Vornehmheitstick ihrer Eltern zureichend erklärt wird (s. 6, 91), der Trägerin aber nichtsdestoweniger einen Zauber verleiht wie einer »Erscheinung aus der alten Fabelwelt, die ihr eigenes Sittengesetz einer fremden Blume gleich in der Hand trug«. Heinrich wird bei dieser Eröffnung zumute, »als ob eine wirkliche Huldin sich aus der Luft verdichtet hätte und mit warmem Blute in meinen Armen läge«, ja die Rede des Mädchens tönt ihm zuletzt wie bei einem »jener unsterblichen Wesen, das die Gestalt einer armen Dienstmagd angenommen hat, um in ewiger Jugend und Neuheit einen Liebeshandel zu eröffnen« (6, 99). — Von den Details der Szenerie, in der diese Begegnung sich abspielt, erinnert vieles, angefangen bei der Lokalität, dem Tanzgarten, über die festliche Situation bis hin zur späten Stunde, begleitet von Musik und Mondschein, welcher Umgebung wie Menschen ihre freundliche Wirkung beläßt (s. 6, 89), an das Paradiesgärtlein der ›Romeo‹-Novelle, nur daß aus den Romanpassagen klarer als (jemals) sonst hervorgeht, wohin derartige Stilisierung letztlich führt: über bloß ästhetische Aufbereitung einer sozial unzulänglichen Wirklichkeit hinaus zu deren Aufhebung ins ganz und gar Irreale[74], sprich

[73] Vgl. ferner 6, 100/01; beide Passagen erweisen sich als Variationen einer fast gleichlautenden Wendung der ›Romeo‹-Novelle, wonach der »arme Sali« beim Tête-à-tête im Kornfeld in seinen Armen hält, »was reiche Leute teuer bezahlt hätten, wenn sie es nur gemalt an ihren Wänden hätten sehen können« (7, 135).

[74] Es hätte der brieflichen Bestätigung kaum bedurft, um das absolut Andersartige, die alle reale Erfahrung übersteigende Qualität dieser für die Zweitfassung des Romans geschriebenen Passage unbezweifelbar zu machen: »Die kleine Episode der Hulda im 4. Bande ist beileibe nicht erlebt; ich erfand sie plötzlich, um den Tag des Einzuges resp. das Abenteuer der Fahnenstangen besser abzurunden, und fand damit ein nicht übles Motiv, das Niedersteigen in die untern Schichten der dunklen, anspruchslosen Arbeit nicht nur mit der Sicherheit des täglichen Stückes Brot, sondern auch mit dem Reize eines lockenden Sinnenglückes im verborgenen scheinbar zu begründen. Daß das Mädchen dabei etwas zierlicher und liebenswürdiger ausfiel,

Märchenhafte[75]. Wie denn im Nachhinein Züge dieser Art an vergleichbaren Textstellen sichtbar(-er) werden mögen: So zeitigt Armut auch im Falle Strapinskis Wirkung, aber schon der Umstand, daß die normalerweise zu gewärtigenden Folgen — Entmündigung, ja Entwürdigung des Menschen — bis auf jenen früher erwähnten (vgl. p. 133 f.) Anflug spaßhaft gesehener Willenlosigkeit ausbleiben, ist so sehr gegen alle Erwartung, daß Keller diesen Zug unvermuteter Menschlichkeit im Gewande der Armut mit den Zeichen des Adligen belegt (s. 8, 25) und mit der Aura des Wunderbaren umgeben hat. Spürbarer noch wird die Aufwertung des bleibend Menschlichen mit Steigerung der Adelsprädikate, etwa, wenn in »Romeo und Julia auf dem Dorfe« Sali sich im Besitz des geliebten Vrenchens einem Königssohn gleich bedünkt (s. 7, 121; 134). Im übrigen wird hier schon per Titel Erinnerung wach an die Träger erlauchter Namen, so daß die Frage erlaubt scheint, ob die Familien der Bauern nicht am Ende alten, verkommenen Adelsgeschlechtern zu vergleichen sind (s. 7, 109; dazu 11, 74).

Der ›edle Arme‹ — damit ist, um des nötigen Verbleibs von Menschlichkeit willen, aller realistische Anspruch weitgehend aufgegeben zugunsten der Vorherrschaft des Märchens. Auf psychologische Unwahrscheinlichkeiten dieser Art hin angesprochen, hat ihr Urheber selbst mehrfach den Gedanken von der »Reichsunmittelbarkeit der Poesie« (Briefe 3/1, 57) ins Feld geführt und mit Hilfe dieses (ursprünglich) mittelalterlichem Lehnsrecht entnommenen Terminus versucht, das Absehen von gesellschaftlichen Zuständen der Gegenwart (und den daraus resultierenden psychologischen Mechanismen) durch den Rückgriff auf ältere soziale Strukturen zu legitimieren. In Wahrheit aber meint reichsunmittelbares Genre mehr als nur eine (begrenzte) zeitliche Verlagerung, ist Mittelalter, wie es in den Mauern von Seldwyla nistet, ›Es-war-einmal-Zeit‹ jenseits aller historisch-soziologischen Fixierung[76], wobei, um die Gleichsetzung von Mittelalter und Märchen-

als es in jenen Volksschichten der Fall zu sein pflegt, ist in einem Romane ja nur angemessen« (Briefe 3/1, 380).

[75] Heinrich glaubt denn auch augenblicksweise, sich im Banne des Hörselberges zu befinden (s. 6, 101), eine Gelegenheit, darauf hinzuweisen, daß Keller hier und anderswo zwar auch Märchenmotive verwendet, die Märchenhaftigkeit solcher Passagen aber wesentlich eine Frage des Stils und des daraus resultierenden Erzähltons ist.

[76] Wenn demgegenüber von Preisendanz gerade umgekehrt die Untrennbarkeit des zeitlos Menschlichen »von seinen durch Zeit und Geschichte bedingten Erscheinungsweisen« betont und behauptet wird, das wesenhaft Humane könne sich »immer nur in der Verschränkung mit einer bestimmten kulturellen Situation bezeugen« (a. a. O. S. 184), so läßt sich einer solchen Sentenz in ihrer Allgemeinheit kaum etwas entgegnen; wohl aber ist darauf zu verweisen, daß, wofern dieser Begriff überhaupt einen Sinn haben soll, unter Reichsunmittelbarkeit zunächst und vor allem eine Beziehung von unten nach oben, von der Einzelexistenz und ihren jeweiligen Bedingtheiten weg zum Ideal humaner Gesinnung hin (und dies direkt und durch alle störenden Zwischeninstanzen hindurch) verstanden werden muß. Woraus sich die Notwendigkeit ergibt, den Bedingungen nachzugehen, unter denen zeitgenössischer Menschheit diese anachronistische Direktheit offensteht, während der Verf., statt nach dem Realitätsgrad, lediglich nach dem Originalitätscharakter des ›Parabelhaften‹ fragt.

welt plausibel zu machen, Keller diese Epoche als die Zeit lebendigen (katholischen) Wunderglaubens wie als letzte Blüte des Rittertums — der Ritter als der idealganze Mensch — begreift. Zwar ist der Mensch um die Mitte des 19. Jahrhunderts als Folge von Säkularisation und zunehmend positivistischem Denken nicht mehr unmittelbar zu Gott, dafür aber, und dies auf allen Stufen der sozialen Skala, um so direkter verpflichtet auf die in seinen — des Dichters — Augen zeitlose Idee der Humanität und in diesem Sinne ›reichsunmittelbar‹, letzteres freilich auf Kosten weitgehenden Modernitätsverlustes, ja des bewußten Verzichts auf alles Zeitgemäße.

Die Welt getaucht in Märchenluft, dieser Effekt stellt sich um so eher ein, je mehr die Einflüsse der Umwelt zurückgedrängt werden[77] auf ein unschädliches oder zumindest für erträglich gehaltenes Maß. Die Gestalten besonders in den ›Elendspartien‹ schonungsvoll umgebend, sorgt Ziselierung dieser Art für ein unirdisch-ideales Klima, das allein es ermöglicht, aus tiefster Not und fernab der wirklichkeitsreinen Höhen des Daseins schöne Menschlichkeit aufscheinen zu lassen. Mit diesem Kunstgriff, auf dem Weg über bloße Distanzierung, mit Hilfe verringerter Dimensionen Ernstes in Komisches zu verwandeln, das Bedrohliche als zu Bemeisterndes erscheinen zu lassen, entspricht der Effekt des Verzierlichens genau den Absichten uneigentlichen Sprechens (vgl. p. 151 ff.)[78]. Kein Wunder, daß sich Diminutiv und Vergleich nicht selten zusammen einfinden, am häufigsten wiederum bei Gelegenheit von Not und Tod, wenn es gilt, Leute zu schildern, die so arm sind wie die Tierlein des Feldes oder aussehen wie der Tod im Häfelein. Beide Stilmittel zusammengenommen liefern die wesentlichsten Ingredienzien dessen, was man seit Fontanes berühmt gewordener Schelte mit dem Terminus ›Keller-Ton‹ zu umschreiben pflegt und worunter die Summe jener Verzwergungstendenzen und Kaschierungsversuche zu verstehen ist, die stilistisch mit Hilfe von Diminuierung negativer Befunde (Armut, Schuld, Tod ...), mit deren Transponierung und Abrücken auf Vergleichsebene, kompositorisch mit der Neutralisierung dunkler Einzelschicksale durch freundliche Gegenstücke innerhalb eines Zyklus von Erzählungen arbeiten.

*

Das Problem der Bewertung dieses Keller-Tons ist aufs engste verknüpft mit der Antwort auf die Frage, wo überall im Werk solche märchenhaften Elemente

[77] So erscheint nicht nur der Arbeitende selbst, sondern auch seine Umgebung, industrielle Arbeitswelt also, bei Keller weitgehend verzierlicht (s. 7, 288. 8, 106), in die Berge abgerückt (s. 7, 164) oder ins Handwerkliche umstilisiert (s. 8, 348). Wo dies nicht gelingt, bleibt als beherrschender Eindruck das Moment des Rohen und Häßlichen zurück (s. 4, 48; 50 ff.; 183 ff.).

[78] Bis auf die Versatilität des Diminutivs, wobei das Changieren zwischen neutralisierenden und pejorativen Effekten in der früher beobachteten ambivalenten Struktur des Vergleichsmaterials seine Entsprechung findet.

anzutreffen sind. Es gilt dies für alle die Szenen, in denen der Dichter ungeachtet der jeweiligen (widrigen) äußern Umstände allein auf das Menschliche abhebt, natürlich für die von ›Romeo‹ und ›Julia‹ während der Wanderung zum Paradiesgärtlein bewiesene ›Constantia‹ (als Beispiel eines Aktes der Selbstbewahrung), nicht minder aber für die zahlreichen Prozesse der Selbstfindung im Augenblick existentieller Verlassenheit: Strapinski stirbt, bevor er der Gesellschaft zurückgegeben werden kann, einen symbolischen Tod, Gelegenheit, auf die Bedingungen zu verweisen[79], unter denen das geschieht. Schon das Gleichnishafte des Vorgangs macht deutlich, daß es nicht die sind realistischen Erzählens, und gleiches gilt ebenso für die Zeit nach seiner ›Auferstehung‹, wenn er Gelegenheit erhält zu zeigen, daß er es in sich hat »wie das Farbenwesen im Regentropfen« (8, 33). Es ist allemal etwas Zauberisches um derartige Fortschritte, sowohl was die Fixigkeit wie auch ihre Richtung zum Guten hin anbelangt.

Bleibt die andere Seite, die Welt. Salis und Vrenchens sittsames Wandeln zu ermöglichen, reicht die Naturkulisse allein nicht hin, ist sie doch bei aller Idealität noch immer bevölkert von Menschen, die das liebende Paar entweder als zu ihrem Kreis nicht (mehr) zugehörig betrachten, oder aber, selber weniger exklusiv, durch ihr bloßes Gebaren abstoßend wirken. Hier nun scheint es, als beginne im direkten Kontakt zwischen Held und fremder Menschheit, einzelnem und Menge etwas abzufärben von der Aura des Märchenhaften auf das jeweilige Gegenüber: Wenn Vrenchen sich vor (endgültigem) Verlassen des elterlichen Hauses in der Rolle der reichen Stadtfrau gefällt, gerät die vierschrötige Bäuerin mit lautem Mundwerk (s. 7, 153) unversehens zu einer Lobrednerin des Mädchens, das als verständiges Bräutlein tituliert (s. 7, 155) und der ›Artlichkeit‹ (!) Salis mit Nachdruck anempfohlen wird (s. 7, 156). Nicht minder entwirklicht findet sich das anfangs rohe Völkchen des Kirchweihfestes wieder, wobei offen bleibt, ob die Verwandlung in harmlose junge Leute, deren Feindseligkeit am Ende eher aus Verlegenheit denn aus böser Absicht resultiert, mehr durch die Hand des Dichters bewirkt oder als Folge der fast vornehmen Art der Liebenden aufzufassen ist (s. 7, 169). — Bewahrung oder Finden seiner Selbst in dunklen Tagen, in extremer Lage, dazu bedarf es allemal einer Vorleistung von seiten der Mitwelt, die freilich (realiter) so selten angetroffen wird, daß sie ans Wunderbare

[79] dazu Louis Wiesmann — Gottfried Kellers »Sieben Legenden«. — In: Schweizer Monatshefte 39, 1959/60, S. 1201—15, bes. S. 1203—06; wiederholt in: L. Wiesmann, Gottfried Keller. Das Werk als Spiegel der Persönlichkeit, Frauenfeld/Stuttgart 1967, S. 92; 140; 142 ff. —, der den Symbol- (oder Märchen-)Charakter derartiger ›Sterbeszenen‹ — Tod im Sinne einer Charakterwandlung von Egoismen hin zu Selbstlosigkeit — erstmals hervorgehoben und als Beispiele lebendigen Begrabenseins interpretiert hat. — Leider begnügt der Verf. sich in der Folge damit, aus der Vielfalt des Materials (vgl. Anm. 43) lediglich solche Fälle zu registrieren, die diese Öffnung zum Positiven, ins Leben hinein enthalten, womit allenfalls ein Abzweig des Motivs vom ›kleinen‹ Tod gesehen ist, ein Sonderfall von der Art, wie sie sich dem Erwartungshorizont vom Realisten Keller (vermeintlich) mühelos einfügen lassen.

grenzt. Wir meinen die Haltung grenzenloser Duldsamkeit, wie sie allenfalls zu Seldwyla praktiziert wird und auch dort abhängig ist von bestimmten (d. h. besonders günstigen) äußeren Gegebenheiten: Nach Lage — überall und nirgends, aber schön[80], d. h. sonnig und inmitten ausgedehnter Waldungen gelegen — und Entstehungszeit (spätmittelalterlicher Stadtkern) ein ›märchenhaftes‹ Gebilde, Saelden-Weiler, sind zeitliche Distanzierung und räumliche Idealisierung notwendige Voraussetzung der Leichtlebigkeit und heitern Duldsamkeit seiner Bewohner, ohne die die Geschichten nicht glücklich oder doch glimpflich enden könnten. Was besagt, daß sie so, wie sie erzählt werden, nirgends sonst als »gerade nur zu Seldwyla vor sich gehen konnten« (7, 6)[81].

Zur Übereinstimmung zu gelangen mit sich selbst, seinem Wesenskern, das ist nun des weiteren eine in Kellers Augen entscheidende Voraussetzung zur Erlangung von Lebensglück. Da es aber eine göttliche Gerechtigkeit nicht (oder nicht mehr) gibt, muß eine Art innerweltlicher Heilsplan an ihre Stelle treten, demzufolge das Gute belohnt, das Böse, sprich Inhumane, bestraft werden kann[82], was nichts anderes besagt, als daß Märchenluft herrscht, wo immer der Hans zu seiner Grete findet: Daß Wilhelms und Gritlis Bund zustande kommt, muß die Welt sich augenblicksweise verwandeln in ein Märchen (s. 8, 194). Sie tut es immer bei Keller[83], als Voraussetzung, daß Wenzel sich zum Guten wandelt wie

[80] Gleiches vermag allenfalls Wilhelms Aufenthalt in den Bergen zu leisten, zu welchem Zweck das Rebhäuschen dort »fast so bunt und zierlich« erscheint »wie ein Albumblatt« (8, 183) und mit dieser betonten Zartheit, dem Fehlen alles Rohen und Widerwärtigen nachgerade Märchencharakter gewinnt (s. 8, 194). Pankraz muß, um ähnliche Bedingungen vorzufinden, gar jenen Abstecher »in den ältesten, träumerischen Teil unsrer Welt ...« (7, 32) unternehmen, bis nach dem fernen Wunderland Indien reisen. — Angesichts solchen Aufwandes ›nebenan‹ wird der besondere Charakter des Schauplatzes Seldwyla deutlich, seine in erster Linie dämpfende, die Miasmen des Alltags filternde Qualität, mit der die Anlage bereits vom Topologischen her dasselbe zu leisten imstande ist wie (später) die umrahmenden Partien des ›Sinngedicht‹-Zyklus oder der »Züricher Novellen«.

[81] gegen Hans Richter — Gottfried Kellers frühe Novellen, Berlin 1960 —, der den Schlußsatz des Vorwortes gründlich mißversteht, keinen Unterschied macht zwischen Hintergrund und Hauptakteuren und alles zu ›echten‹ Seldwyla-Geschichten erklären möchte (s. S. 77) im Interesse seiner These, wonach Auftreten und Verhalten der Seldwyler »in allem Wesentlichen dem wirklichen Leben und Treiben, wie es sich in helvetischen Landen zwischen 1830 und 1850 vor Kellers aufmerksamen Augen abgespielt hat« (S. 73), kongruent sei und insbesondere die ökonomischen und gesellschaftlichen Gegebenheiten getreulich widerspiegle.

[82] Dies, wie wir sehen werden, auf satirische Weise. Zwischen märchenhaftem Ausgang und satirischem Ende gibt es Fälle, in denen das zuvor gesetzte Limit an Menschlichkeit nicht eindeutig oder rechtzeitig genug erreicht wird (John Kabys!) und statt des Glücks nur ein Dasein in leidlicher Zufriedenheit übrig bleibt. Dies genau ist die Stunde des Humors, sein Platz die windstillen Zonen fernab balsamischen Anhauchs linder Märchenlüfte, aber auch unbehelligt vom Surren satirischer Pfeile.

[83] Ein Umstand, aus dem die (über Einzelfälle hinaus) grundsätzliche Unmöglichkeit des Glücks (zu realen Bedingungen) ebenso hervorgeht wie die Auflösung des früher (vgl. Kap. II) bemerkten Widerspruchs zwischen behaupteter Frauentreue und nachweisbar weiblichem

daß er zu seinem Nettchen gelangt. Und wenn Dietegen Küngolt allen Widerständen zum Trotz heimführen kann, so darum, weil diese Erzählung von Anfang an verlegt ist ins späte Mittelalter, d. h. in die »Zeit der kriegerischen Schultheiße und der Märchen« (8, 30)[84]. – Der einzelne, eine Welt hervorbildend aus sich – ihm gegenüber, in schonungsvoller Distanz, die Vielen, bereit, selbst Fehlentwicklungen (innerhalb bestimmter Grenzen) zu tolerieren, verdientem Glück am Ende nicht im Wege zu stehen, damit ist menschliche Existenz zwar nicht insgesamt, aber doch in entscheidenden Phasen den Gesetzen der Wahrscheinlichkeit entzogen. Der Dichter weiß um solche Ungereimtheiten nicht nur des einzelnen, sondern des Ganzen, er hat sich (ausdrücklich) zu ihnen bekannt als den Begleiterscheinungen jenes Erzähltons, der (dafür) seinen Helden gestattet, reinen Herzens zu bleiben ein Leben lang, Kinder-Toren zu sein noch im Erwachsenenalter.

Keller ist somit, dies hat Fontane zutreffend gesehen, »au fond ein Märchenerzähler. Was nach dieser Seite hin liegt«, so hören wir, »ist mustergültig ...« (S. 93)[85]. Bestätigung aus dem Munde eines lesenden Kollegen, die diesen nicht gehindert hat, dem Autor speziell der ›Romeo‹-Novelle[86] Stillosigkeit nachzusagen, wobei dieser Vorwurf weniger dem Faktum ›Märchenhaftigkeit‹ als vielmehr dem Umstand gilt, daß Keller dies Irreale, einmal dazu entschlossen,

Unbestand: Treu (und glücklich dazu) sind die Partner ausnahmslos nur in märchenhafter Umgebung, besonders eindrucksvoll in den »Sieben Legenden«, während ansonsten eine deutliche Zurückhaltung spürbar ist bei Beschreibung dieses Zustands, ein Lakonismus, für den weniger der vermeintlich fehlende epische Atem des Dichters (dazu Paula Ritzler, Das Außergewöhnliche und das Bestehende in Gottfried Kellers Novellen. – In: DVjS 28, 1954, S. 373–83, dort S. 381) verantwortlich gemacht werden kann als vielmehr das insgeheime Wissen um die Unmöglichkeit dauerhaften Glücks. – Gerechtigkeitshalber muß hier erwähnt werden, daß die Verfasserin ihre Position zwischenzeitlich so weit revidiert hat, daß sie diese letztere Begründung nicht länger bestreiten würde. Andererseits kommt die Ausführlichkeit, mit der sie neuerdings von den (zumindest zeitweiligen) Glücksumständen einer langen Galerie Kellerscher Figuren zu referieren weiß – P. Ritzler, »Ein Tag kann eine Perle sein«. Über das Wesen des Glücks bei Gottfried Keller. – In: Jahresbericht der Gottfried Keller-Gesellschaft 40 (1971), Zürich 1972, S. 3–19 –, nicht minder überraschend als jene früher geübte Zurückhaltung. Dem unverändert vorhandenen Lakonismus des Autors glatt zuwiderlaufend, ist diese ›Bekehrung‹ erklärbar nur mit Hilfe terminologischer Weitherzigkeit, die sich sowenig scheut, die breite Skala menschlicher Empfindungen von der Zufriedenheit bis hinab zur Resignation dem Glücksbegriff zuzuordnen, wie sie eine saubere Scheidung zwischen Gemeinschaftserlebnis und privatem Liebesglück ängstlich zu vermeiden sucht.

84 Was mit dieser Verlagerung garantiert ist, ist die Gewißheit eines glücklichen Endes. Fehlt der (entschwerende) Goldgrund des Märchens, dann steht am Ende nicht das Glück, sondern die Entsagung. Wie oft, diese Gegenrechnung findet sich eindrucksvoll aufgemacht in der ansonsten vom Ansatz her veralteten und in den Ergebnissen weitgehend überholten Arbeit von Eduard Hitschmann, Gottfried Keller. Psychoanalyse des Dichters, seiner Gestalten und Motive, Leipzig (usw.) 1919, S. 62 ff.

85 Theodor Fontane. Schriften zur Literatur, hrsg. v. Hans-Heinrich Reuter, Berlin 1960.

86 Vorher gilt das gleiche Monitum »Dietegen« (s. Reuter, a. a. O. S. 93), im weiteren Verlauf vor allem den »Sieben Legenden« (s. S. 98/99).

nicht konsequent genug durchgehalten habe. Fontanes Vorbehalt der ›Dorfgeschichte‹ gegenüber lautet konkret auf Stilbruch, insofern der erste Teil »ganz in Realismus, die zweite Hälfte ganz in Romantizismus« stecke, d. h. »wenn nicht ein Märchen, so doch durchaus märchenhaft« sei. — Nun glauben wir nachgewiesen zu haben, daß diese Ausstellung der sachlichen Grundlage entbehrt, da sie übersieht, daß es den gerügten Tonfall, die »Zartheit, das Wegfallen alles Harten und Störenden«[87], bereits in den Anfangspartien der Novelle gibt und im übrigen auch hinsichtlich Kellers theoretischer Position keine Zweifel möglich sind: Durch die einleitende Passage mit ihrer ausdrücklichen Bezugnahme aufs Fabel- und Parabelmäßige[88] ist alles fernere Erzählen (in toto) dem Gedanken der Reichsunmittelbarkeit unterstellt. Von realistischem Impetus, gewollt oder ungewollt, kann demnach gar keine Rede sein[89].

Dennoch bleibt das Wort von Kellers Stillosigkeit, und es bleibt ebenso die Frage, wie es zu diesem offensichtlichen Fehlurteil kommen konnte. Einmal sicher aus der zeitbedingt (einseitig) fixierten Erwartung des Rezensenten heraus, der unter Stil weniger ein unverwechselbar persönliches Timbre versteht — davon freilich hätte, wie er sofort einräumt, Keller mehr als genug — als vielmehr gerade das Zurücktreten aller privatistischen Manier zugunsten der Sache, die es darzustellen gilt: »›Ein Werk ist um so stilvoller, je objektiver es ist, d. h. je mehr nur der Gegenstand selbst spricht, je freier es ist von zufälligen oder wohl gar der darzustellenden Idee widersprechenden Eigenheiten und Angewöhnungen des Künstlers‹«[90]. Es ist diese Gleichsetzung von Stil und realistischem Stil, aus der sich ein gut Teil der Fontaneschen (Ab-)Wertung erklärt. — Darüber hinaus aber scheint

[87] Reuter, a. a. O. S. 94.

[88] Wenn damit auch die (gleichzeitige) Behauptung vom mimetischen Charakter des Erzählten fragwürdig wird, so erweist sich doch andererseits die Furcht vor dem bloß Imitatorischen als ebenso unzutreffend.

[89] Wäre er gegeben, dann freilich müßte man zu Recht von Stilbruch sprechen. Statt dessen hat Karl Fehr — Der Realismus in der Schweizerischen Literatur, Bern/München 1965 — neuerdings versucht, die Märchenpartien ebenso wie andere Formen des Phantastischen (Legende, Traum, Romanze) mit der These vom Realismus Kellers in Einklang zu bringen, ein Unternehmen, das erwartungsgemäß nur auf Kosten terminologischer Präzision gelingen konnte. So versteht der Verf. unter Realismus schließlich wenig mehr als das Beachten des Wahrscheinlichkeitsprinzips, eine Bedingung, die ihm dank ›sachgetreuer‹ Wiedergabe (s. S. 94/95) hinreichend gewährleistet erscheint. — Gegenüber der Erwartung, durch Sachlichkeit des Erzählstils noch den phantastischsten Inhalt wahrscheinlich, sprich realistisch machen zu können, ist an Fontanes Wort von der Stillosigkeit ›realistischer‹ Märchen, sein hellsichtiges Beharren auf der Unvereinbarkeit derartiger Tendenzen zu erinnern. Das Diktum, wonach »Eine auf den ersten fünfzig Seiten realistische Geschichte ... auf den letzten fünfzig nicht romantisch sein« dürfe (Reuter, a. a. O. S. 95), verliert in der Umkehrung sowenig an Überzeugungskraft, wie es lediglich auf den (konkreten) Einzelfall gemünzt war, im Gegenteil: Der ›Realist‹ Keller hätte, um nur ein Beispiel zu nennen, die ›Legenden‹ nicht, jedenfalls nicht so, schreiben können; die Tatsache, daß er sie schrieb, muß seinen (angeblichen) Realismus in Frage stellen.

[90] Reuter, a. a. O. S. 98.

es immerhin auch vom Text her Anhaltspunkte zu geben, die der Auffassung von Kellers zunächst realistischer Absicht und deren späterer Preisgabe Vorschub leisten: So gehen Salis und Vrenchens Sittsamkeit ja bis zu einem gewissen Grade hervor aus der korrekten Erziehung, die sie als Kinder ursprünglich intakter Elternhäuser genossen haben, wie sie denn bis zuletzt sich dieser vergangen besseren Zeiten entsinnen können[91]. Umgekehrt ist Entwirklichung in dieser Erzählung nirgends, ihre späteren Partien eingeschlossen, bis zu dem Grade vorgetrieben, daß eine Prämisse des Anfangs kassiert, die Feindschaft etwa der Eltern mitsamt ihren (unaufhebbaren) Folgen übergangen und so ein glückliches Ende ermöglicht würde[92]. — Nicht genug ›Keller-Ton‹ zu Anfang, Brüchigkeit der schließlich gewählten Märchensprache gegen Ende zu? Inkonsequenz also der Erzählhaltung insgesamt (und über Fontanes Einwand hinaus) und damit absoluter Stilbruch? Weder das eine noch das andere trifft zu: Zwar ist auch Keller in seinen Dichtungen mit Realität befaßt und darin meilenweit entfernt von jener romantischen Art zu dichten, der Fontane ihn zurechnen wollte[93], aber dies nicht in realistischem Sinne, vielmehr filtrierend und arrangierend da, wo es nötig

[91] Was aber Strapinskis ›Adels‹-Ambitionen angeht, so muß umgekehrt die (diesmal) fehlerhafte Erziehung der Mutter, sein (Beinah-)Aufenthalt bei einer benachbarten Gutsherrin als Erklärung herhalten (s. 8, 57/58). — Dennoch wird gerade an dieser Erzählung deutlich, daß Keller die zahllosen Unwahrscheinlichkeiten und Zufälle nur gelegentlich und dann bewußt unzureichend kaschiert, ja im Gegenteil die Differenz zwischen Möglichem und Wirklichem nicht selten zum Erzielen komischer Effekte genutzt hat. Dies ironische Spiel beweist zur Genüge, daß sein Märchenton nicht gut, wie bei Fontane behauptet, von ungefähr kommen kann (s. Reuter, a. a. O. S. 94/95), sowenig, wie er aus Unkenntnis des Volksjargons (s. S. 94) herrührt (vgl. p. 186 f.).

[92] Vielmehr gibt es lediglich zwischenein Augenblicke flüchtigen Glücks. Sie (wenigstens subjektiv) zu verlängern, hat der Dichter sich die vielfältigen Abstufungen zwischen Wachen und Träumen zunutze gemacht: Es beginnt schon damit, daß Sali seine Uhr verkauft (s. 7, 146). Unterwegs, auf der Wanderschaft des letzten Tages, scheinen die Liebenden mehr und mehr traumverloren, vergessen sie die Zeit (s. 7, 158) — und sind anschließend bereit, für ein paar Stunden intensiven Glücks — dahinter steht das (Märchen-)Motiv des ›Königseins für einen Tag‹ — mögliche Jahre des Elends hinzugeben, handeln sie nach dem Motto: »Ein Tag kann eine Perle sein/Und ein Jahrhundert nichts« (1, 214).
Im ›Grünen Heinrich‹, einem Roman, dessen erklärtes Ziel die Bekehrung des Individuums zur Wirklichkeit ist, kann Märchenluft naturgemäß nur gelegentlich und dann weniger intensiv vorhanden sein. Entsagung tritt folgerichtig an die Stelle der Glückserfüllung, Träume lösen den Zustand bloßen Wachseins ab. So träumt Heinrich, je verzweifelter sich seine äußere Situation in München gestaltet, um so intensiver von Geld und Gut, Kleidern und Essen (s. 6, 119). Mit der Möglichkeit der Kompensation bieten Träume dieser Art zugleich den Vorteil der Aufhebung des Zeitsinnes, d. h. aber die Chance, am Ende doch noch zu einer Art seelischen Gleichgewichts zu kommen, indem durch subjektiv intensives Traumerleben bei objektiv minimaler Zeitdauer (s. 6, 354. 4, 227. 13, 89) der Nachholbedarf an Glückserfüllung wenigstens phantasieweise (und unter Wahrung der Kategorie des psychologisch Wahrscheinlichen) gestillt werden kann (s. 6, 127/28. 7, 145. 13, 89).

[93] s. Reuter, a. a. O. S. 95.

scheint — und das ist zweifellos bei den Elendspartien mehr der Fall als bei den (selteneren) Beispielen materiellen Überflusses —, aber doch immer auch so, daß, wenn schon die Wahrscheinlichkeit (dem Humanum) geopfert wird, »Unmöglichkeiten« sich doch von selbst verbieten und jedenfalls der Eindruck gewahrt bleiben muß, als ob »dergleichen vorkommen könne ...« (Briefe 3/1, 56). In dieser Weise trägt Keller dem Prinzip der (inneren) Wahrheit peinlich genau Rechnung, und es trifft einfach nicht zu, daß er — um jeden Preis und »erbarmungslos« — »die ganze Gotteswelt seinem Keller-Ton« überliefert habe[94]. — Keller, auf (die genannt) modifizierte Art als Märchenerzähler verstanden, dies erklärt in der Tat alles. Freilich vermögen wir, anders als der Realist Fontane und im Einvernehmen mit Thomas Mann[95], der selbst ein ›Märchen‹-Erzähler von hohen Graden war, in Reichsunmittelbarkeit dieser Art, sich äußernd im Zurückdrängen aller Umweltfaktoren zugunsten zeitloser Menschlichkeit, nur so lange ein Manko zu sehen, wie man die Absicht realistischer Wiedergabe unterstellt. Sie ist es nicht, wenn man sie (umgekehrt) begreift als Konsequenz jenes weltanschaulichen Dilemmas, (von ›materialistischer‹ Position aus) eine Welt bejahen zu müssen, deren Unvollkommenheiten schmerzlich offen zutage lagen.

[94] Reuter, a. a. O. S. 98.
[95] Adel des Geistes. Sechzehn Versuche zur Humanität. Stockholmer Gesamtausgabe 1955, S. 486/87.

V. DIE LADE DER ZÜS BÜNZLIN

FIGUREN UND STRUKTUREN DES KOMISCHEN

1. Der Mensch und die Dinge

Wer immer es für nötig erachtet, den Realismus Gottfried Kellers vom Text her zu belegen, wird mit Sicherheit eine Eigentümlichkeit seines Stils ins Feld führen: das Phänomen der Dinghäufung. Auf den ersten Blick zumindest will denn auch kaum ein Argument einleuchtender erscheinen. Wenn Realismus (u. a.) die ästhetische Produktion von Wirklichkeit in ausreichender Fülle voraussetzt, so ist eben diese Kondition, was den Bereich der ›Dinglichkeit‹ angeht, bei Keller mehr als einmal erfüllt, oft genug jedenfalls, den Schluß auf eine gewisse Freude am Gegenständlichen nahezulegen[1]. — Als Paradebeispiel für diese Haltung gilt die Lade der Züs Bünzlin aus den ›Drei gerechten Kammachern‹ und die Art ihrer Beschreibung. Und wirklich ist der bestimmende Eindruck, was den Inhalt dieser Truhe betrifft, der einer enzyklopädischen Vielfalt, die erschöpfend darzustellen letztlich nur das wörtliche Zitat imstande wäre. Kein Wunder, daß die Forschung sich hat irritieren lassen und alsbald absichtslos realistische Schilderung unterstellte; weniger begreiflich, weshalb man sich trotz dieser (grundsätzlichen) Festlegung nicht hat einig werden können über die ›Lesart‹ derartiger Passagen. Zwar lag es nahe, die Beschreibung des Züsischen Krames für Kellers humoristischen Stil[2] beweiskräftig zu finden, doch gab und gibt es daneben eine breite Skala von Klassifizierungen, die, vom Kuriosen über das Skurrile bis zum Bur-

[1] Die von Hildegard Demeter — Gottfried Kellers Humor, Berlin 1938 — vorgetragene Ansicht, Keller verweile »Mit behaglicher Breite ... bei der realistischen Kleinzeichnung« (S. 113), mag hier stellvertretend für viele gleichlautende Äußerungen stehen. Paul Schaffner — Gottfried Keller als Malerdichter. — In: Jahresbericht der Gottfried Keller-Gesellschaft 5 (1936), Zürich 1937, S. 3—14 — spricht von der »Schaufreude«, die »der breit ausladenden Schilderung von Züs Bünzlins ... Aufputz« wie der Beschreibung des Truheninhalts zugrunde liege (S. 10). Er konkretisiert damit nur eine ähnlich lautende (ältere) Bemerkung von Walter Benjamin — Gottfried Keller. Zu Ehren einer kritischen Gesamtausgabe seiner Werke. — In: W. Benjamin, Schriften, Bd. 2, hrsg. v. Theodor W. Adorno u. Gretel Adorno unter Mitwirkung von Friedrich Podszus, Frankfurt/Main 1955, S. 284—96 —, der Kellers Büchern ganz allgemein eine (antikische) »Sinnenlust ... des Beschreibens« nachsagt, wodurch »der alltäglichsten Hantierung seiner Menschen die runde, harmonische Sinnfälligkeit [zukomme], die sie für einen Römer gehabt haben« muß (S. 291/92). Günter Jäckel — Das Bild in der Prosadichtung Gottfried Kellers, Diss. (Masch.) Leipzig 1957 — glaubt eine »den Dingen zugewandte und sich idyllisch an sie hingebende Haltung« konstatieren zu können (S. 73).

[2] wie zuvor hinsichtlich seines epischen Realismus. In diesem doppelten Sinne Karl Fehr, Der Realismus in der Schweizerischen Literatur, Bern/München 1965, S. 81 ff.

lesken und Grotesken reichend, nicht nur untereinander weitgehend unverträglich wirken, sondern auch mit der Stereotype ›realistisches Genre‹ durchaus nicht immer vereinbar sind. Um so dringlicher wird die Frage nach dem originären Tenor des Erzählten. Sie zu beantworten, gehört zu den unerläßlichen Vorarbeiten, wenn es darum geht, den tatsächlichen Intentionen einer vermeintlichen ›Sachbezogenheit‹ auf die Spur zu kommen.

Wenn etwas geeignet ist, den Eindruck überquellender Fülle hervorzurufen, dann — zu den zahllosen Einzeldingen — der Umstand, daß eine ganze Reihe von Gegenständen gleich mehrmals vorhanden ist. So gibt es unter Züsis Schätzen zwei Kirschkerne, zwei Fläschchen, zwei Körbchen und sogar zweimal zwei Büchsen. Diese Art der Doppelung meint nun freilich nicht, daß solche Stücke besonders wertvoll wären, der Sammeleifer sich infolgedessen speziell auf sie konzentriert hätte, im Gegenteil. Was Keller von derartigen Doubletten hält, hat er in den »Züricher Novellen« mit wünschenswerter Deutlichkeit zum Ausdruck gebracht, wenn er den Landvogt von Greifensee zum Abschluß seiner Amouren nacheinander zwei Liebesabenteuer bestehen läßt, »welche, wie es bei Zwillingen zuweilen geht, nur geringfügig waren und in die gleiche Windel gewickelt werden« konnten (9, 230)[3]. Wo die Wiederholung des genau Gleichen auf personaler Ebene den Verlust an Originalität, ja Individualität signalisiert, trifft der Effekt der Wertminderung in ähnlicher Weise die Mehrfachexemplare des dinglichen Bereichs[4].

Nimmt man die Teelöffel als Kern und Grundstock des obligaten Silberschatzes (dazu bes. 9, 218), kann man sich ferner dazu verstehen, eine Reihe weiterer Details, das silberne Herz, die goldene Anstecknadel, eine Büchse aus durchbrochenem Elfenbein als Preziosen einzustufen, dann ergibt eine vorläufige Katalogisierung außer dem bescheidenen Häuflein Wertsachen eine Anzahl (in materieller Hinsicht) belangloser Erinnerungsstücke sowie einen Restposten Tand oder Krimskrams, der nicht einmal einen Affektionswert beanspruchen kann und sich

[3] Die vorliegende Passage mit ihrer direkten Aussage ist übersehen bei Hans Dietrich Irmscher — Konfiguration und Spiegelung in Gottfried Kellers Erzählungen. — In: Euphorion 65, 1971, S. 319—33 —, der sich statt dessen über sechs Seiten hinweg unnötig abmüht, der (personalen) Doppelung negative Akzente abzugewinnen.

[4] Im ›Grünen Heinrich‹ etwa erhält man mit Hilfe dieser Technik — lange vor aller Selbsterkenntnis des Helden — Einblicke in dessen künstlerisches (Un-)Vermögen. Nachdem der erste Versuch, ein Bild zu verkaufen, mißglückt ist, gibt Heinrich sich künftig bescheidener, malt er »ein paar kleinere Landschaften«, »Zwillingsbilder ... ohne Anspruch auf geistreichen Stil oder Phantasie ...« (6, 50/51). Und als er später, unter veränderten (materiellen) Voraussetzungen und auf Anraten des Grafen hin sein altes Metier noch einmal aufgreift, diesmal mit glücklicherer Hand und zumindest geschäftlich erfolgreich, da beantwortet sich die Frage nach einem etwaigen künstlerischen Durchbruch im Blick auf die Anzahl der Produkte seines Kunstfleißes: Wieder sind es »zwei Bilder zugleich«, die er in Angriff nimmt (6, 211), und damit ist eigentlich schon alles gesagt über das ihm auf diesem Gebiet Mögliche: Heinrich ist und bleibt als Maler ein Nichtberufener.

aller Bewertung zu entziehen scheint, wenn man ihn nicht als bloße Anhäufung von Seltsamkeiten verstehen will: Gemeint sind vor allem Bonbonbüchse, Kirschkern und Nuß. — Nun sind Kirschen, zumindest nach Kellers Verständnis, zwar eine Delikatesse, im Vergleich zu ›ernsthafter‹ Nahrung aber nichts als Näscherei und Nachtisch (s. 8, 343. 9, 195), d. h. ›Nahrungsmittel‹ allenfalls im Sinne einer Bagatelle. Realisiert man diesen ›Minderwert‹, dann lassen sich, auch über den engeren Bezugspunkt (Kirschkern) hinaus, eine Reihe scheinbar absichtslos gesetzter Einzelheiten als Deutungshilfen für bestimmte Situationen oder Vorgänge verstehen: Wenn Lydia sich dem Pankraz in der Eingangsnovelle der ›Leute von Seldwyla‹ in auffälliger Weise nähert und dabei demonstrativ »ein kleines Körbchen voll roter Kirschen« aufißt (7, 44), dann ist das ein sicheres Indiz, daß hier kein echtes Gefühl im Spiel ist, das Ganze vielmehr, allem äußern Anschein zum Trotz, eine von seiten Lydias inszenierte abgeschmackte Kinderei darstellt. Landolt und Salome (»Der Landvogt von Greifensee«) beim Pflanzen von Kirschbäumen — dieses Bild gemeinsamen Tuns deutet dennoch bereits die Brüchigkeit an der geplanten Liierung, nimmt das Ende einer Beziehung vorweg, die schon der ersten ernsthaften Belastung nicht standhalten wird (s. 9, 173 ff.). — Daneben bedient der Dichter sich vorzugsweise des Mittels, Vorgänge dubioser Valenz statt mit Naschwerk mit kindlich unwichtigen Geschenken wie Nüssen oder Äpfeln (s. 8, 192) in Verbindung zu bringen und auf diese Weise eines Teils ihrer Bedeutung zu entkleiden. Daß Kabys und Litumlei (»Der Schmied seines Glückes«), bevor sie sich an die Aufzeichnung ihrer verwandtschaftlichen Beziehungen machen, Bier trinken und dazu Nüsse, Brot und Würstchen essen (s. 8, 95), rückt nicht nur ihre Versuche, sich zu stimulieren, in ironisches Licht, auch das Unternehmen ›Romanschreiben‹ selbst erscheint von daher bagatellisiert und, was Ausführung wie Auswirkung angeht, komisch in Frage gestellt. — Was den Inhalt von Züsis Lade betrifft, so ergibt sich aus der Frage nach dem Material der Gegenstände (wie schon aus deren Doppelzahl) eine weitere partielle Bedeutungsminderung.

Diese Tendenz wird gestützt im Blick auf die Dimensionen der Schätzbarkeiten. Viele von Züsis Siebensachen, auch solche, von denen wir es nicht eigens erfahren, sind klein schon aus dem Grunde, weil die Lade andernfalls kaum Platz böte für alle aufgeführten Stücke. Wenn dabei selbst Einzelheiten von der Größe einer Nuß oder eines Kirschkerns noch einmal Behältnisse abgeben können, sinkt deren Inhalt — so im Falle des Kegelspiels — zu mikroskopischer Winzigkeit herab, was in einer Welt, in der das Kleine komisch verstanden wird, zuletzt gänzlicher Bedeutungslosigkeit gleichkommt. — Umgekehrt lassen Inhalt und dessen Darstellung Rückschlüsse zu auf den Umfang der ›Verpackung‹, der Elfenbeinbüchse etwa, die ein »Spiegelchen« enthält, des Herzens, das ein »Riechschwämmchen« birgt, der Dose endlich, in der ein »Endchen« Marderdreck aufbewahrt wird. Hierher gehören ferner die zahlreichen »Fläschchen« und »Körbchen« (7, 275), wobei gerade die letztgenannten Beispiele, vergegenwärtigt man sich ihre Funktion als Behältnisse von Naschwerk (s. 6, 268; 308. 11, 14 u. a.), daran erinnern mögen, daß dies Stilistikum nicht notwendig Ausdruck sein muß liebevoll-humoristischer Kleinzeichnung, Diminuierung vielmehr als Teil und Mittel systematisch betriebener Wertminderung auftreten kann. — Nach Seltenheitswert, Material und Größenordnung erweist sich ein Großteil der Habseligkeiten aus Züsis Lade wo nicht als wertlos, so doch als Bagatellen von zumindest zweifelhaftem Wert.

Zieht man die inhaltliche Seite, den Ausdruckswert einzelner Stücke in Betracht, läßt sich eine Reihe von Dingen religiösen Charakters ausmachen. So ist in einen der Kirschkerne »das Leiden Christi geschnitten«, während die Nuß »eine kleine Muttergottes« birgt (7, 275). Den vorliegenden Fällen appliziert, lassen die mit den genannten Materialien verbundenen Wertungen den Schluß unausweichlich erscheinen: Das Leiden Christi, in einen Kirschkern geschnitten, bedeutet eine Verunernstung der Vorgänge auf Golgatha, eine Herabstimmung zur ›Kleinen Passion‹[5], während mit der Mutter Gottes in der Nußschale erneut eine zentrale Gestalt katholischer Glaubenslehre ins Zwielicht, ihre religiöse Verehrung in den Geruch der Kinderei gerät[6]. — In die gleiche Richtung des Nachweises religiöser Unkraft zielt schließlich das Motiv des Glases. Als Heinrich von seiner früheren Jugendliebe Abschied nimmt, überkommt ihn, stärker als alle Trauer, ein Gefühl der Distanziertheit, des unbeteiligten Abstandes. Es ist vor allem der Glasschieber (am Kopfende des Sarges), der bewirkt, daß er »das Gut, was sie [die Scheibe] verschloß, gleich einem hinter Glas und Rahmen gebrachten Teil ... [seiner] Erfahrung, ... [seines] Lebens ... in vollkommener Ruhe begraben sah« (5, 87). Was man in dieser Weise hinter Glas und Rahmen tut, ist entweder schutzbedürftig oder alt im Sinne des Abgelebten[7]. Züsis Mutter Gottes hinter Glas[8], eine solche Anordnung betont, zu der Reduktion per Material (Nußschale) und Stil (Diminutiv), das Verstaubte, Vergreiste eines religiösen Symbols. — In den gleichen Zusammenhang gehört das Vaterunser, »mit Gold auf einen roten durchsichtigen Glasstoff gedruckt, den sie [Züs] Menschenhaut nannte ...« (7, 275). Hält man Züsis seltsame Bezeichnung mit dem Motiv des Gläsern-Starren zusammen, dann wird hier erneut der Eindruck des Mumienhaft-Leblosen

[5] Entsprechend darf man in der Erwähnung des gemalten und vergoldeten Ostereis eine Ironisierung des Unsterblichkeitsgedankens vermuten insofern, als hier das Fest der Auferstehung aus kindlichem Blickwinkel (Osterhasen-Assoziation!) gesehen ist.

[6] Den sektiererischen Pseudo-Propheten der Novelle »Ursula« ist Gott Vater — in Gestalt eines Apfels (!) — zusammengeschnurrt zu einem ›putzigen Herrgöttlein‹ (s. 10, 113).

[7] Vgl. die vertrockneten Blumen, das Haarmonument, die vergilbten Papiere, ja selbst die elfenbeinerne Büchse (dazu 9, 218) aus Züsis Lade. Durchweht von Moschusgeruch, ähnelt das Ganze in fataler Weise einem Mausoleum, in dem Erinnerung erstarrt und gleichsam zu (toter) Materie geronnen ist.

[8] Die kleine Küngolt hat in ihrer Truhe u. a. »ein Legendenbüchlein mit bunten Heiligen und auch einen schönen Schnecken, in welchem eine kleine Mutter Gottes ... [sitzt] in Gold und roter Seide, mit einem Glasscheibchen bedeckt« (8, 240).

evoziert. Auf die Situation angewandt, den fraglichen Text bezogen kann dies nur bedeuten, daß christliche Lehre, Gottes Wort (am Beispiel des Vaterunsers), so verführerisch — im Glanze rotgoldener Pracht — es sich geben mag, in den Augen des Dichters nichts ist als ein leerer Balg (s. dazu 10, 109)[9], etwas, von dem allenfalls jene zu profitieren hoffen, denen der Unsterblichkeitsgedanke noch nicht suspekt geworden ist.

Es ist dieses Gefühl religiöser Verunsicherung, das der Kompensation bedarf und im Streben nach materieller Sicherheit[10] einen Ausgleich für die ›Vertreibung aus dem Paradies‹ entdecken kann. So gesehen ist die Lockerung religiöser Bindungen, wie sie aus der Beschreibung einzelner Kuriosa aus Züsis Besitztum (indirekt) hervorgeht, zugleich auch wieder — ihr selbst freilich unbewußt — Antrieb all ihres Sammeleifers! Daß die Abwertung des Metaphysischen eine Aufwertung des Materiell-Dinglichen beinah zwangsläufig im Gefolge hat, lehrt das Auftreten des Peter Gilgus — Atheist und entlaufener Schulmeister in Kellers Jugendroman — auf (unfreiwillig) amüsante Weise. Da er, anders als Züs, offen mit dem Gott seiner Väter gebrochen hat, schleppt er als Reisekoffer einen ungeheuren Sack mit sich herum, der an wunderlichen Habseligkeiten alles enthält, dessen er irgend bedürftig werden konnte und so »die Vorsehung Gottes leidlich zu ersetzen« schien (6, 223).

Nicht nur muß der Verlust religiösen Halts als Ursache angesehen werden für jedwede Dinghäufung, auch Form und Verwendungszweck der einzelnen Stücke sind von daher bestimmt. Allein in Züsis Lade zählten wir vier Büchsen, zwei Fläschchen sowie zwei Körbchen, d. h. alles ›Gegenstände‹ mit der Funktion des Aufbewahrens. Die Reihe solcher Behältnisse aber läßt sich beinah beliebig fortsetzen, vom Medaillon über das verschließbare Herz bis hin zu Osterei, Kirschkern und Nußschale. Und obschon es kaum etwas zu geben scheint, das nicht zu Versteck und Aufbewahrungsort gemacht werden kann, die Mehrzahl dieser Schübe und Kapseln ist noch einmal gesichert in jener Truhe, die ihrerseits in einem alten Nußbaumschrank aufbewahrt wird, »dessen Schlüssel die Züs Bünzlin allfort in der Tasche trug« (7, 276/77). — Daß diese Prinzipien des Verschließens und Verschachtelns so konsequent wie allgemein gehandhabt werden, vermag ein Blick

[9] Vgl. die Passage aus einem Brief an die Geschwister Exner, in der Keller die (Beinah-)Trinkgabe der Schwester (Marie) mit einer ebenso ausgedehnten wie ironisch gemeinten Schenkungsaktion (teils wertlosen Plunder, teils nur der Fiktion nach vorhandene ›Gegenstände‹ betreffend) vergilt, darunter einem »Exemplar des Trauerspieles ›Savonarola‹ von Gottfried Keller, auf Pergament gedruckt, aus seiner, des Verfassers, eigener Haut. Das können Sie natürlich erst nach meinem Tode bekommen« Briefe 2, 191.

[10] Im ›Grünen Heinrich‹ hat Keller am Beispiel der Frau Margret das dumpf-heidnische Element dieses Vorgangs betont und Gelegenheit genommen, ›Frommkeit‹ und Götzendienst in einem Atem zu nennen getreu seiner Überzeugung, wonach »der *Aberglauben* eigentlich nur eine *Konsequenz des positiven Christenglaubens* ist« (21, 61), insofern beide Haltungen prüfender Verstandeshelle gegenüber gleichermaßen eine Zumutung darstellen.

auf die Parallelerzählung vom ›Schmied seines Glückes‹ zu bestätigen: Weniger bemittelt als Züs und darum ›ladenlos‹[11], trägt John Kabys doch ebenso viele Behältnisse mit sich herum, wie die Truhe der Jungfer sie in sich birgt. Da ist zunächst einmal das Futteral, in dem die Zigarrenspitze steckt, dazu passend Zigarrentasche sowie Tabaksdose. Zwar will dies fürs erste unbedenklich scheinen als notwendiges Utensil eines Rauchers, wären nicht das Bemerkenswerteste daran all die Schlösser, Häkchen und Ringelchen (s. 8, 76/77), wie denn seine größte Sorge dahingeht, daß sie zu jeder Zeit so gut schließen[12] wie am Tage ihrer Schöpfung. Darauf berechnet, Eindruck zu machen[13], könnte dies Zubehör schon von daher nicht nur in Schrank und Lade Verwahrung finden. In den Taschen des Anzugs seines Besitzers aber ist es nicht minder sicher untergebracht und behütet. Und auch die bei Züsis Schätzen bemerkte Tendenz zur Schachtelung kehrt bei Herrn Kabysens Idealausstattung wieder, etwa im Hinweis auf die labyrinthischen Verstecke des ebenso komplizierten wie zierlichen Geldtäschchens, das zwar beständig leer ist, für den Ernstfall jedoch über unendlich geheimnisvolle Abteilungen verfügt. Knöpfe, Kettchen und Nadeln, Etuis und Necessaires, was immer Herr Kabys an derartigen Zierstücken mit sich führt, diese sämtliche Ausrüstung erfüllt exakt den gleichen Zweck wie die Behältnisse der Züs, dient der materiellen Absicherung und dauerhaften Einrichtung in diesem Leben. — Besser noch als der Aufbewahrungsort von Züsis Lade kann das Versteck der Kammacher, die ihre Habseligkeiten unter den Fliesen der Schlafkammer verborgen halten (s. 7, 271; 287), diesen Hang zu überdauern veranschaulichen. Vater Jakoblein (»Der grüne Heinrich«) gar, als er seine Frau endlich per Gesetz zur Teilung des ehelichen Vermögens hat bewegen können, näht seinen Anteil an schimmernden Goldstücken sogleich »in lange, wurstartige Beutel, legte dieselben in einen Koffer«, den er zu allem Überfluß »am Boden festnagelte[14], setzte sich darauf und schlug seinen Helfershelfern, welche auch ihren Anteil zu erschnappen gehofft hatten, ein Schnippchen« (3, 80/81; dazu 12, 225 f.).

[11] Zwar legt der ›Glücksschmied‹ es darauf an, vor der Welt, in den Augen der Leute als wohlhabend zu gelten, und wirklich sieht man in ihm denn auch »einen behaglichen und sichern Zinsleinpicker oder Rentier, der seine Werttitel gewiß in einem artigen Kästchen aufbewahrte« 8, 77); tatsächlich aber ist er, trotz oder gerade wegen seiner Kleinodien, an die er allen weltlichen Besitz gewandt hat, am Ende bettelarm, so daß Frau Oliva schließlich voll Entrüstung feststellen muß, daß »Herr Kabys gar kein Mahagonikästchen mit Werttiteln« besitzt (8, 79).

[12] Eben diese Aufgabe erfüllen aus seiner Kollektion von Zierstücken (Uhr-)Kette, Busennadel und Knöpfe in besonderer Weise (s. 8, 75/76). Nicht nur wollen die drei emaillierten Hemdknöpfe bewundert werden, daß sie zusätzlich durch Kettchen untereinander verbunden sind, macht ihre (in erster Linie) bewahrend zusammenhaltende Funktion vollends deutlich.

[13] Eine Absicht, die erreicht wird durch Größe und Auffälligkeit der Attribute, d. h. vor allem durch eine gegenüber Züsis Schätzen veränderte Dimensionierung.

[14] Ein Verhalten, das nicht nur den früher bemerkten Bodenkult eindrucksvoll bestätigt, sondern zugleich und in eins damit das Motiv des Glücksschmiedens (vgl. p. 113 f.) anklingen läßt. — Unter Züsis Habseligkeiten verweisen (Steck-)Nadel und Fingerhut nach Funktion wie Material

Bevor die Frage nach der Bewertung lebenslangen Sammelfleißes beantwortet werden kann, gilt es die Fülle seiner Erscheinungsformen wenigstens andeutungsweise nachzutragen: Die Zahl derer, die eine Lade voll von Dingen ihr eigen nennen und sorgsam hüten, ist, aufs Gesamtwerk gesehen, beinahe Legion, angefangen bei dem hölzernen Kästchen, in dem die Mutter Lee neben ihren Patengeschenken »einen kleinen Schatz an alten und neuen Silbermünzen« aufbewahrt (3, 133), bis hin zu dem Kommodenschränklein der Marie Salander mit ihrem bescheidenen Hort (s. 12, 40). Wo derartiges Sammeln von Berufs wegen betrieben wird, sind zuletzt ganze Häuser angefüllt mit Waren und Hausgerät, wie die Gewölbe der Frau Margret oder das Anwesen des Hexers Pineiß, das »von unten bis oben vollgestopft [ist] mit allen erdenklichen Dingen ...« (7, 331). Und nicht nur läßt diese Ausdehnung des Sammeltriebs ins Große und Grundsätzliche Rückschlüsse zu auf den erreichten Grad religiös-existentieller Verunsicherung, je unverhüllter der Wille zum Besitz hervortritt, desto deutlicher erkennbar werden die Wertakzente: Das, was da gehortet wird in großem Stil, erscheint alsdann als Trödelkram (s. 3, 59), die Eigentümer als Trödler (s. 6, 68) oder, in bezeichnender Verkleinerung und mit sprechenden Namen als »Trödelmännchen« (6, 68; vgl. 76ff.), als Vater Jakoblein (s. 3, 76) oder Schmalhöfer (s. 6, 77); Widersprüche, wie sie, über alle pejorative Darstellung hinaus — im Einzelfall sind genau die haltgebenden Stellen zu »Kettchen« (8, 75), »Häkchen und Ringelchen« (8, 77) diminuiert —, nirgends deutlicher aufbrechen als in der Vergeblichkeit noch so sorgsam betriebener Schatzhüterei. Wer sein Augenmerk ausschließlich auf die Vermehrung materiellen Besitzes richtet, steht am Ende mit Sicherheit vor leeren Schüben und Schränken. Je konsequenter das Bemühen, desto größer — und erfolglos komischer — die Diskrepanz zwischen Gewolltem und Erreichtem!

2. Der Geltungsbereich des Komischen

Wo Sammelleidenschaft im Gewand der Marotte auftritt, die Entwertung des Dinglichen sich vorwiegend unter dem Aspekt des Unernsten vollzieht, wird die Frage akut nach den Kriterien des Komischen im Werk dieses Dichters. Unser Augenmerk gilt darum im folgenden den Normen und Wertsetzungen, die sich bei Lektüre der Kellerschen Dichtungen[15] ausmachen lassen und deren Nichteinhaltung den Effekt des Lächerlichen im Gefolge hat. — Wenn etwas in dieser

(Gold, Silber) am ehesten in diese (letztere) Richtung, wobei eben die Materialisierung des fraglichen Phänomens, die fälschliche Identifizierung von Glanz und Glück schon die Vergeblichkeit ihres Strebens andeutet, zumal bei Keller nur diejenigen glücklich zu werden pflegen, die dies auch wirklich verdient haben.

[15] Damit ist bewußt das grundsätzliche Problem ausgeklammert, die Diskussion darüber vertagt, ob es etwas absolut und schlechthin Komisches gibt.

Welt vorbildhaft sein kann, dann ist es in Kellers Augen der Bereich der Natur und, daraus abgeleitet, die Haltung der Natürlichkeit (vgl. p. 72ff.). Natürliches Sein, das meint zunächst einmal, dem allumfassend ganzheitlichen Charakter der Natur entsprechend, organisch-einheitliches Sein, Menschen also, bei denen weder Verstand noch Empfindung hypertrophieren. Von solcher Idealität sind die Züs wie ihre Verehrer nun freilich weit entfernt. Statt dessen wird uns die Jungfer gezeigt im Besitz eines Bücherschatzes, in dem sie nicht nur fleißig liest, dessen »ganze kleine Gelehrsamkeit« sie mehr noch im Gedächtnis trägt dergestalt, daß sie »den Katechismus ... wie das Deklinierbuch, das Rechenbuch, wie das Geographiebuch, die biblische Geschichte und die weltlichen Lesebücher« auswendig weiß (7, 279). Damit gilt sie nach eigner Einschätzung wie in den Augen ihrer Umwelt für eine Art Genie; die Meinung des Lesers wie den Willen des Dichters betreffend, verkörpert sie eher den Typ des Blaustrumpfs. Wenn Keller Vertretern dieses literarischen Musters ablehnend gegenübersteht, liegt der Wendung gegen allzu große Gelehrsamkeit der Frau weniger ein versteckter Antiintellektualismus[16] zugrunde, die Geringschätzung richtet sich vielmehr generell gegen jegliche Art von Buchwissen darum, weil Lehrbuchinhalt[17] und Lebenswirklichkeit seiner Meinung nach zweierlei Ding und miteinander unvereinbar sind[18]. Für die Frau[19] erscheint ihm die Aneignung solch zweifelhafter Kenntnisse um so bedenk-

[16] Natürlich hat die Verpönung gerade des Schul(-buch)mäßigen auch biographische Hintergründe, ist der Seitenhieb eines Autodidakten wider Willen, den die Schulmeister für ein in pädagogischer Hinsicht untaugliches Subjekt hielten und der ihnen diese Fehleinschätzung heimzahlte, indem er ihnen seinerseits die Unreife von Kindern bescheinigt und den Kontrast zwischen Amt und Verstand zum Erzielen komischer Effekte ausbeutet (s. 4, 106ff.; 199ff. 6, 223). Dahinter aber steht die grundsätzliche Ansicht, daß man lernen kann nur auf dem Wege der Lebenserfahrung, der aufmerksamen Beobachtung dessen, was um uns herum vorgeht: Unter den verflossenen Liebhabern der Züs findet sich ein Buchbinder, der zwar alle Bücher, die er je eingebunden, zuvor selbst gelesen hat, aber gerade darum außerstande ist, das tatsächliche Wesen seiner Angebeteten zu durchschauen; aus Unerfahrenheit (s. 7, 280), resultierend aus dem Versäumnis, das Leben je auf direktem Wege angegangen zu sein.

[17] Auch die Weltkenntnis, die allein auf dem Studium von Geographiebüchern oder Globen beruht (s. 9, 231), ist verdächtig, solange sie nicht begleitet und gestützt wird von Erfahrung. Pankraz holt diese Praxis nach (s. 7, 10 u. 27/28), während die Goldacher Honoratioren verlacht — und genasführt — werden ob dieses Versäumnisses als »diejenigen Mitglieder guter Häuser, welche ihr Leben lang zu Hause blieben, deren Verwandte und Genossen aber in aller Welt saßen, weswegen sie selbst die Welt sattsam zu kennen glaubten« (8, 18). — So bleibt das einzige Buch, aus dem man lernen kann, das ›Buch‹ der Natur, findet man (z. B.) den Ex-Schulmeister Wilhelm zur Zeit seiner Wandlung, sprich Lebensertüchtigung, »über einem großen Buche mit Pflanzenbildern« sitzend (8, 193).

[18] Vgl. die gänzliche Ahnungslosigkeit der Dozierenden, die (lächerliche) Art, mit der sie »so viel und so salbungsvoll wie eine gelehrte Blinde« daherredet, »die nichts von der Welt sieht und deren einziger Genuß ist, sich selbst reden zu hören« (7, 280); jenes fatale Mißverhältnis auch zwischen Realität und Anspruch, das selbst die Kammacher bei all ihrer Beschränktheit mitunter aufzudecken imstande sind (s. 7, 305).

[19] Wenn den Kammachern solche (Pseudo-)Gelehrsamkeit im allgemeinen abgeht, so sind sie

licher, weil sie die so wünschbare wie natürliche Einheit von Herz und Verstand zu zerreißen, das Gleichgewicht zuungunsten des ersteren zu zerstören droht; eine Gefahr, die nicht geringer wird, wenn man das besondere Naturell gerade der Züs berücksichtigt.

Die absolute Leidenschaftslosigkeit der Jungfer zu betonen — mit keinem der Kammacher verbindet sie ein echtes Gefühl —, hat Keller ihr (mehrfach) das Motiv der Chinoiserie beigegeben. Wolfgang Kayser[20] hat ihm, im Zusammenhang mit dem Prinzip der Schachtelung, den Charakter des Grotesken zusprechen wollen; zu Unrecht, wie wir meinen, läßt sich doch die Bedeutung derart exotischer Requisiten aus einer Synopse der in Frage kommenden Textstellen eindeutig bestimmen: Wenn die Lydia sich vor Pankrazens Augen just »mit einem feinen, kunstvoll in Elfenbein gearbeiteten Geduldspiel aus China« zu schaffen macht (7, 45), dann ist dies ein untrüglicher Hinweis auf die wahre, keineswegs entflammte Gemütslage dieser Kokotte. Umgekehrt, wenn Dortchen Schönfund beim Trödler nach chinesischen Tassen fragt (s. 6, 70) und den alten Schmalhöfer bedrängt, die in Aussicht gestellten Stücke möglichst bald zu beschaffen (s. 6, 167; 169; 206/07), dann bezeugt dies ihre Ungeduld, eine Leidenschaftlichkeit, die dem Wissen um die Endlichkeit allen Lebens entspringt und im Falle der Beziehung zu Heinrich dazu führt, daß sie sein Schweigen zum Anlaß nimmt, sich anderweitig zu verloben. — Züs dagegen gehört ganz eindeutig in die Reihe der Fühllosen vom Schlage der Lydia. Zwar ist der chinesische Tempel auf ihrer altväterischen Kommode das Geschenk eines verflossenen Liebhabers, ja mit seinen »verborgene[n] Bilderchen, Blumenbouquets und liebende[n] Pärchen« (7, 282) eigentlich ein Liebeshaus, zugleich aber auch die mühevolle Arbeit vieler Nächte und Feiertage, d. h. Ergebnis eines an sich schon entsagungsvollen Unterfangens, so daß es Züsi von daher nicht schwerfällt, den Urheber »ganz in den Schranken klarer Hoffnungslosigkeit zu halten«, zumal da er »neun Jahre jünger war als sie, arm wie eine Maus und ungeschickt zum Erwerb ...« (7, 281). Sind es hier irdisch-ordinäre Gründe, die ihren Entsagungswillen komisch in Frage stellen, so zeigt die Art, in der sie das Denkmal »ungebraucht und neu erhält und gar nichts in die Behältnisse steckte« (7, 282)[21], wie wenig sie überhaupt irgendeiner Liebesregung fähig ist, mithin von Entsagung, die immerhin Temperament als Voraussetzung eines Aktes der Selbstüberwindung erfordert, ernsthaft gar nicht die Rede sein kann. — Dieses ihr ›asiatisches‹ Naturell, das allgemeine Lieblosigkeit ebenso umschließt wie totales Unverständnis hinsichtlich seelischer Exaltationen

darum nicht minder berechnend als ihr Vorbild und Leitstern Züs. Nicht nur heben sie jeden verdienten Groschen auf und führen peinlich genau Buch über ihre etwaigen Ausgaben (s. 7, 271; dazu 3, 161 ff.), Rechnen und Pläneschmieden wird allgemach ihre einzige Lebenshaltung, bis sie am Ende selbst die Gefühlssphäre in das Kalkül mit einbeziehen.

[20] Das Groteske. Seine Gestaltung in Malerei und Dichtung, Oldenburg 1957, S. 117.

[21] Vgl. auch den Standort des Mörsers »zwischen der blauen Teekanne [Chinoiserie!] und dem bemalten Blumenglas« 7, 278, sowie die Tee-Löffel unter ihren Schätzen.

(anderer), wird noch einmal komisch entlarvt im Blick auf ihre Bücherei, unter deren Bestände sich auch ein Exemplar von Schillers ›Räubern‹ verirrt hat, welche wilde (und ihr darum wesensfremde) Geschichte (s. dazu 6, 40) »sie so oft las als sie glaubte, ... [den Inhalt] genugsam vergessen zu haben ...« (7, 279).

Das Moment des Leidenschaftslosen zu unterstreichen, hat der Dichter sie ferner der berühmt-berüchtigten Zunft seiner Waschfrauen eingereiht. Ursula und Agathchen (»Das verlorne Lachen«) gehören zu dieser Gruppe vermöge ihrer absoluten Anspruchslosigkeit und Selbstgenügsamkeit, sie sind ebenso unermüdliche Wäscherinnen wie Geduldüberinnen, wobei das zweite nur die Voraussetzung ist jener ersten Kennzeichnung, anders gewendet, ihre berufliche Fertigkeit lediglich das äußere Zeichen abgibt einer bestimmten seelischen Konstitution und Gemütsverfassung (s. 8, 404 ff.; 409 ff.; 416)[22]. — Das makellose Weiß, das hervorzubringen der eigentliche Lebenszweck dieser Gilde geworden zu sein scheint, gerät über die Bedeutung des Reinlichen hinaus zunehmend in die Nähe des Sterilen, als ›Farbton‹ vermag es zuletzt den Akzent des Leblosen, weil Blutlosen anzunehmen. Kein Wunder, wenn die Pfarrerstochter des ›Sinngedichts‹ — sie hat Reinhart zu Ehren »eine schneeweiße Küchenschürze umgebunden« — so sorgfältig geputzt aussieht, »wie wenn sie eben aus einem mit Spezereien durchdufteten Glasschranke käme ...« (11, 14), lebt sie doch in einer Welt, die von Sauberkeit und Ordnung[23] bis in die letzten Winkel erfüllt ist, »durchsichtig und klar wie Glas« bis zu einem Grade, daß zuletzt »nicht ein dunkles Gefühlchen im Verborgenen stürmen konnte« (11, 13). Mehr als alle andern hat die Züs, in deren Stube es ebenso »sauber und aufgeräumt« aussieht, wie sie selbst stets »sorgsam und reinlich angezogen« einhergeht, den Reinlichkeits- und Ordnungskult um sich herum bis zu einem Grade perfektioniert, daß über allem Purismus jedes menschliche Empfinden zuletzt abhanden gekommen ist. Wie sehr hier Beruf und Naturell übereinstimmen[24], zeigt sich an den Tagen, an denen sie ihrer Mutter

[22] Von einer solchen kann kaum noch die Rede sein im Falle der Cornelia, die als Nachbarin Zwiehans (»Der grüne Heinrich«) dem Albertus unter dem Vorwand der vorzunehmenden großen Halbjahrswäsche nachstellt (s. 5, 114). Was er von dieser Person zu gewärtigen hätte, verdeutlicht ein Blick auf die schließlich in seinem Garten aufgehängte Wäsche, wenn die »wie von Luftdämonen beseelten Weiberhülsen ... sachte hin und her ... säuselten« (5, 116). So sehr fühllos ist diese Wäscherin, daß sie sich unverzüglich dem Halbbruder Zwiehans anträgt, sobald dieser nur erst das väterliche Vermögen an sich gebracht hat; und keineswegs drängt sie nun auf Entfernung des Nebenbuhlers, im Gegenteil weiß sie den Gemahl zu bereden, ihren einstigen Liebhaber in das Haus aufzunehmen, wobei ihr stoischer Gleichmut allenfalls durch gelegentliche Anfälle von Bosheit ins Wanken gerät, schnöde Herzlosigkeiten, mit denen sie dem unglücklichen Albertus — nunmehr in der Rolle eines Knechtes — das Leben vergällt (s. 5, 132). — In Kellers letztem Roman sind die Zwillinge Weidelich, von denen es heißt, sie hätten keine Seelen (s. 12, 249), Söhne einer Waschfrau (s. 12, 5).

[23] Vgl. die Symmetrien an den Wänden 11, 13; dazu die Aufgeräumtheit etwa des Hauses am See, in dem Anna lebt 3, 239.

[24] Ihren »gemessenen Geist beurkundete auch die Hauptzierde der Wohnung, ein Kranz von

bei der Wäscherei hilft, in der Konsequenz vor allem, mit der sie »jene strenge und gemessene Stimmung innehielt, welche die Weiber immer während einer Wäsche befällt« (7, 277) und die Keller so gern mit dem feierlich-andächtigen Ernst religiösen Zeremoniells vergleicht[25].

Nun ist diese Person zwar ein Paradebeispiel für jenen Menschenschlag, dem die Fähigkeit zu menschlicher Anteilnahme wie seelischen Aufschwüngen gänzlich abgeht, doch können die Kammachergesellen in puncto Leidenschaftslosigkeit durchaus mithalten. Jobst zum Beispiel, obwohl der Älteste von den dreien, hat eine eheliche Verbindung niemals in Betracht gezogen, »weil er unter einer Frau nichts anderes denken konnte als ein Wesen, das etwas von ihm wollte, was er nicht schuldig sei« (7, 284), und in ähnlicher Weise ist das Gemüt seiner Mitgesellen frei »von jeglicher Leidenschaft ...« (7, 274). Bezeichnend, daß Dietrich, der Schwabe, den Gedanken, sich zu verlieben, erst in dem Augenblick ›erfindet‹ (s. 7, 274), als es gilt, den materiellen Vorsprung der beiden Älteren aufzuholen. Diese ihre Wesensart auch äußerlich deutlich zu machen, hat der Dichter gegenüber der frühesten Fixierung des tragenden Motivs eine Änderung des Handwerks vorgenommen: Aus der »Geschichte von den drei Schreinergesellen ...« (7, 400) sind »Die drei gerechten Kammacher« geworden darum, um anhand dieses Motivs, am Beispiel der Funktion ihrer Produkte — Kämme dienen dem Ordnen und Befestigen ungebändigter und schwer zu bändigender Haarfülle (s. 4, 12) und erreichen insbesondere da domestizierende Wirkung, wo es gelocktes (s. 11, 14) oder gekräuseltes Haar (s. 7, 150/51) in schicklicher Manier zusammenzuhalten gilt — die Übereinstimmung von Tun und Sein, Beruf und Berufung, nachhaltig demonstrieren zu können.

Natürlichkeit ist (u. a.) ein ästhetisches Phänomen insofern, als die Vorstellung organischer Ganzheit ein ausgewogen harmonisches Verhältnis der Teile untereinander mit einschließt. Nach außen hin und sozusagen negativ macht dieses Ideal sich bemerkbar darin, daß nichts einzelnes auffällt am Bild der menschlichen Erscheinung (s. 8, 212)[26]. Ins Positive gewendet bringt der Dichter den Gedanken harmonischer Naturschönheit gern auf akustischem Wege zum Ausdruck, indem er Vogelruf und Glockenklang bemüht und noch der Stille ein Moment des Melodischen abzugewinnen weiß (s. 7, 182). Entsprechend hat er seinen natur-

viereckigen, genau abgezirkelten Seifenstücken, welche rings auf das Gesimse des Tannengetäfels gelegt waren zum Hartwerden ...« (7, 277).

[25] s. dazu den ebenso unziemlichen wie bezeichnenden Vergleich von den »fünf oder sechs älteren Waschfrauen, die an hervorragender Stelle feierlich auf einem Baumstamme saßen, wie ebensoviele Bischöfe ...« (8, 408/09).

[26] Vom einseitig Unharmonischen ist es dagegen nur mehr ein Schritt zum Unmäßigen, ja Maßlosen, wie es sich bemerkbar machen kann in der (komisch) gesehenen Disproportion des Äußern, sei es nun in Gestalt eines übermächtigen Rumpfes — dies, zu den Unstimmigkeiten der Gesichtsbildung, der Fall der Kätter Ambach (s. 8, 162) — oder als Dominanz der Extremitäten (Schafürli) auftretend (s. 8, 267/68).

nahen Frauen wohltönende Stimmen verliehen[27], Lachtöne aus klangvoller Kehle dem Gesang einer Nachtigall verglichen (s. 7, 132). Landolt hat seine Liebschaften, dem Klang ihrer Stimme entsprechend, mit Kosenamen aus dem Bereich der Singvogelwelt (Distelfink, Grasmücke, Amsel) belegt; und wie er sich an dem Gezwitscher des schönen Gevögels zu freuen vermag (s. 9, 276), so gerne lauscht er ihrem Gelächter, das ihm seinem Wohllaut nach — gelegentlich tituliert er die ›Verflossenen‹ auch direkt als »Glocken« — »›das Glockenspiel eines Cäcilienkirchleins‹« zu sein dünkt (9, 263). — ›Klangvolle‹ Bilder und poetische Vergleiche[28] zur Kennzeichnung harmonisch in sich ruhender Persönlichkeiten, von daher gewinnt ein bisher wenig beachtetes Requisit unter Züsis Gerätschaften überragende Bedeutung: Wir meinen jenes artige Mörserchen, das ein aufmerksamer Zeugschmied ihr just aus Anlaß ihres Namenstages verehrte und das seither wie eine Art Spitzmarke unverwechselbar zu ihr gehört. Zwar erscheint diese Gabe zunächst unverdächtig, ja ins Positive gewendet im Augenblick der Dedikation, wenn der Überbringer sie, ehe er eintrat, »mit dem einen Henkel an den kleinen Finger« hing und »mit dem Stößel ein schönes Geläute an[hub], wie mit einer Glocke«, doch erweist sich die (vergleichsweise) Anspielung auf den musikalisch-klanglichen Bereich als äußerst unzutreffend und allenfalls ironisch gemeint insofern, als es sich hier um ein Gerät zum Zerkleinern handelt, einen Gewürzmörser zumal, wie denn der Gratulant auch gleich »was zum Stoßen mitbrachte: eine Schachtel voll Zimmet, Zucker, Nägelein und Pfeffer« (7, 278). Das Stichwort ›Gewürzmörser‹ führt uns weiter zu der Figur des Apothekers, womit weniger ein Berufsstand gemeint ist als vielmehr ein Menschenschlag, bei dem das Ideal des Harmonischen, sprich ›Natürlichen‹, durch kleinliche Gesinnung — daher das Bild des Gewürzkrämers, seiner apothekerhaften Spitzfingrigkeit wegen (s. 7, 41. 4, 98) — ins genaue Gegenteil verkehrt ist[29]. Kein Wunder, daß ein solcher Mörser schon lange der sehnlichste Wunsch Züsis gewesen war, kein Wunder auch, wenn eben dies Geschenk alsbald zum Zankapfel und Streitobjekt avanciert, und bezeichnend schließlich der Unzertrennlichkeitscharakter von Ding

[27] Vgl. Kellers Äußerung, wonach er Menschen, insbesondere Frauen, vorzugsweise nach ihrer Stimme beurteile, Briefe 2, 16/17; 163.

[28] s. den Hinweis auf Gritlis mit Ringen und Glöckchen geziertes Spinnrad 8, 129/30. Dagegen bleiben die Glöcklein am Tempel der Züs stumm (s. 7, 282), wird die Besitzerin (auf Grund ihrer perfektionistischen Art, sich mehrerer Liebhaber zugleich zu versichern) ironischerweise jenen Virtuosen verglichen, die zwar »viele Instrumente zugleich spielen, auf dem Kopfe ein Glockenspiel schütteln, mit dem Munde die Panspfeife blasen, mit den Händen die Gitarre spielen, mit den Knieen die Zimbel schlagen, mit dem Fuß den Dreiangel und mit den Ellbogen eine Trommel, die ihnen auf dem Rücken hängt« (7, 308/09), ohne daß das Ganze darum eine harmonische Melodie ergäbe.

[29] Wiederholt in der Beschreibung und den Tätigkeitsmerkmalen des Trödlers aus »Spiegel, das Kätzchen«: »Herr Pineiß war ein Kann-Alles, welcher hundert Ämtchen versah, Leute kurierte, Wanzen vertilgte, Zähne auszog und Geld auf Zinsen lieh; ... er handelte mit Ingwer und Pfeffer, mit Wagenschmiere und Rosoli, mit Heftlein und Schuhnägeln ...« (7, 330).

und Person, der dazu führt, daß sie einen »heftigen kleinen Prozeß« anstrengt, als man ihr dieses ihr ›Aushängeschild‹ streitig machen will (7, 278). — Überfliegt man von hier aus noch einmal den Inhalt der Lade, so erinnert auch dort eine Reihe von Dingen an das Moment des Apothekerhaft-Disintegrativen, etwa das »Bündel vergilbter Papiere mit Rezepten und Geheimnissen«, ferner ein Körbchen, »aus Glasperlen und Gewürznägelein zusammengesetzt« (7, 275). Wofern man von hier aus das Recht ableiten darf, den Aspekt des Disharmonischen auf Züsis Habseligkeiten insgesamt zu übertragen, ist damit zugleich der entscheidende Gesichtspunkt gewonnen, unter dem das Tohuwabohu[30] dieses ihres Schatzkästleins[31] gesehen werden muß: als unstimmig-unharmonisches und darin unnatürlich-komisches[32] Durcheinander[33].

[30] Ein nicht minder heilloser Wirrwarr als in Züsis Lade herrscht auf ihrem Bücherbord, welches vollgepfropft ist mit einem »Häufchen unterschiedlicher Bücher ...« (7, 279); und diesem Bücherensemble entsprechend sieht es in ihrem krausen Hirn aus, ein Umstand, der sich auf vornehmlich komische Weise bemerkbar macht, indem dieser ›Rappelkopf‹ zu allem Überfluß auch noch über eine rastlose Zunge verfügt, die bei allen erdenklichen Gelegenheiten einen abenteuerlichen Galimathias zum besten gibt (s. bes. 7, 289 ff.; 304 ff.).

[31] Vgl. das Gilgussche ›Auge‹, d. h. jene künstlich-mechanische Nachbildung des menschlichen Organs, die sein Besitzer der naturwissenschaftlichen Sammlung der Schule, an der er zuletzt tätig war, entwendet und zu »Geheimarchiv und Schatzkammer« umfunktioniert wie (nach Art der Züs) mit allerlei totem Kleinkram gefüllt hat, und dessen Inhalt zudem von der Fahrt her hoffnungslos durcheinandergerüttelt ist 6, 224.

[32] gegen Dietrich Pregel — Das Kuriose, Komische und Groteske in Kellers Novelle »Die drei gerechten Kammacher«. — In: WW 13, 1963, S. 331—45 — und die von ihm versuchte Einstufung des Ladeninhalts als Kuriositätensammlung (s. S. 334/35). Man könnte diese Bezeichnung gelten lassen, zumal Keller sie selbst gelegentlich verwendet, wäre damit nicht von seiten des Verf. eine qualitative Fixierung im Sinne des »belächelbar Geheimnisvollen« (S. 335), d. h. in Richtung auf eine humoristische Erzählhaltung hin verbunden. — Nicht minder problematisch freilich will der von Lilian Hoverland — Gottfried Kellers Novelle »Die drei gerechten Kammacher«. — In: ZfdPh 90, 1971, S. 499—526 — unternommene Versuch erscheinen, die Dinge samt und sonders dem Rubrum ›grotesk‹ zuzuordnen (s. S. 503 ff.).

[33] Freilich ist das Durcheinander doch nicht total, gibt es insgeheime Ordnungsprinzipien ebenso wie versteckte Wertungen in diesem vordergründig unentwirrbaren Tohuwabohu. So läßt die Reihenfolge, in der der Inhalt der Lade aufgezählt wird, zumindest ein deutliches Gegeneinander von materiellen und geistlich-religiösen Dingen erkennen: Anstelle des Kirschkerns mit christlicher Symbolik birgt sein Pendant — ein Kegelspiel, d. h. die für Keller signifikantesten Zeichen weltlicher Lustbarkeit (s. 7, 16. 1, 209), um nicht zu sagen Lasterhaftigkeit (s. 5, 219). Passion und Kegelspiel, damit stehen sich Sühneleid und ausschweifende Weltlust unvermittelt gegenüber. Und wenn dies auch die vielleicht schneidendste Dissonanz ist zwischen Himmelsanruf und Erdenlockung, so doch keineswegs der erste und einzige Mißklang dieser Art: Da liegt der Gültbrief samt Zinsertrag neben Taufzettel und Konfirmationsschein als den Dokumenten der (Erst-)Aufnahme wie des bewußten Eintritts in die Gemeinschaft der Kirche. Es folgen Silberlöffel und Vaterunser, der erwähnte ›Leidens‹-Kern neben der Elfenbeinbüchse, die mit dem Spiegelchen ein Zeichen weiblicher Putzsucht, ja menschlicher Eitelkeit schlechthin enthält. Die Mutter Gottes schließlich findet sich wieder inmitten von Dingen, die Erinnerungen an einstige Liebesbegegnungen festhalten. — Andererseits ist der Kontrast zwischen frömmelnder Degagiertheit und kaum verhüllter Besitzgier erneut eine Quelle der Komik. Frömmelei und

Schließlich vermag auch das Moment des Scheinhaften eine Quelle der Komik abzugeben insofern, als es ganz allgemein gegen das Prinzip der Naturwahrheit verstößt. Verglichen mit ihrem Tun und Denken erweisen sich alle gesprächsweise usurpierten Tugenden der Züs als schiere Heuchelei[34]. — Von derart notorischer Scheinheiligkeit lediglich durch den Aspekt der Modernität, des Zeitgenössischen unterschieden ist das Motiv der ideellen Verblasenheit. Bemerkbar vor allem an den buntscheckigen Phrasen der Wäscherin (s. 7, 281), erreicht dieser Manierismus der Rede seinen Höhepunkt in der Begegnung der Jungfer mit jenem ebenso schwärmerisch veranlagten wie törichten Buchbinder, der die Züs vergöttert, während sie den Erbauer des ›Tempels der Erinnerung‹, der doch in Wirklichkeit Veit geheißen, Emanuel nennt[35]. Deutlicher noch als in den ›Kammachern‹ macht die Diskrepanz zwischen Krämerseele und Poetenpose sich bemerkbar in dem kläglichen Scheitern des Versuchs, die Entstehung des Litumlei-Blutes mit Hilfe eines fingierten Romans zu dokumentieren. Die Komik dieser Passagen geht zurück auf die kümmerliche Phantasiearmut der Schreiber, deren wahre Natur in (ständigen) inhaltlichen Abirrungen wie in der Verhunzung des leidenschaftlichen thematischen Vorwurfs durch nüchternsten Geschäftsstil zum Ausdruck kommt. Damit führen die Erzählung vom Schicksal der Züs und ihrer Verehrer wie ihr novellistisches Pendant (»Der Schmied seines Glückes«) nicht nur beliebige Beispiele vor unideal-unganzen Menschentums, Keller geißelt in dem Syndrom ›falsche Idealistik‹ (s. 22, 337) zugleich eine Form der Unnatur, die ihm repräsentativ erscheint für seine Zeit; dies um so mehr, je mehr er sie als Zeit der Nachgeborenen begreifen lernt. »Unser ist das Loos der Epigonen« (2/1, 3), heißt es in einem frühen Ghasel (!) des Jahres 1847, das in überarbeiteter Form und sehr viel

Vergötzung des Materiellen, in Züsis Person ist beides, neben Zügen des Abergläubischen — Marderdreck und Moschus als Arcanum und Zaubermittel — eine ›barbarische‹ und nicht nur in den Augen des Dichters unerträgliche Mischung eingegangen (s. dazu die »Glosse« anläßlich der Eröffnung eines polnischen Nationalmuseums auf Schweizer Boden 21, 206—08).

34 Während vertraulicher Umgang mit der (freilich zahmen) Tierwelt normalerweise unverstellte Natürlichkeit signalisiert — so ist Regine ehrlich wie ein Hund (s. 11, 92), und nichts anderes will der Umstand besagen, daß Dortchen im Besitz eines Vierbeiners gezeigt wird (s. 6, 257 ff.) —, offenbaren Züsis Tierreden nur noch einmal die Verlogenheit und hoffnungslose Verdrehtheit ihres Charakters, trägt die vorgebliche Tierliebe der Gesellen — Fridolins Geschichte von der Anhänglichkeit und unbeirrbaren Treue des Pudels soll ausgerechnet die integre Gesinnung des Bayern bezeugen (s. 7, 303 f.)! — wesentlich zur Seltsamkeit des Konventikels bei (s. 7, 286).

35 In gleicher Weise wird der Widerspruch zwischen den bombastischen Reden der Züs und ihrer wahren Natur offenbar in dem Augenblick, da der Dichter, sie zu beschreiben, einer Diktion verfällt, die nach Vokabular (»behufs besserer Nutznießung«) und Wortstellung (Inversionen!) an schlechtestes Kaufmannsdeutsch gemahnt: »Diese Stücke zirkelte ab und schnitt aus den frischen Tafeln mittelst eines Messingdrahtes jederzeit Züs selbst« (7, 277). Vgl. auch Viggi Störtelers schreckliche Tiraden, den Briefschwulst, der mit seinem nüchternen Geschäftssinn eine so komische wie unbegreifliche Mischung eingeht 8, 137/38 u. 145. — Zwar zählt auch Hildegard Demeter derartige Erscheinungen zu den Stilmitteln des Komischen (a. a. O. S. 115/16), ohne freilich eine Erklärung dafür zu wissen.

später immerhin der Aufnahme in die ›Gesammelten Gedichte‹ (von 1883) für wert erachtet wurde. Keine beiläufige Äußerung also, sondern Ausdruck eines Lebensgefühls, das Keller mit vielen kritisch-wachen Geistern seiner Epoche teilt. Spätling zu sein, einer Übergangsphase zugehörig zwischen der unerreichbar großen Vergangenheit — für den Dichter weitgehend identisch mit der ›Klassik‹ — und einer in ihren Konturen noch nicht klar erkennbaren, jedenfalls aber (neuerlich) eigenschöpferischen Zukunft, diese Auffassung setzt sich in dem Zeitgenossen Keller fest, seit die Hoffnung, die Ereignisse von 1848 könnten erneuernde Impulse bringen und eine allgemeine Kräftigung der geistigen Tendenzen zur Folge haben, sich als trügerisch erwiesen hatte[36]. Seither gehört der Traum vom idealganzen Menschen der Vergangenheit an, für den Schweizer Keller war er — strenggenommen — mit ausgehendem Mittelalter (als der letzten großen nationalen Epoche) so gut wie ausgeträumt. Was blieb, war ein zunehmendes Mißvergnügen an der Gegenwart[37], ein Unbehagen, das seine novellistische Gestaltung alsbald

[36] Eine der entscheidenden theoretischen Äußerungen Kellers zur Situation des (zeitgenössischen) Künstlers, in der Gesamtausgabe unter der Rubrik »Reflexionen« ausgewiesen (s. 22, 337/38), stammt bereits aus dem Jahre 1850. Danach versteht der Dichter sich wesentlich als Angehörigen eines ›Zwischenreichs‹, wobei die Spannung zwischen dem Heute und dem ›Morgen‹ exakt die Situation des Spätlings kennzeichnet — im Unterschied zum Epigonen, dem die Dimension des Zukünftigen völlig abgeht, dessen Haltung sich vielmehr in weinerlicher Treue dem Alten und Abgelebten gegenüber erschöpft, einer Position bloßer Nachahmung, die von Keller ausdrücklich abgelehnt wird, denn »der rückwärts liegenden überwundenen Produktion sich anzuschließen, dazu ist er zu stolz« (22, 337). — Insgesamt zu optimistisch ausgefallen ist die Einschätzung der Zwischenreich-Situation bei Walter Höllerer — Gottfried Kellers ›Leute von Seldwyla‹ als Spiegel einer geistesgeschichtlichen Wende. Eine Studie zur Geschichte der Novelle im 19. Jahrhundert, Diss. (Masch.) Erlangen 1949 —, der in diesem Zyklus eine Abkehr vom Idealtypus vergangener Tage (s. S. 13 ff.) sowie eine Hinwendung zu realistischer Darstellung von Welt und Menschenleben zu erkennen meint (s. S. 163) und so den ersehnten Durchbruch zu Neuem, Zukünftigem als bereits vollzogen vorwegnimmt; Entwicklungen, wie sie folglich weniger am Text selbst nachgewiesen sind denn mit Hilfe bunter Zitatensträuße aus der deutschen Novellistik nach 1850 gefolgert werden müssen.

[37] Ein entschieden anderes Zeitverständnis des Dichters behauptet Heinrich Richartz, Das didaktische Moment in Gottfried Kellers Erzählungen [(unveröffl.) Vortrag vor der Annette-von-Droste-Gesellschaft vom 8. 2. 1973]; inzwischen findet sich die nämliche Grundkonzeption, auf breitere Materialbasis gestellt und in Buchform zugänglich gemacht, wiederholt unter dem Titel: Literaturkritik als Gesellschaftskritik. Darstellungsweise und politisch-didaktische Intention in Gottfried Kellers Erzählkunst, Bonn 1975. Danach hat als zentraler Punkt der Analyse seiner Epoche deren Tendenz zur Demokratisierung zu gelten. Entsprechend wird Keller weniger am Ende einer großen Vergangenheit als vielmehr am Beginn eines neuen Zeitalters stehend gedacht. Dieses Neue zeige sich am Beispiel des Umgangs mit der vergangen ›klassischen‹ Literatur. Indem er seine Helden die dort gültigen Verhaltensmuster nachleben, sie freilich — anders als früher — darüber scheitern lasse, ergebe sich aus Analogie und Kontrast, Antizipation bei ausbleibendem Erfolg für den Leser — dies das didaktische Moment — die Verkehrtheit einer solchen Einstellung. Zwar dürfe die alte Literatur hinsichtlich ihres Humanitätsgehaltes weiterhin als vorbildlich gelten, sie versage jedoch, wo es um den Zeitbezug, die Einbettung des (historischen) Menschen in die Existenzbedingungen der (demokratischen) Gegenwart

in »Pankraz, der Schmoller« finden sollte, einer Geschichte, darin der Held durch die Lektüre von Shakespeares Dramen »schön in die Patsche« geführt wird, weil er die dort geschilderte (dichterische) Welt für zeitlos wahr hält, während sie es doch nur »in den ganzen Menschen ist«, nicht aber in einer »Welt der Mittelmäßigkeit und farblosen Halbheit...« (7, 50)[38]. Nicht nur erweist sich die Lydia inmitten solcher Umgebung als ein schönes halbes Gespenst ohne Seele (s. 7, 53)[39], ihr Vater als ein Philister (s. 7, 66/67), es ist überhaupt die Zeit der Philister[40] und Kaufleute (s. 7, 40/41), der Krämerseelen und schwächlichen Naturen. — Zwar heißt das nicht, daß nun jeder Schein komisch wäre, wohl aber, daß in einer Epoche, da philiströse Menschheit, kaufmännisches Naturell dominiert, alles Antizipierte, gleich ob Tugendheld oder Schwerenöter, als unzukömmliche Kostümiade wirken muß, die Welt entsprechend auf breiter Basis im Zeichen des (Epigonal-)Komischen gesehen wird.

3. Qualitäten des Komischen

Bei dem Versuch, die Vielzahl der Unzulänglichkeiten von Charakter und Wesensart zu katalogisieren, bot sich als gemeinsamer Nenner das Stichwort ›Unnatur‹, der Begriff des Unnatürlichen an. Was die Bewertung angeht, erscheinen Abnormitäten der genannten Art abwechselnd unter dem Aspekt des Törichten

gehe. — Sieht man davon ab, daß hier ausgerechnet einem Medium didaktische Funktion zugemutet wird, das nach Meinung des Dichters dazu denkbar ungeeignet ist, so liegt, um ein Beispiel zu nennen, der Fehler etwa Pankrazens nicht in dem Rekurrieren auf Shakespeare, sondern in der stillschweigenden Annahme, in einer der shakespeareschen Epoche ebenbürtigen Gegenwart zu leben. Wenn das, wie am Beispiel der so gänzlich ›unheldischen‹ Lydia gezeigt, nicht zutrifft, so ist die sich ergebende (negative!) Differenz in den Augen Kellers weniger dem Klassiker anzulasten als vielmehr ein Vorwurf an das (epigonale) Heute und ein Lapsus seines Helden allenfalls darin, daß er von Büchern ausgehend die Menschen beurteilt, anstatt den Weg der Lebenserfahrung zu gehen.

38 Weitere Belege bei Siegfried Mews, Zur Funktion der Literatur in Kellers »Die Leute von Seldwyla«. — In: GQ 43, 1970, S. 394—405. Freilich ist weder der eigentliche Akzent, das Ausspielen von Lebenserfahrung contra Buchwissen, getroffen, noch die Begründung gefunden für den vexatorischen Charakter aller (verflossen) schönen Literatur, die epigonale Zeitlage nämlich mit ihrem gegenüber den ›Klassikern‹ veränderten Bild vom Menschen.

39 Menschliche Seelenlosigkeit ist überhaupt erst der Anlaß, eine Person auf dem Umweg über die (sie) umgebenden Dinge zu schildern. Sofern das Motiv des Hohlen und Leeren dort wiederkehrt, wird dies umgekehrt zum Indiz für die Empfindungsarmut des Besitzers. — Über solch allgemeinen Zusammenhang hinaus erhält, den Fall der Züs betreffend, speziell das Material der Bonbonbüchse — eine alte, ausgepreßte Zitronenschale (s. 7, 275 u. 2/1, 3)! — seinen Sinn als Kennzeichen epigonalen Seins.

40 Mit ihrer löschpapiertrocknen Gefühlsarmut (s. 7, 41), ihren kleinlichen Krämerseelen stellen die Kammacher demnach nicht nur den Prototyp des Philisters dar, sie geben ebensosehr den Schulfall zeitgenössisch-›modernen‹ Menschseins ab. Die Absicht, dieses Moment des Zeittypischen zu unterstreichen, mag Keller bewogen haben, bei Ausarbeitung der Novelle die Handlung aus dem 18. Jahrhundert in die Zeit des Biedermeier zu verlegen (s. 7, 400).

oder Krankhaften. Der Erzähler schilt die Arbeitswut der Kammacher ›töricht‹[41] darum, weil sich hinter derart stupidem Fleiß nur die nämliche Habsucht verbirgt, die in der Sammelmanie ein anderes Betätigungsfeld findet. Entsprechend sind »Schwachköpfe« (7, 307) dieser Art — unbekümmert um ihre Geschlechtszugehörigkeit — mit einem ganzen Arsenal despektierlicher Vokabeln aus dem Bereich der Zoologie belegt, ja am Ende laufen alle Marotten und Manien bei Keller auf die große Eselsfrage hinaus (s. dazu 4, 142). — Einerseits vernünftig und zuverlässig, ist Natur zugleich das Einfache und Gesunde, unnatürliches Sein hingegen künstlich und krankhaft, sich äußernd in den Spielarten des Sonderbaren und Ausgefallenen, des Fratzenhaften, Abenteuerlichen und Verstiegenen.

›Töricht‹ oder ›krankhaft‹, beide Kategorien sind, entsprechend dem Verblassen des religiösen Hintergrundes bei Keller, rein innerweltlicher Natur. Nicht mehr ist der Mensch gesehen im Stand der Sündhaftigkeit, weder der Verdammnis überliefert noch der Erlösung bedürftig. Statt dessen wird jeder Lapsus, jedes Durchbrechen geltender Verhaltensmuster bei aller grobianischen Derbheit weniger moralisch verurteilt denn als lediglich intellektuelles und damit behebbares Manko eingestuft; und ähnlich bleibt in Fällen krankhafter Abirrung die Chance der Genesung, der Korrektur wenn nicht aus eigner Kraft, so doch unter Hinzuziehung ›natürlicher‹ Hilfsquellen. Je zahlreicher die Fälle sind von Zerfallenheit mit sich und der Welt, von Verstellung oder Fehlgeleitetsein, desto mehr wächst der Natur die Aufgabe zu, therapeutisch zu wirken im Sinne einer Vernatür-

Insbesondere Jobst und Fridolin verkörpern exakt jenen Menschenschlag, der schon äußerlich vor allem dadurch hervorsticht, daß er sich von andern, von den Vielen — in nichts unterscheidet! Es sind Menschen von ganz gewöhnlichem Habitus, Dutzendware, und in der beinah unterschiedslosen Wiederkehr des Gleichen — komisch, im Unterschied zur Natur, von deren Erscheinungsformen, trotz aller zahllosen Fülle, doch keine der andern gleicht. Kein Wunder daher, daß philiströs-unganze Naturen gedoppelt oder zu dritt (alsdann im Verhältnis 2 : 1 oder 1 : 2) auftreten und ordinäre Namen — zudem in bezeichnender Verkleinerung — führen, wie jener Knabe Meierlein, der »Philister unter den Kindern« des ›Grünen Heinrich‹. Noch mehr als in den ›Kammachern‹ ist das Prinzip der personalen Doppelung wie auch die Wiederholung bestimmter Verhaltensweisen, ja ganzer Szenen, in der Erzählung vom ›Schmied seines Glückes‹ zu komischen Effekten genutzt, so sehr, bis schließlich der Eindruck des Seelenlos-Mechanischen vorherrscht.

[41] Das Unkluge dieser Haltung deutlich zu machen, wird immer wieder auf bestimmte (illuminationsbedürftige) Lichtverhältnisse angespielt. So meint das Dämmer in der Halle der Frau Margret (s. 3, 59 ff.), die dunkle Enge im Lädchen des alten Schmalhöfer (s. 6, 68) über den Zug des Heidnisch-Abergläubischen hinaus mangelnde Bewußtseinshelle, eine Wirrnis des Kopfes, wie sie am eindrucksvollsten aus der ›Kopfhäuschen‹-Metaphorik hervorgeht, die der Kennzeichnung des Hexentrödlers Pineiß gilt und das Dach seines Hauses beschreibt als einen »ungeheuren schwarzen Nebelspalter [!] oder Dreiröhrenhut ..., und wie ein solcher Hut ein Gehirn voller Nücken und Finten überschattet, so bedeckte dies Dach ein großes, dunkles und winkliges Haus voll Hexenwerk und Tausendsgeschichten« (7, 330). Entsprechend bezeugt das Dunkel der Werkstatt, in der die Gesellen »Tag und Nacht sich abmühten und sich gegenseitig hinausarbeiten wollten« (7, 273), nicht nur die Tristheit der Umgebung, sondern mehr noch die kurzen Gedanken der Arbeiter (s. 7, 284).

lichung. Exemplarisch wird ein solcher Lern- und Gesundungsprozeß vorgeführt in den ›Mißbrauchten Liebesbriefen‹: Als Wilhelm sich mit seiner leichtgläubigen Briefstellerei in Seldwyla unmöglich gemacht hat, beschließt er, wegzuziehen und als namenloser Feldarbeiter bei den Bauern sein Brot zu verdienen. Schließlich findet er in einem Rebhäuschen inmitten von Weinbergen Unterschlupf und versieht dort im Auftrag eines Seldwyler Tuchscherers Felddienste. Um seinen Holzbedarf für die kältere Jahreszeit zu decken, unternimmt er weite Rundgänge durch den Wald. »Er benutzte dazu die heiße Tageszeit, um im Schatten zu sein und zugleich für die Erdschwere der Handarbeit ein erbauliches Gegengewicht zu suchen. Denn der Wald war jetzt seine Schulstube und sein Studiersaal, wenn auch nicht in großer Gelehrsamkeit, so doch in beschaulicher Anwendung des Wenigen, was er wußte. Er belauschte das Treiben der Vögel und der andern Tiere, und nie kehrte er zurück, ohne Gaben der Natur in seinem Reisigbündel wohlverwahrt heimzutragen ... Mit alledem schmückte er in Ermangelung anderen Raumes die Wände und die Decke seines Stübchens« (8, 183/84). Auf diese Weise erfährt er, »wie das grüne Erdreich Trost und Kurzweil hat für den Verlassenen und die Einsamkeit eine gesegnete Schule ist für jeden, der nicht ganz roh und leer« (8, 185), ja als Ergebnis solcher Therapie läßt er am Ende alle Torheit fahren, wandelt er sich vom verliebten Irrgänger in ein Mannsbild von solider Manier (s. 8, 197).

Anders als Wilhelms Kindereien und sozusagen platonische Ausschweifungen stellt das Verhalten der Züs einen weitaus bedenklicheren casus stultitiae dar. Zwar will es zunächst scheinen, als handle es sich lediglich um die Entartung eines im Grunde gesunden haushälterischen Sinnes — Züsis rudimentärer Silberschatz in Gestalt der (Tee-)Löffel (s. 7, 275) signalisiert das Motiv des Haushälterisch-Tugendhaften (s. dazu 16, 26. 8, 240) und läßt so augenblicksweise eine günstigere Diagnose erhoffen —, doch ist bald klar, daß wir es hier mehr noch als mit bloßer Fühllosigkeit fremder Not gegenüber mit jener penetranten Form schmutzigen[42], ja gemeinen Geizes zu tun haben, »der sich selbst keinen guten Bissen gönnt und lieber am Hungertuch nagt, als einen Kreuzer aus der schweren Geldkiste nimmt, um schwarzes Brot zu kaufen« (20, 7/8). Habsucht dieser Art aber trägt deutlich Züge des Schäbigen und Häßlichen — im Bereich des Körperlichen als Auswuchs[43]

[42] Jobst ist, aus Gründen der Sparsamkeit, bei aller Sanftmut und Gerechtigkeit doch ein kleiner Schweinigel (s. 7, 262/63). — Auf das Konto Geiz geht auch die krabbelige Arbeitsamkeit, das Bestreben, lieber alles selbst zu tun als die (zu honorierenden) Dienste anderer in Anspruch zu nehmen (s. 20, 7); eine Haltung, die, konsequent genug verfolgt, einem Manne wie Pineiß zuletzt die Aura des Hexenmeisterlichen einträgt (s. 7, 330/31). Mit ihm gehören vor allem die Philister zu jenen »glücklichen Wesen, welchen materiell kein Augenblick verloren geht, den sie nicht benutzen können ...« (21, 35).

[43] Vgl. die Beschreibung des Trödlers Schmalhöfer, die in der ersten Fassung des ›Grünen Heinrich‹ wesentlich negativer ausgefallen ist als in der späteren Überarbeitung: Bei aller Knauserei zeigt der alte Höker sich ursprünglich als ein rechtes Leckermaul, so sehr, daß er die

und Mißbildung bemerkbar –, Wertungen, zu denen sich im vorliegenden Text, vor allem mit Hilfe des Schneppers und seiner Vorgeschichte, Akzente des Blutsaugerischen und Vampirhaften gesellen. Nicht nur, daß diese Person nichts mehr von dem herausgibt, was sie jemals in Händen hatte, vergleicht man die Berichte über die verjährten Liebesgeschichten, wie sie an beinah jede Trophäe geknüpft sind, dann will es scheinen, als habe sie derartige Verbindungen lediglich angesponnen um solcher ›Beutestücke‹ willen. So bleiben von dem Verhältnis mit einem Barbier »fünf oder sechs Liebesbriefe und ... [jener] Schnepper zum Aderlassen«; und da sie »eine geschickte und überaus verständige Person war, so hatte sie von ihrem Liebhaber gelernt, die Ader zu schlagen, Blutigel und Schröpfköpfe anzusetzen und dergleichen mehr, und konnte ihn selbst sogar schon rasieren« (7, 276)[44]. Mit diesem vampiristischen Einschlag vor allem gewinnt die Züs, wenn sie unter der Hand (und natürlich gegen Bezahlung) alle Frauen ihrer Bekanntschaft zur Ader läßt, zuletzt unheimlich-unmenschliche Züge; und unter dem gleichen Aspekt wird das Verhalten der Gesellen gesehen (s. 7, 265/66): Auch in ihrem Plan, eine Frau zu »erwerben« (7, 307) nicht anders denn einen Batzen Geld, und beides nur zu dem Zweck, sich in den Besitz des Kammachergeschäftes zu setzen, offenbart sich eine Perversion des Menschlichen, die unheilbar erscheint, insofern hier über Randerscheinungen hinaus der Wesenskern des Menschen betroffen ist, seine humane Gesinnung verleugnet wird.

Und doch steht, wie die Art der Bestrafung zeigt, auch diese Verkehrung ins Inhumane noch unter dem Zeichen des Törichten. Wir meinen den schwankhaften Einfall des Meisters (s. 7, 317), jenen spaßhaften Ausweg (s. 7, 288), auf den er verfallen ist, sich selbst zum Vergnügen und um das verzwickte Problem der Geschäftsnachfolge zu lösen. So kommt es zu dem berühmten Schauspiel (s. 7, 315ff.), bei dem ganz Seldwyla zugegen ist, »die gerechten und ehrbaren Kammacher zu ihrem Spaße laufen und ankommen zu sehen« (7, 314); und die Reaktion ist, wie schon im Falle von Wilhelms harmlosen Torheiten, Gelächter, ein Gelächter freilich besonderer Art, was Lautstärke wie auch Qualität betrifft. Schon das flüchtigste Hineinhorchen in den allgemeinen Tumult macht den Unterschied deutlich: »Ein entsetzliches Geschrei und Gelächter erhob sich und

Fastentage — Schmalhöfer ist hier noch katholisch! (s. 19, 117) — »mehr aus Schleckerei als aus Frömmigkeit nie umging ...« (19, 118). Gelegentliche Speisungen von Hungerleidern geschehen weniger aus Mitleid als in der Absicht, deren Stolz zu demütigen, indem er seine essenden Schützlinge den Augen der Passanten preisgibt. Heinrich rächt sich dafür, als es ihm gelingt, dem Alten die Zipfelmütze vom Kopf zu reißen, so daß nun auch die schwache Seite des Männchens — Geiz als körperliche Wucherung — zutage tritt, »auf dem kahlen Schädel ... eine seltsame Erhöhung oder runder Wulst ..., ein hügelartiger Auswuchs des Knochens, und auf dieser einsam ragenden Extrakuppe ein stehengebliebenes Wäldchen grauer Haare, was einen höchst lächerlichen Anblick gewährte« (19, 124).

[44] Von daher kommt dem Barbierhandwerk des Herrn Kabys Bedeutung zu als Ausdruck seines schmarotzerhaften Wesens (s. 8, 80 u. 84/85); vgl. auch die blutsaugerisch-parasitären Züge im Charakterbild der Kammacher 7, 267.

dröhnte, soweit das Ohr reichte« (7, 315). Wohl wird das Geschehene erneut als Unfug behandelt, doch ist das Komische nun, entsprechend der heillosen Form der Unnatur, ins Derb-Schwankhafte vorgetrieben, während das Gelächter darüber zu satirischer Schärfe gerät, einem Verlachen, das, aus der Haltung der Verachtung heraus geboren, in der Wirkung einer Verurteilung, ja zuletzt der Vernichtung gleichkommt.

Was sich hier, gegen Ende der ›Kammacher‹-Novelle, ereignet, ist unbeschadet aller Lustbarkeit ringsum, nicht weniger als der Einbruch des Dämonischen[45] in eine zwar vordergründig wohlgeordnete, ihrer gänzlichen Fühllosigkeit wegen aber unmenschlich-unleidliche Welt. Wo solches Dasein seiner heillosen Verkehrtheit wegen der Vernichtung anheimfallen muß, bleibt Keller keine andere Wahl, als die schlimmen Leidenschaften zu entfesseln[46], herzlosen Unnaturen den »Dämon des Zwiespaltes« (7, 290) auf den Hals zu hetzen. Wenn Fridolin und Jobst, solchermaßen angestachelt, am Ende wirklich »wie ein Sturmwind herangesaust« kommen, »eine dicke Wolke Staubes aufrührend«, dann ist in diese eine »furchtbare Wolke« (7, 315) »alle menschliche Schwachheit und Unvollkommenheit«

[45] gegen Leo Spitzer (Göttingische Gelehrte Anzeigen 212, 1958, S. 95—110); zwar ist der Tendenz seiner Rezension, den terminologischen Wildwuchs des Kayserschen Buches zu beschneiden, im allgemeinen beizupflichten, ohne daß der Versuch, die dämonisch-grotesken Stilzüge insgesamt auf die Ebene des bloß Komischen zu reduzieren, darum gleich in jedem Falle akzeptabel wäre.

[46] In solchen Augenblicken wird der Zusammenhang zwischen dem dämonischen Element als dem auslösenden Faktor tumultuarischer Vorfälle und dem Auftreten grotesker Erscheinungsformen deutlich. Dieses bewirkende (Abhängigkeits-)Verhältnis ist grundsätzlich richtig gesehen bei Bodo Lange-Stichtenoth — Untersuchungen zur Erzählkunst Gottfried Kellers an »Die Leute von Seldwyla«, Diss. (Masch.) Göttingen 1955 —, nur daß der Verf. es versäumt hat, zwischen guten und schlechten Leidenschaften zu differenzieren. Weder die ›Pankraz‹- noch die ›Romeo‹-Novelle ist darum (in toto) dämonisch, und schon gar nicht ist die Kellersche Welt insgesamt beherrscht »von der unauflöslichen Spannung zweier gegensätzlicher Mächte« (S. 176), ›apollinischer‹ Erzählhaltung angesichts ›dionysischer‹ Geschehnisabläufe. Vielmehr ließe sich — etwa am Beispiel des Verhaltens von Sali und Vrenchen — zeigen, daß Leidenschaftlichkeit und Sitte durchaus miteinander vereinbar sind. Von dieser Norm beherrschten Verhaltens abzuweichen, bedeutet, dem Gelächter anheimzufallen, wie die sinnlose und in ihrer Übertriebenheit komische Motorik Litumleis (»Der Schmied seines Glückes«) beweist. Wo Exzentrik in Gebärde und Bewegung, wie im Falle der Kammacher (s. 7, 315), eine Folge ist der Übermächtigung durch dämonische Gewalten, erreicht die Komik in der Verbindung von Lachen und Entsetzen allerdings ›groteske‹ Dimensionen. Kein Wunder, daß der Herr der Dämonen — etwa in Erscheinung und Gebaren des schwarzen Geigers (s. 7, 130/31) — bei Keller als der unruhige Geist, die groteske Gestalt schlechthin erscheint. Der Teufel als Urheber allen Blendwerks, von daher gewinnen Züs und Lydia wenn nicht dämonische, so doch unheimliche Züge. — Zur ferneren Kennzeichnung dämonischer Gewalten und Gestalten vgl. Lee B. Jennings, Gottfried Keller and the grotesque. — In: MdU 50, 1958, S. 9—20, bes. S. 13 ff. Ansonsten findet sich die Literatur zum Grotesken, in Anwendung auf den ›Fall‹ Keller, weitgehend verzeichnet bei Pregel, a. a. O. S. 338 ff.

gesammelt[47]. Und je mehr diese »dunkle dämonische Wolke« sich verdichtet, um so mehr legen sich »Schatten auf die irrenden Augen ...« (21, 96), fallen die Kammacher zuletzt gänzlicher Verblendung anheim, einer Irritation, die sie selbst das ersehnte Ziel verfehlen läßt (s. 7, 317), während sie, ineinander verbissen, die Zuschauer anmuten »wie zwei dämonische Verkörperungen einer und derselben Wahn-Idee, von welcher die Unglücklichen besessen ...« (12, 128). — Was sie da reitet, indes sie rennen »wie scheu gewordene Pferde«, es ist, in Gestalt eines grinsenden Gassenjungen, Beelzebub selbst (7, 316)[48]; womit ihre schlimme Ahnung, der Teufel werde sie holen, aufgebrochen während des schreckbaren nächtlichen Kampfes (s. 7, 287), sich am Ende doch noch erfüllt hat. Wohl endet nur Jobst, der Ältere, schon vorher als »Satan« tituliert (7, 316), in wörtlichem Sinne beim Teufel, wenn er seinem Leben eigenhändig ein Ende setzt, während Fridolin zwar nicht den Verstand verliert, aber dem Tollhaus nur mit knapper Not entgeht, indem er beim Anblick seines toten Nebenbuhlers »wie wahnsinnig davonrannte, sein ganzes Wesen veränderte und ... ein liederlicher Mensch und alter Handwerksbursch wurde, der keines Menschen Freund war« (7, 318); im Sinne bürgerlicher Reputation freilich ist der eine so tot wie der andere, und dies beidemal als Folge bloßen Verlachens. Angesiedelt im Grenzbereich des Dämonischen, dabei angereichert mit schrillen Obertönen, finden Tenor und Wirkungskraft satirischen Gelächters sich noch einmal eindrucksvoll bestätigt.

Scheint die Torheit der Züs und ihrer Verehrer auch kaum zu überbieten, so ist sie darum doch noch längst keine singuläre Erscheinung, im Gegenteil! Und so steht auch der schreckhafte Ausgang der ›Kammacher‹-Novelle keineswegs vereinzelt da, in einer Reihe vielmehr mit einer stattlichen Anzahl ähnlich angelegter Szenen, von denen der Farbquast des Seldwyler Kriegsheeres, seine Wirkung unter den Ruechensteiner Landsknechten (»Dietegen«), der Fastnachtszug und Schautanz zur Entlarvung Strapinskis (»Kleider machen Leute«) nur die bekanntesten, nicht aber die einzigen Erfindungen dieser Art bezeichnen. Keller

[47] Man könnte den Vorgang — Wolken, Sturm, Donner als (zumindest metaphorische) Begleiterscheinungen — auch verstehen als eine Art aufziehenden Gewitters, eine Naturkatastrophe, aus deren Verlauf menschliche Gemeinschaft sozusagen gereinigt, von einer Abirrung befreit hervorgeht. — Von dem dynamischen Charakter wie den überbordenden Dimensionen eines derart kathartischen Prozesses her besteht des weiteren keinerlei Chance, schwankhafte Szenen wie diese zu idyllisieren, wie das vor allem von Günter Jäckel (a. a. O. S. 85 ff.) systematisch versucht worden ist. Indem der Verf. Kellers wesentlich vorganghafte ›Schnurren‹ durchgängig ans Zuständliche zu binden sucht, versteigt er sich zu der Folgerung, es sei die »aufs Idyllische gerichtete Formensprache« des Dichters, »die alte Schwankmotive mit dem Geist des 19. Jahrhunderts« erfülle und ihn »im Schwank ein Eidyllion« suchen lasse (S. 91).

[48] dazu die genau gleichen Naturvorgänge bei Auftritt des Teufels (s. 10, 216) sowie dessen Rolle als Herrscher über Dämonen und üble Geister (s. 10, 218) in den »Sieben Legenden« (speziell den Nummern 1; 2; 5). — Die Betonung seiner Herkunft — Beelzebub als gefallener Engel — erfolgt getreu der Kellerschen Devise, wonach nichts absolut und von Anfang an Negatives denkbar ist auf dieser Welt.

selbst spricht in diesem Zusammenhang gewöhnlich von »Schnurren« (Briefe 1, 428), und er will diesen Terminus, was den frühen Seldwyla-Band angeht, mindestens auf die beiden letzten Erzählungen, d. h. über die ›Kammacher‹ hinaus auch auf »Spiegel, das Kätzchen« angewandt wissen. Damit beschäftigt, den Zweiten Teil der Sammlung abzuschließen, läßt er sich rückblickend vernehmen, wie froh er sei, »dies skurrile Genre, das ich der Zeit nach längst hinter mir habe, nun endlich auch äußerlich absolviert« zu haben (Briefe 2, 202). Noch mit der letzten Geschichte vom ›Verlornen Lachen‹ habe er »zuerst nur einen burlesken Festlumpen im Auge« gehabt, ehe er »in eine etwas höhere Stimmungsschicht und endlich auf den Gedanken [geraten sei], die etwas schnurrpfeiferliche Sammlung doch mit einem ernsteren Kultur- und Gesellschaftsbilde abzuschließen« (Briefe 3/1, 183); wobei ihm freilich in Gestalt des Ölweibs zumindest eine ›schnurrige‹ Person, vergleichbar am ehesten der Violande aus »Dietegen«, unterlaufen ist (s. 8, 415; 262). — Außerhalb der ›Leute von Seldwyla‹ hat von Späßen dieses Genres die Kuhschwanz-Episode, d. h. der Auftritt jener drei heruntergekommenen Kujone aus der ›Armen Baronin‹ (»Das Sinngedicht«) die meiste Berühmtheit erlangt darum, weil sich an ihr wiederholt der Widerspruch literarischer Zeitgenossen entzündete. Paul Heyse gegenüber hat Keller dabei das Zwanghafte des Auftretens solcher ›Batzen‹ betont, die ihm »fast unwiderstehlich aufstoßen und wie unbewegliche erratische Blöcke in meinem Felde liegen bleiben« (Briefe 3/1, 56/57), ohne daß es ihm später möglich sei, sie zu tilgen. Selbst Storms ansonsten willkommene Ratschläge verhallen darum ungehört, sein Drängen auf Eliminierung der Rüpel-Szene (s. Briefe 3/1, 459) bleibt ohne positives Echo. »Leider«, schreibt Keller 1881 aus Zürich nach Norden, »bleibt die Geschichte mit den drei verlumpten Baronen, die Sie so geärgert hat, stehen, wie einer jener verwünschten Dachziegel an einem Hause, in dem es spukt« (Briefe 3/1, 465).

Daß das Ausufern des Komischen ins Derb-Schwankhafte mehr ist als bloßer Eigensinn eines in diesem Punkte Unbelehrbaren, geht aus den Gegenproben hervor, wie sie das vorliegende Material in einigen Fällen anzustellen erlaubt. So enthält die Erzählung vom Schicksal Wenzel Strapinskis eine Passage, die, weder bloße Realistik noch symbolisch gemeint, zu verstehen ist nur als Probierstein der Uneigennützigkeit des Helden. Wir meinen die Beschreibung jenes verführerisch glänzenden Warenlagers, das sich am Morgen nach der Ankunft in Goldach vor den ungläubig staunenden Augen des Pseudo-Grafen auftut und das ein Anerbieten ist der ortsansässigen Honoratioren, zum Ausgleich gedacht für das vermeintliche Mißgeschick des abhanden gekommenen Gepäcks. Sonntagsschlafrock und Toilettentischchen, Körbe und Koffer, »angefüllt mit feiner Wäsche, mit Kleidern, mit Zigarren, mit Büchern, mit Stiefeln, mit Schuhen, mit Sporen, mit Reitpeitschen, mit Pelzen, mit Mützen, mit Hüten, mit Socken, mit Strümpfen, mit Pfeifen, mit Flöten und Geigen ...« (8, 28), dies alles stellt eine Kollektion dar nicht allein des Notwendigen, sondern überhaupt alles Wünschenswerten und Überflüssigen, ja in seiner Überspitzung meint es zuletzt Schlaraffenlandmilieu.

Greift der Schneider zu, und mittellos, wie er dasteht, hätte er allen Grund dazu, dann ist er verloren! Daß er gleichgültig bleibt Besitz und Geld gegenüber (s. 8, 23), rettet ihn nicht nur, es bestimmt auch sein ferneres Schicksal, das Maß an Glückserfüllung[49], das ihm am Ende zuteil wird. Zwar hat man auch ihn verlacht und verstoßen seines Kleiderticks wie seiner willenlosen Gefügigkeit wegen, und das Ende scheint nicht weniger ›diabolisch‹ (s. 8, 46) als in den ›Kammachern‹, doch geht der Teufel diesmal leer aus, indes Wenzel, in allem Elend selbstlos und gut, d. h. menschlich geblieben — sein Gleichmut beim Anblick der Schlaraffenlandvision war beredtestes Zeichen dafür —, aus dem Stahlbad der Satire zwar nicht unversehrt, aber keineswegs vernichtet emportaucht. — Abminderung oder Ausbleiben, Unterdrücken[50] der vielmonierten Späße bei zunehmender ›Vermenschlichung‹ der Betroffenen, das erlaubt umgekehrt, die derb-schwankhaften Züge des Kellerschen Oeuvres als Folgeerscheinung von aller Art Unmenschlichkeit zu begreifen, wobei die Promptheit des Eintretens den behaupteten zwanghaften Charakter dieser Äußerungsform bestätigt, ohne daß man die Aspekte des Unerwarteten (s. Briefe 3/1, 57) oder gar Ephemeren[51] fernerhin gelten lassen könnte.

*

[49] Kabys, vergleichsweise selbstischer wirkend, kann zwar von seinen schlimmen Leidenschaften geheilt werden, am Ende aber reicht es — auch dies erst nach einer Reihe von charakterlichen Retuschen, wobei besonders das Foppen der Liebesdienerinnen und andere Hartherzigkeiten (s. 8, 458/59) entfallen — statt zum ersehnten Glück nur zu einem bescheidenen Dasein in leidlicher Zufriedenheit. Was ihn rettet, ist sein ›Laster‹, d. h. seine Anfälligkeit für die Reize der Dame Litumlei, ein Verhalten, das bei aller Sündhaftigkeit doch natürlicher wirkt als die Fühllosigkeit der Kammacher, von denen Dietrich noch am besten davonkommt als der menschlich Liebenswürdigste von allen.

[50] So enthielt die frühere Fassung vom ›Schmied seines Glückes‹ mit der Eiszapfen-Episode eine der besagten Schnurren, ein Schwankmotiv, mit dessen Hilfe der doktrinäre Asketismus der Kirche — jener Eiszapfen wuchs »vom Dache des Kirchthurmes bis auf die Erde herunter und gefror an derselben fest, also daß eine Säule von lauterem Eis neben dem Thurme stand« (8, 457) — in komischem Widerspruch zum menschlichen Naturell — Burschen und Mädchen wollen das Eis auf alle erdenkliche Weise zum Schmelzen bringen — gezeigt und (seiner inhumanen Härte wegen) satirisch verlacht wurde. Diese Szene konnte bei der Überarbeitung um so eher dem Rotstift zum Opfer fallen, als Keller noch kurz zuvor (und sozusagen systematisch) die Kirche satirisch aufs Korn genommen hatte in den »Sieben Legenden«. Womit sich die Eliminierung der genannten Passage weniger als Tilgung denn als Verpflanzung, nicht als Folge eines Sinneswandels, sondern vor allem als das Ergebnis künstlerischen Kalküls erweist.

[51] Dennoch hat die Forschung — mit Ausnahme der Arbeiten Wolfgang Kaysers und seiner Schule (vgl. Anm. 46) — immer wieder versucht, gerade diesen Eindruck hervorzurufen; wobei nahezu alle bisherigen Klassifizierungsversuche von der terminologischen Sorglosigkeit des Dichters profitieren, der in der Benennung des fraglichen Phänomens wenig konsequent verfährt, abwechselnd von komischen, burlesken, grotesken, kuriosen oder skurrilen Motiven bzw. Stilzügen spricht und schließlich Storm gegenüber anmerkt, er müsse, was die schwankhaften Partien seines Werkes angehe, »noch einmal auf einen technischen Ausdruck zu ihrer

Wenzel Strapinski und Züs Bünzlin — Welten scheinen beide voneinander zu trennen, und doch ist die Diagnose im einen wie im andern Falle gleichlautend, hört der Defekt, an dem sie beide, freilich in verschiedenem Grade, laborieren, auf den Namen ›Selbstsucht‹. Bei Züsi als Habgier und Hartherzigkeit erscheinend, hat er in Wenzels Fall die zartere Form der Eigenliebe angenommen. Immer aber machen Selbstsucht und Eitelkeit unfähig zur Liebe[52], und damit sind sie nicht nur das entscheidende Hindernis auf dem Weg zu gemeinsamem Glück, sie machen es auch unmöglich, den einzig rechten Zugang zu finden zu dauerhafter Befestigung des Daseins[53]. Je selbstsüchtiger, desto törichter, närrischer, wie Keller

Bezeichnung denken« (Briefe 3/1, 456); bei welchem Vorsatz es dann freilich geblieben ist. — Die Bedeutung der Schnurren auf definitorischem Wege herunterzuspielen ist auch die Absicht der Arbeit von Beda Allemann, Gottfried Keller und das Skurrile. Eine Grenzbestimmung seines Humors. — In: Jahresbericht der Gottfried Keller-Gesellschaft 28 (1959), Zürich 1960, S. 1—16. Der Kunstgriff, das Grotesk-Dämonische durch den Begriff des Skurrilen zu ersetzen (s. S. 2), bedeutet zunächst einmal den Versuch, über die bloße Aufzählung törichter Gestalten hinaus die stilistische Seite des Phänomens mit einzubeziehen als der Chance, zu einer Integration der komischen (wir würden sagen: satirischen) Partien in den jeweils übergreifenden Erzählzusammenhang zu gelangen (s. S. 13 ff.). In eins damit wird eine Entwicklung hypostasiert von unverbundenem Nebeneinander pittoresk-dämonischer Züge und ›eigentlich‹ Kellerschem Genre hin zu einer Durchdringung des Grotesken mit anmutig zarter Empfindung (s. S. 15 u. 16). Einen solchen Trend simulieren zu können, mußte die Auswahl der Belege einseitig, und zwar zugunsten des Spätwerks (speziell der »Züricher Novellen«) ausfallen; einseitig ferner durch den Umstand, daß der Verf. nicht zwischen harmlosen und unheilbaren Tölpeleien unterscheidet, die ersteren vielmehr für schlechthin repräsentativ erklärt (s. S. 1), wodurch alle andern Beispiele von Unnatur, namentlich aber die Defekte der Kammacher, zu Ausnahmen und Sonderfällen herabsinken (s. S. 6). — In Wahrheit betrifft die konstatierte Tendenz zur Verzwergung lediglich die belangloseren Charakterfehler als Voraussetzung dafür, daß sie geheilt werden können, ganz abgesehen davon, daß dies stilistische Phänomen (Diminuierung) im Vorfeld des ›Keller-Tons‹ entwirklichende Funktion hat und keineswegs geeignet ist, die These vom Realisten Keller zu erhärten. Genau das aber ist die insgeheime Absicht des Verf., wogegen das Ernstnehmen der grotesk-satirischen Passagen bedeuten würde, daß die Ergebnisse solcher Untersuchung schließlich »kaum mehr mit der Kennzeichnung Kellers als des Hauptvertreters des ›poetischen Realismus‹ in Einklang« zu bringen wären (S. 1). — Vgl. auch die Mühen, die schon Hildegard Demeter (a. a. O. S. 117/18) hatte, die ›Batzen‹ mit der Haltung ›realistischen Humors‹ in Einklang zu bringen.

52 Wenzel kommt zu seinem Nettchen, weil er eitel ist nur bis zu dem Grade, daß er sein Äußeres auch in der Not nicht vernachlässigt. Im ›Schmied‹ muß die adamitische Sehnsucht Litumleis unerfüllt bleiben, weil und solange er in den Frauen lediglich die potentiellen Mütter seiner Kinder sieht, eine Haltung, die, zur Sexualmarotte verhunzt, mit Hilfe von Ehebruch und Kindesunterschiebung zuletzt ins Schußfeld satirischen Spottes gerät.

53 Züsis (Liebes-)Tempel bleibt ebenso unbenutzt wie leer. Einzig auf Vermehrung ihres Besitzes bedacht, versäumt sie darüber die rechte Gelegenheit, ihr Herz zu verschenken, verpaßt sie am Ende, ihr Lebensglück betreffend, Tag und Stunde: Zwar ist an dem Gebäude auch »ein Uhrgehäuse für eine Damenuhr ... angebracht mit schönen Häkchen an den Säulen, um die goldene Kette daran zu henken ...; aber bis jetzt hatte sich noch kein Uhrenmacher genähert, welcher eine Uhr, und kein Goldschmied, welcher eine Kette auf diesen Altar gelegt hätte« (7, 282).

sagt[54], weil, so darf man ergänzen, notwendig erfolgloser in dem Bemühen um zeitüberwindende Kontinuität. Zur Unnatur gesteigert[55], führt Selbstsucht nur zu bald zu Interessenkollisionen um Besitzansprüche. Streit aber bedeutet Vereinzelung; auch da, wo er nicht mit letzter Konsequenz und bis zum bitteren Ende ausgefochten wird, bewirkt er Verendlichung durch Absonderung, sei es von der Gemeinschaft der Familie oder des Volkes[56]. Entsprechend erscheint der selbstsüchtige Mensch nicht allein närrisch, sondern auch sonderlingshaft[57]. —

[54] In anderem Zusammenhang (vgl. p. 138 ff.) als das Kardinallaster schlechthin apostrophiert, gibt Selbstsucht nunmehr die Dummheit oder Narretei überhaupt ab, ja es erweist sich, daß die Mehrzahl der Kellerschen Geschöpfe an eben dieser Art Insuffizienz laboriert, ganz oder teilweise krank liegt in dem nämlichen Narrenspital. — Auf das Wortfeld des Närrischen und seine Verbreitung innerhalb des Jugendromans hat schon Wolfgang Promies — Die Bürger und der Narr oder das Risiko der Phantasie. Sechs Kapitel über das Irrationale in der Literatur des Rationalismus, München 1966 — aufmerksam gemacht. Greift man diese Anregung auf, dann bedeutet eine solche Sehweise einmal mehr den bewußten Verzicht auf alle Versuche, das Leben unnötig zu verteufeln, am deutlichsten da, wo dem Helden — bei Gelegenheit des Münchner Faschingszugs — alle Laster dieser Welt in Gestalt von neun (Kegel-)Narren vor Augen geführt werden (s. 5, 219). Nicht minder zutreffend ist die Beobachtung des Verf., wonach Heinrich menschlich heranreife, »indem er auf seinem Entwicklungsgang beständig mit ... närrischen Exzentrizitäten des Geistes, der Seele, der Sinne, mit der sittlichen Verkehrtheit in einem schiefen Körper konfrontiert wird« (S. 286), nur daß man die Titelfigur selbst von derartiger Exzentrik (Herbert W. Reichert — Caricature in Keller's »Der grüne Heinrich«. — In: MdU 48, 1956, S. 371—79 — spricht von karikaturistischen Zügen) nicht ausnehmen darf! Zumindest lange Zeit hindurch führt Heinrich eine ähnlich sonderlingshaft-närrische Existenz wie viele der Randfiguren des Romans, eine Tatsache, die sich, außer an seinem Übernamen, im Vergleich der Kapitelüberschriften noch des 3. Bandes — »Torheit des Meisters und des Schülers« (III, 5), »Das Narrengefecht« (III, 14) — nachweisen ließe.

[55] Dies um so mehr, da von materieller Notlage als der üblichen Voraussetzung selbstsüchtig-närrischen Verhaltens diesmal nicht ohne weiteres die Rede sein kann. Zu den ›Reichtumsausnahmen‹ zählen die ›Kammacher‹ freilich nur so lange, wie man weitherzige Maßstäbe gelten läßt: Ohne direkt arm zu sein, verbleibt den Akteuren gerade soviel, um in einer Umgebung, in der der Mensch nach seinem materiellen Besitz eingeschätzt wird, als Heiratskandidaten auftreten zu können. Eher stellt das ›Heiratsobjekt‹ mit Hilfe seines Gültbriefs eine Art Sonderfall dar. Zwar ist die Züs nicht atypisch darum, weil Frauen für Keller giftig zu werden pflegen weniger aus Not denn in Glanz und Glück (s. 22, 328/29); immerhin aber erscheint sie, ähnlich der Lydia des ›Pankraz‹, als ein zusätzlicher (und in dieser ›Grundlosigkeit‹ besonders verabscheuungswürdiger) Fall von ›Selbstsucht ohne Not‹.

[56] Dies — stellvertretend für viele — der Fall des Narren Jukundus aus dem ›Verlornen Lachen‹ (s. bes. 8, 337).

[57] Diesen Aspekt betont das Buch von Herman Meyer, Der Sonderling in der deutschen Dichtung, München ²1963. Ausgehend von der These, wonach der Sonderling als Nachfahre des Narren anzusehen sei, insofern er eine Entwicklung (von der ›Figur‹ zum Charakter) durchgemacht habe, konstatiert der Verf. die volle Entfaltung dieser Gestalt erstmals für das 19. Jahrhundert, und hier vor allem bei Keller (s. S. 191—207), dem »die höchste Verklärung des Sonderlings, als des auf sich gestellten, freien, dem inneren Gesetze verpflichteten Menschen« (S. 207) gelungen sei. — Derartiger Aufwertung entspricht eine deutliche Reserve dem Narrentyp gegen-

Beides sind in erster Linie Epitheta des Philisters[58], sein Antipode der selbstlos Liebende, in der Treue des Herzens Gutbestehende. Zwischen diesen Markierungen rangiert die Vielzahl harmloser Narreteien, vorübergehender Abirrungen und momentaner Verblendungen, »die alle zuletzt ein ganz anderes [sprich: verkehrtes] Wesen aus ... [dem Menschen] machen als er eigentlich zu sein wünscht« (6, 150). So heißt es denn, stets auf der Hut zu sein. Ein unbewachter Augenblick (s. 8, 47) genügt, und man findet sich eingereiht in den langen Zug des törichten Lebens (s. 8, 289 f.)[59]. Und auch in quantitativer Hinsicht ist Philistrosität die bei weitem häufigste Gefährdung natürlicher Wesensart insofern, als sie »mit den spätern Jahren auch feurigern und kräftigen Naturen, wenn sie lange genug gelitten und gekämpft haben, zuteil werden« kann. »Denn jeder Mensch wird am Ende Philister, nur mit dem Unterschiede, daß es der eine innerlich[60], der andere

über, der insgesamt doch wohl unterschätzt und als zu wenig wandlungsfähig angesehen wird (s. S. 24).
Entgegen der historischen Abfolge bei Meyer gilt es den synchronistischen Aspekt stärker zu betonen. Aufgefordert, das Verhältnis von Narr zu Sonderling innerhalb des Kellerschen Oeuvres näher zu bestimmen, ergibt sich eine Abgrenzungsformel, wonach zwar alle Narren Sonderlinge sind, nicht aber alle Sonderlinge auch Narren, insofern das (von seinem Tick geheilte) Individuum am Ende wohl auf Sozialisation hin angelegt sein kann, ohne daß es darum — aus Gründen, die außerhalb der privaten Sphäre zu suchen sind — notwendig zu erfüllter Zweisamkeit kommen müßte. Verstanden als schicksalhafte Existenz in gefühlsarmer Zeit, muß der Sonderling notwendig (und unabhängig von individuell-charakterologischen Gegebenheiten) zu umfassender(-er) Bedeutung aufsteigen. Daß er bei Meyer dennoch auf relativ wenige Exemplare beschränkt bleibt (s. S. 202), ja numerisch selbst hinter den (erwähnten) Narren zurücksteht, erklärt sich aus der unvollständigen Definition des Verf., die lediglich auf den Gegensatz Schein — Sein abhebt (s. S. 201; 204), d. h. von den vielen Formen unnatürlichen Verhaltens nur eine einzige berücksichtigt und namentlich das Kardinallaster Selbstsucht gänzlich unbeachtet läßt. — Wieder scheint das Axiom vom Realisten Keller Auswahl wie Bewertung maßgeblich bestimmt zu haben; dazu Joachim Müller — Vergleichende Studien zur Menschenauffassung und Menschendarstellung Gottfried Kellers und Adalbert Stifters, Diss. Leipzig 1930 —, der die Züge des Verkauzten in ähnlicher Weise als letzte Steigerung realistischer Individualisierungstendenzen auffaßt (s. S. 90).

58 Fügt man ihrer selbstgerecht unduldsamen Wesensart die früher bemerkten Kennzeichen des Herzlosen, Vernünftlerischen und Krämerhaften hinzu, dann ergibt sich eine Art standardisierten Psychogramms bei gleichzeitig festen äußeren Merkmalen — dünnem Haar zu mägerlichem Wuchs, auffälliger Kleidung und komischen Pedantismen (s. 6, 147 u. 149. 11, 246) —, wobei das häßlich-kümmelspalterische Leibliche wieder nur Hinweis ist auf die Trostlosigkeit der Gemütsverfassung. — Abweichend davon ist bei Rudolf Wildbolz — Gottfried Kellers Menschenbild, Bern/München 1964 — zwar wiederholt von philiströsem Naturell die Rede (s. S. 42; 47; 51 u. a.), ohne daß diese Züge sich dem Verf. zu einem klar umrissenen Typus verdichtet hätten.

59 Vgl. die Unberatenheit des alternden Forstmeisters den Nachstellungen der Violande gegenüber 8, 271/72; gleich ihm gibt es kaum jemanden, und sei er noch so klug und erfahren, der von sich sagen könnte, er wäre zu jeder Zeit frei gewesen von närrischen Anwandlungen.

60 So (neben Züs Bünzlin oder Viggi Störteler) vor allem die von Pankraz (fälschlich) verehrte Lydia mit ihrer kleinlich-gewöhnlichen Denkungsart (s. 7, 65 ff.).

äußerlich[61], der dritte aber trauriger Weise total wird« (21, 36). Diesen Prozeß zu hindern oder doch zu verlangsamen, gilt darum Kellers ganzes Bemühen, der Typ des ›totalen‹ Philisters wird so zur eigentlichen Zielscheibe seiner Narrensatire. Es ist diese Frontstellung, in die er den Leser mit einbeziehen möchte dergestalt, daß er die Art, mit welcher er, Keller, dabei vorgeht, das Goutieren satirischen Verlachens also, zum Testfall erhoben hat für das Verständnis seines Werkes schlechthin[62].

Ausgehend von dieser speziellen Reaktion läßt sich die Haltung des Dichters menschlicher Unzulänglichkeit gegenüber nun auch allgemein näher bestimmen. Indem er menschliche Fehler statt als Sünde oder Verbrechen als Narretei abtut[63], beweist er Duldsamkeit und Toleranz; ganz im Gegensatz zu den Ruechensteinern, die, mit beträchtlicher Spürnäsigkeit ausgestattet, nicht nur alle menschliche Schwachheit daheim und in der Ferne eifrig aufzustöbern bemüht sind, sondern auch jeder (notwendigen) Differenzierung unfähig scheinen, vielmehr alle Fehltritte gleichermaßen mit Feuer und Schwert, Rad und Galgen unnachsichtig verfolgen. Mit dem Ergebnis, daß die ›Kriminalität‹ ungeachtet aller Verbote und drakonischen Strafen keineswegs abnimmt, wohl aber die Welt ringsum unwirtlich wird bis zur Unwohnlichkeit, ihre Stadt am Ende als ein riesiges Gefängnis, eine einzige Richtstätte erscheint. — Andererseits endet Kellers Duldsamkeit, wie wir sahen, angesichts des Unmenschlichen[64]. Das bewahrt ihn vor der Gefahr der Grundsatzlosigkeit, wie sie in Seldwyla praktiziert wird. Mit ihrer unverwüstlichen Laune (s. 8, 42), ihrer Fähigkeit, aus allem »mit Meisterhand eine Lustbarkeit ... zu formen« (7, 318), auch über den jeweiligen Anlaß hinaus und schließlich unabhängig von ihm — das törichte Verhalten der Kammmacher ist nur »das Signal zu einem unerhörten Freudentage« (7, 315) —, unterscheiden sich die leichtlebigen Seldwyler zwar wohltuend von den misanthropisch veranlagten Bütteln und Schergen der Nachbarstadt, eine Haltung indes, die jedes Vergehen zu den leichteren rechnet (s. 8, 275), die am Ende alles und jedes unter-

[61] Wenzel mit seinem Faible fürs äußerlich Wirkungsvolle, das dann die Grundlage ausmacht seiner spätern beruflichen Karriere, wie es die Anzeichen künftiger Verspießerung vorwegnimmt (s. 8, 68).

[62] s. Briefe 1, 428 ff. 2, 59; 171; dazu die bei Emil Ermatinger — Gottfried Kellers Leben, Zürich [8]1950, S. 318 — zusammengetragenen mündlichen Äußerungen des Dichters.

[63] Strapinski möchte diesen Unterschied für seine Person reklamiert wissen, wenn er sich selbst als armen Narren bezeichnet, der allenfalls unverdient in schlimmerem Lichte erscheine (s. 8, 55); eine (Selbst-)Einschätzung, die in den Ermittlungen des Rechtsanwalts später ihre objektiv-offiziöse Bestätigung findet (s. 8, 67/68).

[64] Genau dies ist der Punkt, wo die Tonlage ›Komik‹ regelmäßig umschlägt in satirische Unerbittlichkeit. Damit ist die Möglichkeit humoristischen Sprechens zwar nicht in Abrede gestellt, wohl aber sind ihrer Verwirklichung klare Grenzen gezogen, während Wolfgang Preisendanz — Humor als dichterische Einbildungskraft. Studien zur Erzählkunst des poetischen Realismus, München 1963 —, wie wir meinen, voreilig, jede Möglichkeit leugnet, »einen sauberen Schnitt zwischen Humor und Satire [zu] tun ...« (S. 205).

schiedslos belacht, ist so gefährlich leichtsinnig wie jene andere bedrohlich überernst. Erkennt man die Vögel an den Federn, dann die Ruechensteiner an dem, was ihnen strafwürdig erscheint, die Seldwyler aber daran, was sie für lächerlich halten (s. 7, 244).

Verlachen oder Verurteilen[65], damit sind für Keller zwei Grundeinstellungen der Welt gegenüber benannt. Ebenso unvereinbar wie aufeinander bezogen, hat er diese extremen Reaktionen in den ›Leuten von Seldwyla‹ auf zwei Städte verteilt, die zumindest räumlich in enger Nachbarschaft zueinander stehen. Leichtsinn contra Überernst[66], in privaterem Rahmen ist das eine Sache des Temperaments, anzutreffen unter Geschwistern, dem schmollenden Pankraz — der lustigen Esther, zwischen Eheleuten auch[67], und in solch blutsmäßig verwandtschaftlichen Bindungen eine Quelle steter Mißhelligkeiten — oder aber die Chance zu wechselseitiger Annäherung. Wie die rechte Mischung zwischen beidem idealiter aussehen kann, hat der Dichter die berühmteste seiner Erzieherinnen vorleben lassen: Geht man den Erziehungsprinzipien der Frau Regula nach, so erkennt man, daß es namentlich alle Art Anwandlungen von Unnatur sind, gegen die sie bei ihrem Sohn energisch angeht, während sie aus andern, in den Augen der Leute ›schrecklichen‹ Vergehen keine Katastrophen macht, den Urheber vielmehr »einfach und offen als einen törichten und gedankenlosen Burschen« beschämt (7, 203). Damit folgt sie bei ihren pädagogischen Maßnahmen nicht allein dem Prinzip von der Angemessenheit der Mittel, ihrer Einschätzung von Welt und Leben zufolge hat man sie den halblustigen Gutbestehenden zuzurechnen (s. 8, 215/16), d. h. jener kleinen Gruppe von Auserwählten, denen im Werk Kellers das hohe Ziel vorbildlicher Lebensführung zu erreichen vergönnt ist. ›Duldsamkeit mit Grundsätzen‹, lautet hier wie später[68] die Formel, auf die der Autor seine Helden verpflichtet, die Position auch, die er selbst den Gestalten seiner Phantasie gegenüber vertritt. — Was den Dichter ungeachtet aller Entschiedenheit hindert, es der

[65] Diese eigentliche Alternative ist nicht erkannt bei Guenter Karl Herr — Lachen und Weinen in der Lebensanschauung Gottfried Kellers, Diss. (Masch.) University of Texas 1966 —, was dazu führt, daß auch die Funktionen des Lachens nur sehr unzureichend beschrieben werden.

[66] Dies, am Beispiel der religiös orientierten Ruechensteiner, die Haltung der Kirche und ihrer Vertreter überhaupt, für Keller selbst ein neuerliches Kapitel ›Unnatur‹ und darum zusätzlicher Gegenstand satirischer Attacken.

[67] Während für Frau Margret das Leben voll eingebildeter und wirklicher Schrecken ist, hat Vater Jakoblein sich angewöhnt, alles von der komischen Seite zu nehmen (s. 3, 76). — Ebenso kann ein und dieselbe Person von einem der genannten Extreme ins andere fallen: Liselein Federspiel etwa, die, ihrer Entscheidungsfreiheit (Tugend oder ›Fall‹) innegeworden, darüber eben traurig werden will, als sie ihren Gedankengang plötzlich ändert und unvermittelt in helles Gelächter ausbricht (s. 8, 98. vgl. 7, 214).

[68] Etwa im Rosengericht des ›Landvogts‹, das die genaue Mitte einhält zwischen dem mittelalterlichen Blutgericht (s. 9, 266ff.) und dem leichtfertigen Urteilsspruch der Frauen (s. 9, 270ff.), insofern Salomon bei aller Generosität menschlichen Schwächen gegenüber widernatürliches Verhalten unnachsichtig verfolgt (s. 9, 256ff.).

Unmenschlichkeit mit gleicher Münze heimzuzahlen, ist sein Gerechtigkeitssinn — nicht umsonst sind ein paar der nobelsten unter seinen Gestalten (Brandolf, der Landvogt) Rechtsgelehrte —, die Überlegung auch, sich von begangener Unmenschlichkeit um keinen Preis der Welt anstecken zu lassen. Indem er noch die schlimmsten Übeltäter lediglich dem Gelächter preisgibt, bleibt ein Rest humaner Gesinnung auch dem Inhumanen gegenüber gewahrt[69]. Wie schwer freilich die Gelassenheit errungen ist, die nötig war, die jeweils mehr lustigen als gewaltsamen Rachepläne ins Werk zu setzen, zeigt die erste, spontane Reaktion zornigen Unmuts, die den unmittelbaren Beobachter jeweils überkommt, und die etwa in der Waldhüter-Episode des Jugendromans, zumindest in der Urfassung, dazu führt, den eitlen Kerl durchzuprügeln (s. 19, 191), während Heinrich sich später (nach der Überarbeitung) darauf beschränkt, ihn mit Hilfe des Zwiehan-Schädels gehörig zu narren. Dichter wie Kunstfigur lernen erst allmählich[70], den Unvollkommenheiten dieser Welt konsequent und angemessen zu begegnen.

*

Wenn gerade der Philister das angestrebte Ziel wohlsituierter Bürgerlichkeit so nachhaltig verfehlt, daß er für gewöhnlich als armer Narr endet, dann liegt dies (u. a.) in seiner fatalen Neigung begründet, es beim bloßen Anschein bewenden zu lassen, die Schale für den Kern zu nehmen[71], sich, wie Keller es ausdrückt, jeweils mit der leeren Formel zufriedenzugeben (s. 22, 338/39)[72]; was auf materieller Ebene

[69] Von daher hat Walter Benjamin gemeint, auf Kellers Humor schließen zu müssen (a. a. O. S. 288; 294), mit der Folge, daß die schwankhaften Züge dem Verf. zunehmend unheimlich und am Ende gar ›verkehrt‹ erscheinen: »Eine Spiegelwelt ist die Welt der Kellerschen Schriften — freilich auch darin, daß irgend etwas in ihr von Grund auf verkehrt; rechts und links darinnen vertauscht ist« (S. 292).

[70] Ein Prozeß, der sich am ehesten in autobiographischer Umgebung, anhand des ›Grünen Heinrich‹ also, verfolgen läßt: Lange Zeit reagiert der Held, gleich ob Augenzeuge oder direkt Betroffener, auf menschliche Enttäuschung mit unnachsichtig verbalem Tadel (s. 4, 189—97) oder gar Handgreiflichkeiten (s. 3, 176 f. 5, 272 ff.); spät erst gelingt es ihm (s. 6, 265 f.), seinem Weltweh anders als durch Prügel auf die Rückenpartien anderer (s. 6, 251; dazu 7, 14) Erleichterung zu verschaffen.

[71] s. den Narren von Kommandeur, der sich allen Ernstes ungeliebt glaubt. Solange er mit seiner Gattin zusammengelebt, »hatten sie sich fortwährend angeknurrt, wie zwei wilde Katzen, und sie litten beide an der fixen Idee, daß sie sich gegenseitig ineinander getäuscht hätten, obwohl niemand besser füreinander geschaffen war« (7, 34).

[72] Kein Wunder, daß gerade philiströse Naturen sich auf der Jagd nach bloßen Phantomen — auch die Tröstungen der Kirche rechnen dazu — immer wieder hoffnungslos verrennen. — Andererseits führt hypertrophe Selbstgerechtigkeit, der Glaube, es um vermeintlicher Verdienste willen besser haben zu müssen als andere (s. 7, 260. Briefe 3/1, 461), zu abwartender Haltung dem Leben gegenüber. Emil Staiger — Die Zeit als Einbildungskraft des Dichters. Untersuchungen zu Gedichten von Brentano, Goethe und Keller, Zürich ²1953 — hat in der daraus resultierenden Versäumnis des Augenblicks eine entscheidende Quelle der Komik

dazu führt, die Dinge zu überschätzen, ihnen etwas abzuverlangen, was zu leisten sie gar nicht imstande sind. — Zugleich wird am Beispiel der Kritik eines Menschenschlags, dem das natürliche Bedürfnis der Vorsorge zu Tick und Marotte verkommt, ein Stück von Kellers eigner Einstellung dem Dinglichen gegenüber erkennbar. Auch in seinen Augen haftet Geld und Geldeswert das Odium des Unzuverlässigen an, so sehr, daß man des ständigen Umschwungs bestehender Besitzverhältnisse gewärtig sein darf. Zwar ist materieller Wohlstand bis zu einem gewissen Grade durchaus erstrebenswert, ja nötig als Garant von Entscheidungsfreiheit und menschlicher Würde, doch versagt alle weltliche Habe in dem Augenblick, wo es darum geht, mit ihrer Hilfe allein der Vergänglichkeit zu wehren. Wohl dem, der in währendem Leben Gelegenheit bekommt, das einzusehen und sein Verhalten entsprechend zu korrigieren, wie John Kabys, der gerade noch rechtzeitig gewahr wird, daß die Dinge, an die er sein Herz gehängt, ihn im Grunde immer betrogen haben (s. 8, 112)[73], weshalb er sie zuletzt gegen ein zwar glanzloses, aber solideres Dasein in Kauf gibt (s. dazu 3, 85f. 6, 280). Wo derart distanziertes Verhalten Geld und Gut gegenüber zur conditio sine qua non humaner Gesinnung erhoben wird, alles Horten nicht nur vergeblich, in seiner Rückwirkung vielmehr gefährlich erscheint für den Menschen, kann von Hegemanier und biedermeierlicher Pflege der Dinge[74], von ›poetischem‹ Realismus also, im Ernst nicht die Rede sein.

Dagegen ist totales Philisterium eben der Punkt, von dem aus sich am ehesten die strukturelle Seite satirischen Sprechens erschließen läßt. In der ›Kammacher‹-Novelle ist die Wanzen-Episode am deutlichsten nach diesem Muster gebaut. Man erinnert sich: Auslösendes Moment ist der Spruch des Meisters, wonach nur einer der Gesellen am Ort bleiben und das Geschäft übernehmen kann. Die so Beschiedenen verbringen den Rest des Tages in Unruhe und Verzweiflung, bis sie endlich erschöpft ins Bett kriechen und ein heilsamer Schlaf sie umfängt. Jobst ist der erste, der in der Frühe erwacht. Sich ermunternd, nimmt er mit den Augen gleichsam Abschied von der vertrauten Umgebung seiner Kammer — und bemerkt eine Veränderung an der Wand, einen kahlen Fleck und nicht weit davon etwas wie einen winzigen blauen Berg, der zu wandern scheint. Es ist eine

im Werke Kellers erblicken wollen (s. bes. S. 183), eine Behauptung, der man beipflichten kann, solange sie nicht als alleiniger Anlaß aller Narreteien ausgegeben wird.

[73] Nirgends erweist sich deutlicher, wie wenig der Dingbereich Absolutheitsansprüchen standzuhalten vermag. Von daher muß der Behauptung von Rudolf Wildbolz, wonach sich auf die Dinge, zumindest die »echten«, d. h. erarbeiteten, bauen lasse, weil das Ding »in einer Welt von Unsicherheit, Scheinhaftigkeit und Unheimlichkeit« das sei, »was relativ gewiß, scheinlos, undämonisch und solid ist« (a. a. O. S. 99), entschieden widersprochen werden.

[74] gegen Günter Weydt — Literarisches Biedermeier. — In: DVjS 9, 1931, S. 628—51 —, der diese Merkmale (s. S. 644 u. 646) zumindest zeitweilig auch auf Keller angewandt wissen wollte, ehe er sich unter dem Eindruck energischer Gegenstimmen (s. Wilhelm Bietack, DVjS 9, 1931, S. 673 f.) entschloß, von einer solchen literarhistorischen Zuordnung zumindest teilweise wieder abzurücken (dazu DVjS 13, 1935, S. 44—58, dort S. 58).

Wanze, die er »im vorigen Herbst achtlos mit der Farbe überstrichen, als sie schon in Erstarrung dagesessen hatte. Jetzt aber war sie von der Frühlingswärme neu belebt, hatte sich aufgemacht und stieg eben in diesem Augenblicke mit ihrem blauen Rücken unverdrossen die Wand hinan« (7, 295). Jobst nimmt die Erscheinung als Hinweis, sich auf den Weg zu machen; mit Recht, denn was sich da vollzieht vor seinem »traurigen, duselnden Auge« (7, 294), in einem Zustand zwischen Träumen[75] und Wachen, ist die Demonstration des Richtigen oder Natürlichen, und kein Zufall, daß es ein Tier ist, ein (instinktiv) unverderbtes Wesen, das da solcherart ›vorbildlich‹ reagiert: Von der Frühlingssonne erwärmt, beginnt die Wanze unverweilt sich zu regen. Auf die Kammacher übertragen heißt das, daß sie aus freien Stücken in die Welt hinausgehen müßten, anstatt am Orte zu verharren, wozu weder die Verhältnisse einladen noch menschliche Bindungen sie zwingen (s. 7, 266). Indem Jobst und die andern sich still verhalten, sich in Seldwyla verkrümeln »aus keinem andern Grunde ... als weil sie zufällig an ein Saugeröhrchen des guten Auskommens gerieten«, gleichen sie (statt dessen) »weniger dem freien Menschen als jenen niederen Organismen, wunderlichen Tierchen und Pflanzensamen, die durch Luft und Wasser an die zufällige Stätte ihres Gedeihens getragen werden« (7, 267); wobei die ganze Schärfe dieser Umkehrung zum Ausdruck kommt, wenn man bedenkt, welch niederes Wesen es ist, das da vor Jobstens Augen anscheinend frei und jedenfalls richtig zu handeln versteht, während er selbst zwar zu arbeiten weiß »wie ein Tierlein« (7, 261), über seinem ›Herumwurmisieren‹ (s. 7, 264) in der Kammer aber aller Menschenähnlichkeit bis zur Unkenntlichkeit verlustig gegangen ist.

Ausgiebig hat Keller die Gegenüberstellung von Tier und Mensch und deren Rollentausch (zu didaktischen Zwecken) genutzt in der auf die ›Kammacher‹ folgenden Erzählung. Dazu mußte er vor allem das Tier erhöhen, menschenähnlicher machen, d. h. auf Vertreter höher organisierter Arten zurückgreifen, ja diese mit der Fähigkeit zu sprechen versehen. Zumindest das letztere war zu bewerkstelligen nur unter den Bedingungen des Traums (s. 6, 105 ff.) oder Märchens. So wurde die Geschichte von ›Spiegel, dem Kätzchen‹ ein Märchen, bei welcher Gelegenheit sich dem Helden, einem ebenso lebenslustigen wie gedankenreichen Katzmann, zugleich die Chance bot, das Kellersche Ideal gezügelter Leidenschaftlichkeit vorleben zu können. Daß auch »dies gleichmäßige Leben« (7, 325) seine Voraussetzungen — anständige Wohlhabenheit — hat, wird spätestens beim Ableben der Herrin offenbar, in dem Augenblick, da das schöne

[75] Daß Keller Träume und deren Beschreibung zu satirischen Zwecken verwendet, findet sich bislang nur bei Clemens Heselhaus — Grimmelshausen. Der abenteuerliche Simplicissimus. — In: Der deutsche Roman I, hrsg. v. Benno v. Wiese, Düsseldorf 1963, S. 15—63, dort S. 20 — verzeichnet. Es geschieht dies meist in der Weise, daß der Dichter die Vorteile der Traumlogik nutzt, die Verkehrtheit bewußten Verhaltens zu denunzieren und die jeweils richtige Lösung — hier mit Hilfe halluzinativer Ausgestaltung der ›Wandmalerei‹ zur Vision der glückseligen Inseln als lohnendem Reiseziel — anzudeuten (s. dazu 8, 143/44. 4, 45).

Kätzchen herrenlos und verwaist zurückbleibt. Von den Erben davongejagt und dem Hunger preisgegeben, ist sein ganzes Trachten bald auf nichts anderes als auf den Erwerb von Nahrung ausgerichtet, »und alle seine moralischen Eigenschaften gingen in dieser Aufmerksamkeit auf ...«. Dennoch wird Spiegel »von Tag zu Tag magerer und zerzauster, dabei gierig, kriechend und feig; all sein Mut, seine zierliche Katzenwürde, seine Vernunft und Philosophie waren dahin« (7, 327). Schließlich ist es so sehr um seine Gesinnung geschehen, daß er in der Hoffnung, sein Leben zu fristen, mit der Aussicht auf Nahrung und um etlicher guter Tage willen einen Vertrag mit dem Hexenmeister Pineiß eingeht, bei dem als Preis nicht allein seine Freiheit, sondern mehr noch sein Leben selbst in den Kauf geht (s. 7, 328 ff.).

Spiegel verschafft sich auf diese Weise zunächst einmal ungehinderten Zugang zu den Fleischtöpfen seines neuen Herrn und Meisters. Inmitten von Pineißens Freßlandschaft sehen wir den Kater hemmungslos seinen Instinkten frönen[76]. Erst als der größte Heißhunger gestillt, dem dringendsten Nachholbedarf genüge getan ist, kommen die besseren Sitten wieder zur Geltung, und in gleichem Maße, wie das Interesse materiellen Dingen gegenüber abnimmt, kehrt auch die Vernunft in ihre alten Rechte zurück. Im Anblick des gefüllten Vogelmagens erkennt Spiegel schließlich, wozu er sich in der Stunde der Not hat hinreißen lassen, zur Preisgabe des einzig unersetzlichen Gutes ›Leben‹ nämlich! Als ein von Natur aus kluges Tier besinnt er sich auf seine ureigensten Fähigkeiten, und so gelingt es ihm in letzter Stunde, diesen beinah tödlichen Fauxpas wiedergutzumachen, der selbstgelegten Schlinge doch noch zu entkommen: Als Pineiß erscheint, den Vertrag einzulösen, greift der Kater zu einer List, indem er eine Geschichte vorbringt, die genau auf den Charakter seines Peinigers zugeschnitten ist, darauf ausgerichtet, die Habgier dieses Menschen zu wecken mit dem Ziel, er möchte, einmal inflammiert, ihn um einer vermeintlich größeren Beute willen laufen lassen. Darum stehen Geld und Geldeswert im Mittelpunkt von Spiegels Ausführungen, während der Erwerb jenes ominösen Schatzes gleichzeitig an eine so schwer erfüllbare wie lapidare Bedingung geknüpft ist: den Nachweis selbstloser Liebe von seiten des Mannes

[76] In dieser Weise unverschämt, ja schamlos zu sein ist allenfalls ein Vorrecht des Tieres und dann eher unbefangene Schaustellung naiv-natürlicher Wesensart. Dem gesitteten Menschen steht ein gleiches Verhalten nicht wohl an, vielmehr ist ihm aufgegeben, seine Leidenschaften zu bezähmen. Um so genierlicher wirkt die Eßlust des Kaplans in einer der Schlußszenen des ›Grünen Heinrich‹, wenn der geistliche Herr weder von Dorotheas oder Heinrichs Anwesenheit noch durch das Verhalten des Hundes zu stören ist, der »mit feurigen Augen und offenem Maule auf Schüssel, Hände und Mund des Hochwürdigen starrte«; genierlich zumal dann, wenn man bedenkt, wie sehr die Institution, die er vertritt, ihren Gläubigen Enthaltsamkeit predigt, während er selbst nicht einmal bereit ist, dem lüsternen Tier ein bescheidenes Sauschwänzchen abzulassen (6, 259). — Daß ein solches Verhalten in Kellers Augen kein Einzelfall ist, zeigt die despektierliche Bemerkung des Waagwirts (»Kleider machen Leute«), wonach er bislang nur Generäle und Kapitelsherren in der Art des ausgehungerten Wenzel habe zulangen sehen (s. 8, 16).

(s. 7, 359). Die Reaktion des Adressaten ist eindeutig, und komisch eigentlich nur, wie Pineiß aus allen ferneren Reden Spiegels nichts als die Existenz dieser zehntausend Goldgulden herauszuhören scheint.

Angesichts der lüsternen Habgier des alten Hexers darf der Kater aufatmen. Aber Spiegel wäre nicht Spiegel, ließe er es bei dem bloßen Tausch Geld gegen Leben bewenden. Vielmehr hält er auch schon eine Frau bereit, plant er, Pineiß zur Strafe für sein Verhalten statt mit einer ›guten Hausfrau‹ mit jener scheinheiligen Beghine zu liieren, einer Person, die es an schnöder Herzlosigkeit gewiß mit ihrem zukünftigen Partner aufnehmen kann[77]. Dieses hexenhaft triebhafte Weib einzufangen, sind besondere Vorkehrungen nötig, ein unzerreißbares Netz, gefertigt von unschuldigen Händen, dessen Haltbarkeit sich in einer Serie von guten Taten begründet. Erstaunlich ist nur, wie diese Bedingungen erfüllt werden: Der Jägerssohn ist blind geboren, kann also gar kein Weib angesehen haben; der Alte widersteht der ersten Versuchung aus ästhetischen statt aus moralischen Bedenken, das gefundene Geld gibt er nur unter Bedrohung seines Lebens zurück, die Schonung der Schnepfe geschieht eher aus Zerstreutheit denn aus Ehrfurcht vor dem Leben (s. 7, 369–71)! – Immer geht es um den Nachweis guten, d. h. selbstlosen Handelns, und stets werden die Bedingungen entweder gar nicht oder allenfalls ironisch erfüllt. Nimmt man das Verhalten des Fräuleins, der Beghine und des Hexenmeisters hinzu, dann kann man Spiegels Verzweiflung verstehen angesichts der Aufgabe, »drei solche Dinge zusammen[zu]bringen in dieser gottlosen Stadt: zehntausend Goldgülden, eine weiße, feine und gute Hausfrau und einen weisen rechtschaffenen Mann« (7, 344). Heißt das nun, daß Selbstlosigkeit und Güte in dieser Welt nicht zu finden sind? Doch nicht ganz, aber immerhin weniger bei den Menschen als vielmehr unter den Tieren, zwischen Eule und Katze, die sich nicht nur helfend zur Seite stehen, sondern einander auch noch in geradezu demonstrativer Weise beschenken (s. 7, 367/68). Indem Tiere menschliche Ideale

[77] Dies die Wiederaufnahme des ›Kammacher‹-Schlusses, wobei die Kehre in der Handlungsführung mithilft, die genannten Erzählungen satirisch zu strukturieren. Keller nutzt dazu gern das Schwankmotiv vom betrogenen Betrüger, um von solchem Ende her, aus der Diskrepanz zwischen Wollen und Vollbringen das erstrebte Ziel wie den begangenen Weg als falsch, als Verkehrtheit denunzieren und satirisch verlachen zu können: Züs und Dietrich, das ›Ehepaar wider Willen‹ nicht minder als den verhinderten Hochzeiter Kabys, der um eines wohlklingenden Frauennamens wegen heiraten, ja selbst einen körperlichen Defekt seiner Braut in Kauf nehmen will, während er doch schon anhand des unverhältnismäßig großen Kopfes seiner Auserwählten deren berechnende Wesensart hätte vermuten können. Zur Strafe für seine schnöden Absichten gerät er an eine Person, die es in puncto Verschlagenheit mit ihm aufnehmen kann und, ihre Heiratsaussichten zu verbessern, just ihren prosaischen Namen wie ihre unregelmäßige Geburt unterschlägt. – Immer scheitern die ›Planenden der Liebe‹ in dieser Weise, weil sie das Moment des Irrationalen der Welt, den Zufall, der sich allen Berechnungen entzieht und darum in Kellers Geschichten eine so große Rolle spielt, außer acht lassen, während er denen zu Hilfe kommt, die sich vertrauensvoll der Stimme des fühlenden Herzens überlassen.

vorleben, Menschen in tierische Verhaltensmuster abgleiten, macht Keller sich das Motiv der verkehrten Welt zunutze, hält er Akteuren wie Lesern in Gestalt des ›Helden‹ einen Sitten-›Spiegel‹ vor (s. 8, 247), aus dem ihr besseres Bild ihnen zurückstrahlen könnte (s. dazu 7, 72). Das ›Märchen‹ gewinnt damit eindeutig satirische Züge, wobei es weniger aktuell-zeitgebundene als vielmehr allgemein menschliche Schwächen, und das heißt bei Keller, das Grundübel selbstsüchtig-inhumanen Verhaltens geißelt[78].

Bleibt die Frage, wie diese satirischen Züge[79] sich mit dem früher konstatierten ›Keller-Ton‹ (vgl. p. 184 ff.) vereinbaren lassen. Die Antwort muß lauten: im Sinne einer polyphon-spannungsgeladenen Einheit. Wo immer solche derb-schwankhaften Szenen hineinragen in Kellers »fromme Märchenwelt« (Briefe 3/1, 57), sind sie zu verstehen weniger in disharmonischem als vielmehr in kontrapunktischem Sinne. Wird die Welt in märchenhafter Entwirklichung gezeigt nicht wie sie ist, sondern wie sie sein sollte, so ist mit der satirischen Geißelung menschlicher Schwächen nur ein scharfes Negativ bestehender Zustände gezeichnet. Satirische Einschwärzung oder märchenhafte Verschönerung, beides sind am Ende Stilisierungen, in ihrer extremen Gegensätzlichkeit zurückführbar auf ein und dieselbe Wurzel: ein Unbehagen an der Wirklichkeit, das dem ›Realisten‹ in dieser Form unbekannt ist. Keller spricht in diesem Zusammenhang denn auch bezeichnenderweise von ›schöner Kunst‹ darum, weil sie »das hohe Ziel hat, die Menschheit zu veredlen, ihr das Schöne, Wahre, Erhabene zu zeigen, ihren Sinn für die Natur zu wecken« ebenso wie »das Laster in seiner ganzen Häßlichkeit darzustellen — mit einem Worte, den Menschen auf den Punkt zu erheben, für den ihn der Schöpfer bestimmt hat« (22, 334; vgl. 66).

4. Vom ›Keller-Ton‹ zur Satire als Großform

Spürt man von dieser Position aus den möglichen Trends in Kellers Werk nach, dann sind im Grunde zwei Richtungen denkbar: Einmal die Verstärkung des Keller-Tons, d. h. die weitere Pflege des reichsunmittelbaren Genres, zum andern die Forcierung des satirischen Elements. Beide Wege werden außerhalb

[78] Dagegen möchte Heinrich Richartz (vgl. Anm. 37) den Didaktiker Keller entschieden zeitbezogen verstanden wissen, wobei die belehrenden Korrektive wesentlich undemokratisch-individualistischem Fehlverhalten gewidmet sein sollen.

[79] Wenn überhaupt, hat die Forschung (Thomas Roffler, Gottfried Keller. Ein Bildnis, Frauenfeld/Leipzig 1931, S. 89; 99 ff. Kayser, a. a. O. S. 16; 117. Spitzer, a. a. O. S. 106. Fehr, a. a. O. S. 83. Jäckel, a. a. O. S. 76, u. a.) satirische Züge für Kellers Werk bislang nur sehr zögernd und dann, wie im Falle von Karl Essl — Über Gottfried Kellers ›Sinngedicht‹, Reichenberg 1926 (= Prager Deutsche Studien, Heft 40) — selten ohne den Versuch des Abwiegelns ins (angeblich) Humoristische zugestehen wollen (s. S. 39). Hermann Boeschenstein — Gottfried Keller. Grundzüge seines Lebens und Werkes, Bern 1948 — registriert zwar die satirische

der ›Leute von Seldwyla‹[80] entschieden(-er) beschritten, ablesbar freilich ist die eine wie die andere Tendenz ebenso anhand dieser ersten Novellensammlung. So ergibt ein Vergleich der beiden Seldwyla-Bände (zunächst) ein Überwiegen der märchenhaften Elemente für die späteren Erzählungen, eine Entwicklung, die sich erst in den ›Legenden‹, später im ›Sinngedicht‹ verstärkt beobachten läßt: Ihres religiösen Gehaltes entkleidet, boten die ›Legenden‹ doch die Möglichkeit, wie im Märchen Wunder geschehen zu lassen; wie ja überhaupt der Abstand zwischen Märchen- oder Wunderwelt und Realität nie sonderlich groß war bei einem Dichter, für den Wirklichkeit zwar entgöttlicht, darum aber keineswegs geheimnislos und schon gar nicht berechenbar geworden ist. Keller mußte lediglich das Moment des Irrationalen in Welt und Menschenleben ein wenig mehr forcieren — und war angelangt beim Wunder; er hatte nur die grenzenlose Wandlungsfähigkeit der Frau auf Maria zu übertragen, und schon entstand so etwas wie ein ›natürlich‹ erklärbares Wunder: die Himmelskönigin, die im Interesse der Liebenden beliebige Verkörperungen eingehen kann[81]. Wollte er den kirchlichen Jenseitsvertröstungen irdische Verhältnisse konkurrierend zur Seite stellen, asketisch veranlagte Naturen mit der Chance auf Erfolg zu Weltkindern bekehren, so war der Dichter verpflichtet, diese Erde von ihrer schönsten, verlockendsten Seite zu zeigen, in Reichtum, Glanz und Glück. Nirgends fehlt darum die entwirklichende Kraft des Märchens, der Goldgrund, auf den Keller eine Zeitlang im Titel anzuspielen erwog. — »Das Sinngedicht« ist dann ›goldgrundig‹ gleich in doppeltem Sinne, insofern Märchenluft die Gestalten des Rahmens wie die Helden insbesondere der Elendsnovellen (»Regine«, »Die arme Baronin«, »Don Correa«) gleichermaßen schonungsvoll umgibt. Wenn Reinhart in einer Zeit, da der Schatten Darwins bereits übermächtig zu werden beginnt, daherkommen kann wie ein Prinz, der auszog, das Küssen zu lernen, indes Lucie

Kraft des Dichters (s. S. 24 ff.), billigt ihr jedoch, ähnlich dem Didaktischen, lediglich mindere Gültigkeit zu gegenüber der im eigentlichen Sinne ›daseinsgemäßen‹ Wirklichkeit und deren Schilderung.

80 Den Tenor der ›Kammacher‹-Novelle satirisch nennen, die Erzählung von ›Spiegel‹ als Märchensatire zu verstehen bedeutet noch keineswegs, der Identität von Komik und Satire bei Keller das Wort zu reden. Nicht ›Komik als Satire‹, sondern ›Komik und Satire‹ muß die Formel zutreffend lauten, womit die Frage akut wird nach der Gewichtung von beidem, dem Anteil besonders des satirischen Elementes im Werk dieses Dichters.

81 Die umgekehrte Entwicklung von den Wundern (der Kosegarten-Vorlage) weg zur realistischen Erzählung behauptet Karl Reichert — Die Entstehung der »Sieben Legenden« von Gottfried Keller. — In: Euphorion 57, 1963, S. 97—131 —, wobei er freilich gezwungen ist, ein (zumindest zeitweiliges) künstlerisches Scheitern Kellers zu unterstellen: Erst als ihm die beabsichtigte Säkularisierung »nicht gleichmäßig gelang« (S. 118), weil Keller »zuviel künstlerischen Instinkt besaß, um die Eliminierung des Legendenkerns auch dort zu versuchen, wo er der Heiligen-Vita nicht äußerlich angeklebt, sondern mit der Fabel organisch verbunden war« (S. 124), habe er die ›Ur-Legenden‹ aus der Galathea-Konzeption herausgelöst und den Legendencharakter nachträglich erneut verstärkt (s. S. 118).

unter den Platanen am Marmorbrunnen »eher der idealen Erfindung eines müßigen Schöngeistes als wirklichem Leben« gleicht (11, 26), dann profitieren beide von der Wirkung des Rahmens und dessen (hier wie überhaupt bei Keller) vielleicht entscheidender Funktion, die Realität des Hier und Jetzt, deren direkte Berührung schmerzhaft oder gefährlich sein könnte, zu filtern und so eine Situation zu schaffen, in der man reifen kann, ohne dem Zugriff der Welt, den Stürmen des Lebens direkt ausgesetzt zu sein.

Freilich bleibt selbst unter günstigsten äußeren Bedingungen die Notwendigkeit satirischen Sprechens bestehen. Hatte der Dichter schon früher keine Gelegenheit versäumt, die Haltung der Geistlichen ironisch aufs Korn zu nehmen, sie sozusagen doppelt zu verurteilen, indem er ihre Unduldsamkeit der selbstgerechten Hartherzigkeit des Philisters gleichsetzt und dazu aus der Ängstlichkeit eines verunsicherten Konservatismus ableitet, in den ›Legenden‹ gilt der Angriff nicht mehr einzelnen ihrer Vertreter, vielmehr der Institution Kirche schlechthin. Es ist der Vorwurf der Unnatur[82], der sich neben allen andern Anschuldigungen — Unaufrichtigkeit des Lehrens in Verbindung mit mangelnder persönlicher Integrität der Prediger (s. 8, 180; 395 ff.) — als der gravierendste Vorbehalt der offiziellen Religion gegenüber erweist. Zumal dem asketischen Zug des Christentums, seinen weltverneinenden Tendenzen gilt der Widerspruch insofern, als dadurch, nach Meinung Kellers, das natürliche Wesen des Menschen vergewaltigt wird[83]. Wie sehr, lehrt gleich das Eingangsbeispiel der Eugenia, die die Liebe des Aquilinus verschmäht und statt dessen alles daransetzt, wie die Züs ein ausgemachter Blaustrumpf zu werden. Die Kritik nimmt satirische Züge an in dem Augenblick, da sie des Hanges überführt wird, sich Attribute des männlichen Geschlechts anzueignen — Eugenia legt Männerkleidung an, um (ausgerechnet!) in ein Mönchskloster aufgenommen zu werden (s. 10, 195) —, eine Marotte, von der sie nur geheilt werden kann, indem der Dichter sie hemmungslosem geschlechtlichen Verlangen, der Liebestollheit einer heidnischen Witwe aussetzt und sie nicht eher aus der selbstgelegten Schlinge entläßt, bis sie bereit ist, sich zu ihrer natürlichen Weiblichkeit zu bekennen (s. 10, 206). Und wie diese törichte Jungfrau (s. 10, 204) werden auch die übrigen Entsagenden[84] der Narrheit über-

[82] Ein Einwand, der in seiner Bedeutung erstmals gewürdigt erscheint bei Kurt Wenger, Gottfried Kellers Auseinandersetzung mit dem Christentum, Bern 1971. Leider bleibt der Verf. insofern auf halbem Wege stehen, als er im wesentlichen nur die theoretischen Äußerungen Kellers analysiert, während die spätere Anwendung auf die Praxis (am Beispiel der »Sieben Legenden«) lediglich unter dem Aspekt der Säkularisierung erfolgt.

[83] Daß das unsinnliche Wort, die trocken-hölzerne Dürre der Lehre (s. 8, 418) mit ihrem Unbedingtheitsanspruch die Welt weder besser macht noch freundlicher, hat der Dichter am Schicksal der kleinen Meret mit letzter Konsequenz aufgezeigt, wobei das Motiv des Scheintods, d. h. des Lebendig-Begrabenseins, nur die äußerste Zuspitzung ist der Vorstellung widernatürlichen Eingeengtseins. Demgegenüber kommt das naturnah-natürliche Wesen des Kindes in dessen unbefangenem Spiel mit den Tieren zum Ausdruck (s. 3, 52).

[84] Vgl. bes. die drei mittleren Legenden.

führt und alsdann systematisch zu Weltkindern bekehrt[85] oder, falls unverbesserlich, wie Gebizo dem Teufel überantwortet. – Ferner müssen weite Partien des ›Sinngedichts‹[86] dem Aspekt des Satirischen unterstellt werden, mit dessen Hilfe

[85] Um diese Möglichkeit der Bekehrung ist es Keller vor allem zu tun. So gibt es zwar eine Vielzahl unnatürlicher Verhaltensweisen (Vitalis!), aber nur wenige Fälle hoffnungsloser Verkehrtheit. Entsprechend fehlen weitgehend die sonst üblichen aggressiv-ironischen Ausfälle gegenüber Vertretern der Kirche. Das hat zu Fehleinschätzungen geführt wie der von Oscar Bettschart – Gottfried Kellers »Sieben Legenden«. Eine Untersuchung, Diss. Freiburg/Schweiz 1947 – vertretenen Behauptung, es sei Kellers Generallinie gewesen, »Satirisches«, soweit es von früheren Lesarten her stehengeblieben war, nach Möglichkeit »zu streichen« (S. 51). – Erst in jüngster Zeit – Dieter Dörr, Satire und Humor in Gottfried Kellers »Sieben Legenden«, Diss. München 1970 – gibt es Bestrebungen, das satirische Moment erneut stärker zu etablieren (s. S. 122 ff.; 133 f.; 136–40). Freilich wird die humoristische Komponente damit keineswegs ausgeschlossen, vielmehr glaubt der Verf., ausgehend von der Annahme einer speziell für den Nichtchristen Keller notorischen (und als wesentlich tragi-komisch umschriebenen) Grundspannung des Daseins wie der Notwendigkeit ihrer Bewältigung die grundsätzliche Vereinbarkeit beider Welthaltungen/Darbietungsformen ableiten zu können (s. S. 128 f.); ein Mischungsverhältnis ferner der künstlerischen Techniken, das sich im konkreten Fall der ›Legenden‹ um so eher bewähre, als die (humoristischen) Vorbehalte des Dichters weniger die ›Originaltexte‹ (mitsamt den darin enthaltenen doktrinären Ansprüchen der Kirche) beträfen als vielmehr entscheidend (d. h. satirisch) gegen die Prinzipien der Kosegartenschen Überarbeitung gerichtet seien (s. S. 132). So könne der Humorist Keller sich »wohl der Medien der satirischen Gestaltung bedienen, doch wird seine Satire niemals jene gewollte Einseitigkeit und Eindeutigkeit besitzen, die im direkten Zugriff das satirische Objekt ergreift und bestraft, wie das beim echten Satiriker der Fall ist. Vielmehr konstituiert der Humor mit den ihm eigentümlichen Ausdrucksformen den Grundriß von Kellers dichterischer Welt, in den sich auch die satirischen Medien einfügen« (S. 133).

[86] Die Märchen-Satire von ›Spiegel‹ bleibt demnach kein Einzelfall. Die Reihe läßt sich fortsetzen mit dem ›Apotheker von Chamounix‹, bei dem weniger Tatbestand oder Adresse – zu den Adressaten vgl. im einzelnen Rätus Luck, Gottfried Keller als Literaturkritiker, Bern/München 1970, S. 553 ff. – als vielmehr Art und (inhaltlich zentrale) Stoßrichtung satirischen Sprechens bis heute umstritten sind: Was den Dichter an Heines ›Romanzero‹ erbittert, es sind, außer daß es sich um ein Dokument der Bekehrung des Verfassers zum Katholizismus handelt (s. 2/1, 236) – für Keller ein Fall von Kopfhängerei, der nicht einmal durch Heines Krankheit zu entschuldigen war (s. 2/1, 241) –, vor allem die Greuelszenen, wie sie etwa in der Romanze »Spanische Atriden« in der Pose romantischer Ironie, d. h. ohne spürbares Engagement vorgetragen werden. So läßt Keller die Himmelssehnsucht des kranken Dichterkollegen traumweise (!) in Erfüllung gehen, Gelegenheit, seine Schmähwillkür als Narrenwerk abzutun (s. 2/1, 248/49) wie ihm die Folgen solcher Medisancen vorzuführen in Gestalt des Schicksals ähnlicher Weltverleumder, die, als Ungeheuer in ein grausliches Tintenmeer verdammt, in ewigem Kampf miteinander liegen (s. 2/1, 261 ff.). – Dem vorgeschaltet ist die Geschichte von Titus und Rosalore, einem fühllos-giftigen Weibe (s. das Symbol des Schlangen-Schals 2/1, 217 ff.), das den Geliebten und sich selbst durch Bosheit und Eifersucht zugrunde richtet. Ein Schauerstück also, ganz im Geiste der Atriden-Romanze gehalten. Und doch ist das Schicksal der beiden sowenig wie das Ende Klaras – Rosalores Rivalin wider Willen – eine Widerlegung der Kellerschen Auffassung von der möglichen Schönheit dieser Welt. Nicht die Welt ist schlecht, im Gegenteil – mit Erstaunen wird Rosalore unmittelbar vor ihrem Ende des friedlich-heitern Glücks der Murmeltiere gewahr (s. 2/1, 228 ff.) –, der Mensch selbst ist es, der mit seinen Taten wie mit kleinlich-philiströser Gesinnung – darum das Bild des Apothekers, der sich mit

der Dichter diesmal eine Attacke reitet gegen die Wissenschaftsgläubigkeit der Zeit[87]. Namentlich in den Erzählungen Lucies (»Von einer törichten Jungfrau«, »Die Berlocken«) geht es um die Widerlegung der Darwinschen These von der

Produkten eigner Erfindung (Schießwolle) selbst den Garaus macht (s. dazu 20, 7—15; 96/97) — das Bild des Daseins zum Negativen hin bestimmt. Titus und Rosalore, Philister und Buhlerin sind am Ende verloren ihrer heillosen Unnatur wegen, die es fertigbringt, jede Unschuld und Reinheit (Klara!) in den Staub zu zerren. Sie werden dem Teufel überantwortet (s. 2/1, 233 f.; 270 ff.), während der Poet einem ähnlichen Schicksal nur darum entgeht, weil Keller ihn eher den »Bosheitsdilettanten« (2/1, 287) zurechnet, jener Richtung, »welche, bei ganz harmlosem und sentimentalem Gemüt, Frivolität und Bösartigkeit affektiert und dem gemachten Witze jedes Bewußtsein aufopfert« (Briefe 3/2, 81). So wird Heine dieser Heuchelei wegen in einer grotesken Totentanzszene von den (nun wirklich herzlosen) Pariser Grisetten aus dem Grabe gezerrt und ins Gebirge entführt, wo man ihn einer ähnlich schnurrigen Gesellschaft (s. 2/1, 288) einreiht »Gleich des Apothekers Büchsen« (2/1, 222), ja zuletzt, unerachtet allen komischen Sträubens in die gleiche Büßerwohnung steckt, die die verführte Unschuld Klara — nunmehr zu engelhafter Reinheit geläutert (s. 2/1, 292 f.) — bislang bewohnte. Titus und Rosalore aber, unfähig, das wahre, (d. h. gute) Wesen der Welt zu erkennen, dafür immer in Versuchung, aus jeder Narrheit ein Verbrechen, aus jeder Mücke einen Elefanten zu machen (s. 2/1, 295), erleiden ein Kammacher-Schicksal: »Denn die Schlimmen, die mit frommen / Worten einst die Welt betrogen, / Mit Gebarung der Gerechten, / Braten ewig in der Hölle«. »Doch die Guten, die in schlimme / Sitten einst sich eingewickelt, / Müssen sich von diesen rein'gen, / Bis sie weiß sind wie der Montblanc« (2/1, 221).
Wie sehr die Rezeption des ›Apothekers‹ eine Geschichte der Verlegenheiten ist, zeigt der Artikel von Kaspar T. Locher — Gottfried Kellers »Der Apotheker von Chamounix«. Versuch einer Rettung. — In: Jahrbuch der Deutschen Schillergesellschaft 16, 1972, S. 483—515, dort S. 487—91 —, dessen (inhaltliche) Tendenz im übrigen einen weiteren Beleg in dieser Richtung liefert: Zwar kommt der Verf. von allen bisherigen Interpreten den Kellerschen Intentionen am nächsten (s. S. 505 u. 507), indem er sich jedoch zu einer ›Ehrenrettung‹ entschließt, d. h. den Romanzen-Zyklus als (Heine-)Parodie versteht, wird dem Stück, der bisherigen Geringschätzung zu begegnen, zugleich eine einzigartige Stellung innerhalb des Kellerschen Oeuvres zugemutet. — Könnte man darüber immerhin noch geteilter Meinung sein — die spätere Aufnahme in die ›Gesammelten Gedichte‹ spricht gegen die These vom ›Sonderfall‹ —, so wirkt der anschließende Versuch, den Text (bei aller behaupteten Exponiertheit) andererseits doch auch dem Gesamtwerk zu integrieren, wenig überzeugend — Keller als heimlicher Geistesverwandter Heines wie Thomas Manns! —, ja in seinen Konsequenzen eher ärgerlich, wenn satirischem Sprechen die Spitze abgebogen wird zugunsten angeblich ›objektiver‹ Ironie, die wiederum auf den Realisten Keller vorausdeuten soll (s. S. 515).

87 Gemeinsam ist den satirischen Verdikten gegen Kirche, Wissenschaftsbetrieb und Romantizismus die nach Kellers Meinung unrechte Einstellung zur Welt, die Unfähigkeit, sei sie nun individueller, wissenschaftstheoretischer oder institutionalisiert religiöser Art, ihr etwas Gutes zuzutrauen. Wo Heine die ›Frommkeit‹ fehlt, die Kirche Welt nicht anders denn im Stande der Sündhaftigkeit zu sehen vermag, ist es der Rationalismus der Wissenschaft, der das Leben seiner Geheimnisse beraubt, ohne doch dessen Rätsel lösen zu können. Wenn gerade das Darwinsche Modell dafür stellvertretend herhalten muß, dann vor allem deshalb, weil sich hier zu der mechanistischen Lebensauffassung die Trostlosigkeit eines Weltbildes (Leben als Kampf aller gegen alle) gesellt, die der weltimmanente, diesseitsverschworene Künstler Keller darum nicht unwidersprochen hinnehmen konnte, weil sie das Dasein der Schönheit wie seiner humanen Würde weitgehend entkleidete.

Berechenbarkeit der Welt; in der Geschichte von den ›Geistersehern‹, die der Oheim erzählt, wird die Behauptung von der Rationalisierbarkeit menschlicher Verhältnisse in possenhafter Weise konterkariert[88]. — Unterschieden sind die genannten Zyklen weniger ihrem Realitätsgehalt als allenfalls ihrer stofflichen ›Modernität‹ nach, ein Umstand, der mit zu ihrer Trennung geführt haben mag. Zumal von der ›Schlangen-Episode‹ des ›Sinngedichts‹ her wird verständlich, wieso die ›Legenden‹ jahrelang Bestandteil der Sinngedicht-Konzeption sein konnten: Beide Haltungen, die wissenschaftliche wie die religiöse, stellten gleichermaßen eine Herausforderung dar an die ›Weltfrömmigkeit‹ des Dichters. So war die Stoßrichtung des Zyklus ursprünglich zweigleisig angelegt, ehe die religiöse Motivik sich bei passender Gelegenheit — zunehmende dogmatische Verhärtung des Katholizismus der 70er Jahre — verselbständigte, während »Das Sinngedicht« sich angesichts eines immer mächtiger werdenden darwinistischen Einschlags der Naturwissenschaften allmählich zu einem Satyricon gegen den Wissenschaftsbetrieb der Zeit auswuchs.

Auch dieser Zug, das Prinzip der Reichsunmittelbarkeit wenn nicht aufzuheben, so doch zu lockern, ist erkennbar schon in den ›Leuten von Seldwyla‹, und es sind (erneut) die veränderten äußeren Bedingungen, die Verdüsterung des allgemeinen Lebens[89], die den Seldwylern vieles von ihrer einstigen Munterkeit genommen

[88] Bleiben die Narren nachzutragen, die es bei diesem Unternehmen absetzt: die Figur der Salome etwa mit ihrem Bestreben, mehr und anderes zu scheinen, als sie in Wahrheit ist (s. 11, 44; 56); der Meister Drogo, »wie ihn seine Eltern närrischerweise hatten taufen lassen« (11, 46), welcher in seiner Torheit, sich an eine falsche Schöne zu hängen, der ›törichten‹ Jungfrau in nichts nachsteht. Erwin Altenauer (»Regine«) gehört dazu mit seinem sentimentalischen Hang fürs volkstümlich Unverbildete; ferner Don Correa auf Grund seiner Marotte, unter »Verheimlichung von Namen, Rang und Vermögen« (11, 245) auf Brautschau auszugehen. In den ›Berlocken‹ werden die Anschläge Thibauts, mit denen er es lediglich auf die Bijous statt auf die Herzen seiner Damen abgesehen hat, als törichte Possen abgetan (s. 11, 325). Selbst Brandolf (»Die arme Baronin«) gewinnt in seinem unbedingten Eifer, »sich mit schlimmen Käuzen herumzuzanken und sie ihrer Tollheit zu überführen« (11, 148), bisweilen den Anstrich des Närrischen. Zu den solcherart harmlosen Narren rechnen schließlich auch die Helden des ›Sinngedichts‹, wobei Reinharts Torheit sich offenbart in der tolpatschigen Art, mit der er das Kußexperiment anfänglich ins Werk setzen will (s. 11, 43), während Lucies Unnatur sich verrät in den »ersichtlich künstliche[n] Anlagen« des Gartenlabyrinths (11, 24).

[89] Zwischen ›Legenden‹ und ›Sinngedicht‹ waren (1878) mit den »Züricher Novellen« eine Reihe historischer Erzählungen erschienen, in denen Keller ein so allgemeines wie privates (und in beiderlei Hinsicht brennend aktuelles) Problem anging, die Frage nämlich, ob in einer Zeit epigonalen Menschentums ursprüngliche Kunst noch möglich sei. Wenn es wieder ein Buch wurde voller Narren, dann diesmal ihres Originalitätsticks, ihrer falschen Originalitätssucht wegen. Von der »Krankheit, sein zu wollen, was man nicht ist« (9, 155), sind fast alle befallen, symptomatisch dafür die durchgängige Unfähigkeit zu einfacher, natürlicher Rede, anders gewendet die grassierende Vorliebe für Schwulst, verbrauchte Phrasen und geschraubte Wendungen. Am schlimmsten treibt es in dieser Hinsicht der ›Narr auf Manegg‹, der erst ein Ritter sein will und sich schließlich, nach Diebstahl des Manesse-Codex, als Minnesänger aufführt, ja die Leute an Leib und Leben bedroht, die ihn nicht als guten Singmeister bestätigen

haben. So bieten die Erzählungen des Zweiten Teils lediglich noch eine kleine Nachernte (s. 8, 4), und wenn auch die Märchenluft darin zunächst dichter, der ›Keller-Ton‹ unüberhörbar wird, so häufen sich doch zugleich die satirischen Ausfälle gegen die zunehmenden Laster der Zeit[90], die Unsitte etwa des Spekulantentums (s. 8, 74), die Mißstände im Erziehungswesen (s. 8, 105) u. a.[91]. Am Ende sind es »konkrete hiesige Zustände« (Briefe 3/1, 183), der politische Pamphletismus der späten 60er Jahre (s. 8, 485), reformtheologische Umtriebe (s. 8, 487 ff.), die den Dichter zwingen, den Zyklus mit jenem erwähnten »ernsteren Kultur- und Gesellschaftsbilde« abzuschließen (Briefe 3/1, 183).

Als gerade Fortsetzung dieser Tendenz ist Kellers letztes Werk, der »Martin Salander« von 1886 aufzufassen. Der Dichter selbst hat in einem Brief an Paul Heyse auf diesen Zusammenhang aufmerksam gemacht. Da er von dem »Romanchen« noch nicht viel sagen könne, verweist er den Freund auf »Das verlorne Lachen« als den ungefähren »Grund und Boden, eine politisch oder sozial moralische Entwicklung aus der aktuellen Misère heraus . . .« (Briefe 3/1, 69/70). Keller ist damit erneut, und diesmal konsequenter als je zuvor ›modern‹, aktuell, er schreibt einen Zeitroman, mehr noch ein zeitkritisches Buch, in dem nun alles, was bislang

wollen (s. 9, 151). Originalitätsnarren, sie lassen sich eingliedern in unsere Narrentypologie insofern, als die Antizipation des (historisch) Unzukömmlichen nichts anderes ist als eine spezielle Äußerungsform des so verbreiteten wie unnatürlich-hohlen Renommiergehabes der Philistergilde. — Wenn Keller den Erzählungen sämtlich Spätzeitcharakter verliehen hat, dann nicht nur, um die Krankheit seiner Zeit in historischer Verfremdung zeigen zu können, vielmehr sind es immer auch Epochen des Umschwungs und Übergangs, und damit ist (nächst der Hoffnung auf Besserung) zugleich schon die Lösung des Problems angedeutet: Sie liegt, deutlicher noch als früher — Fides (!), die auf Hadlaubs unverbrüchliche Liebe schwört; Buz hingegen, der sein Weiblein verstößt (s. 9, 145 ff.) und als ein seelenloser Narr mit Hilfe eines Fastnachtsschwanks vom Leben zum Tode befördert wird (s. 9, 151 ff.) —, in der Treue des Herzens. In Zeiten des Umbruchs aber, da alles ins Wanken gerät, ist schon der (an sich normale) Aufrechte, der, der »das, was er unternimmt, recht betreibt und immer an seinem Orte etwas Tüchtiges leistet, und wenn dieses auch nichts Unerhörtes und Erzursprüngliches ist! . . . so wenig häufig oder recht betrachtet so selten, daß, wer es kann und tut, immer den Habitus eines Selbständigen und Originalen haben und sich im Gedächtnis der Menschen erhalten wird . . .« (9, 17).

[90] Vgl. die ganz ähnlich angelegte Szene des Strapinskischen Ganges durch Goldach 8, 30/31, die satirische Schilderung eines moralischen Utopien (s. 8, 32), aus deren Umkehrung hervorgeht, wie es um die tatsächlichen Verhältnisse bestellt sein muß.

[91] Den unmittelbaren Anstoß zur Literatur-Satire der ›Mißbrauchten Liebesbriefe‹ entnahm Keller dem ›Teut. Jahrbuch der Junggermanischen Gesellschaft‹ (s. 8, 462/63). Nicht anders stellen ›Legenden‹ und ›Sinngedicht‹ (vgl. p. 232 ff.) Antworten dar auf bestimmte, in Kellers Augen unliebsame Zeittendenzen. Bei aller Verwahrung gegen den Terrorismus des Zeitgemäßen (s. Briefe 3/1, 134; 162 f.), dem der Dichter sich in der Wahl seiner Stoffe zu entziehen sucht, sind diese Arbeiten doch seismographische Reaktionen auf Zeitkrankheiten, an den Tag gegeben nicht selten zu bestimmter Stunde und aus therapeutischen Gründen. Insofern birgt die Richtersche Behauptung von der geradezu tagespolitischen Aktualität dieser Produktionen im Kern doch auch etwas Richtiges, a. a. O. S. 52; 73 u. a.

an Vorbehalten einzeln und gesondert zur Sprache kam, wie in einem Fokus gesammelt erscheint. »Um die Roheit und die Barbarei moderner Umwälzungskrisen zu vermeiden«, hatte er bereits 1860 notiert, »müssen wir auch die Feigheit und Verweichlichung moderner materieller Betriebsamkeit etc. verhüten und uns auf der alten goldenen Mittelstraße und ursprünglichen schweizerischen Mutes erhalten« (22, 342)[92]. Weder das eine noch das andere scheint in den folgenden Jahrzehnten gelungen, im Gegenteil. Die Übel der Zeit hatten so wenig haltgemacht an den Grenzen der (Schweizer) Republik (s. Briefe 3/2, 411), daß das ›Fähnlein‹ von daher schon 1878 hoffnungslos veraltet wirkt, »ein antiquiertes Großvaterstück; die patriotisch-politische Zufriedenheit, der siegreiche altmodische Freisinn sind wie verschwunden, soziales Mißbehagen, Eisenbahnmisere, eine endlose Hatz sind an die Stelle getreten« (Briefe 3/1, 420). Dieser verderblichen Entwicklung Einhalt zu gebieten, hat Keller im »Martin Salander« noch einmal »ein politisches Spiegelbild der öffentlichen Zustände in ... [seiner] engeren Heimat zu entwerfen gesucht«[93], wobei der »moralische« Schauplatz »sich nicht nur über den Kanton Zürich« erstreckt, »sondern ziemlich auf die ganze Schweiz ...« (Briefe 4, 324).

Eitelkeit, Selbstsucht, Falschheit[94], d. h. hier vor allem die Prätention höheren Menschentums bei tatsächlicher Gemeinheit der Gesinnung, das alles sind nun nicht mehr nur vereinzelte Krankheitsfälle, sondern wahre Volkslaster (s. 12,

[92] Dies die Maxime der ›Fähnlein‹-Novelle, von der aus die Mannbarkeitsproben (Schießen, Fingerhakeln) des ›Schreiberlings‹ Karl ebenso ihren Sinn erhalten, wie die Begabung zur natürlich-gescheiten Rede seine intellektuelle Überlegenheit den Alten gegenüber offenbart. Es ist der Jungbrunnen des vaterländischen Festes, der den ›Aufrechten‹ umgekehrt zu der Einsicht verhilft, Erfahrung allein sei möglicherweise nicht (mehr) alles, wie diese (Wunder-)Kur verhärtende Starrköpfigkeit dazu vermag, das Einbekenntnis ihrer (partiellen) Unbeholfenheit dem Neuen gegenüber zu artikulieren. — Indem Keller Theorie und Praxis so einem Prozeß wechselseitiger Annäherung unterwirft und die auseinanderstrebenden Parteien auf diesem Wege, d. h. ›redend‹, zu freundschaftlichem Einvernehmen zusammenfinden läßt, gelingt ihm noch einmal jenes (selbstauferlegte) Kunststück, das Didaktische — den Hinweis eben auf die Notwendigkeit eines letztlich friedlichen Zusammenspiels von Jung und Alt — im Poetischen aufzulösen wie auch verschönend-zukunftsgläubig zu wirken bis zu dem Grade, daß — aller längst spürbaren ökonomisch-sozialen Fehlentwicklungen (Industrialisierung, Spekulationsgeist etc.) unerachtet — die Rede am Ende gar zum Lob der neuen Zeit (s. 10, 88) gehen kann, indes der angeschlagene Erzählton der Szenerie des Schlußbanketts zu Aarau noch einmal — was die politisch-zeitgeschichtliche Seite angeht, (bis aufs ›Verlorne Lachen‹) letztmalig und in bemerkenswertem Kontrast zur ›Polit‹-Hochzeit wie zum ungesund-hektischen Festtrubel des ›Salander‹-Romans überhaupt! — verklärende Glanzlichter aufsetzen hilft (s. 10, 83).

[93] = Johannes Prölss über eine Begegnung mit Gottfried Keller (Frankfurter Zeitung, 28. Juli 1887), zitiert nach Alfred Zäch, Gottfried Keller im Spiegel seiner Zeit. Urteile und Berichte von Zeitgenossen über den Menschen und Dichter, Zürich 1952, S. 100 f.

[94] Anläßlich eines Besuchs bei ihren Töchtern müssen die Eltern Salander erkennen, wie schnell die Weidelich-Zwillinge »sich vergröbert hatten«, was der Mutter die Befürchtung eingibt, »das werde mit der Zeit ein paar recht takt- und gefühllose Philister abgeben« (12, 260/61). Zu ihrem nüchternen Geschäftssinn kontrastiert ganz seltsam eine falsche Geziertheit, wie sie z. B. in der

87 ff.); zu seelischer Verrohung gesellt sich sittliche Verderbnis wie ein allgemeines, ansteckendes Übel (s. 12, 311; 378). Die Welt scheint voll von solchen Miasmen aus der Büchse der Pandora; was Wunder, daß die Garde der Narren noch einmal stattlich ist und vertraut auch die Mittel, mit denen der Dichter den aktuellen Tollheiten zu Leibe rückt. Zwar hat er seinem Freunde Storm versprochen, sich diesmal »logisch und modern« aufzuführen (Briefe 3/1, 465), d. h. die obligaten Possen und Späße beiseite zu lassen, doch kann es bei soviel gehäufter Verkehrtheit um ihn herum nicht lange dauern, bis er wortbrüchig wird und Schwänken wie satirischen Einfällen erneut die Zügel schießen läßt[95]. Insbesondere die Ereignisse um die von Vater Salander inszenierte politische Volkshochzeit (s. 12, 186) liefern Stoff in dieser Richtung: Die Rüpelposse um die Parteienzugehörigkeit ist eine Satire auf die Gesinnungslosigkeit nicht nur der Weideliche (s. 12, 208 ff.; dazu 152 ff.; 204 ff.); die unzeitige Toastrede (s. 12, 196 ff.) des schnurrigen Pfarrherrn (s. 12, 202) läßt die tatsächlichen Zustände[96] in satirischer Verkehrung erahnen. — Aber anders als früher — und dies in der Tat im Gegensatz speziell zum ›Sinngedicht‹ (wie auch zur ›Fähnlein‹-Novelle) — sind die Narren nun von der gefährlichen Sorte, bösartig wie Wohlwend, ist der Schritt vom Toren zum Halunken nur mehr verschwindend klein. Und so muß das altbewährte Rezept, menschlicher Unvollkommenheit (ver-)lachend beizukommen, zuletzt wirkungslos bleiben. Zwar ermuntert Salander sich und die Seinen noch einmal, die Dinge scherzhaft zu nehmen, das Ganze — die Schwiegersöhne sind verbrecherischer Umtriebe bezichtigt und einstweilen inhaftiert — von der merkwürdigen Seite anzusehen, sonst komme man schwerlich darüber hinweg (s. 12, 354), und Möni Wighart gibt auch sogleich den neuesten Schwank zum besten (s. 12, 350 ff.); aber dann offenbart Isidors Brief aus dem Gefängnis erneut einen so heillosen Mangel an menschlicher Substanz, daß es auch diesem alten Possenreißer die Sprache verschlägt (s. 12, 357). Das Lachen, seine befreiende Wirkung, anders als in der letzten Seldwyla-Novelle ist es nun endgültig verloren. Zurück bleiben Kälte, Leere und Elend, wie im Hause Weidelich, dazu Satiren, die nun bitter

Vogelstellerei Julians zum Ausdruck kommt (s. 12, 259; dazu 4, 108). Begleiterscheinung jenes allgemeinen Aufwärtsstrebens — alles drängt in gutem und mehr noch in schlechtem Sinne nach oben (s. Briefe 3/1, 85/86) —, auf das der ursprüngliche Titel ›Excelsior‹ abheben sollte, scheint dieser letzteren Marotte nunmehr alles verfallen, die Kinder als Folge falscher Erziehung (vgl. die Mama/Mutter-Szene des Anfangs) ebenso wie die Erwachsenen, angefangen von der Waschfrau Weidelich mit ihrer Vorliebe für unstandesgemäß aufgeputzte Hüte (s. 12, 5) bis hin zum Titelhelden und seinen vielfältigen Illusionismen.

[95] Schwankhafte Motive durchziehen demnach Kellers gesamtes Schaffen vom ›Grünen Heinrich‹ bis hin zum »Martin Salander«.

[96] Vgl. die Verrohtheit des Volkes, wie sie aus den Rodomontaden der beiden Handwerksburschen spricht 12, 86 ff. u. 440. Am Ende dominieren die ›Zierbengel‹ vom Schlage der Weideliche, scheint es nur noch jenes unzuträgliche Gemisch von Roheit und gewollt Ziervollem zu geben; dazu die Art, in der Frau Marie ihres Mannes Phantasmata von der notwendigen Volkserziehung (s. 12, 236 ff.) in lauter Satiren umzumünzen versteht (s. 12, 239/40).

schmecken, wie die Kleinpeter-Episode (s. 12, 221 ff.), die Verteidigung der Weideliche durch die verdrehten Advokaten (s. 12, 368), die Entlarvung der seelenlosen Schönheit Myrrhas (s. 12, 396 ff.) usf., während der Optimismus der Zeit ad absurdum geführt wird durch jene briefliche Auslassung Arnolds, in der er den vermeintlichen Fortschritt einem Laufkäfer vergleicht, »der über eine runde Tischplatte wegrenne und, am Rande angelangt, auf den Boden falle, oder höchstens am Rande entlang im Kreise herumlaufe, wenn er nicht vorziehe, umzukehren und zurückzurennen, wo er dann auf der entgegengesetzten Seite wieder an den Rand komme« (12, 182/83).

Was dem Roman fehlt, sind mit Preisgabe des Keller-Tons zugleich alle dämpfenden Tendenzen. Märchenluft durchweht allenfalls noch die Erzählung der Marie Salander von den Wichteln, die auswandern, wenn das große Volk dumm und schlecht zu werden beginnt (s. 12, 36 ff.); aber sie ist nun bis zur Wirkungslosigkeit verdünnt, und gerichtet allein auf die Zukunft. Settis Traum rekapituliert die (frühe) Erzählung der Mutter, und wenn die Eltern darin im Gewand der Jugend auftreten (s. 12, 244/45), dann darf man diesen Zug (zusammen mit dem Motiv der Regenbogenschüsselchen) als Hinweis werten auf die Wandlungsfähigkeit und innere Erneuerungskraft des Volkes. Es ist der gleiche Trost, den Arnold, der Sohn, dem Studium der Geschichte entnimmt (s. 12, 180 ff.), die Erkenntnis der »Züricher Novellen«, wonach es immer schon schlechte Zeiten gegeben habe (s. dazu 12, 388), eine (neuerliche) Wende zum Guten folglich niemals völlig ausgeschlossen werden kann (s. 12, 450). — Bezüglich des Hier und Jetzt freilich vermag Keller der »Pflicht eines Poeten, nicht nur das Vergangene zu verklären, sondern das Gegenwärtige, die Keime der Zukunft so weit zu verstärken und zu verschönern, daß die Leute noch glauben können, ja, so seien sie und so gehe es zu! ...« (Briefe 3/2, 195), nicht mehr Genüge zu tun. Was ihn lähmt, ist, rechnet man die Resignation des Alters ab, die Wirklichkeit selbst, nunmehr so graß beschaffen, daß sie zerstörerisch eindringt in seine fromme Märchenwelt. In dem Augenblick aber, da er sich des reichsunmittelbaren Genres, d. h. der zweckfreien Kunst begibt und ›Eisenbahnmisere‹ beschreibt, ist er gezwungen, so starken (satirischen) Tabak zu rauchen (s. Briefe 3/1, 465), daß der gewohnte (Märchen-)Glanz auf allem alsbald erlischt. Am Ende behauptet Satire das Feld, nicht ›schöne‹ Kunst (s. 22, 334), aber auch nicht realistische[97]. Keller

[97] Dagegen ist Kellers abschließendes Werk für Margarete Merkel-Nipperdey — Gottfried Kellers »Martin Salander«. Untersuchungen zur Struktur des Zeitromans, Göttingen 1959 — ein zeitrealistischer Roman (s. S. 104; 123), Darstellung geschichtlicher Wirklichkeit, weshalb der Raum zunehmend strukturbestimmend werde, Raumbilder (auf Kosten der Figuren) zwangsläufig in den Vordergrund träten. Derart statischen Vorlagen entspreche ein Verlangsamen des Erzähltempos, eine (idyllische) Erzählhaltung ruhigen Anschauens (s. S. 23; 36), die es erlaube, realistisch-genau zu sein, Einzelheiten plastisch und konturenscharf wiederzugeben (s. S. 78; 90). — Dem ist entgegenzuhalten, daß es Schilderungen von Raumszenen bei Keller schon immer gegeben hat, ohne daß sie jemals sonderlich ›genau‹ geraten wären (auch die Verfasserin muß

weiß um diese Einseitigkeit, und er weiß auch, daß er sich damit in die Reihe derer stellt, die er bisher verlacht[98] oder verachtet hatte, der Verfallspropheten nämlich von der naturalistischen Observanz (s. Briefe 3/2, 410/11; ferner 12, 432)[99]. Was er an ihnen vermißte, die »Charis, die Sonnenwärme« (Briefe 3/1, 491), beides fehlt ihm nun selbst[100]; ein Umstand, dem man am ehesten entnehmen kann, an welche Bedingungen — die des Märchens — Glanz und Glück im Werk dieses Dichters geknüpft sind. Fehlen sie, bleibt nichts als Bitternis zurück — und die Satire als Großform!

schließlich zugeben, daß die »Häuser Salander und Weidelich ... von innen nur andeutungsweise beschrieben« — S. 72 — werden). Ferner ist die Bewertung idyllischer Genrebildchen übersehen, die — der fehlenden Bewegtheit wegen — nicht minder negativ ausfällt als die der Salander-Szenarien auf Grund der für sie konstitutiven allgemeinen Hektik und Ruhelosigkeit. Zwar werden satirische Züge zugestanden (s. S. 31), ein Schwinden »jener wohlwollenden Teilnahme« im Zusammenhang eben »mit der Darstellung der zeitgeschichtlichen Umstände« (S. 30) eingeräumt, doch seien diese Partien im Verhältnis zu den ›schönen‹ Stellen weder besonders zahlreich, noch bedeute ein solches Nebeneinander einen Bruch in der Erzählhaltung, vielmehr ergebe sich eine spannungsreiche Verbindung von kritischer Distanziertheit und lächelnder Anteilnahme (s. S. 148; 33). Indem die Verfasserin das »Gegeneinanderstehen des zeitüberlegenen Echten und zeitverfallenen Unechten« mit dem Sieg des ersteren enden läßt (S. 149), erscheinen die tatsächlichen Relationen (Faktizität wie Wertungen betreffend) nachgerade auf den Kopf gestellt als der einzig verbleibenden Chance, den vermeintlichen Realisten Keller doch noch zu retten.

[98] Etwa in der Persiflage von Viggi Störtelers Manier der naturalistischen Skizzierung (s. 8, 130 ff.).

[99] dazu die mit einer Ausnahme (s. 22, 335) durchweg abfälligen Urteile über Balzac (s. Briefe 3/1, 41; 108. 3/2, 434); ferner Kellers Vorbehalte gegenüber der zeitgenössischen skandinavischen »Lumpenprosa« mit ihren »ewigen Wechsel- und Fabrikaffären ...« (Briefe 3/1, 65).

[100] Daher das ständige Betonen des Umstands, der »Martin Salander« sei nicht fertig geworden, sowie die Pläne (s. 12, 451 ff.) und Absichtserklärungen zu seiner Fortsetzung, die bis in die letzten Tage vor seinem Tode datieren (s. 12, 424 ff.).

C. FOLGERUNGEN

DIE DICHTERISCHE EIGENART GOTTFRIED KELLERS – VERSUCH EINER LITERARHISTORISCHEN EINORDNUNG

Vor die (abschließende) Aufgabe gestellt, die im Verlauf der bisherigen Untersuchung gewonnenen Erkenntnisse an den eingangs aufgestellten Kriterien für realistischen Schreibstil zu messen, ergeben sich Bedenken hinsichtlich der Anwendbarkeit dieses Prädikats namentlich auf Grund des beobachteten Funktionalismus allen Details. Zwar wird die Nähe zum bloß Allegorischen zumeist glücklich vermieden, bleibt ein erkennbares Maß an faktischer Solidität erhalten, aber daß es immer wieder gelingt, die Balance zu halten zwischen Sosein und Zeichenhaftigkeit, zwischen anschaulicher Präsenz und verweisender Bedeutung, genau dies macht im wesentlichen das (rational nicht näher zugängliche) Geheimnis Kellerscher Künstlerschaft aus; nicht jedoch darf ein solcher Effekt als selbstverständlich oder auch nur wahrscheinlich vorausgesetzt werden[1] angesichts eines die stoffliche Seite derart nachhaltig konturierenden Bedeutungshintergrundes.

Nicht minder gewichtig als die Einwände, die (geringe) Quantität und den sich verdünnenden Realitätsgehalt des Dinglichen betreffend, sind die Monita hinsichtlich der Auswahlkriterien, wobei es ebensosehr um das zu tun ist, was der Dichter verschweigt, wie um jene Stoffe und Themenkreise, die bevorzugter Darstellung gewärtig sein dürfen. So steht dem ›Landschafter‹ Keller eine auffällige Zurückhaltung des Dichters weiten Bereichen der sozialen Wirklichkeit gegenüber, ein Verschweigen und Vernachlässigen, dem in der Konsequenz (mindestens) ein kompletter Stand — der der Arbeitsleute — zum Opfer gefallen ist. Sie sind nicht da, sowenig wie ihre Umgebung, Fabriken und industrielle Arbeitswelt. Wo moderne Produktionsweisen und ihre (sozialen) Begleitumstände doch einmal Erwähnung finden, da nie anders denn als industriöser Schnickschnack (s. 10, 10), d. h. über das ästhetische Verdikt hinaus belegt mit dem Kainsmal einer als absolut und bis zur Lebenswidrigkeit sinnlos empfundenen (materiellen) Betriebsamkeit und Hektik. So sehr ist Keller die Masse Mensch außer-, sprich unterhalb bürgerlicher Sekurität suspekt, daß er, wiewohl mit wachem Sinn für soziale Gerechtigkeit ausgestattet (s. 21, 42/43), schließlich selbst deren große histo-

[1] Schon gar nicht pflegt Realismus spontan (und sozusagen problemlos) in einen Symbolismus überzugehen, wie Walter Silz — Realism and reality. Studies in the German Novelle of poetic realism, Chapel Hill 1954 — dies für den speziellen Fall von »Romeo und Julia auf dem Dorfe« gemeint hat (s. S. 79—93, dort S. 83).

rische Stunde, die anfangs entschieden bejahte, ja durchaus begeistert begrüßte Revolution als einen Akt der Roheit und Barbarei verurteilt (s. 22, 342), wie er mehr und mehr dazu neigt, alles Revolutionär-Umstürzlerische der ihm zwangsläufig innewohnenden blutigen Greuel wegen für gänzlich unnötig zu erachten (s. 21, 81/82)[2]. — Es ist dies Moment des Gewalttätigen, Lebenzerstörenden, das ihn derartige Eruptionen, gleich ob im altmodischen Gewand schweizerischer Freischarenzüge[3] oder als moderne Umwälzungskrisen daherkommend, ungeachtet auch ihrer möglichen inneren Berechtigung, fürchten und verabscheuen läßt[4]. Womit zugleich der zweite große (und womöglich noch konsequenter ausgesparte, um nicht zu sagen ›tabuierte‹) Themenkomplex angesprochen ist: Neben materieller Not und ihren Auswirkungen (Lähmung der Lebensantriebe oder deren exzessive Steigerung) wird alles, was auch nur von weitem nach physischer Hinfälligkeit, nach Krankheit[5] oder Schlimmerem aussieht, beharrlich gemieden. Noch einmal ist an die Vorliebe des Dichters für Naturschilderungen zu erinnern: Nicht nur Gelegenheit, der ins Landschaftlich-Schöne übertragenen Idee von der Reichsunmittelbarkeit der Poesie zu frönen, stellt sie, vermöge jenes trotzigen wie strotzenden Vitalismus, auch in existentieller Hinsicht die genaue Umkehrung dar der in Welt und Menschenleben registrierten Unvollkommenheiten.

[2] »Dem wahrhaft freisinnigen Manne geziemt es, froh zu sein, wenn ihm das Ungehörige und Unüberlegte mißlungen, und er überläßt es den Despoten und wilden Bestien, einen blinden günstigen Zufall als Gnade Gottes und die Schärfe der Klauen als Recht auszukündigen« (19, 313).

[3] Von der Teilnahme daran und den dabei gemachten Erfahrungen sucht Carl Winter — Gottfried Keller. Zeit — Geschichte — Dichtung, Bonn 1971 — die ›realistische Wende‹ Kellers abzuleiten (s. S. 416), zu Recht, sofern man darunter die (politische) Wandlung vom »idealistischen Progressiven zu einem pragmatistischen Reformkonservativen« (S. 428/29) versteht. — Hingegen will die (Grund-)These, wonach das Werk des Schweizer Dichters seiner Zeitbezogenheit wegen nicht mehr — wie noch (und in ausschließlichem Sinne) bei Emil Staiger möglich — immanent zu interpretieren sei (s. S. 312/13), plausibel erscheinen am ehesten in Anwendung auf den (frühen) Lyriker Keller, während ihre (generelle) Gültigkeit auch für das erzählerische Werk erst noch zu erhärten wäre. Über mögliche Vorbehalte in dieser Richtung vgl. etwa Larry D. Wells, Zeit und Zeitalter in Gottfried Kellers ›Verlornem Lachen‹. — In: GQ 46, 1973, S. 368—80.

[4] Von latenter Revolutionsangst spricht auch Carl Winter, nur daß er sie weniger existentiell verankert als vielmehr politisch begründet sieht, als Reaktion auf die Jakobinische Schreckensherrschaft verstanden wissen will, a. a. O. S. 150/51.

[5] Allenfalls als seelischer Befund, nicht aber als physische Erscheinung vorhanden bei Keller. In der Diagnose kaum differenziert, erst recht nicht ihrem Verlauf nach geschildert, werden Erkrankungen im ›Normalfall‹, will sagen bei Erwachsenen, bei Leuten mittleren Alters, erstaunlich wenig erwähnt, und ebenso ist die Zunft, die in diesem Zusammenhang notwendig in den Vordergrund treten müßte, auf wenige unbedeutende und individuell kaum identifizierbare Exemplare reduziert. — Man vergleiche dagegen nur die ebenso exzessiven wie häufigen Schilderungen von Leidens- und Sterbefällen bei Thomas Mann, der sich von Phänomenen dieser Art weniger bedrängt als fasziniert zeigt.

Hie Stilisierung — da Retuschen, im einen wie im andern Falle läßt der Dichter sich Einseitigkeiten der Auswahl zuschulden kommen, die dem Gedanken eines repräsentativen Querschnitts durch die (historisch) zentralen Wirklichkeitsbereiche glatt zuwiderlaufen. — Dennoch hat man gerade von der thematischen Seite her den umfassend-ganzheitlichen Charakter des Kellerschen Werkes behauptet und den Dichter auf Grund vermeintlicher Ausgewogenheit seiner erzählten Welten zu den Realisten im vollen Sinne gezählt[6]. Von einer solchen ›Interessenvertretung‹ im Fontaneschen Sinne[7] kann freilich im Ernst keine Rede sein. Von der Erfüllung dieser Forderung auszugehen bedeutet im Gegenteil die geradezu klassische Demonstration einer petitio principii[8], bei welcher Gelegenheit man den Interpreten überdies in ähnlich einseitiger Weise — Zeichen unfreiwilliger Schülerschaft, wenn man will — bei (nunmehr ergänzenden) Textarrangements betreffen kann[9] wie zuvor den um Aussparen und Umgewichten bemühten Dichter.

[6] Rudolf Wildbolz, Gottfried Kellers Menschenbild, Bern/München 1964. Zunächst einmal kann man mit den Thesen des Verf., die Definition des literarischen Realismus betreffend (s. S. 116 ff.), sehr einverstanden sein. Bedenklich wird es erst da, wo aus der Wendung vom ›Realismus im vollen Sinne‹ eine Art Gradualismus des Wirklichkeitsbezuges gefolgert und — als ›Grundstufe‹ — Realistik des Details bei im ganzen unrealistischer Einstellung für möglich gehalten wird (s. S. 118 ff.). Und schon gar nicht wäre Keller auf dieser Skala des mehr oder minder umfassend Realistischen an die Spitze (und über Stifter) zu setzen!

[7] gegen Ingrid Mittenzwei — Dichtungstheoretische Äußerungen Gottfried Kellers und Conrad Ferdinand Meyers. — In: Beiträge zur Theorie der Künste im 19. Jahrhundert (Studien zur Philosophie und Literatur), Bd. 2, hrsg. v. Helmut Koopmann u. J. Adolf Schmoll, Frankfurt/Main 1972, S. 175—95 —, die Keller auf Grund einer Sammlung seiner poetologischen Marginalien zum Realisten machen möchte, da sein Dichten einmal auf der Grundlage ›Erfahrung‹ aufbaue (s. S. 179), zum andern die Wirklichkeit in schöner, sprich wohlproportionierter Form wiedergebe, was als Nachschaffen der intellektuell erkannten (harmonischen) Weltordnung zu deuten sei (s. S. 186; 191; 194/95). Diese ihre These durchhalten zu können, muß die Verfasserin Keller zunächst einmal in die unmittelbare Nachbarschaft C. F. Meyers rücken, während beide anschließend als Vorläufer Fontanes eingestuft werden (s. S. 185).

[8] Zum Realismus gehöre, so erfahren wir, der Wille zur Lebensbewältigung ebenso wie deren (immer wiederholte) Gestaltung (Wildbolz, a. a. O. S. 119). Was Wunder, wenn im Nachhinein beides über die Maßen reichlich und überzeugend vorgefunden wird bei Keller! So liegt aller Nachdruck auf dem Kapitel »Das gelungene Dasein«, das auf breitestem Raum (S. 80—115) von nicht weniger als sechs verschiedenen Formen der »Daseinserfüllung« zu berichten weiß. Verglichen damit finden sich die zahlreichen Fälle gescheiterten Daseins höchstens beiläufig erwähnt (s. S. 60), werden wir über die Beispiele ›halben Scheiterns‹ auf wenig mehr als zwei Seiten (77—79) informiert. — Solchen Versuchen aufhellenden Retuschierens stehen andererseits Beispiele unerlaubter Einschwärzung entgegen: So wird der Motivkomplex lebendigen Begrabenseins erst ins Tragische umstilisiert und anschließend — als das kleinere von zwei Übeln — zur ›Normalität‹ (s. S. 77; 121/22; 134), d. h. aber zum Gegenstand realistischen Dichtens erhoben — Tod und (im eigentlichen Sinne) tragisches Ende dagegen (ihres Nichtvorhandenseins wegen?) zum Extremfall erklärt (s. S. 58 ff.).

[9] Zwar arbeitet Wildbolz anfänglich die problematischen Züge des Kellerschen Menschenbildes heraus, spricht er (freilich aus existenzphilosophischer Sicht und darum reichlich allgemein) von Lebensnot, Brüchigkeit des Wirklichen, Bedrohtheit des Daseins (a. a. O. S. 23—32), aber

Die Behauptung von der Totalität erzählter Daseinsmöglichkeiten (s. S. 118; 127 ff.)[10] zu stützen, wird von der formalen Seite her das zyklische Prinzip (s. S. 135) als Ausdruck des Mühens um ein adäquates Bild der Wirklichkeit (s. S. 10) ins Feld geführt. Der Dichter also doch, vermöge der zweiheitlichen Ordnung[11] seiner Arbeiten, um Balance und Komplettierung, um ›realistische‹ Proportioniertheit seines Schaffens bemüht? Wie wenig indes auch die Tektonik seiner Zyklen geeignet ist, die These von der inneren Harmonie[12] und dem daraus abgeleiteten Realismus des Ganzen zu untermauern, mag das Beispiel der (in der Forschung oft mißverstandenen und dann vielfach bedauerten) Umstellung der ›Romeo‹-Novelle innerhalb der ›Leute von Seldwyla‹ in wünschenswerter Deutlichkeit demonstrieren: Wenn man in diesem Arrangement mehr sehen darf als eine vom Verleger empfohlene buchtechnische Maßnahme (dazu Fränkel 7, 380 und 394), dann waren gerade nicht Gründe der Symmetrie maßgebend, nicht das Bestreben, Anfang und Ende des Novellenkranzes künstlerisch hervorzuheben[13]. Statt dessen ist die endgültige Placierung an zweiter Stelle (umgekehrt)

der (sicherlich begrüßenswerte) Versuch, der Verharmlosung des Dichters entgegenzutreten (s. S. 7), verliert überall dort an Überzeugungskraft, wo als Materialgrundlage (statt der Texte) allenfalls noch biographische Daten bereitstehen, wie denn derartige Exkurse in die Bezirke des Abgründig-Dunklen für den Verf. vornehmlich Alibifunktion zu haben scheinen, dazu dienlich, die Überwindung solcher ›Anfechtungen‹ um so triumphierender verkünden zu können (s. S. 90; 120 u. a.). Bleibt anzumerken, daß auf solche Weise weniger Inhalte des Kellerschen Werkes registriert als vielmehr Vorstellungen hineingelesen werden davon, wie Dichtung beschaffen sein sollte, die das Prädikat ›realistisch‹ verdient hätte.

[10] Komplett ist Kellers dichterische Welt in den Augen des Verf. auch hinsichtlich der Lebensstimmungen (a. a. O. S. 130 ff.), eine Auffassung, die zu stützen es bei Deutung der Phänomene Melancholie und Resignation (s. S. 92) nicht ohne Gewaltsamkeiten abgeht. Im übrigen gibt es auch hier weniger das behauptete (stimmungsmäßige) Ineinander, nicht die Vereinigung widersprüchlicher Empfindungen im Humor, wohl aber unvermitteltes Umschlagen von einem Extrem (Angst, Trübsal) ins andere (jähes und lautes Gelächter) unter Umgehung des Mittleren; dazu die Notiz: »Je greller das Licht, desto schwärzer die Schatten — aber nicht nur in der Malerei, sondern im ganzen großen Getriebe der Natur und des Lebens« (22, 329).

[11] Vgl. die Arbeit von Kurt Reis — Die zweiheitliche Ordnung im Aufbaustil Gottfried Kellers. Vorstellung einer neuen stilkritischen Betrachtungsweise, Diss. (Masch.) Köln 1957 —, die das im Titel genannte Bauprinzip auf allen Ebenen (Stil, Motive, Tektonik) eindrucksvoll (für »Die Leute von Seldwyla« S. 152—80) nachweist und noch der »Strickstrumpfform« (Briefe 1, 397; vgl. 256) des Jugendromans überraschende Symmetrien abgewinnt. Trotz durchgehend bipolarer Strukturen sieht der Verf. in Keller ein zur Einheitlichkeit hinstrebendes Temperament (s. S. 8), das »Gegensätze [formt], um Synthesen formen zu können« (S. 9).

[12] Im Falle von Ernst May — Gottfried Kellers ›Sinngedicht‹. Eine Interpretation, Bern/München 1969 — hat diese Ansicht immerhin den Aufbau eines ganzen Buches bestimmt, und auch für Kaspar T. Locher — Gottfried Keller. Der Weg zur Reife, Bern/München 1969 — scheint die im Titel angedeutete Entelechie im wesentlichen auf ein harmonisches Einverständnis zwischen Ich und Welt hinauszulaufen (s. S. 15 ff.; 86 ff.).

[13] Die Wertungen von Hubert Ohl — Das zyklische Prinzip von Gottfried Kellers Novellensammlung »Die Leute von Seldwyla«. — In: Euphorion 63, 1969, S. 216—26 — wirken in diesem Punkte einmal nicht überzeugend.

der Versuch, die Ereignisse um Sali und Vrenchen aus dem Zentrum des ersten Bandes herauszurücken, ihnen einen möglichst unauffälligen Platz zuzuweisen, um sie nicht zu sehr als Apotheose der Leidenschaften erscheinen zu lassen[14]. Indem der Dichter sich für die heutige Anordnung entschied, nutzte er zugleich die Chance, der Novelle ausgetragener Leidenschaft die Erziehungsgeschichten von ›Pankraz‹ und ›Frau Regula‹ zur Seite zu stellen, so daß sie sich, wenn schon selbst ohne Entsagungsende[15], doch in mäßigender Umgebung wiederfand. Darüber hinaus ergab sich als Folge der Umgruppierung die Gelegenheit, dem zypressendunklen Schicksal der Liebenden in der Novelle von »Dietegen« ein versöhnliches Pendant zur Seite zu stellen, und dies, daran lassen Happy-End wie ursprünglicher Titel (»Das Leben aus dem Tode«) keinen Zweifel, vornehmlich in kompensatorischer Absicht[16]. Resümiert man, dann ist das insgesamt wohl Bemerkenswerteste der Aufwand, der hier getrieben wird, die Summe der Bemühungen, die aufgeboten sind, den Tenor des Berichteten aufzuhellen, das Unabwendbare ins (wenigstens) Beiläufige herunterzuspielen. Und doch zeigt gerade diese hier wie anderswo[17] angesichts des Todes einsetzende Betriebsamkeit, um was es letztlich geht: Nicht um Ausbalancierung der das Dasein bestimmenden Mächte[18], nicht darum, dem Tod seinen gebührenden Platz zuzuweisen im Leben des einzelnen wie im Raum der Dichtung, sondern darum, ein absolutes Schrecknis zu neutralisieren, zu verdrängen oder zu übertönen durch den vielstimmigen

[14] In diesem (bagatellisierenden) Sinne sind auch Kellers gelegentlich abfällige Äußerungen über seine ›Dorfgeschichte‹ zu verstehen (s. Briefe 1, 428. 3/1, 249), als Gegengewicht gedacht gegen das Zuviel an Aufmerksamkeit, das sie seiner Meinung nach bei Publikum wie Kritik erregte.

[15] Vgl. die quasi entschuldigende Erklärung dieses Umstandes 7, 396/97.

[16] Im übrigen ist Kompensation ganz allgemein verantwortlich für die zentrale Bedeutung des zyklischen Prinzips bei Keller, und dies gleich in doppelter Hinsicht, insofern dem bloß Episodischen formal die Vorzüge der Geschlossenheit, gehaltlich (die Lebensentwürfe betreffend) die Kriterien des Dauerhaften abgehen. Mögen die Kellerschen Zyklen ihrer Tektonik, ihrem inneren Nexus nach von unterschiedlicher Qualität sein, daß es keine Erzählung gibt, die nicht irgendeinem übergeordneten Zusammenhang eingefügt wäre, ist Hinweis genug, wie sehr alles einzelne (nach Meinung des Dichters) vorläufig-unzulänglich bleiben muß, wie nötig es — über ästhetische Gesichtspunkte hinaus und essentiell, aus Gründen der Existenzverlängerung — der Ergänzung und des Anschlusses bedarf.

[17] Auf motivlicher Ebene sind, über die üppigen Naturszenarien (vgl. Kap. I) hinaus, die lärmenden Hochzeitsfeiern und Totentänze zu erwähnen, mit denen »Grabfertiges« (6, 105) durch Szenen intensiven Lebens jeweils vergessen gemacht werden soll.

[18] Nur wenn Mischung weniger als Mittleres verstanden, das Bemühen um Symmetrie nicht als schon erreichter Harmonie-Zustand gewertet wird, behält Hofmannsthals schönes Wort, wonach alles in Kellers Welten ein »›Spiel einfacher Verhältnisse‹« sei (S. 198), »›ein jedes Teil im Gleichgewicht gehalten von einem Gegenteil‹« (S. 200), seine Berechtigung (= Unterhaltung über die Schriften von Gottfried Keller. — In: Hugo v. Hofmannsthal. Gesammelte Werke in Einzelausgaben, hrsg. v. Herbert Steiner, Prosa II, Frankfurt/Main 1951, S. 191—201). — In ähnlich einschränkendem Sinne und neben dem ›Magischen‹ der Zusammenstellungen auch das Negative mancher Zahlenverhältnisse betonend Hans Dietrich Irmscher, Konfiguration und Spiegelung in Gottfried Kellers Erzählungen. — In: Euphorion 65, 1971, S. 319—33.

Triumph des Lebens. Nicht Komplettierung, nicht ›realistische‹ Harmonie als Ausgewogenheit von Hell und Dunkel heißt die Devise, sondern Kompensation, ein Bedürfnis, das in seiner Forciertheit, seiner jedesmal weit über das Ziel (bloßen Ausgleichs) hinausschießenden Art verräterisch ist und wenig geeignet, die Behauptung vom vollen Realismus Kellers zu bestätigen. Statt in ruhiger Gelassenheit steht der Dichter dem Phänomen ›Tod‹ (unbewußt) zutiefst abwehrend gegenüber, in einer Haltung ängstlicher Betroffenheit, die, sobald man das Stigma ›Vergänglichkeit‹ symptomatisch versteht als lediglich stärksten einer ganzen Reihe von Einwänden[19] gegenüber der Welt, zu werten ist als deutlichstes Zeichen einer (umfassend) allgemeineren Wirklichkeitsschwäche[20].

Was bleibt, sind (anstelle einer Poesie der Synthese)[21] die vielfältigen Tendenzen der Stilisierung, das Forcieren und Kaschieren, Hervorheben und Ausfiltern.

[19] In dieser Richtung wären die Ausführungen von Reis zu ergänzen, der sich im wesentlichen darauf beschränkt, die verschiedenen Varianten zweiheitlicher Ordnung anzuführen (eine Zusammenfassung der Grundformen a. a. O. S. 19/20), es hinsichtlich der Erklärung dieses Phänomens aber bei einigen mageren Verweisen auf Kellers episches Temperament (s. S. 271) beläßt, Spekulationen, die wiederum aufs Biographisch-Psychologische und einen dualistischen Schicksalstyp (s. S. 11) verweisen. Dabei ist die Schweigsamkeit des Verf. in einem so zentralen Punkte weder nötig noch plausibel, zumal es eine zureichende Erklärung gibt, (nach der) die zweiheitliche Ordnung — Reis selbst konstatiert ein Überwiegen von Parallelismen zu Lasten der Kontrastierung (s. S. 198) — sich im Falle Kellers als geradezu manischer Zwang erweist, nichts vereinzelt stehenzulassen, es vielmehr (seiner Endlichkeit wegen) in Richtung auf eine möglichst unendliche Vielzahl hin zu ergänzen.

[20] gegenüber Wildbolz und dessen Behauptung vom realistischen Ethos Kellers und der (gelebten wie geschilderten) Daseinsbewältigung als Kernstück seines realistischen Menschenbildes, a. a. O. S. 90; 119.

[21] auf die Hermann Kinder — Poesie als Synthese. Ausbreitung eines deutschen Realismus-Verständnisses in der Mitte des 19. Jahrhunderts, Frankfurt/Main 1973 — den Dichter von dessen theoretischen Äußerungen her verpflichten möchte. Dazu ist es nötig, die Frage nach der Funktion von Poesie (einseitig) in die Nähe teleologischen Geschichtsdenkens zu rücken, aus welcher Nachbarschaft der Kunst die Aufgabe erwachse, »auf der Basis des strikten Bezuges partikularer Elemente zu einem übergeordneten Ganzen, Allgemeinen« die »eigentliche Natur des Menschen zur vorbildlichen Erscheinung« zu bringen (S. 230). — Nun ist künstlerische Produktion eines, das Reden darüber ein anderes. Sich einseitig der Analyse des letzteren zu verschreiben in der Hoffnung, auf diese Weise zu zweifelsfreien Ergebnissen zu kommen (s. S. 1), heißt im vorliegenden Fall, die Frage, ob Realist oder nicht, einzuengen auf den Aspekt, in welcher Weise realistische Gesinnung des Autors gefolgert werden könne. Sich diese Annahme werkextern bestätigen zu lassen, bedeutet insbesondere, die ›Reichsunmittelbarkeit‹ Kellers nicht als Wirklichkeitsverzicht, sondern als Freiheit zur Versöhnung (von Ideal und Wirklichkeit) aufzufassen, abzielend »auf die Darstellung einer vorbildlichen Harmonie von Teil und Ganzem, ... auf die Beispielhaftigkeit einer humaneren und gerechteren Welt ...« (S. 224). Freilich kann der (konzedierte) Rückgriff aufs rein Menschliche das Odium geschichtsloser Wirklichkeitsferne nur abstreifen, indem er zugleich als »Vorgriff auf das [zukünftige] gute, positive, schöne wie sittliche Menschliche ...« deklariert wird (S. 227). Womit der Verf. sozusagen das theoretische Gegenstück geliefert hätte zu dem poetischen Integrationsfaktor Humor, wie er sich (seinem Lehrer) Wolfgang Preisendanz aus der Werkanalyse ergab.

Gesellen sich derartigen Subjektivismen der Auswahl Einseitigkeiten der Darbietung — Verzwergung der Dimensionen, uneigentlich-vergleichsweises Sprechen — verschärfend hinzu, so wird man, bei aller gebotenen Vorsicht, doch auf ein erheblich gestörtes Verhältnis der Wirklichkeit gegenüber (zurück-)schließen dürfen. — Den ›Keller-Ton‹ betreffend, so scheinen durch ihn die sozialen Bedingungen menschlicher Existenz nicht nur verunklärt bis zur Unkenntlichkeit, sondern immer wieder aufgehoben bis zur Unwirksamkeit[22], die Kategorien von Raum, Zeit und Kausalität am Ende überhaupt verlassen[23] zugunsten (reichs-)unmittelbaren Kontaktes zur Majestät des Humanen. Zeitbezogen bleibt ein solches Dichten überall da, wo es darum geht, akuten Lastern, modernistischen Eintrübungen am Idealbild des natürlich-humanen Menschen entgegenzuwirken. Hier tritt satirische Schelte dem Märchenton kontrastierend zur Seite, wobei die Gemeinsamkeit, so paradox dies klingen mag, gerade in der Extremität beider Tonlagen zu suchen ist. Den Menschen sehen, wie er idealerweise sein sollte — und ihn karikierend (ver-)zeichnen, wie er nicht (oder nur in Ausnahmefällen) wirklich ist, aber durchaus werden könnte, hielte man ihm nicht unter Gelächter sein Schreckbild vor Augen, beides bedingt einander[24]; das Ideal und sein Negativ, sie vermögen sich überdies

[22] Beides macht bis heute die Verzweiflung der Soziologen jeder Couleur aus. Wo Menschlichkeit aufleuchten kann unbeschadet aller sozialen Barrieren, da ist ›Mensch und Stand‹ eigentlich kein Thema, so wenig, daß Hanna Wildbolz — Mensch und Stand im Werke Gottfried Kellers, Bern 1969 — sehr viel Mühe aufwenden muß, dem Leser klarzumachen, weshalb sie eine Abhandlung schreibt, deren thematische Irrelevanz (ihr selbst) von Anfang an festzustehen scheint. — Angesichts derartigen Sachverhalts haben die weniger dogmatischen Vertreter dieser Fachrichtung die Konsequenz gezogen und sind, wie Michael Kaiser — Literatursoziologische Studien zu Gottfried Kellers Dichtung, Bern ²1968 —, von der eigentlichen Werksoziologie ausgewichen auf die Geschichte des literarischen Erfolges und seiner Voraussetzungen beim Lesepublikum. — Erst recht ein Jahrmarkt der Verlegenheiten wird das Kellersche Oeuvre für die Soziologie marxistischer Spielart: So sieht Georg Lukács — Gottfried Keller. — In: G. Lukács, Deutsche Realisten des 19. Jahrhunderts, Bern 1951, S. 147—230 — sich veranlaßt, abwechselnd die schweizerische Eigenart wie das Weltbürgertum des Dichters zu betonen, um ihn auf diese Weise den reaktionären Strömungen im nachrevolutionären Deutschland entziehen zu können. Und nicht minder widersprüchlich fällt die Erklärung von Kellers Schreibart aus: Zwar sei die Romanform höchst wünschenswert der (möglichen) sozialkritischen Tendenzen wegen, doch muß diese Gattung, eingedenk der politischen Rückständigkeit deutscher Verhältnisse, im vorliegenden Fall unerreichbar bleiben. Als Romancier schamhaft verschwiegen, wird Keller zum Ausgleich dafür wie mangels (sonstiger) Masse mit dem Rest seines Schaffens (die Zyklen als Romanersatz und Gefäß von Sozialkritik) zum repräsentativen realistischen Dichter deutscher Zunge erhoben.

[23] Diese Märchen-›Logik‹ ist nicht nur nachzutragen für »Dietegen«, die oftmals irrealen Bedingungen menschlicher Daseinserfüllung bleiben generell unberücksichtigt bei R. Wildbolz, der nur die Ergebnisse — Happy-End gegen Exitus — aufrechnet unbekümmert um die jeweils gewählte Realitätsebene.

[24] Zugleich ist damit die bei Thomas Roffler — Gottfried Keller. Ein Bildnis, Frauenfeld/Leipzig 1931 — nachzulesende Behauptung vom naiv-volkstümlichen Charakter solcher Märchenzüge bei Keller (s. S. 7; 87; 103 ff.; 191/92) ebenso widerlegt wie die These von der Unvoreingenommenheit dichterischer Weltsicht als Voraussetzung realistischen Schreibstils; dies gegen

wechselseitig zu erläutern eben durch gleichweites Entferntsein von allem Mittleren. Satire[25] und goldener Spiegel — ein Autor, der sich beider Verfahren abwechselnd oder gar gleichzeitig bedient, muß darum — trotz Verlustes der thematischen Mitte — die Einheitlichkeit der Perspektive nicht notwendig vermissen lassen, im Gegenteil, nur daß der Fluchtpunkt, von dem aus Wirklichkeit betrachtet wird, außerhalb der Bandbreite dessen liegt, was man selbst bei großzügigster Beurteilung noch als Realismus der Gesinnung bezeichnen könnte.

Nach den Ursachen des Syndroms ›Wirklichkeitsstörung‹ befragt, befällt den Literarhistoriker zunächst Verlegenheit darum, weil für den schweizerischen Dichter manche der Erklärungsmöglichkeiten entfällt, auf die wir im Zusammenhang mit den früher (vgl. p. 35 ff.) erörterten nationalen Besonderheiten deutscher Literatur verweisen konnten. Da die Schweiz nicht oder kaum nennenswert teilhatte an den geistigen Strömungen (Empfindsamkeit, Sturm und Drang, Klassik, Romantik), die sich in Deutschland (zeitlich wie tendenziell) zwischen die Ansätze eines literarischen Realismus in der Aufklärung und dessen Wiederbelebung im Verlauf des (späteren) 19. Jahrhunderts schieben, läßt sich dort, was die Hinwendung zur Realität angeht, viel eher ein Traditionszusammenhang ausmachen. So muß Jeremias Gotthelf, wenn er aus dem Gefühl der Verantwortung für seine Pfarrkinder heraus von deren Wirklichkeit zu schreiben beginnt, diese nicht erst mit dem Notizbuch in der Hand und von außen kommend entdecken, vielmehr empfindet er bäuerlichen Alltag als etwas ihm Wesensverwandtes und Selbstverständliches, nicht anders als vor ihm Pestalozzi und Bräker oder, um historisch noch weiter (und bis ins 16. Jahrhundert) zurückzugehen, die Bauernphilosophen (Platter) der Lutherzeit.

Wolfgang Binder — Von der Unbescholtenheit unserer Augen. Überlegungen zu Gottfried Kellers Realismus. — In: Jahresbericht der Gottfried Keller-Gesellschaft 37 (1968), Zürich 1969, S. 3—19 —, für den ›Unbescholtenheit‹ die (angebliche) Fähigkeit Kellers bedeutet, die Welt unbeschönigt und unbeschädigt abzubilden (s. S. 4 f.). Poetische Unvoreingenommenheit dieser Art, so der Verf., erhält ihr Korrektiv in einem moralisch verstandenen Freiheitsbegriff; womit Keller ein sozusagen ethisch vorbildlicher Realismus zugestanden wird (s. S. 9) in eins mit dem Versuch, den Dichter wesentlich auf die literarische Tradition der Klassik zu verpflichten (s. S. 11 ff.).

[25] Auch in der unpathetisch-scherzhaften Variante verstanden als naturalistische, d. h. die ›Gegenstände‹ subjektivistisch verzeichnende Gattung und Schreibart; dies vor allem gegen Friedrich Gaede — Realismus von Brant bis Brecht, München 1972 — und seine Gleichsetzung des Antimimetisch-Satirischen mit dem Realistischen; ferner in Opposition zu Claude David — Von Richard Wagner zu Bertolt Brecht. Eine Geschichte der neueren deutschen Literatur, [Hamburg] 1964 (= Fischer-Bücherei 600) —, wenn er Kellers Tendenz, »die Züge bis zur Karikatur zu verzerren, seine Themen im alten Repertoire der Farcen zu suchen und Hanswurste und Narren zu zeichnen« (S. 59), als sarkastischen Realismus bezeichnet.

Zwar ist dies ›naive‹ Verhältnis, die Kongruenz von Welt und Werk bei Keller nicht mehr gegeben[26], wohl aber scheinen auch hier die Voraussetzungen für eine Adaption zeitgenössisch-bodenständiger Wirklichkeit (im Kunstwerk) zunächst günstig. Nicht nur fehlen die Aversionen, die das Verhältnis deutschsprachiger Dichtung zur Wirklichkeit üblicherweise belasten, auch die geographisch-sozialen Spannungen machen sich in seiner Heimat längst nicht so störend bemerkbar wie im benachbarten Deutschland: Kellers Vater war Drechsler und damit Vertreter eines bei allem Handwerksmäßigen zugleich die Nähe des Künstlerischen streifenden Berufes. Wenn auch zunächst in der Stadt aufgewachsen, bedeutet der Augenblick, als die Eltern aufs Land ziehen, für den Knaben keineswegs einen völligen Wechsel des gewohnten Lebensrahmens. Nicht nur gibt es weiterhin Besuche aus der Stadt oder Fahrten dorthin zurück, die helvetischen Städter haben zudem allemal etwas Bäuerliches behalten, die Landbevölkerung Züge urbanen Lebensstils angenommen. — Wenn es dennoch (und eigentlich wider Erwarten) Konflikte gibt zwischen Welt und Mensch, müssen die Ursachen (statt im geistig-sozialen Klima) in privat-biographischem Umkreis zu suchen sein[27]. Entscheidend für die Prägung des Kellerschen Weltverhältnisses wird der frühe Tod des Vaters, bedeutet er doch das Ende einer behüteten Kindheit, die Konfrontation mit materieller Not wie die Erfahrung der Schutzlosigkeit der Familie überhaupt. Einer Geringfügigkeit wegen (und zu Unrecht) von der Schule relegiert, überkommt den solcherart geistig ›Enthaupteten‹ das Gefühl lebendigen Begrabenseins, d. h. hier sozialer Desintegration wie intellektueller (und in dieser letztern Hinsicht früh als irreparabel empfundener) Isolation. Damit entsteht aus (atypischen) widrigen äußern Umständen im Verein mit individuell erhöhter Sensibilität sowie einem ausgeprägten Hang zu Selbstbemitleidung und Märtyrertum im privaten Umkreis (neuerlich) ein Klima, das nicht sehr verschieden ist von den Voraussetzungen für empfindsame Konflikt-

[26] gegen Hermann Boeschenstein — Gottfried Keller. Grundzüge seines Lebens und Werkes, Bern 1948 —, der Keller zu den Trägern »jener allgemein schweizerischen Lebensform« rechnet, wie sie »Pestalozzi und Gotthelf ... sittlich-praktisch geübt und gepredigt haben« (S. 172/73).

[27] Wo es um die objektiven gesellschaftlichen Verhältnisse (und deren Auswirkung auf die Dichtung) geht, dürften solche Unterschiede zwischen allgemeinen und individuell-besonderen Bedingungen nicht unterschlagen werden; auch dann nicht, wenn man, wie Karol Szemkus — Gesellschaftlicher Wandel und sprachliche Form: Literatursoziologische Studie zur Dichtung Gottfried Kellers, Stuttgart 1969 — dies tut, die Vermitteltheit gesellschaftlicher Befunde, vermittelt in den Gestalten und der Art ihrer Darstellung, ausdrücklich betont (s. S. 101). Natürlich gibt es auch in Kellers ursprünglichem sozialen Umfeld Wandlungen zu verzeichnen, wird man sie in Richtung der auch sonst zu beobachtenden Trends suchen dürfen. Dennoch kann das Fazit des Verf., der generell behauptete Gegensatz zwischen handwerklich-bäuerlicher und industrialisiert-kapitalistischer Gesellschaft — die Auflösung des einen und das Aufkommen des andern macht den Inhalt des ›gesellschaftlichen Wandels‹ aus — in dieser Form wenig befriedigen, da es insgesamt viel zu sehr schematisiert, ohne die nötige ›Lokalfärbung‹ erscheint und überdies die allenfalls symbolische Verwendung der Berufe bei Keller unberücksichtigt läßt.

fälle und tatsächlich noch einmal die nämlichen Folgen zeitigt: Abkapselung gegenüber der Außenwelt, Rückzug auf die Position reiner Innerlichkeit, ein Mißverhältnis, das sich zunächst bemerkbar macht in dem mehr psychologischem Bedürfnis als unabweislichem Produktionsdrang entspringenden Wunsch, Maler zu werden. Es sollte lange dauern und bitterer Erfahrungen bedürfen, ehe Keller das Unverantwortliche, ja letztlich Asoziale seines Weges nach innen einsehen lernte. Wenn ihm aus dieser Situation heraus der Durchbruch gelingt zum Dichter[28], dann zunächst in autobiographischer Form, in Gestalt eines Rapports seiner Leiden und Irrtümer, ehe das von sich selbst berichtende Ich fähig wird, über andere und die (zeitlos schöne) Welt zu schreiben. Dabei bringt »Der grüne Heinrich« inhaltlich zwar die Reintegration des einzelnen in die Gesellschaft, doch ist das Ja zur Welt, das dem vorausgeht, zu erheblichen Teilen Ergebnis der Überlegungen eines durch die Aporie ›Tod‹ unter ›Erfolgszwang‹ Gestellten. Und ähnlich resignativ-gebrochen erscheint die Lebenseinstellung überall da, wo die Bedingungen der Existenz nicht grundsätzlich (und das heißt ins Irreale) verändert werden. So sind die Erfahrungen von Not und Tod zwar Geburtshelfer des Dichters Keller, nicht aber des Realisten gleichen Namens.

Wenn Keller kein Realist ist, was sollte er dann sein? Hier ist zu erinnern an den durchgängig vorhandenen und zunehmend stärker in Erscheinung tretenden satirischen Zug seines Schreibens, desgleichen an die ›Narrenzeit‹ (s. 20, 109), die die meisten seiner Helden vom ›grünen‹ Heinrich bis hin zum alternden Salander (zumindest vorübergehend) durchleben. Keller und die Tradition der Narrensatire – aus dem Bemühen, dieses zunächst eher spielerische Experiment von der literarhistorischen Seite her abzusichern, ergeben sich direkte Berührungspunkte etwa zu Rabelais (s. Briefe 1, 398), den der Dichter schon in seinen Berliner Tagen (1854) gelesen hat, zu Fischart auch, dessen ›Glückhaftem Schiff‹[29] die Kuhschwanz-Episode der ›Armen Baronin‹ entnommen sein könnte. Erst recht sind ihm die Fastnachtspiele seiner engeren Heimat (Gengenbach, Niklas Manuel) geläufig[30]. Das Werk des letztern betreffend, hat er anläßlich der Baechtoldschen Ausgabe von 1879 eine Rezension geschrieben (s. 22, 212ff.), die ganz eindeutig

[28] Damit sollte sich (rückblickend) das (Kindheits-)Erlebnis des Todes, auf gedanklicher Ebene wiederholt und erneuert in der Begegnung mit Feuerbach, als der produktive Konflikt schlechthin erweisen, während die Erfahrung der Einsamkeit und des Ausgestoßenseins in den unerfüllten Liebesbeziehungen des Erwachsenen ihre schmerzliche Aktualisierung fand.

[29] Johann Fischart, Das glückhafte Schiff von Zürich, hrsg. v. Georg Baesecke, Halle 1901; darin der Kehrab auf den Schmähspruch S. 47, Vers 369. – Wichtiger noch als der Umstand, daß Keller selbst – aus Anlaß der Zürcher Freischarenzüge nach Straßburg – ein ›Neu glückhaft Schiff‹ geschrieben hat (s. 1, 246/47), ist der Aufweis, wie häufig das Schiffsnarren-Motiv des Sebastian Brant bei ihm wiederkehrt in Gestalt des verunsicherten Steuermanns (vgl. bes. die Kapitänsgeschichte des ›Landvogt von Greifensee‹), dem es nicht gelingt, sein (Lebens-)Schiff durch alle Fährnisse hindurch in den sichern Port vernünftiger Daseinsgestaltung zu lenken.

[30] s. dazu Heinz Wyss, Der Narr im schweizerischen Drama des 16. Jahrhunderts, Bern 1959.

den Charakter einer Huldigung trägt, ja Gelegenheit nimmt, am Beispiel der Manuelschen Attacken gegen die Religion (s. 22, 219/20; 223)[31] die Gattung Satire ungeachtet ihres ebenso tendenziösen wie zeit- und anlaßgebundenen Charakters als Kunstform zu verteidigen (s. 22, 216/17), eine Stellungnahme, die zuletzt einer Art Selbstrechtfertigung gleichkommt.

Wichtiger noch als solche direkten literarhistorischen Anknüpfungspunkte[32] erscheint uns ein quasi atmosphärisches Moment, der (ebenso offenkundige wie seinen Folgen nach bislang unterschätzte) Umstand, daß Keller dem oberdeutsch-alemannischen Sprachraum[33] angehört, wichtig darum, weil dies zugleich die Heimat ist der Brant und Murner, Fischart und Moscherosch, d. h. der (Narren-) Satire und Fastnachtspiele. Keller hat sich ausdrücklich zu dieser Seite seiner Herkunft bekannt, ja immer dann auf seine plastisch-drastische oberdeutsche Vergangenheit verwiesen, wenn es darum ging, einem Landesunkundigen, weniger Bodenständigen, dem Nordmann Theodor Storm etwa, Herkunft und Charakter jener verlästerten ›Schnurren‹ zu erklären, zum Beweis, daß in dieser Lebensluft ein Fastnachtszug, wie die Schneider-Schlittenfahrt aus »Kleider machen Leute«, nicht nur ganz und gar unanstößig, sondern mehr noch geläufig, ja selbstverständlich sei, »weil es jeder selbst erlebt hat« (Briefe 3/1, 420/21)[34]. — Und in der Tat hat dieser Lebensraum, der deutsche Südwesten, schon einmal Wirkungen gezeitigt assimilierender Art, im Falle Grimmelshausens nämlich, dessen Schaffen (eindeutiger noch als in seinen Anfängen) satirische Züge annahm[35], je länger (1640—76) er das Bistum Straßburg zu seiner Wahlheimat erkor. Er tut es erneut im Falle des Alemannen Keller, um so mehr, als auch die soziale Konstellation, ungeachtet des Zeitabstandes zweier Jahrhunderte, gewisse Parallelen erlaubt:

[31] Wobei Keller die Behauptung von der Ohnmacht der Kirche (»Klagred der armen Götzen«), die Zurückweisung der Entsagungsforderung (»Barbali«) mit dem Vergnügen des Gleichgesinnten zur Kenntnis nimmt. — Am Fastnachtspiel von »Elsli Tragdenknaben« rühmt er den Verismus, mit dem Manuel ein »Bild sittlicher Versumpfung« entworfen habe (22, 225) zugleich mit der Art, den Lastern und Nichtswürdigkeiten mit »aristophanischem Übermut« (22, 226) zu Leibe zu rücken. Die Gerichtsszene aus dem ›Landvogt von Greifensee‹, manches aus dem »Martin Salander« mutet in diesem Zusammenhang wie eine modernisierte Version reformatorischer Themen und Praktiken an.

[32] Auch wenn Keller sie begeistert aufgreift als Bestätigung seiner These von der quantitativen Begrenztheit wie der zyklischen Wiederkehr poetischer Stoffe; Gedanken, mit deren Hilfe er dem lähmenden Zwang zur Originalität zu begegnen sucht (s. Briefe 1, 398).

[33] Über diese lokale Nähe hinaus lassen sich Zusammenhänge gattungsgeschichtlicher Art konkret für den Fall des ›Sinngedichts‹ ausmachen. Schon der Titel ist in doppeltem Sinne literarische Adaption, Reinharts Sinnspruch zwar kein satirisches Epigramm, wohl aber das (erotische) Epigramm eines Satirikers, Salomon Logaus, zu dem Keller seinen Helden auf dem Weg über Lessing zurückfinden läßt.

[34] Er hat diese Art von Lustbarkeit mehrfach geschildert und dann als Volksbrauch dargestellt im ›Grünen Heinrich‹ (s. II, 13; III, 13). — Hierher gehört auch die Erklärung seiner Vorliebe für das Wörtchen ›seltsam‹ als einer oberdeutschen Eigenart (s. Briefe 3/2, 397).

[35] Zum ›Simplicissimus‹ als satirischem Roman vgl. Clemens Heselhaus, a. a. O. S. 18 ff.

Wieder sieht sich städtisch-protestantisches Bürgertum in die Defensive gedrängt. War es im 17. Jahrhundert der Sog der höfischen Welt, dem man (bürgerlicherseits) mit Zurückhaltung und Mißtrauen begegnete, im Zeitalter der Industrialisierung ist es der zunehmende Druck von unten, von seiten des vierten Standes, dem es zu wehren gilt, und dies um so energischer, je ausschließlicher bürgerliche Lebensform in Kellers Augen zum Garanten humaner Gesinnung emporsteigt. Über alle Dialektik der Kulturbewegung hinweg ist dies sein erklärtes Ziel: Wahrung der Menschenwürde in zunehmend inhuman werdender Zeit. Die Waffen jedoch für diesen Kampf entnimmt er, sofern er nicht auf zeitlos-unzeitgemäße Art Märchen erzählt, seiner Herkunft entsprechend, dem Arsenal der Narren- und Teufelsliteratur!

Die Frage, was bei dem beabsichtigten Unternehmen ›Platzwechsel im literarischen Pantheon‹ herausspringt, stellt sich je nach Blickrichtung in zweierlei Form; bezogen auf den Forschungsstand als kritische Revision dessen, was man an gesicherten Erkenntnissen zu besitzen glaubt unter der bisherigen Etikettierung, bei welchem Resümee sich, wie wir sahen, eine Vielzahl von Ungereimtheiten und unlösbaren Widersprüchen auftat: Der Humorist mit der heimlichen Neigung zum Grotesken (Kayser), Keller als ›dämonischer‹ Idylliker, als Dichter heiter besonnter Welten (Rückert) oder (mehr) der Nachtseiten des Daseins (Ringel, Hoverland), als Verklärer oder Entzauberer des Menschen (Müller), ein Schilderer erfüllter Liebe oder entsagungsvollen Verzichts (Hitschmann, Laufhütte), Erzähler von Märchen und Legenden oder Vertreter aktuell-schweizerischer Sozialreportage (Lukács) mit demokratisch-emanzipatorischen Tendenzen (Richartz)? Man könnte so fortfahren in der Aufzählung des leidig Kontroversen, ohne daß sich etwas anderes ergäbe als der Eindruck des hoffnungslos Abgewirtschafteten jenes seit (Berthold) Auerbachs und Vischers Tagen gebräuchlichen Realismus-Etiketts, das seinen Erkenntniswert längst verloren hat und zum eher hinderlichen Klischee verkommen ist[36]. Dennoch hat man daran[37] wie an einer magischen Formel festhalten zu müssen geglaubt, ja sich auf bisweilen kuriose Weise bemüht, die immer deutlicher hervortretenden Risse und Unstimmigkeiten im Bild des ›Realisten‹ Keller zu verdecken. — Über die Befreiung von derartigen Zwängen

[36] Eine nahezu komplette Sammlung der gebräuchlichen (Leer-)Formeln bietet der Artikel von August Langen — Deutsche Sprachgeschichte vom Barock bis zur Gegenwart, S. 931—1395. — In: Deutsche Philologie im Aufriß, hrsg. v. Wolfgang Stammler, Bd. 1, Berlin ²1957 —, in dem, beginnend mit der Behauptung von Kellers Anschaulichkeit (s. Spalte 1335), über den humoristischen Beiklang von Vergleich (s. Sp. 1336) wie Diminutiv, verklärender Wirkung als dem Ergebnis humoristischen Stils (s. Sp. 1337) bis hin zur Haltung liebevoller Hingabe an das Dasein bei angeblich weltfrommer Gesinnung (s. Sp. 1338) keine Stereotype fehlt. Und längst scheint es nicht mehr nötig, den Nachweis für die Stimmigkeit derartiger Plakatierungen zu erbringen, vielmehr findet sich die eigentliche Interpretation zunehmend ersetzt durch bloße Appellationen an das gesunde Lesergefühl (nach dem Muster: Daß da Humor am Werk ist, wird wohl jeder empfinden . . .).

hinaus ergibt sich als Zugewinn namentlich die Restitution der thematischen Seite des Kellerschen Werkes[38] und in eins mit der Würdigung jener zentralen Idee der Wechseldauer das Transparentmachen des Faktischen auf seine Symbolbedeutung hin; ferner die Möglichkeit einer funktionalen Zuordnung bildhaft-vergleichenden Sprechens[39] wie einer präziseren Beschreibung der Formen und Funktionen des Komischen. Schließlich macht erst die Annahme eines eher heiklen als unproblematischen Wirklichkeitsverhältnisses die Notwendigkeit zyklischer Anordnung wie auch die Absicht ›rahmenden‹ Erzählens (Dämpfung aller direkten Wirklichkeitseinflüsse) evident. In dieser Einstellung zur Realität, nenne man sie nun je nach Betonung der verzeichnenden oder überhöhenden Tendenzen ›naturalistisch‹ bzw. ›idealistisch‹, liegt demnach, über die Stringenz vergleichenden Sprechens, über Motiv- und Symbolzusammenhänge hinaus die innere Einheit wie die spezifische Eigenart des Kellerschen Werkes beschlossen; sowohl der Märchencharakter der ›Legenden‹ als auch die satirische Dominante des »Martin Salander« finden von daher ihre Erklärung. In der Rückgewinnung des unitarischen Zuges — Bestätigung unserer anfänglichen Vermutung[40] — sehen wir darum[41], nächst der präziseren Kenntnis des eigentümlich ›Kellerischen‹, den

[37] und dies über alle ideologischen Gräben hinweg, so daß die Versuchung groß ist, mit E. B. Greenwood — Überlegungen zu Welleks Realismusbegriff. — In: Begriffsbestimmung des literarischen Realismus, hrsg. v. R. Brinkmann, Darmstadt 1969, S. 434—47 — zu glauben, ein »literaturkritischer Begriff wie der des Realismus« könne »nicht zu einem neutralen Instrument der Erkenntnis werden, da er wertet und geltend macht, daß ein Kunstwerk gut ist, *weil* es wahr ist ...« (S. 446).

[38] Konkret die Bestätigung des ›Grünen Heinrich‹ als eines Entwicklungsromans. Wenn von der Psychologie empfindsamen Künstlertums her die Notwendigkeit eines Wandels einleuchtend erscheint, so ließen sich von hier aus alle weitergehenden Fragen nach dem Wie und Wozu, nach bestimmenden Bildungsmächten wie endlichem Ziel bündig beantworten. — Dagegen hat Hartmut Laufhütte — Wirklichkeit und Kunst in Gottfried Kellers Roman »Der grüne Heinrich«, Bonn 1969 — diesem Buch in jüngster Zeit die Qualitäten eines Entwicklungsromans absprechen zu müssen gemeint, aber dies vornehmlich als Folge stark sektoraler Textanalyse und zu Unrecht vor allem insofern, als er den ›Grünen Heinrich‹ allzu direkt an Goethe, d. h. am Bildungsroman der Klassik und dessen Postulat der allseitig-harmonisch ausgebildeten Persönlichkeit mißt.

[39] Freilich nicht in dem von Wolfgang Preisendanz — Die Keller-Forschung der Jahre 1939—1957. — In: GRM N. F. 39, 1958, S. 144—78 — erhofften Sinne, als Beitrag nämlich »zur Erhellung... ›realistischen‹ Erzählens« (S. 177).

[40] die eine Absicherung inzwischen auch von philologischer Seite her, im Blick auf die Arbeitsweise des Dichters erfahren hat bei Hartmut Laufhütte, Datierungskriterien. Nachforschungen und Überlegungen zu einem Blatt aus dem handschriftlichen Nachlaß von Gottfried Keller. — In: DVjS 47, 1973, S. 324—60.

[41] gegen Herbert Anton — Mythologische Erotik in Kellers »Sieben Legenden« und im »Sinngedicht«, Stuttgart 1970 —, der die thematische wie stilistische Geschlossenheit des Gesamtwerks wiederholt (s. S. 11; 13) in Frage stellt, ja zuletzt als »grundsätzlichen Irrtum« abtut (S. 11), dabei freilich pro domo argumentierend. Wenn er Kellers Dichtungen als ›Bruchstücke einer

bedeutendsten Ertrag aller Einzelanalysen. Als Mahner und Streiter für die Idee der Menschlichkeit ebenso unzeitgemäß wie unbeirrt, erscheint Keller am charakteristischsten da, wo er leidet, in der ›Kammacher‹-Satire etwa, am schönsten dort, wo er die Kraft findet zur Utopie, mit beidem kein Realist, wohl aber ein großer Dichter.

So scheint mit dem Akt der Umbenennung nichts verloren außer eine liebgewordene Gewohnheit. Sollte dies Vorgehen dennoch als zu despektierlich empfunden werden, würde es am Ende genügen, eine zeitweilige Stornierung des fraglichen Epithetons vorzunehmen mit der Maßgabe, die beigebrachten Vorschläge zur Revision des herkömmlichen Keller-Bildes auf ihre Reichweite und Tragfähigkeit hin zu überprüfen. Wenn die voraufgegangenen Überlegungen die Bereitschaft zu diesem Experiment hätten fördern, Anstöße und Richtweiser hätten liefern können, wäre bereits manches erreicht.

großen Mythologie‹ verstanden wissen will, dann in keiner andern Absicht als eben der, etwa vorhandene mythologische Partikel möglichst ungeniert aus dem jeweiligen Erzählzusammenhang herausklopfen zu können; ein Vorgehen, das die Forschung bislang (weitgehend) unwidersprochen hingenommen hat.

BIBLIOGRAPHIE

A. Zum Problem des literarischen Realismus:

Adorno, Theodor W.: *›Erpreßte Versöhnung‹. Zu Georg Lukács: ›Wider den mißverstandenen Realismus‹.* — In: Begriffsbestimmung des literarischen Realismus, hrsg. v. Richard Brinkmann, Darmstadt 1969, S. 193—221.

Alewyn, Richard: *Naturalismus bei Neidhart von Reuental.* — In: Zeitschrift für deutsche Philologie 56, 1931, S. 37—69; (die dort aufgestellten Thesen) wiederholt in: Johann Beer und der Roman des 17. Jahrhunderts, Halle 1931. Das Realismus-Kapitel daraus jetzt überarbeitet unter dem Titel »Realismus und Naturalismus«. — In: Deutsche Barockforschung. Dokumentation einer Epoche, Köln/Berlin ²1966 (Neue Wissenschaftliche Bibliothek 7), S. 358—71.

— *Was ist Empfindsamkeit?* — In: FAZ Nr. 263, 12. 11. 1974, Literaturbeilage S. 4.

Auerbach, Erich: *Mimesis. Dargestellte Wirklichkeit in der abendländischen Literatur,* Bern 1946, ⁵1971.

— *Epilegomena zu »Mimesis«.* — In: Romanische Forschungen 65, 1953/54, S. 1—18.

Brinkmann, Richard: *Wirklichkeit und Illusion. Studien über Gehalt und Grenzen des Begriffs Realismus für die erzählende Dichtung des 19. Jahrhunderts,* Tübingen 1957, ²1966.

— *Romanform und Werttheorie bei Hermann Broch. Strukturprobleme moderner Dichtung.* — In: Deutsche Vierteljahrsschrift für Literaturwissenschaft und Geistesgeschichte 31, 1957, S. 169—97.

— *Expressionismus. Forschungsprobleme 1952—60,* Stuttgart 1961.

— *Theodor Fontane. Über die Verbindlichkeit des Unverbindlichen,* München 1967.

— *Begriffsbestimmung des literarischen Realismus* (Hrsg.), Darmstadt 1969.

Burger, Heinz Otto: *Der Realismus des 19. Jahrhunderts. 1832—1889.* — In: Annalen der deutschen Literatur, hrsg. v. H. O. Burger, Stuttgart 1952, S. 621—718.

Demetz, Peter: *Zur Definition des Realismus.* — In: Literatur und Kritik, Jahrgang II, 1967, S. 333—45.

Eibl, Karl: *›Realismus‹ als Widerlegung von Literatur. Dargestellt am Beispiel von Lenz' »Hofmeister«.* — In: Poetica 6, 1974, S. 456—67.

Fehr, Karl: *Der Realismus in der Schweizerischen Literatur,* Bern/München 1965.

Gaede, Friedrich: *Realismus von Brant bis Brecht,* München 1972 (UTB 171).

Greenwood, E. B.: *Überlegungen zu Welleks Realismusbegriff.* — In: Begriffsbestimmung des literarischen Realismus, hrsg. v. R. Brinkmann, Darmstadt 1969, S. 434—47.

Hahl, Werner: *Reflexion und Erzählung. Ein Problem der Romantheorie von der Spätaufklärung bis zum programmatischen Realismus,* Stuttgart (usw.) 1971.

Hellmann, Winfried: *Objektivität, Subjektivität und Erzählkunst. Zur Romantheorie Friedrich Spielhagens.* — In: Begriffsbestimmung des literarischen Realismus, hrsg. v. R. Brinkmann, Darmstadt 1969, S. 86—159.

Heselhaus, Clemens: *Das Realismusproblem.* — In: Begriffsbestimmung des literarischen Realismus, hrsg. v. R. Brinkmann, Darmstadt 1969, S. 337—64.

— *Grimmelshausen. Der abenteuerliche Simplicissimus.* — In: Der deutsche Roman I, hrsg. v. Benno v. Wiese, Düsseldorf 1963, S. 15—63.

Hess, Gerhard: *Mimesis. Zu Erich Auerbachs Geschichte des abendländischen Realismus.* — In: Romanische Forschungen 61, 1948, S. 173—211.

Heuer, Renate: [Rez. v. Richard Brinkmann, *Wirklichkeit und Illusion*]. — In: Euphorion 53, 1959, S. 467—74.

Hohendahl, Peter Uwe: *Empfindsamkeit und gesellschaftliches Bewußtsein. Zur Soziologie des empfindsamen Romans am Beispiel von »La Vie de Marianne«, »Clarissa«, »Fräulein von Sternheim« und »Werther«.* — In: Jahrbuch der Deutschen Schillergesellschaft 16, 1972, S. 176—207.

Jäger, Georg: *Empfindsamkeit und Roman. Wortgeschichte, Theorie und Kritik im 18. und frühen 19. Jahrhundert,* Stuttgart 1969.

Kahrmann, Bernd und Cordula: *Bürgerlicher Realismus* [Forschungsbericht]. — In: Wirkendes Wort 23, 1973, S. 53—68.

Kaiser, Gerhard: *Um eine Neubegründung des Realismusbegriffs. Gedanken zu Richard Brinkmanns »Wirklichkeit und Illusion«.* — In: Begriffsbestimmung des literarischen Realismus, hrsg. v. R. Brinkmann, Darmstadt 1969, S. 236—58.

— *Realismusforschung ohne Realismusbegriff.* — In: DVjS 43, 1969, S. 147—60.

Kayser, Wolfgang: *Entstehung und Krise des modernen Romans,* Stuttgart ²1955.

Killy, Walther: *Romane des 19. Jahrhunderts. Wirklichkeit und Kunstcharakter,* Göttingen 1967 (= Kleine Vandenhoeck-Reihe 265 S).

Kinder, Hermann: *Poesie als Synthese. Ausbreitung eines deutschen Realismus-Verständnisses in der Mitte des 19. Jahrhunderts,* Frankfurt/Main 1973.

Knoll, Renate: *Empfindsamkeit* [Literaturlexikon des Ehrenwirth-Verlages], München 1974, S. 106—11.

Knüfermann, Volker: *Realismus und Sprache.* — In: ZfdPh 89, 1970, S. 235—39.

Kraft, Herbert: *Kafka. Wirklichkeit und Perspektive,* Bebenhausen 1972.

Krömer, Tilman: *Wertung in marxistischer deutscher Literaturbetrachtung.* — In: Der Deutschunterricht 19, 1967, Heft 5, S. 75—89.

Kunisch, Hermann: *Zum Problem des künstlerischen Realismus im 19. Jahrhundert.* — In: Festschrift für Helmut de Boor zum 75. Geburtstag, Tübingen 1966, S. 209—40.

Lukács, Georg: *Deutsche Realisten des 19. Jahrhunderts,* Bern 1951.

Markwardt, Bruno: *Geschichte der deutschen Poetik,* Bd. 4, Berlin 1959.

Martini, Fritz: *Forschungsbericht zur deutschen Literatur in der Zeit des Realismus,* Stuttgart 1962.

— *Ironischer Realismus: Keller, Raabe und Fontane.* — In: Ironie und Dichtung, hrsg. v. Albert Schaefer, München 1970, S. 113—41.

Meixner, Horst: *Romantischer Figuralismus. Kritische Studien zu Romanen von Arnim, Eichendorff und Hoffmann,* Frankfurt/Main 1971.

Ohl, Hubert: *Bild und Wirklichkeit. Studien zur Romankunst Raabes und Fontanes,* Heidelberg 1968.

Pausch, Holger A.: *Die Metapher* [Forschungsbericht]. — In: WW 24, 1974, S. 56—69.

Preisendanz, Wolfgang: *Humor als dichterische Einbildungskraft. Studien zur Erzählkunst des poetischen Realismus,* München 1963.

— *Voraussetzungen des poetischen Realismus in der deutschen Erzählkunst des 19. Jahrhunderts.* — In: Begriffsbestimmung des literarischen Realismus, hrsg. v. R. Brinkmann, Darmstadt 1969, S. 453—79.

— *Das Problem der Realität in der Dichtung.* — In: Bogawus. Zeitschrift für Literatur, Kunst und Philosophie 9, Münster 1969, S. 3—9.

Rebing, Günter: *Der Halbbruder des Dichters. Friedrich Spielhagens Theorie des Romans,* Frankfurt/Main 1972.

Rothenberg, [Klaus-] Jürgen: *Das Problem des Realismus bei Thomas Mann. Zur Behandlung von Wirklichkeit in den »Buddenbrooks«*, Köln/Wien 1969.

Sauder, Gerhard: *Empfindsamkeit*, Bd. I: *Voraussetzungen und Elemente*, Stuttgart 1974.

Schlaffer, Heinz: [Rez. v. Hubert Ohl, *Bild und Wirklichkeit*]. — In: ZfdPh 89, 1970, S. 287—95.

Schwarz, Egon: *Grundsätzliches zum literarischen Realismus.* — In: Monatshefte für deutschen Unterricht, deutsche Sprache und Literatur 59, 1967, S. 100—06.

Sengle, Friedrich: *Biedermeierzeit. Deutsche Literatur im Spannungsfeld zwischen Restauration und Revolution 1815—48*, Bd. I, Stuttgart 1971, S. 257—91.

Thanner, Josef: *Die Stilistik Theodor Fontanes. Untersuchungen zur Erhellung des Begriffes »Realismus« in der Literatur*, The Hague/Paris 1967.

Turk, Horst: *Realismus in Fontanes Gesellschaftsroman. Zur Romantheorie und zur epischen Integration.* — In: Jahrbuch der Wittheit zu Bremen, Bd. IX, 1965, S. 407—56.

Wellek, René: *Der Realismusbegriff in der Literaturwissenschaft.* — In: R. Wellek, Grundbegriffe der Literaturkritik, Stuttgart (usw.) 1965, S. 161—82.

Widhammer, Helmuth: *Realismus und klassizistische Tradition. Zur Theorie der Literatur in Deutschland 1848—60*, Tübingen 1972.

B. Literatur zu Gottfried Keller:

Alewyn, Richard: *Eine Landschaft Eichendorffs.* — In: Euphorion 51, 1957, S. 42—60.

Allemann, Beda: *Gottfried Keller und das Skurrile. Eine Grenzbestimmung seines Humors.* — In: Jahresbericht der Gottfried Keller-Gesellschaft 28 (1959), Zürich 1960, S. 1—16.

Anton, Herbert: *Mythologische Erotik in Kellers »Sieben Legenden« und im »Sinngedicht«*, Stuttgart 1970.

Baumann, Susanne: *Die Landschaft in den Erzählwerken Adalbert Stifters und Gottfried Kellers. Studien zur Auffassung und dichterischen Darstellung der Landschaft*, Diss. (Masch.) Hamburg 1954.

Benjamin, Walter: *Gottfried Keller. Zu Ehren einer kritischen Gesamtausgabe seiner Werke.* — In: W. Benjamin, Schriften, Bd. 2, hrsg. v. Theodor W. Adorno und Gretel Adorno unter Mitwirkung von Friedrich Podszus, Frankfurt/Main 1955, S. 284—96.

Berg, Leo: *Gottfried Keller oder Humor und Realismus*, Berlin 1889 (= Deutsche Litterarische Volkshefte Nr. 2).

Bettschart, Oscar: *Gottfried Kellers »Sieben Legenden«. Eine Untersuchung*, Diss. Freiburg/Schweiz 1947.

Binder, Wolfgang: *Von der Unbescholtenheit unserer Augen. Überlegungen zu Gottfried Kellers Realismus.* — In: Jahresbericht der Gottfried Keller-Gesellschaft 37 (1968), Zürich 1969, S. 3—19.

Boeschenstein, Hermann: *Gottfried Keller. Grundzüge seines Lebens und Werkes*, Bern 1948.

— *Gottfried Keller*, Stuttgart 1969 (= Realienbücher für Germanisten 84).

Bolliger, Bruno: *Mensch und Landschaft. Eine Studie zu den Werken Gottfried Kellers*, Aarau 1961.

Bracher, Hans: *Rahmenerzählung und Verwandtes bei G. Keller, C. F. Meyer und Th. Storm. Ein Beitrag zur Technik der Novelle*, Leipzig 1909.

Brockhaus, Henrich: *Der berittene Naturforscher in Kellers ›Sinngedicht‹. Das Pferd als Symbol bei Gottfried Keller.* — In: The German Quarterly 42, 1969, S. 368—80.

Burger, Heinz Otto: *Der Realismus des 19. Jahrhunderts. 1832—1889.* — In: Annalen der deutschen Literatur, hrsg. v. H. O. Burger, Stuttgart 1952, S. 621—718, dort S. 669 ff.

Cowen, Roy Chadwell: *Die Bildlichkeit in der Lyrik Gottfried Kellers,* Diss. (Masch.) Göttingen 1960.
— *The symbolic function of red and white in Gottfried Keller's poetry.* — In: Kentucky Foreign Language Quarterly 12, 1965, S. 155—67.

David, Claude: *Von Richard Wagner zu Bertolt Brecht. Eine Geschichte der neueren deutschen Literatur,* [Hamburg] 1964 (= Fischer-Bücherei 600), S. 55—59.
Demeter, Hildegard: *Gottfried Kellers Humor,* Berlin 1938.
Dörr, Dieter: *Satire und Humor in Gottfried Kellers »Sieben Legenden«,* Diss. München 1970.

Ehrensperger, Armin: *Individuum und öffentliche Gemeinschaft bei Gottfried Keller,* Zürich 1972.
Eisenhut, Hilde: *Gottfried Kellers Prosastil,* Diss. (Masch.) München 1948.
Eppmann, Mathilde: *Gottfried Keller: »Kleider machen Leute«. (Versuch einer Stilbetrachtung).* — In: DU 5, 1953, Heft 1, S. 108—11.
Ermatinger, Emil: *Gottfried Kellers Leben,* Zürich [8]1950.
Essl, Karl: *Über Gottfried Kellers ›Sinngedicht‹,* Reichenberg 1926 (= Prager Deutsche Studien, Heft 40).

Fehr, Karl: *Der Realismus in der Schweizerischen Literatur,* Bern/München 1965, S. 66 ff.
Fischer, Maja: *Die Diminutive im Deutschen und im Französischen. Ein Vergleich von Gottfried Kellers Erzählungen »Die Leute von Seldwyla« mit ihren französischen Übersetzungen,* Diss. Zürich 1962.
Fleissner, O. S.: *Bilder und Gleichnisse in Gottfried Kellers Prosawerken.* — In: Publications of the Modern Language Association of America 55, 1940, S. 484—510.
Fontane, Theodor: *Keller, »Die Leute von Seldwyla«.* — In: Th. Fontane. Schriften zur Literatur, hrsg. v. Hans-Heinrich Reuter, Berlin 1960, S. 92—95.
Frey, Adolf: *Erinnerungen an Gottfried Keller,* Leipzig [2]1893.
Friedrichsmeyer, Erhard: *Strapinskis Krise in Kellers »Kleider machen Leute«: Eine Komplementärperspektive.* — In: GQ 40, 1967, S. 1—13.

Gessler, Luzius: *Lebendig begraben. Studien zur Lyrik des jungen Gottfried Keller,* Bern 1964.
Gilbert, Mary Enole: *Zur Bildlichkeit in Kellers »Romeo und Julia auf dem Dorfe«.* — In: WW 4, 1953/54, S. 354—58.
Gundolf, Friedrich: *Goethe,* Berlin 1920.

Hahn, Walther: *The motif of light in Gottfried Keller's prose works.* — In: Kentucky Foreign Language Quarterly 11, 1964, S. 86—100.
Harnisch, Käthe: *Deutsche Malererzählungen,* Berlin 1938.
Hauser, Albert: *Gottfried Keller. Geburt und Zerfall der dichterischen Welt,* Zürich 1959.
Heesch, Käthe: *Gottfried Kellers »Grüner Heinrich« als Bildungsroman des deutschen Realismus,* Hamburg 1939.
Henkel, Arthur: *Gottfried Kellers »Tanzlegendchen«.* — In: Germanisch-Romanische Monatsschrift N. F. 6, 1956, S. 1—15.
Herr, Guenter Karl: *Lachen und Weinen in der Lebensanschauung Gottfried Kellers,* Diss. (Masch.) University of Texas 1966.
Hillebrand, Bruno: *Mensch und Raum im Roman. Studien zu Keller, Stifter, Fontane,* München 1971.
— *Der Garten des ›Grünen Heinrich‹.* — In: DVjS 45, 1971, S. 567—82.

Hitschmann, Eduard: *Gottfried Keller. Psychoanalyse des Dichters, seiner Gestalten und Motive,* Leipzig (usw.) 1919.

Höllerer, Walter: *Gottfried Kellers ›Leute von Seldwyla‹ als Spiegel einer geistesgeschichtlichen Wende. Eine Studie zur Geschichte der Novelle im 19. Jahrhundert,* Diss. (Masch.) Erlangen 1949.

Hofmannsthal, Hugo v.: *Unterhaltung über die Schriften von Gottfried Keller.* — In: H. v. Hofmannsthal. Gesammelte Werke in Einzelausgaben, hrsg. v. Herbert Steiner, Prosa II, Frankfurt/Main 1951, S. 191—201.

Hoverland, Lilian: *Gottfried Kellers Novelle »Die drei gerechten Kammacher«.* — In: ZfdPh 90, 1971, S. 499—526.

Irmscher, Hans Dietrich: *Konfiguration und Spiegelung in Gottfried Kellers Erzählungen.* — In: Euphorion 65, 1971, S. 319—33.

Jäckel, Günter: *Das Bild in der Prosadichtung Gottfried Kellers,* Diss. (Masch.) Leipzig 1957.

Jennings, Lee B.: *Gottfried Keller and the grotesque.* — In: MdU 50, 1958, S. 9—20.

Jeziorkowski, Klaus: *»Eine Art Statistik des poetischen Stoffes«. Zu einigen Themen Gottfried Kellers.* — In: DVjS 45, 1971, S. 547—66.

Kaiser, Gerhard: *Sündenfall, Paradies und himmlisches Jerusalem in Kellers »Romeo und Julia auf dem Dorfe«.* — In: Euphorion 65, 1971, S. 21—48.

Kaiser, Michael: *Literatursoziologische Studien zu Gottfried Kellers Dichtung,* Bern 1965, ²1968.

Karthaus, Ulrich: *Humor — Ironie — Satire.* — In: DU 23, 1971, Heft 6, S. 104—20.

— *Die geschichtsphilosophische Sonnenuhr. Methoden der Literatursoziologie.* — In: DU 24, 1972, Heft 6, S. 86—101.

Kayser, Wolfgang: *Das Groteske. Seine Gestaltung in Malerei und Dichtung,* Oldenburg 1957.

Kohlschmidt, Werner: *Der Zeitgeist in Gottfried Kellers »Martin Salander«.* — In: Orbis litterarum 22, 1967, S. 93—100.

Kramer, Priscilla M.: *The cyclical method of composition in Gottfried Keller's ›Sinngedicht‹,* New York 1939.

Kultermann, Udo: *Bildformen in Kellers Novelle ›Romeo und Julia auf dem Dorfe‹.* — In: DU 8, 1956, Heft 3, S. 86—100.

Kunz, Joseph: *Die Zweideutigkeit des Schönen bei Gottfried Keller.* — In: Diskus 4, 1954, Heft 5, S. 69—72.

Langen, August: *Verbale Dynamik in der dichterischen Landschaftsschilderung des 18. Jahrhunderts. (Vorstudie zu einer Sprachgeschichte des 18. Jahrhunderts).* — In: ZfdPh 70, 1947/48, S. 249—318.

— *Deutsche Sprachgeschichte vom Barock bis zur Gegenwart* [Zu Keller Spalte 1335—41]. — In: Deutsche Philologie im Aufriß, hrsg. v. Wolfgang Stammler, Bd. 1, Berlin ²1957, S. 931—1395.

Lange-Stichtenoth, Bodo: *Untersuchungen zur Erzählkunst Gottfried Kellers an »Die Leute von Seldwyla«,* Diss. (Masch.) Göttingen 1955.

Laufhütte, Hartmut: *Wirklichkeit und Kunst in Gottfried Kellers Roman »Der grüne Heinrich«,* Bonn 1969.

— *Datierungskriterien. Nachforschungen und Überlegungen zu einem Blatt aus dem handschriftlichen Nachlaß von Gottfried Keller.* — In: DVjS 47, 1973, S. 324—60.

Leopold, Keith: *Religious satire in Keller's ›Kammacher‹.* — In: Studies in Swiss literature S. 7—13.

Locher, Kaspar T.: *Gottfried Keller. Der Weg zur Reife,* Bern/München 1969.

— *Gottfried Kellers »Der Apotheker von Chamounix«. Versuch einer Rettung.* — In: Jahrbuch der Deutschen Schillergesellschaft 16, 1972, S. 483—515.

Löwenthal, Leo: *Gottfried Keller — die bürgerliche Regression.* — In: L. Löwenthal, Erzählkunst und Gesellschaft. Die Gesellschaftsproblematik in der deutschen Literatur des 19. Jahrhunderts, Neuwied/Berlin 1971, S. 206—25.

Luck, Rätus: *Gottfried Keller als Literaturkritiker*, Bern/München 1970.

Lukács, Georg: *Gottfried Keller*. — In: G. Lukács, Deutsche Realisten des 19. Jahrhunderts, Bern 1951, S. 147—230.

Luterbacher, Otto: *Die Landschaft in Gottfried Kellers Prosawerken*. Forschungen zur Linguistik und Literaturwissenschaft, Heft 8, Tübingen 1911.

Martini, Fritz: *Deutsche Literatur im bürgerlichen Realismus 1848—1898*, Stuttgart ²1964, S. 557—610.

— *Ironischer Realismus: Keller, Raabe und Fontane*. — In: Ironie und Dichtung, hrsg. v. Albert Schaefer, München 1970, S. 113—41, dort S. 126 ff.

May, Ernst: *Gottfried Kellers ›Sinngedicht‹. Eine Interpretation*, Bern/München 1969.

McCormick, E. Allan: *The idylls in Keller's ›Romeo und Julia‹: A study in ambivalence*. — In: GQ 35, 1962, S. 265—79.

Mentz-Fleissner, Else: *Die künstlerische Bedeutung des Zufalls bei Gottfried Keller*. — In: Germanic Review 17, 1942, S. 261—72.

Merkel-Nipperdey, Margarete: *Gottfried Kellers »Martin Salander«. Untersuchungen zur Struktur des Zeitromans*, Göttingen 1959.

Merryfield, Doris Fulda: *Gottfried Kellers »Dietegen«, Eine Analyse*. — In: GQ 42, 1969, S. 158—71.

Mews, Siegfried: *Zur Funktion der Literatur in Kellers »Die Leute von Seldwyla«*. — In: GQ 43, 1970, S. 394—405.

Meyer, Herman: *Der Sonderling in der deutschen Dichtung*, München ²1963, S. 191—207.

Mittenzwei, Ingrid: *Dichtungstheoretische Äußerungen Gottfried Kellers und Conrad Ferdinand Meyers*. — In: Beiträge zur Theorie der Künste im 19. Jahrhundert (Studien zur Philosophie und Literatur), Bd. 2, hrsg. v. Helmut Koopmann u. J. Adolf Schmoll, Frankfurt/Main 1972, S. 175—95.

Müller, Joachim: *Vergleichende Studien zur Menschenauffassung und Menschendarstellung Gottfried Kellers und Adalbert Stifters*, Diss. Leipzig 1930.

Ohl, Hubert: *Das zyklische Prinzip von Gottfried Kellers Novellensammlung »Die Leute von Seldwyla«*. — In: Euphorion 63, 1969, S. 216—26.

Pfeifer, Liselotte: *Resignation und Entsagung in der Dichtung Gottfried Kellers*, Diss. (Masch.) Würzburg 1952.

Pregel, Dietrich: *Das Kuriose, Komische und Groteske in Kellers Novelle »Die drei gerechten Kammacher«*. — In: WW 13, 1963, S. 331—45.

Preisendanz, Wolfgang: *Die Keller-Forschung der Jahre 1939—1957*. — In: GRM N. F. 39, 1958, S. 144—78.

— *Humor als dichterische Einbildungskraft. Studien zur Erzählkunst des poetischen Realismus*, München 1963, S. 143—213.

— *Gottfried Keller*. — In: Deutsche Dichter des 19. Jahrhunderts. Ihr Leben und Werk, hrsg. v. Benno v. Wiese, Berlin 1969, S. 440—62.

Promies, Wolfgang: *Die Bürger und der Narr oder das Risiko der Phantasie. Sechs Kapitel über das Irrationale in der Literatur des Rationalismus*, München 1966.

Reichert, Herbert W.: *Basic concepts in the philosophy of Gottfried Keller*, Chapel Hill 1949.

— *Caricature in Keller's »Der grüne Heinrich«*. — In: MdU 48, 1956, S. 371—79.

Reichert, Karl: *Die Entstehung der »Sieben Legenden« von Gottfried Keller*. — In: Euphorion 57, 1963, S. 97—131.

Reis, Kurt: *Die zweiheitliche Ordnung im Aufbaustil Gottfried Kellers. Vorstellung einer neuen stilkritischen Betrachtungsweise,* Diss. (Masch.) Köln 1957.

Richartz, Heinrich: *Literaturkritik als Gesellschaftskritik. Darstellungsweise und politisch-didaktische Intention in Gottfried Kellers Erzählkunst,* Bonn 1975.

Richter, Hans: *Gottfried Kellers frühe Novellen,* Berlin 1960.

Ringel, Christel: *Die Nachtseite in der Dichtung Gottfried Kellers,* Diss. (Masch.) Freiburg 1945.

Ritzler, Paula: *Das Außergewöhnliche und das Bestehende in Gottfried Kellers Novellen.* — In: DVjS 28, 1954, S. 373—83.

— *»Ein Tag kann eine Perle sein«. Über das Wesen des Glücks bei Gottfried Keller.* — In: Jahresbericht der Gottfried Keller-Gesellschaft 40 (1971), Zürich 1972, S. 3—19.

Roffler, Thomas: *Gottfried Keller. Ein Bildnis,* Frauenfeld/Leipzig 1931.

Rosenfeld, Emmy: *Landschaft und Zeit in Gottfried Kellers ›Leuten von Seldwyla‹,* Würzburg 1931.

Rückert, Catherine: *Die verklärte Wirklichkeit. Studien zu Gottfried Kellers früher Prosa,* Zürich 1967.

Salber, Wilhelm: *Charakterentwicklung,* Wuppertal/Ratingen/Düsseldorf 1969.

Schaffner, Paul: *Gottfried Keller als Maler,* Stuttgart/Berlin 1923.

— *Gottfried Keller als Malerdichter.* — In: Jahresbericht der Gottfried Keller-Gesellschaft 5 (1936), Zürich 1937, S. 3—14.

Schmid, Karl: *Brot und Wein. Gedanken zu Kellers Weltfrömmigkeit.* — In: K. Schmid, Zeitspuren. Aufsätze und Reden, Bd. II, hrsg. v. Heinrich Burckhardt und Adolf M. Vogt, Zürich/Stuttgart 1967, S. 168—77.

Schneider, Wilhelm: *Können Sie lesen? Der Anfang von G. Kellers »Romeo und Julia auf dem Dorfe«.* — In: Librarium. Zeitschrift der Schweizerischen Bibliophilen Gesellschaft 1, 1958, Heft 2, S. 56—59.

Seidler, Herbert: *Beobachtungen zur Raumgestaltung in Gottfried Kellers Roman »Der grüne Heinrich«.* — In: Germanistische Studien. Innsbrucker Beiträge zur Kulturwissenschaft, Bd. 15, hrsg. v. Johannes Erben und Eugen Thurnher, Innsbruck 1969, S. 221—36.

Seidlin, Oskar: *Eine Stilanalyse* [= zum Anfang von »Romeo und Julia auf dem Dorfe«]. — In: GQ 15, 1942, S. 12—18.

Settels, Paul: *Symbolische Kunst bei Gottfried Keller,* Diss. (Masch.) Köln 1923.

Shaw, Michael: *The mirror and its uses. A study of a pattern in G. Keller's prose.* — In: Symposium 22 (Syracuse, N. J.), 1969, S. 358—83.

Silz, Walter: *Keller. ›Romeo und Julia‹.* — In: W. Silz, Realism and reality. Studies in the German Novelle of poetic realism, Chapel Hill 1954, S. 79—93.

Spitzer, Leo: [Rez. v. W. Kayser, *Das Groteske*]. — In: Göttingische Gelehrte Anzeigen 212, 1958, S. 95—110.

Staiger, Emil: *Die Zeit als Einbildungskraft des Dichters. Untersuchungen zu Gedichten von Brentano, Goethe und Keller,* Zürich ²1953.

Straub-Fischer, Esther: *Die Farben und ihre Bedeutung im dichterischen Werk Gottfried Kellers,* Bern/München 1973.

Strubelt, Jutta: *Die Feste bei Gottfried Keller. Ihr Wesen und ihre Bedeutung für die Dichtung,* Diss. (Masch.) Rostock 1954.

Szemkus, Karol: *Gesellschaftlicher Wandel und sprachliche Form. Literatursoziologische Studie zur Dichtung Gottfried Kellers,* Stuttgart 1969.

Thomas, Barry Gillespie: *Paradise lost. The search for order in three tales by Gottfried Keller.* — In: GR 46, 1971, S. 63—76.

Wells, Larry D.: *Zeit und Zeitalter in Gottfried Kellers ›Verlornem Lachen‹.* — In: GQ 46, 1973, S. 368—80.
Wenger, Kurt: *Gottfried Kellers Auseinandersetzung mit dem Christentum,* Bern 1971.
Weydt, Günter: *Literarisches Biedermeier.* — In: DVjS 9, 1931, S. 628—51; ferner 13, 1935, S. 44—58.
Wieser, Theodor: *Das Baumsymbol bei Gottfried Keller.* — In: Euphorion 54, 1960, S. 109—20.
Wiesmann, Louis: *Gottfried Keller. Das Werk als Spiegel der Persönlichkeit,* Frauenfeld/Stuttgart 1967.
— *Gottfried Kellers »Sieben Legenden«.* — In: Schweizer Monatshefte 39, 1959/60, S. 1201—15.
Wildbolz, Hanna: *Mensch und Stand im Werke Gottfried Kellers,* Bern 1969.
Wildbolz, Rudolf: *Gottfried Kellers Menschenbild,* Bern/München 1964.
Winter, Carl: *Gottfried Keller. Zeit — Geschichte — Dichtung,* Bonn 1971.
Witz, Friedrich: *Das Tier in Gottfried Kellers Leben und Werk.* — In: Jahresbericht der Gottfried Keller-Gesellschaft 33 (1964), Zürich 1965, S. 1—24.
Wohlfarth, Paul: *Die Bildersprache in Gottfried Kellers »Sieben Legenden«.* — In: Muttersprache 62, 1952, S. 273—80.
Würgau, Rainer: *Der Naturbegriff im Werk Gottfried Kellers. Topik der Natur, Materialismus, Mimesis,* Diss. Tübingen 1970.
Wysling, Hans: *Welt im Licht. Gedanken zu Gottfried Kellers Naturfrömmigkeit.* — In: Jahresbericht der Gottfried Keller-Gesellschaft 39 (1970), Zürich 1971, S. 3—20.
Wyss, Heinz: *Der Narr im schweizerischen Drama des 16. Jahrhunderts,* Bern 1959.

Zäch, Alfred: *Gottfried Keller im Spiegel seiner Zeit. Urteile und Berichte von Zeitgenossen über den Menschen und Dichter,* Zürich 1952.